Sociologie de l'économie,
du travail et de l'entreprise

Sous la direction de
Jean-Pierre Dupuis et André Kuzminski

Sociologie de l'économie,
du travail et de l'entreprise

gaëtan morin
éditeur

Données de catalogage avant publication (Canada)

Vedette principale au titre :

Sociologie de l'économie, du travail et de l'entreprise

Comprend des réf. bibliogr.

ISBN 2-89105-674-4

1. Économie politique – Aspect sociologique. 2. Sociologie industrielle. 3. Entreprises – Aspect sociologique. I. Dupuis, Jean-Pierre. II. Kuzminski, André, 1936-   .

HM35.S64 2002   306.3   C97-941546-2

Tableau de la couverture : *Nouveau Eaton, Ste-Catherine* (détail)
Œuvre de **Gilles Labranche**

Gilles Labranche est né à Montréal en 1947. Il poursuit ses études en arts plastiques au Canada et en Europe de 1964 à 1975. Il expose par la suite, en solo ou en groupe, au Québec, aux États-Unis et en France. Ses tableaux figurent dans de nombreuses collections publiques et privées à travers le monde.

L'artiste travaille l'acrylique sur toile, privilégiant les scènes de villes, dont il recrée l'atmosphère et le quotidien.

Gilles Labranche expose notamment à la galerie Le balcon d'art à Saint-Lambert.

Révision linguistique : Jocelyne Dorion et Carole Laperrière

Consultez notre site,
www.groupemorin.com
Vous y trouverez du matériel
complémentaire pour plusieurs
de nos ouvrages.

Gaëtan Morin Éditeur ltée
171, boul. de Mortagne, Boucherville (Québec), Canada   J4B 6G4
Tél. : (450) 449-2369

Nous reconnaissons l'aide financière du gouvernement du Canada par l'entremise du Programme d'aide au développement de l'industrie de l'édition (PADIÉ) pour nos activités d'édition.

Imprimé au Canada 3 4 5 6 7 8 9 0 1 2   11 10 09 08 07 06 05 04 03 02

Dépôt légal 1ᵉʳ trimestre 1998 – Bibliothèque nationale du Québec – Bibliothèque nationale du Canada

Remerciements

La réalisation d'un ouvrage, qu'il soit collectif ou individuel, demande toujours le soutien et la collaboration d'un grand nombre de personnes. Il serait difficile, voire impossible, de toutes les nommer. Qu'elles soient ici collectivement remerciées. Elles savent la dette que nous avons à leur égard. Nous tenons cependant à remercier plus spécialement un certain nombre d'entre elles, en particulier nos conjointes, Pierrette Kuzminski et Kathleen Larson, qui nous ont soutenus tout au long de ce difficile processus de production. Nous aimerions remercier également nos collègues du Service de l'enseignement de la direction et de la gestion des organisations de l'École des Hautes Études Commerciales de Montréal qui nous ont encouragés à produire un tel ouvrage, plus particulièrement Christiane Demers et Richard Déry pour les nombreuses discussions stimulantes. Nos remerciements vont aussi à Alain Dupuis pour sa lecture attentive et critique de nombreux chapitres de cet ouvrage, au personnel du secrétariat du Service de l'enseignement de la direction et de la gestion des organisations pour son soutien technique – à Lucie Pagé notamment – et à l'équipe de Gaëtan Morin Éditeur – Isabelle de la Barrière, Lucie Turcotte et leurs collaborateurs – pour ses précieux conseils et son travail professionnel.

Les auteurs

Claudine Baudoux est professeure titulaire à la faculté des sciences de l'éducation de l'Université Laval. Elle détient un Ph.D. en administration scolaire de l'Université de Montréal. Elle a publié des livres et des articles ayant trait principalement aux femmes gestionnaires et aux rapports sociaux de sexe dans le domaine de l'éducation et du travail.

Marie-Andrée Caron est comptable en management accréditée (CMA) et étudiante au programme de doctorat conjoint en management à l'École des Hautes Études Commerciales de Montréal. Elle s'intéresse à la construction de l'identité et du savoir des professionnels et à leur rôle dans la structuration de la stratégie de l'entreprise.

Jean-François Chanlat est sociologue et professeur titulaire à l'École des Hautes Études Commerciales de Montréal et responsable des enseignements en sciences sociales à l'Institut européen d'études commerciales supérieures de l'Université Robert Schuman de Strasbourg. Il est aussi président du comité de recherche 17 «Sociologie des organisations» de l'Association internationale de sociologie, coresponsable du réseau «Entreprises et sociétés» de l'Association internationale des sociologues de langue française et directeur de la collection «Sciences de l'administration» des Presses de l'Université Laval. Il est l'auteur de plusieurs ouvrages de référence et de nombreux articles dans le domaine de l'analyse des organisations.

Jean-Pierre Dupuis est professeur de sociologie et d'anthropologie des organisations à l'École des Hautes Études Commerciales de Montréal. Ses travaux de recherche portent principalement sur les organisations québécoises et sur la culture organisationnelle. Il a dirigé un ouvrage collectif intitulé *Le modèle québécois de développement économique* paru aux Presses Inter Universitaires en 1995.

Luc Farinas est étudiant au programme de maîtrise en gestion à l'École des Hautes Études Commerciales de Montréal. Il s'intéresse aux pratiques de gestion dans une perspective sociologique.

Madeleine Gauthier est sociologue et professeure à l'INRS-Culture et société. Elle s'intéresse principalement à l'insertion professionnelle des jeunes, et, de façon plus générale, à la sociologie de la jeunesse et à la sociologie du changement social. Elle est l'auteure d'articles et d'ouvrages dont *Une société sans les jeunes?* (Institut québécois de recherche sur la culture, 1994) et, avec Léon Bernier et des collaborateurs, *Les 15-19 ans. Quel présent? Vers quel avenir?* (Presses de l'Université Laval et Institut québécois de recherche sur la culture, 1997).

Denis Harrisson est professeur au département de relations industrielles de l'Université du Québec à Hull et membre associé du Centre interuniversitaire de recherche sur les sciences et les technologies (CIRST) et du Collectif de recherche sur les innovations sociales dans les entreprises et les syndicats (CRISES). Sociologue du travail, il s'intéresse à la gestion du travail industriel, aux innovations technologiques, de même qu'à la santé et à la sécurité du travail. Depuis quelques années, ses recherches portent sur le rôle des travailleurs et des syndicats dans les processus d'innovation dans l'industrie manufacturière.

André Kuzminski est sociologue. Il a été professeur de sociologie à l'Université Laval pendant plus de 15 ans. Il a également occupé des postes de direction dans le domaine de la gestion des ressources humaines et du développement organisationnel à Hydro-Québec et au sein du Mouvement Desjardins. Il enseigne maintenant à titre de chargé de cours à l'École des Hautes Études Commerciales de Montréal et intervient à titre d'expert-conseil en organisation du travail auprès d'entreprises.

Paul-André Lapointe est professeur au département des relations industrielles de l'Université Laval. Il enseigne la sociologie du travail et des organisations. Il est membre du Collectif de recherche sur les innovations sociales dans les entreprises et les syndicats (CRISES). Il a travaillé pendant près de huit ans à l'usine d'Alcan à Arvida.

Chantale Mailhot est étudiante au programme de doctorat conjoint à l'École des Hautes Études Commerciales de Montréal. Elle s'intéresse à la gestion dans les entreprises à caractère scientifique et aux pratiques et habiletés de direction.

Alain Naud est étudiant au programme de maîtrise en sciences à l'École des Hautes Études Commerciales de Montréal. Il est actuellement à achever son mémoire de maîtrise sur les dirigeants francophones dans l'industrie pharmaceutique.

Linda Rouleau est professeure à l'École des Hautes Études Commerciales de Montréal. Son enseignement porte sur la gestion stratégique des organisations. Ses recherches visent à comprendre comment s'effectue la structuration sociale des pratiques de gestion en organisations.

Introduction

Cet ouvrage constitue une invitation à un public peu familiarisé avec la sociologie à porter un regard disciplinaire sur les rapports entre économie, travail,
entreprise et société. Cette démarche est d'autant plus pressante que, dans le
contexte actuel, on a trop souvent tendance à oublier les dimensions sociale et
culturelle des phénomènes économiques.

Il nous a donc semblé que mettre un public de non-initiés en contact avec la
sociologie pouvait contribuer utilement à la compréhension de ce qui se passe
dans cette «société économique», pour employer les termes de Robert Heilbroner
(1968). Et comme comprendre est un préalable à l'action, il nous est apparu que
la sociologie pouvait faire œuvre utile dans le champ même de la gestion. Cependant, étant donné que ce livre est une introduction, nous n'avons pas cherché à
rendre compte de l'ensemble des connaissances sociologiques sur chacune des
dimensions présentées, non plus qu'à faire œuvre originale en proposant un nouveau modèle d'analyse. Il s'agit davantage d'un manuel que d'un traité.

En adoptant une perspective sociologique, nous étions conscients des préjugés qui ont cours à l'égard de la sociologie. Dans un passé encore récent, en
effet, les sociologues n'appartenaient-ils pas au monde des «lologues» qui n'ont
que faire dans un champ où les décisions doivent aboutir à des résultats mesurables à court terme? Nous espérons que cet ouvrage contribuera à changer cette
image, en montrant que la sociologie et les sociologues peuvent être utiles à la
compréhension et à la transformation des entreprises.

Nous sommes également conscients que le regard disciplinaire que nous proposons peut sembler être en opposition avec un certain nombre de tendances.
Une première est celle qui consiste à se centrer sur l'objet, ici l'entreprise, le travail et l'économie, et à le présenter à partir d'une perspective pluridisciplinaire.
S'il y a un intérêt très certain à une telle approche qui permet, entre autres
choses, de mieux cerner les diverses dimensions de l'entreprise, il nous est apparu
évident que la pluridisciplinarité avait un préalable: une connaissance, ne serait-
ce que partielle, des outils et du regard propres à chaque discipline. Et précisément, dans le cas de cet ouvrage, il ne s'agit pas uniquement de mettre l'accent
sur la dimension sociale et culturelle des divers phénomènes, il s'agit de proposer

des concepts qui en facilitent l'analyse. Notre intention à cet égard est de fournir un guide d'analyse et d'intervention qui permette à la fois de comprendre les blocages et les changements qui caractérisent l'entreprise et de concevoir des actions pour la faire évoluer, la transformer. Une deuxième grande tendance a trait à la «psychologisation» de l'entreprise et du travail. En adoptant le ton de la dérision, on pourrait dire qu'il existe un imaginaire où ce qui réussit est le fait d'individus remarquables et ce qui échoue est le fait d'individus qui résistent aux changements qu'impose la nouvelle conjoncture mondiale. À l'économisme que nous avons évoqué plus haut s'ajoute donc un psychologisme qui évacue également le social. Nous ne souhaitons pas additionner à cette liste le «sociologisme» qui viserait à tout expliquer à partir de la seule perspective sociologique. Il ne s'agit donc pas pour nous de substituer le regard sociologique à celui d'autres disciplines, mais bien de proposer une perspective complémentaire. On constatera d'ailleurs à la lecture de cet ouvrage que nous avons laissé une très large place à diverses disciplines.

L'objet de la sociologie

Quelle est la contribution particulière de la sociologie à la compréhension de l'économie, du travail et de l'entreprise? Pour répondre adéquatement à cette question, il faut d'abord rendre compte du projet propre à la sociologie dans le champ des sciences sociales et humaines. Pour Guy Rocher (1969, p. 11), sociologue québécois, l'objet d'étude de la sociologie, sa raison d'être, c'est «l'action sociale, c'est-à-dire l'étude de l'action humaine dans les différents milieux sociaux».

Cette définition de la sociologie signifie que l'action humaine n'est pas compréhensible en dehors du contexte dans lequel elle est produite. C'est d'ailleurs le point de vue du sociologue français Raymond Boudon (1979, p. 52), selon qui «les phénomènes [résultats de l'action] auxquels les sociologues s'intéressent sont conçus comme explicables par la structure du système d'interaction à l'intérieur duquel ces phénomènes émergent». Cette définition laisse entendre également que la création de ces milieux sociaux, de ces contextes d'interaction résulte des actions sociales. En effet, ce sont les individus qui, par leurs actions sociales, créent les milieux dans lesquels ils vivent. Il faut donc retenir cette idée forte que les actions des individus ne sont compréhensibles qu'en vertu des milieux qu'ils ont créés et dans lesquels ils évoluent.

Soyons plus précis. Un individu vient au monde dans un milieu social déjà constitué: famille, quartier, ville, société. Il apprendra à vivre et à progresser dans ce milieu, il sera influencé par lui, mais il participera également à sa reproduction (en reprenant plusieurs façons de faire des individus présents dans ces milieux) comme à sa transformation (en changeant certaines façons de faire ou, de manière plus radicale encore, en créant un mouvement qui pourrait aboutir à une révolution). Dit autrement, les individus, par leurs actions, contribuent à construire la société, à l'organiser. L'action sociale et son résultat, l'organisation sociale, sont les objets d'étude principaux des sociologues. De plus, comme l'organisation sociale change et se transforme sous l'effet de l'action sociale, les processus de changement seront également des objets d'étude importants pour les sociologues.

Pour illustrer notre propos, anticipons sur la matière présentée dans le premier chapitre. Comme on le verra, l'avènement d'un nouvel acteur — les entrepreneurs industriels capitalistes — et ses actions ont transformé, à l'époque, la société et son organisation sociale. Le changement a été radical, et le passage de la société traditionnelle à la société industrielle capitaliste est devenu en quelque sorte le premier objet d'étude de la sociologie. Les sociologues, tout comme d'autres spécialistes des sciences humaines et sociales, ont cherché à comprendre les causes et les conséquences de cette transformation. C'est ainsi en grande partie l'émergence de la société industrielle qui a donné naissance à la sociologie. Avec cette discipline, les explications de nature religieuse et métaphysique sur la création du monde céderont la place à des explications d'ordre social. S'il y a des pauvres et des riches, ce n'est pas tant le résultat de l'action d'un Dieu que le résultat de l'action des hommes qui instituent un rapport de force pour l'appropriation des ressources, des biens de ce monde. Les rapports sociaux de pouvoir entre les individus, entre les groupes, sont au cœur de l'explication sociologique des inégalités.

Ainsi, dans son fondement, la sociologie rejette un certain nombre d'explications relatives à la situation des hommes et des femmes dans la société; l'explication religieuse, mais aussi les explications par la race, le climat ou la nature humaine seront contestées, rejetées et remplacées par l'explication sociologique. D'autres explications — biologique, psychologique, économique — se verront nuancées ou complétées par celles de la sociologie. En effet, le sociologue ne conteste pas l'influence des facteurs biologiques, psychologiques ou économiques sur l'action humaine, mais il les examine en tenant compte de facteurs sociaux et culturels.

Pour la sociologie, les individus, en interagissant et en s'organisant, deviennent des acteurs aptes à transformer le monde et la société. Il faut donc, pour comprendre cette société et les phénomènes sociaux qui la caractérisent, étudier l'action sociale, l'action organisée des individus et des groupes d'individus.

L'objet de la sociologie de l'économie, du travail et de l'entreprise

L'étude sociologique de l'économie, du travail et de l'entreprise est donc l'étude des acteurs qui, par leurs actions, influencent et transforment leur organisation. Elle amène à voir et à comprendre que chaque acteur est porteur des valeurs de son milieu et qu'il en imprègne l'économie, le travail, l'entreprise. Ainsi, au cours du XXe siècle, non seulement les entrepreneurs, les ouvriers et l'État, mais aussi les nationalistes, les écologistes, les féministes, les tiers-mondistes, les immigrants, les communistes, les sociaux-démocrates, les scientifiques et combien d'autres auront contribué à la transformation des différents modes et types d'organisation sociale.

De temps à autre, de nouvelles valeurs, des façons de faire différentes apparaissent dans un milieu donné, que les acteurs tentent de transposer dans un autre. C'est ainsi que, influencés par ce qui se passe dans les sphères de l'économie, du travail et de l'entreprise, certains soutiendront que l'État devrait se comporter comme une entreprise privée, que l'université devrait adopter l'approche clientèle, que l'art devrait être rentable, etc. En fait, selon les époques et les sociétés, tels groupes d'acteurs, tels types d'organisation, tels types d'action et tels types de valeurs seront privilégiés, s'imposeront. Par exemple, dans les 40 dernières années au Québec, l'Église, l'État et l'entreprise ont, tour à tour, dominé leur époque et imposé leurs valeurs.

Les interventions de ces acteurs sur l'économie, le travail et l'entreprise prennent diverses formes. Certains, comme les groupes de pression représentant les intérêts des patrons, des travailleurs, des femmes, etc., tenteront d'infléchir en leur faveur les politiques de l'État. On voudra par exemple, comme c'est le cas des patrons, que l'État, jugé de plus en plus envahissant, limite son contrôle sur certaines activités. Pour obtenir de l'entreprise de meilleures conditions de travail, on fera pression sur la direction, on déclenchera la grève, etc., actions que mènent en général les syndicats. Ou encore, des employés se regrouperont sur la base d'affinités (culturelles, ethniques ou professionnelles) et chercheront à redéfinir l'organisation et le fonctionnement de l'entreprise.

On le voit, des actions se rapportent à un niveau plus global de l'économie, du travail et de l'entreprise (une région, une société, voire une partie du monde) et d'autres s'appliquent à un niveau plus local (une entreprise donnée). Il y a donc, d'une part, le travail dans l'entreprise et, d'autre part, l'organisation du travail et de l'économie dans la société. La sociologie s'intéresse à ces deux niveaux et aux relations d'interdépendance qu'ils entretiennent. Le présent ouvrage en rendra compte à sa manière.

La méthode sociologique

Au-delà du fait que la mondialisation a entraîné la mise en présence de différences culturelles et sociales et a incité les chercheurs de diverses disciplines à comparer entre elles les sociétés, les entreprises et l'organisation du travail, la sociologie est par définition une discipline comparative. Sur un premier plan, toute observation empirique y est reliée, d'une façon ou d'une autre, à une construction théorique relative au phénomène à l'étude. À l'inverse, aucune construction théorique n'a de valeur scientifique si elle n'est pas soumise à la vérification empirique. Sur un deuxième plan, quel que soit l'objet de recherche, il n'a de sens que comparé à des situations semblables ou dissemblables. Pensons aux sondages d'opinion qui n'ont de sens que si on établit des catégories qui permettent la différenciation par groupes d'âge, de sexe, de classe sociale, de milieu, etc. Pensons aux recherches sur les femmes qui ne sont significatives qu'au regard des différenciations sexuelles. De même, la représentation que se font du travail certaines catégories de travailleurs n'a de sens que comparée à celle d'autres travailleurs. Bref, aucun phénomène social ne peut être étudié et compris sans une comparaison à d'autres phénomènes sociaux, qu'ils soient en apparence semblables ou dissemblables. On aura compris que cette comparaison se fait également dans le temps et l'espace : on ne peut comprendre l'état d'une société sans la comparer soit à d'autres sociétés, soit à elle-même dans le temps. On ne peut parler de changement, par exemple, sans spécifier ce par rapport à quoi il y a eu changement.

Comme on le constatera à la lecture de cet ouvrage y est très présent le recours à l'histoire vue comme évolution dans le temps, mais aussi comme processus, comme dynamique de transformations mettant en présence des acteurs qui s'organisent pour infléchir son cours. Sont également très présentes les comparaisons transnationales ou internationales d'entreprises et de sociétés, les comparaisons transculturelles et trans-sociales. C'est un principe de recherche en sociologie dont on ne peut faire l'économie.

Présentation de l'ouvrage

Le livre se divise en quatre parties. La première partie, «Capitalismes, marchés et technologies», compte trois chapitres et constitue ce qu'on pourrait appeler l'environnement socioéconomique de l'entreprise et du travail, désignant par là un contexte sociohistorique construit par des acteurs sociaux dans le temps et l'espace. Il ne s'agit nullement de l'environnement compris comme un ensemble de déterminants des comportements des acteurs. Au contraire, et toute la trame de l'ouvrage porte la marque de notre définition de l'objet de la sociologie : les acteurs construisent socialement leur environnement et sont en retour influencés par lui.

Dans le premier chapitre, Jean-Pierre Dupuis, partant d'une histoire abrégée de l'émergence du capitalisme et des principaux acteurs de la société industrielle capitaliste, montre que, s'il y a un type idéal de société capitaliste, il existe divers capitalismes, des modèles de développement économique dont il faut chercher l'explication dans les contextes nationaux dans lesquels le capitalisme a pris forme. Cela illustre bien que chacun des capitalismes est le résultat tant de facteurs sociaux et culturels que de facteurs purement économiques, comme les lois du marché.

Dans le chapitre 2, André Kuzminski s'emploie à montrer que le marché n'est pas uniquement cette force extérieure qui transforme les économies et les sociétés, mais qu'il est, lui aussi, une construction sociale. Par conséquent, on ne peut comprendre le marché que si on le considère comme l'une des formes sociales de l'échange et que si on tient compte de son mode d'inscription dans une société. Dans cette perspective, les marchés apparaissent comme des institutions sociales qui influent sur les autres institutions sociales dont est dotée toute société et qui sont influencées par elles. Abordant la question de la mondialisation, il met en évidence les formes sociales qu'elle emprunte, à savoir les régionalismes économiques au centre desquels se trouve un pays hégémonique autour duquel gravitent des milieux d'innovation dans lesquels sont rassemblés savoirs, technologies et capitaux.

Le chapitre 3 aborde la question des nouvelles technologies et leurs conséquences dans la société. André Kuzminski adopte une perspective critique à l'égard de l'abondante littérature sur les nouvelles technologies et s'attache à en démontrer la caractéristique dominante : la normativité. Sans nier que les nouvelles technologies impliquent des conséquences sociales, il soutient que celles-ci sont beaucoup plus appréhendées ou favorisées que socialement réelles. Il s'agit d'une révolution en devenir, un devenir qui prendra le sens que voudront bien lui imprimer les acteurs sociaux.

La deuxième partie, intitulée «Nouveaux acteurs sociaux, nouvelles dynamiques du travail», est consacrée précisément aux nouveaux visages que donnent les divers acteurs à l'économie et à l'entreprise. Fidèles à la perspective de l'ouvrage, les auteurs des trois chapitres que réunit cette deuxième partie se sont intéressés à la façon dont se constituent socialement les diverses catégories d'acteurs et, entre autres, à la façon dont l'économie, le travail et l'entreprise façonnent les comportements des acteurs et sont façonnés par eux.

Dans le chapitre 4, Claudine Baudoux rend compte des phénomènes de la féminisation du marché du travail et de la tertiarisation. Plus particulièrement, elle fait d'abord le point sur la situation des femmes sur le marché du travail, puis analyse les mécanismes sociaux de la discrimination sexuelle. On y voit à l'œuvre les institutions sociales qui participent à cette discrimination. Elle soulève enfin l'importante question de l'existence d'une gestion au féminin dans une perspective théorique et empirique, en s'appuyant notamment sur une recherche qu'elle a elle-même réalisée sur ce sujet.

Le chapitre 5 traite de la dimension culturelle — ethnique — du travail et au travail. Partant d'une large perspective historique qui lui permet de caractériser le phénomène de l'immigration dans le temps et l'espace, Jean-Pierre Dupuis pose l'épineuse question de l'intégration des immigrants dans l'entreprise et la société. Il signale à cet égard les diverses stratégies mises en œuvre par ces «nouveaux» arrivants pour s'intégrer et socialement et économiquement, de même que celles des sociétés d'accueil pour favoriser leur intégration. La dernière partie du chapitre est consacrée à la rencontre des cultures sur les marchés local et international et dans l'entreprise.

Dans le chapitre 6, Madeleine Gauthier adopte un point de vue empirique pour examiner la situation des jeunes sur le marché du travail. Après s'être interrogée sur l'homogénéité de la catégorie «jeune», relançant ainsi l'important débat qui a lieu sur les explications des comportements des jeunes — s'agit-il d'un changement de génération avec tout ce que cela comporte de transformations en matière de valeurs et de culture ou s'agit-il de comportements engendrés par la difficile situation économique et sociale des jeunes —, elle montre, en s'appuyant sur de nombreux résultats de recherches, la complexité du phénomène.

La troisième partie, «L'entreprise, milieu de vie et outil de développement», constitue en fait la raison d'être du livre : porter un regard sociologique sur l'entreprise. Après avoir examiné le contexte économique, politique, social et technologique de l'entreprise, après avoir vu plus précisément la place des femmes, des immigrants et des jeunes dans le monde du travail, on s'intéressera ici directement à l'entreprise. Les trois chapitres de cette partie invitent ainsi le lecteur à prendre acte du fait que l'entreprise est un lieu de production de rapports de pouvoir, d'identités collectives et de liens sociaux, à voir comment l'entreprise change et comment les pratiques de gestion influent sur les milieux de vie.

Dans les chapitres 7 et 8, Jean-Pierre Dupuis jette d'abord un rapide regard sur la façon dont la sociologie aborde les entreprises, puis il décrit les acteurs sociaux au sein de l'entreprise et explique comment s'opèrent leurs interactions. Il illustre en quoi l'entreprise est une construction sociale en relevant les mécanismes d'élaboration des règles de fonctionnement et les processus par lesquels se créent les identités sociales de groupes et d'entreprises. À partir de ces fondements, il aborde ensuite la question du changement en posant la problématique générale du changement. Il reprend les éléments de son analyse de la dynamique interne de l'entreprise pour donner une définition du changement et montrer, à l'aide d'exemples, les voies que celui-ci emprunte.

Le chapitre 9, de Jean-François Chanlat, reprend en quelque sorte la problématique du livre. L'auteur y étudie la question du lien entre entreprise et société et pose plus précisément la question de l'influence sociale et culturelle qu'exerce l'entreprise sur la société et la communauté. Revenant sur les diverses dimensions et conceptions sociales de l'entreprise, il montre la place que l'entreprise occupe dans notre société moderne.

Au terme de ces trois parties et en guise de conclusion, Jean-Pierre Dupuis et André Kuzminski font une synthèse du parcours du livre et proposent un guide d'analyse qui permet de saisir les diverses situations que vivent les entreprises.

La quatrième et dernière partie regroupe des textes que, à notre demande, des collaborateurs ont avec enthousiasme accepté de produire. Il s'agit d'analyses et de cas qui permettent de comprendre et d'appliquer les diverses notions et concepts vus tout au long du livre. Ces analyses et cas ont été préparés, à partir de matériel empirique, par Paul-André Lapointe («Rationalité, pouvoir et identités : autopsie de la grève chez Alcan en 1995»), Denis Harrisson («Partenariat et innovation en matière d'organisation du travail à Primétal»), Alain Naud («La vie qui roule»), Luc Farinas («Journal de "bugs" : à propos de CD-Ethnik»), Marie-Andrée Caron («Réingénierie chez Technix : tensions autour du grand-livre»), Chantale Mailhot («Pratiques de gestion et identités dans deux caisses populaires de Montréal») et Linda Rouleau («Le cas Irving Samuel/Jean-Claude Poitras»).

Bibliographie

BOUDON, R. (1979). *La logique du social*, Paris, Hachette, 333 p.

HEILBRONER, R.L. (1968). *The Making of Economic Society*, 2e éd., Englewood Cliffs (N.J.), Prentice-Hall, 237 p.

ROCHER, G. (1969). *Introduction à la sociologie générale*, tome 1 : *L'action sociale*, Montréal, Hurtubise HMH, 136 p.

Table des matières

Remerciements V

Les auteurs VII

Introduction IX

Première partie
CAPITALISMES, MARCHÉS ET TECHNOLOGIES

Chapitre 1   LE CAPITALISME: ORIGINE, ESSENCE ET VARIÉTÉ
              Jean-Pierre Dupuis

Jean-Pierre Dupuis 3

Le capitalisme comme modèle de société 3
    La naissance du capitalisme: le triomphe de la classe des marchands 3
    Le capitalisme industriel: naissance de nouvelles classes sociales 7
Les principales organisations de la société capitaliste 11
    L'entreprise 11
        Origine 11
        Structures 13
        Problèmes et défis contemporains 16
    Le syndicat 18
        Origine 18
        Structures 19
        Problèmes et défis contemporains 21
    La coopérative 24
        Origine 24
        Structures 25
        Problèmes et défis contemporains 26
    L'État 28
        Origine et structuration 29
        Problèmes et défis contemporains 30
Les capitalismes à l'œuvre dans le monde 32
    Les capitalismes vus à travers le prisme de l'entreprise 32
    Les capitalismes nationaux 36

Les capitalismes canadien et québécois 43
    Le cas particulier du Québec 47
    Vers le déclin des capitalismes nationaux? 51
Bibliographie 56

Chapitre 2   L'INSCRIPTION SOCIALE DES MARCHÉS
              André Kuzminski 59

Le marché du point de vue de la sociologie économique 61
    Le marché comme institution 62
    Le marché comme système de rapports sociaux 67
Les marchandises, les marchés et la compétition: des constructions sociales ... 68
    La création sociale de la marchandise et la définition sociale des biens 68
    La construction sociale des marchés: quelques exemples 76
        La construction du marché du travail en Angleterre 77
        Les grandes corporations et la construction du marché des actions 77
        La construction d'un marché local 78
        La construction du marché de l'automobile au Japon 83
        Un tentative de développement d'un marché à l'étranger 84
        Le marché et l'institution sociale de la famille 87
    L'organisation sociale de la compétition 88
        La structure sociale et les comportements sur le marché 89
        La force des réseaux 91
        Les entreprises comme réseaux d'alliances 95
La mondialisation et la globalisation des marchés: la fin de l'inscription
    sociale ou une nouvelle forme d'inscription? 97
    La demande mondiale 99
    L'entreprise globale 100
    L'internationalisation des marchés financiers 101
    L'internationalisation ou la globalisation? 103
Bibliographie 104

Chapitre 3   NOUVELLES TECHNOLOGIES: ENTRE UTOPIE ET TYRANNIE
              André Kuzminski 107

Nouvelles technologies et sociétés 109
    L'inventivité individuelle et les institutions sociales 110
    Les stratégies d'entreprise, les nouvelles technologies et le processus
        de mondialisation 113
L'émergence d'un nouveau paradigme social 115
    Le rapport avec l'espace 116
    Le rapport avec le temps 119
Le lien entre les NTIC, les mutations du travail et la fin de l'emploi 121
    L'évolution de la structure des emplois 122
    La mutation du travail 123

Le mythe de la fin du travail 125
Conclusion 126
Bibliographie 128

Deuxième partie
NOUVEAUX ACTEURS SOCIAUX, NOUVELLES DYNAMIQUES DU TRAVAIL

Chapitre 4   FEMMES AU TRAVAIL, FEMMES GESTIONNAIRES
ET FÉMINISATION DES ORGANISATIONS
Claudine Baudoux 133

L'Évolution du travail féminin 133
  L'évolution du taux d'activité des Québécoises 133
    Le taux d'activité des femmes selon l'âge 138
    Le taux d'activité des femmes selon l'état matrimonial 139
    Le taux d'activité des mères selon l'âge des enfants 140
  La division sexuelle du travail 141
    La ségrégation horizontale 141
    La ségrégation verticale 143
La construction de la ségrégation du marché du travail 145
  Les nouvelles technologies et les qualifications selon le sexe 145
    La division sexuelle des machines 145
    La technologie et la déqualification 148
    Les nouvelles formes d'organisation et la division sexuelle
    du travail 149
  Le travail à temps partiel ou la flexibilité selon le sexe 149
  Les formes d'emploi émergentes 155
  La discrimination salariale 155
  La culture organisationnelle et la ségrégation sexuelle 158
    La ségrégation des sexes 158
    La situation de minoritaire 159
    La symbolique organisationnelle 161
La discrimination en emploi et ses remèdes 163
  La législation réparatrice 163
  Le recours aux tribunaux 164
    Les cas de discrimination directe ou indirecte 164
    La discrimination systémique 175
    Les programmes d'accès à l'égalité 179
    L'équité salariale 179
Les femmes et la gestion 182
  Les statistiques 182
  Une gestion au féminin? 182
Bibliographie 189

Chapitre 5   INTÉGRATION DES IMMIGRANTS ET CONQUÊTE DES MARCHÉS
              INTERNATIONAUX : LE DIFFICILE APPRENTISSAGE
              DES DIFFÉRENCES CULTURELLES
              Jean-Pierre Dupuis   193

L'immigration comme phénomène historique et sociologique   193
    L'immigration en Occident : l'ancien et le nouveau   194
        La diversité des pays d'origine des immigrants   195
        Les nouveaux critères de sélection des immigrants   198
        Le renversement des flux migratoires   200
        Le resserrement de la réglementation et la limitation
            de l'immigration   200
    L'intégration des immigrants : enjeux et défis   201
L'intégration au marché du travail   208
    La situation du Québec   212
Immigration, communautés culturelles et entreprises   218
    La dynamique interne des entreprises multiculturelles   218
    Les membres des communautés culturelles comme clients   224
    L'entrepreneuriat parmi les minorités ethniques   230
    Les entreprises multinationales   233
    Les PME exportatrices   237
    Les équipes interculturelles de travail   239
Bibliographie   241

Chapitre 6   LES JEUNES ET LE TRAVAIL : UN TERRAIN MOUVANT
              Madeleine Gauthier   245

La situation des jeunes sur le marché de l'emploi   247
    Le travail et les études   248
    Le régime d'emploi   249
    Le taux d'activité selon le sexe   249
    Les secteurs d'emploi   251
    L'introduction de nouvelles technologies   252
    Les services   252
    Des professions moins accessibles   253
    Des formes d'emploi en progression   254
        Les jeunes entrepreneurs   255
        Les travailleurs autonomes   257
    La syndicalisation   258
    Le travail au noir   258
Les difficultés d'insertion   259
    La durée des emplois   260
    Les revenus   262
    Le niveau de vie   263
La préparation des jeunes au marché du travail   270
    Le lien entre la formation et l'emploi   271

Les représentations du travail et les valeurs qui y sont rattachées 276
    Les raisons de travailler 278
    Le travail et la formation de l'identité 279
    La faible mobilisation des jeunes 280
    Le cheminement plutôt que la carrière 282
Conclusion 283
Bibliographie 284

Troisième partie
L'ENTREPRISE, MILIEU DE VIE ET OUTIL DE DÉVELOPPEMENT

Chapitre 7   UNE APPROCHE SOCIOLOGIQUE DE LA DYNAMIQUE INTERNE DE L'ENTREPRISE
    Jean-Pierre Dupuis 289

Les acteurs, leurs buts, leurs ressources, leurs stratégies et les enjeux
    de leurs interactions 292
    Trois catégories d'acteurs et les buts des acteurs 292
    Trois types de stratégies 302
    Les ressources inégales des acteurs 303
    Trois types d'enjeux 308
Les régulations à l'œuvre 313
    Les règles et les régulations dans l'entreprise 313
    La régulation de contrôle : la logique des propriétaires
    et des dirigeants 315
        L'entreprise privée 315
        L'entreprise publique 323
        L'entreprise coopérative 324
    La régulation autonome : la logique des exécutants 326
    La régulation conjointe : au carrefour des deux logiques 333
Les identités de groupes et d'entreprises 335
    Les identités de groupes 337
    Les identités d'entreprises 345
Conclusion : la complexité sociale de l'entreprise 352
Bibliographie 355

Chapitre 8   LE CHANGEMENT DANS L'ENTREPRISE : ORIGINES, DYNAMIQUES ET CONSÉQUENCES
    Jean-Pierre Dupuis 357

La problématique générale du changement 358
    Les acteurs et la forme du changement 358

Le contenu et la portée du changement 359
Un exemple de ruptures et de continuités : Hydro-Québec 361
Le changement : imitation ou invention ? 368
La problématique 368
L'imitation : la diffusion des pratiques gagnantes 371
Premier exemple : Steinberg et les groupes semi-autonomes de travail ... 372
Deuxième exemple : Alcan et ses usines de Grande-Baie
et de Laterrière 374
De l'invention à l'innovation : l'apprentissage des entreprises 378
Premier exemple : le changement technologique chez Alcan 379
Deuxième exemple : Du Pont et la création des divisions autonomes 381
Les conséquences attendues et inattendues des changements 385
Bref retour sur quelques exemples 385
Des conséquences négatives non prévues : l'échec du projet
de Grande-Baleine 387
Conclusion 392
Bibliographie 393

Chapitre 9   LA LOGIQUE DE L'ENTREPRISE ET LA LOGIQUE DE LA SOCIÉTÉ :
DEUX LOGIQUES INCONCILIABLES ?
Jean-François Chanlat 395

Les deux visages de l'entreprise 396
Les vertus de l'entreprise 396
L'entreprise comme lieu de création de richesses 397
L'entreprise comme lieu d'intégration et d'appartenance sociale 399
L'entreprise comme lieu d'innovation 400
L'entreprise comme expression d'une société libre 401
L'entreprise en tant que productrice de culture 402
L'entreprise en tant que mécène et donatrice 403
Les vices de l'entreprise 404
L'entreprise comme lieu d'exploitation 404
L'entreprise comme instrument de domination 406
L'entreprise comme lieu de souffrance et d'aliénation 408
L'entreprise comme source d'exclusion et d'inégalités 414
L'entreprise et la société : deux univers conciliables ? 416
Des finalités différentes 416
Des organisations différentes 418
Des horizons temporels distincts 418
Des cadres géographiques différents 419
Une culture à la fois différente et commune 419
Conclusion 420
Bibliographie 420

Conclusion 423

Quatrième partie

Analyses et cas 427

Analyse 1   Rationalité, pouvoir et identités : autopsie de la grève
             chez Alcan en 1995
             Paul-André Lapointe 428

Analyse 2   Partenariat et innovation en matière d'organisation
             du travail à Primétal
             Denis Harrisson 439

Cas 1   La vie qui roule
             Alain Naud 450

Cas 2   Journal de «bugs» : à propos de CD-Ethnik
             Luc Farinas 461

Cas 3   Réingénierie chez Technix : tensions autour du grand-livre
             Marie-Andrée Caron 469

Cas 4   Pratiques de gestion et identités dans deux caisses populaires
             de Montréal
             Chantale Mailhot 476

Cas 5   Le cas Irving Samuel/Jean-Claude Poitras
             Linda Rouleau 487

Première partie

CAPITALISMES, MARCHÉS ET TECHNOLOGIES

Chapitre 1

Le capitalisme : origine, essence et variété

Jean-Pierre Dupuis

LE CAPITALISME COMME MODÈLE DE SOCIÉTÉ

Pour se faire une idée claire du travail et de son organisation, de l'entreprise et de son fonctionnement, une bonne compréhension de la société dans laquelle nous vivons est essentielle, cela parce que le travail et l'entreprise sont tout autant des produits de cette société que des instruments qui interviennent dans sa transformation. Par conséquent, selon les types de sociétés, les liens qui existent entre travail et société prennent des formes différentes qu'il importe de comprendre. Quelle forme prennent ces liens dans nos sociétés capitalistes ? Pour répondre à cette question, nous partirons d'un examen de la nature de la société capitaliste et de ses origines. Nous verrons par la suite que les sociétés capitalistes, bien qu'elles aient en commun des caractéristiques générales, présentent des différences importantes, tant au chapitre de l'organisation du travail et de l'entreprise qu'au chapitre de l'économie en général.

LA NAISSANCE DU CAPITALISME : LE TRIOMPHE DE LA CLASSE DES MARCHANDS

Le marché est souvent présenté comme l'institution qui a révolutionné le monde en donnant naissance à la société capitaliste. La définition du capitalisme que donne le sociologue américain Peter L. Berger dans *La révolution capitaliste* va en ce sens :

> La définition la plus utile du capitalisme est [...] celle qui focalise sur ce que la plupart des gens ont eu à l'esprit lorsqu'ils ont utilisé le terme — *la production pour un marché par des individus ou des regroupements d'individus entreprenants dans le but de réaliser un profit.* (Berger, 1992, p. 5-6.)

Or, selon le sociologue français Jean Baechler (1971, p. 69), le marché est une institution aussi vieille que le monde, et des capitalistes, qu'il définit comme des personnes «dont l'activité repose sur l'espoir d'un profit par l'exploitation des possibilités d'échange», évoluent dans tous les empires que l'histoire a connus, à quelques exceptions près — le Pérou des Incas, par exemple. Ce qui est nouveau avec la société capitaliste, c'est que, selon Baechler, pour la première fois dans l'histoire, ce groupe d'acteurs parvient, par ses pratiques, à imposer ses valeurs et son mode d'organisation à l'ensemble de la société. Les capitalistes occidentaux ont réussi à pousser au maximum l'idée de l'efficacité économique du marché, ce qui veut dire que de plus en plus de relations sociales d'échange (la garde des enfants, par exemple) s'insèrent dans une logique marchande (échange engendrant un profit).

Mais comment les détenteurs du capital ont-ils réussi à s'imposer, à surclasser les acteurs politiques ou religieux qui dominaient les sociétés jusque-là? Et pourquoi le capitalisme naît-il en Europe et pas ailleurs? Se pose ici la question des origines du capitalisme comme modèle de société. Cette question est importante en ce qu'elle s'articule à celle des conditions qui favorisent l'émergence et l'épanouissement de la société capitaliste, que beaucoup de sociétés cherchent aujourd'hui à imiter. Répondre à la question des origines, c'est, d'une certaine façon, indiquer à ces sociétés ce qu'elles doivent faire pour que s'y développe le capitalisme, si tel est leur souhait. Examinons cela un peu plus en détail.

Disons d'abord que la plupart des auteurs ont beaucoup plus de mal à expliquer les origines du capitalisme qu'à décrire ses principales caractéristiques. L'historien français Paul Mantoux (1959, p. 380) dira d'ailleurs que les origines du capitalisme «reculent à mesure qu'on les étudie davantage». Selon le philosophe et sociologue grec Cornelius Castoriadis (1975), une telle étude serait futile et impossible tant les facteurs sont nombreux et interreliés. Voici comment il présente la naissance du capitalisme:

> Des centaines de bourgeois, visités ou non par l'esprit de Calvin et l'idée de l'ascèse intramondaine, se mettent à accumuler. Des milliers d'artisans ruinés et de paysans affamés se trouvent disponibles pour entrer dans les usines. Quelqu'un invente une machine à vapeur, un autre, un nouveau métier à tisser. Des philosophes et des physiciens essaient de penser l'univers comme une grande machine et d'en trouver les lois. Des rois continuent de se subordonner et d'émasculer la noblesse et créent des institutions nationales. Chacun des individus et des groupes en question poursuit des fins qui lui sont propres, personne ne vise la totalité sociétale comme telle. Pourtant le résultat est d'un tout autre ordre: c'est le capitalisme. Il est absolument indifférent, dans ce contexte, que ce résultat ait été parfaitement déterminé par l'ensemble des causes et des conditions [...]. Ce qui importe ici, c'est que ce résultat a une cohérence que personne ni rien ne voulait ni ne garantissait au départ ou par la suite; et qu'il possède une signification (plutôt, paraît incarner un système virtuellement inépuisable de significations), qui fait

qu'il y a bel et bien une sorte d'entité historique qui est *le* capitalisme.
(Castoriadis, 1975, p 62 ; © Éditions du Seuil, reproduit avec permission.)

Castoriadis a raison en ce qui a trait à l'origine accidentelle du système social nommé «capitalisme». Il a aussi raison quand il soutient que le capitalisme possède une cohérence et une signification. C'est à partir du moment où un ensemble d'acteurs reconnaissent cette cohérence et la nomment (lui donnant une signification) que ces mêmes acteurs ou d'autres peuvent s'employer consciemment à promouvoir le phénomène en question — ou en tout cas ce qui en fait, selon eux, la force ou l'originalité — ou à le condamner, à le transformer, etc. Le propre des êtres humains est bien de nommer les choses, de leur donner un sens et d'agir en fonction de ce sens. Précisons tout de suite que cette signification a varié dans le temps et dans l'espace et qu'elle varie toujours, puisque, encore aujourd'hui, les divers acteurs ne s'entendent pas sur le sens du capitalisme.

Cela dit, faut-il pour autant renoncer à répondre à la question des origines, comme semble le recommander Castoriadis ? Nous ne le croyons pas, dans la mesure où les différentes réponses à cette question contribuent à donner un sens au capitalisme moderne et, ce faisant, à orienter les actions des divers acteurs sociaux. En effet, la plupart des acteurs contemporains des sphères politique et économique, tout comme ceux du monde des sciences sociales, ont chacun leur opinion, implicite ou explicite, sur le sujet, opinion qui n'est pas sans influer sur les décisions qu'ils prennent quotidiennement, déterminant ainsi la vie économique, politique et sociale. Pour notre part, n'échappant pas à cette logique, nous voudrions donner notre propre interprétation des origines du capitalisme et de son évolution, en nous fondant sur l'histoire (sélection et interprétation de faits historiques) et sur la sociologie (comparaison de faits de sociétés dans l'espace et dans le temps), même si une telle interprétation est forcément partielle et partiale dans la mesure où la sélection et la comparaison des faits laissent une large place à notre subjectivité. Autrement dit, le recours à des disciplines comme l'histoire et la sociologie, bien que celles-ci permettent de prendre une certaine distance objective, n'élimine pas pour autant tous les biais liés à la subjectivité.

La plupart des auteurs s'entendent pour faire remonter les plus lointaines origines du capitalisme à l'effondrement de l'Empire romain d'Occident. L'effondrement d'un pouvoir central fort dans cette aire culturelle qu'est l'Europe a été, selon Baechler (1971), le phénomène qui a joué le plus grand rôle dans la montée de la classe des capitalistes. En effet, pendant plusieurs siècles, l'Europe est une entité culturelle sans pouvoir politique fort, divisée en une multitude de fiefs féodaux rivaux, dans laquelle aucune autorité ne parvient à organiser, planifier et réguler les échanges marchands, l'économie. Profitant de cette anarchie politique, les marchands multiplieront les échanges économiques tout en s'étendant eux-mêmes, donnant naissance aux bourgs, puis aux villes d'Europe qui entretiendront entre elles, et avec d'autres régions du monde, un commerce florissant. Ce capitalisme urbain prend racine sur les côtes de la Méditerranée, en particulier dans les villes italiennes de Venise, Florence, Milan et Gênes. Son centre se déplace par la suite au nord, à Anvers et à Bruges. À cette époque, c'est-à-dire au début du XVIᵉ siècle, l'Europe compte encore plus de 500 unités politiques autonomes et le cycle de centrage-recentrage de ce capitalisme urbain se continuera entre le Nord et le Sud, jusqu'à ce que les capitalistes anglais réussissent les premiers à créer un vaste marché interne — un marché national — qui aboutira à la fameuse révolution industrielle.

Ainsi, pour Baechler,

> l'explication ultime de l'extension des activités économiques en Occident est le décalage entre l'homogénéité de l'espace culturel et la pluralité des unités politiques qui le partagent. L'expansion du capitalisme tire ses origines et sa raison d'être de l'anarchie politique. (Baechler, 1971, p. 126.)

C'est la combinaison homogénéité culturelle — la chrétienté héritée du monde romain — et pluralité des unités politiques qui a favorisé l'approfondissement de l'idée de marché. Cette idée, la classe des marchands capitalistes a pu la mettre en pratique sans contrainte politique majeure. Elle a circulé en Europe, du sud au nord, où chaque région a rivalisé d'imagination et d'adresse dans l'art du commerce et dans les moyens de réaliser un profit par l'échange. En effet, depuis les débuts du capitalisme, toutes les tentatives des puissances politiques montantes de se rendre maîtres de l'Europe — de l'Espagne des Habsbourg à l'Allemagne hitlérienne en passant par la France du Roi-Soleil ou de Napoléon — ont échoué. Chaque fois, une coalition de pays européens s'est constituée pour contrecarrer les projets de la puissance politique du moment (Kennedy, 1989).

En fait, aucun pouvoir politique ne pouvait contraindre cette classe de marchands en Europe, dont les rois dépendaient pour asseoir et étendre leur pouvoir. Ils avaient besoin des marchands — de leur argent — pour former leurs armées et combattre les seigneurs. Il est d'ailleurs juste de dire que, progressivement, à cause de ce rôle joué auprès des rois et des princes, les marchands acquièrent un certain pouvoir politique qui deviendra de plus en plus grand à mesure que leurs fortunes se constituent et que le territoire des rois s'agrandit. Le nouveau pouvoir politique qui s'organise autour des États-nations en émergence est d'ores et déjà investi par la classe capitaliste qui participe activement à leur développement. Ces États-nations, avec en tête de file l'Angleterre, donneront son essor au commerce en forçant l'ouverture des marchés intérieur et extérieur. Ils mèneront même des guerres impérialistes au XIXᵉ siècle contre les pays — notamment l'Inde et la Chine — qui refuseront d'ouvrir leurs marchés aux produits occidentaux[1].

---

1. Prenons l'exemple de la Chine. Elle refuse d'ouvrir son marché au commerce international, malgré maintes missions diplomatiques européennes auprès de l'empereur, et les Anglais en sont profondément choqués, au point de finir par déclarer la guerre à la Chine au XIXᵉ siècle. En effet, la balance commerciale de l'Angleterre avec la Chine est de plus en plus déficitaire au XIXᵉ siècle :

Ce qui est nouveau avec la société capitaliste, c'est qu'elle est dominée par l'économie et ses principaux agents, qu'ils soient marchands, producteurs ou financiers, contrairement aux sociétés qui l'ont précédée davantage dominées par le politique, le religieux, la parenté, etc. Comme le signale l'économiste américain Robert L. Heilbroner (1986, p. 66), le principe d'organisation central du régime capitaliste, «c'est le capital avec sa nature auto-expansive». Sa thèse rejoint celle de Baechler (1971, p. 30), qui soutient que «ce qui est la raison d'être constitutive du capitalisme, c'est [...] l'emploi de la richesse sous diverses formes concrètes, non comme une fin en soi, mais comme le moyen d'acquérir plus de richesse». Il s'agit de faire fructifier les capitaux, non pas pour se procurer des biens matériels et en jouir, mais pour augmenter son capital, pour constituer des fortunes colossales qui deviendront, à la suite de la transformation des mentalités au XVIIIᵉ siècle, une source importante de pouvoir et de prestige social. Il faut se rappeler que, jusque-là, et comme dans la plupart des sociétés précapitalistes, «l'activité orientée vers le gain est mal vue ou méprisée» (Heilbroner, 1986, p. 89). Il a donc fallu du temps et des efforts aux marchands pour que leur culture économique soit acceptée dans la société occidentale. Finalement, plus que d'être acceptée, elle s'imposera littéralement comme principe central d'organisation.

LE CAPITALISME INDUSTRIEL : NAISSANCE DE NOUVELLES CLASSES SOCIALES

La révolution industrielle est la consécration du capitalisme. Elle n'est pas celle qui donne naissance au capitalisme, elle est plutôt, comme le dit Berger (1992, p. 25), «un accomplissement historique» de ce dernier. C'est là qu'il prend la forme que nous lui connaissons. Le capitalisme devient alors industriel, c'est-à-dire que le capital est appliqué à la production des marchandises et les profits capitalistes proviennent de cette production et de la vente des marchandises produites par des travailleurs salariés dans l'entreprise industrielle. Les marchands avaient déjà accumulé beaucoup de capitaux, mais l'entrepreneur industriel, soit celui qui utilisera ces capitaux, les fera fructifier encore davantage. Il y a là un nouveau moyen de faire du profit et d'augmenter son capital. Il est nouveau dans

---

les Anglais y achètent du thé, de la porcelaine, de la soie et d'autres produits, tandis que la Chine n'achète à peu près rien d'autre que du coton. Les marchands anglais vont trouver une marchandise qui leur permettra de rétablir l'équilibre, mais cette marchandise, importée de l'Inde, l'opium, s'avère mortellement dangereuse pour la société chinoise. L'empereur finira par interdire aux marchands chinois d'en faire le commerce avec les Anglais. C'est à ce moment que, au nom de la liberté de commerce, les Anglais déclarent la guerre à la Chine, l'envahissent et l'occupent pendant 70 ans, soit de 1840 à 1911, avec le concours d'autres nations européennes (Peyrefitte, 1989, p. 612 et suiv.).

la mesure où, comme le dit Heilbroner (1986, p. 57), «aucune société du passé n'a employé la relation salariale comme principal moyen d'obtenir un surplus».

Selon Mantoux (1959, p. 383), la révolution industrielle donnera lieu à une véritable ruée. Tout le monde accourra pour faire fortune par l'industrie. Des gens de toutes les conditions, de tous les milieux, se transformeront en entrepreneurs industriels: boutiquiers, aubergistes, rouliers, paysans, tisserands, forgerons, cloutiers, etc. Tous ne réussiront pas, mais beaucoup s'essaieront. Nul besoin d'être riche ni d'être inventeur, il suffit de posséder des qualités d'organisateur. Selon Mantoux (*ibid.*, p. 390-394), ces nouveaux hommes d'affaires doivent être capables:

– de réunir les capitaux nécessaires à l'ouverture d'une fabrique, c'est-à-dire trouver des bailleurs de fonds;

– de former la main-d'œuvre y travaillant;

– d'y organiser le travail efficacement;

– de trouver des débouchés pour les marchandises qui y sont produites.

Il s'agit d'un nouvel état qui combine plusieurs rôles dont certains existaient déjà: «À la fois capitaliste, organisateur du travail dans la fabrique, enfin commerçant et grand commerçant, l'industriel est le type nouveau et accompli de l'homme d'affaires» (Mantoux, 1959, p. 394). On assiste donc à la création d'une classe d'industriels qui vient gonfler la classe des capitalistes. Parallèlement à eux, issue de l'industrialisation, naît la classe des ouvriers, constituée des travailleurs salariés qui peuplent les nouvelles entreprises industrielles. C'est toute la société qui va se réorganiser autour de ces deux classes sociales devenues, en l'espace d'un siècle, les deux plus importantes de la société capitaliste industrielle.

Les ouvriers connaîtront des conditions de vie et de travail très difficiles dans les premiers temps. Les salaires sont faibles et ne permettent pas, dans plusieurs cas, de se nourrir et de se loger convenablement. Le travail des femmes et des enfants permet à peine à la famille d'y arriver. Les journées et les semaines de travail sont longues, de 14 à 16 heures par jour, six jours par semaine. Les conditions de travail sont pénibles (l'usine est souvent glaciale l'hiver, torride l'été, l'éclairage est mauvais, les mesures de sécurité inexistantes), et la misère, la sous-alimentation, les maladies et les accidents sont fréquents. La situation ne s'améliore pas nécessairement avec le temps, elle se détériore même, du moins dans les débuts, en raison d'une concurrence accrue. De la fin du XVIIe siècle, lors des débuts de l'industrialisation, jusqu'au milieu du XVIIIe, cette concurrence, combinée à un taux de chômage tournant souvent autour de 15%, entraîne une baisse des salaires et une dégradation générale des conditions de travail. Cela aboutira éventuellement à des affrontements majeurs entre des groupes d'ouvriers et des capitalistes. Par la suite, la situation aura tendance à s'améliorer, malgré l'existence de cycles économiques, sous l'effet conjugué de la croissance économique, des luttes ouvrières et des législations gouvernementales.

La situation des ouvriers sera moins difficile dans certains pays, comme la France et les États-Unis, pour des raisons qui sont propres à leur histoire, mais, dans l'ensemble, le processus a été semblable dans tous les pays qui ont suivi la voie de l'industrialisation. Pourquoi alors les paysans, les ruraux, les artisans sont-ils allés dans les usines ? Pourquoi y sont-ils restés ? Prenons le cas de l'Angleterre, premier pays à entreprendre la révolution industrielle. Plusieurs raisons incitent les paysans, ou plus généralement les ruraux, à aller travailler dans les usines des villes. Une première se rapporte à la réorganisation de la propriété foncière, connue sous le nom des Enclosure Acts (loi prescrivant la division, l'allotissement et la clôture des champs, prairies et pacages ouverts et communs et des terres vagues et communes, sis dans la paroisse de[2]...), qui favorise les propriétaires les plus prospères, ne laissant aux petits paysans que des lopins de terre improductifs et redoublant leurs obligations (clôturer leurs terres, payer leur quote-part pour les frais généraux de l'enclosure, etc.), sans compter que les nombreux ouvriers agricoles perdent les avantages qu'ils avaient (les droits d'usage des terres communes) conséquemment à cette réforme. Cette loi du XVIIIe siècle, qui généralisait un mouvement entrepris spontanément par de grands propriétaires dès le XVIe siècle — à la suite d'un accord majoritaire entre propriétaires, il était permis de réaménager et de clôturer un territoire —, a rendu possible la réorganisation complète du territoire agricole dans les diverses paroisses de l'Angleterre pour une plus grande productivité de l'agriculture. Cette réforme, qui a favorisé la concentration des exploitations, a entraîné l'expulsion de nombreux ruraux des terres où ils vivaient auparavant.

De plus, le gouvernement anglais, qui obligeait depuis le XVIIe siècle les paroisses à «parquer dans des *workhouses* pénitentiaires et moralisantes les pauvres sans travail rejetés du monde rural» (Rioux, 1971, p. 166), abroge cette obligation en 1795, précipitant ceux-ci vers les centres manufacturiers. Il faut préciser cependant que beaucoup de ruraux s'y étaient déjà rendus en espérant améliorer leur sort. C'est qu'en effet la vie était tout aussi sinon plus difficile pour un grand nombre de paysans et d'artisans que pour les sans-travail. Fernand Braudel rappelle ce fait lorsqu'il écrit :

> Sans doute, à l'intérieur d'une société où chacun, vivant de son labeur artisanal, était sans fin au bord de la malnutrition et de la faim, le travail des enfants à côté de leurs parents, dans les champs, dans l'atelier familial, dans la boutique, était la règle depuis toujours. (Braudel, 1979, p. 746-747.)

---

2. « "Les champs ouverts (*open fields*) ou champs communs (*common fields*) sont des étendues de terrain sur lesquelles les propriétés de plusieurs ayants droit se trouvent dispersées et mêlées." L'expression de *common field* a l'inconvénient de prêter à confusion : elle évoque l'idée d'un communisme [...]. Leurs propriétés ne se confondent pas en un tout indivis : elles sont seulement "dispersées et mêlées", c'est-à-dire subdivisées en un grand nombre de parcelles qui s'intercalent et s'enchevêtrent les unes dans les autres. C'est là, en effet, le trait le plus caractéristique de ce qu'on appelle l'*open field* system. » (Mantoux, 1959, p. 134-135.)

Pas plus que les gens n'acceptaient passivement leur sort dans le monde rural — en témoignent les révoltes populaires et paysannes qui ont marqué le Moyen Âge (Mullet, 1987) —, les nouveaux ouvriers urbains n'accepteront pas le leur dans les usines. Devant des conditions de travail difficiles qui apportent leur lot de pauvreté, de misère et de maladies, les ouvriers se révoltent à l'occasion. Il y a d'abord les réactions spontanées de violence contre les machines qui leur imposent un rythme soutenu de travail ou qui les remplacent. Il y a aussi les arrêts de travail, les sabotages, les grèves spontanées qui frappent régulièrement les lieux de travail. On tente d'organiser le mouvement ouvrier, de négocier avec les patrons des ententes pour améliorer les conditions de travail, mais la résistance des patrons et des gouvernements qui les appuient est forte. Toute tentative d'organisation est combattue, les syndicats sont même considérés comme des organisations criminelles. Il faudra attendre 1870 avant que l'Angleterre reconnaisse légalement les syndicats, qui n'ont que peu de pouvoir à cette époque.

Les ouvriers s'organisent aussi en coopératives pour se soustraire à l'emprise des patrons, qui est grande. Ainsi naissent les premières coopératives de consommation :

> Contre la pratique patronale du salaire payé en partie par des bons échangeables contre des denrées alimentaires ou des produits de première nécessité dans un magasin contrôlé par le patron, et qui souvent débite des marchandises médiocres ou frelatées à prix élevés, contre les intermédiaires qui spéculent sur la faim ouvrière, les premières coopératives apparaissent en 1815. (Rioux, 1971, p. 186.)

L'action des ouvriers débouchera aussi sur l'action politique au sein de partis socialistes et communistes qui proposent des projets de sociétés égalitaires. La classe ouvrière devient le point d'appui de ces partis et ses membres, les agents du changement à entreprendre pour arriver à une société plus égalitaire. Le contrôle de l'État, accusé de servir surtout les intérêts des capitalistes, sera l'enjeu politique principal. On veut le mettre davantage, sinon exclusivement dans certains cas, au service de la classe ouvrière.

*
* *

La société capitaliste est, comme nous venons de le voir, issue des pratiques d'une classe d'acteurs — les capitalistes, qu'ils soient marchands, financiers ou industriels — qui réussissent à imposer leurs valeurs à des sociétés dont l'orientation était jusque-là définie d'abord par des acteurs et des enjeux politiques et religieux. C'est la faiblesse historique du pouvoir politique en Europe, un territoire diversifié mais présentant une certaine homogénéité culturelle, qui explique cette percée. Cette faiblesse du pouvoir politique durera plusieurs siècles, et lorsqu'il prendra de la force, ce sera sous la poussée des capitalistes eux-mêmes qui s'en serviront pour étendre leurs pratiques à l'échelle nationale d'abord, puis internationale. Le politique est donc ici assujetti en grande partie à la logique économique (marchande) des capitalistes. Le politique tente bien, à l'occasion, de s'affranchir de cette emprise, mais il y est ramené aussitôt. Les tensions entre les sphères politique et économique sont bien visibles dans toutes les sociétés capitalistes, où le rôle de l'État est constamment discuté, voire remis en question. Ainsi, aussitôt qu'il tente de se définir autrement que comme soutien aux pratiques des capitalistes, il est accusé de freiner le développement et la croissance de l'économie. Nous reviendrons plus loin sur cette importante question.

Nous avons vu aussi que l'industrialisation est un approfondissement du capitalisme, et que nos sociétés modernes sont de type industriel. Cela signifie que les entrepreneurs industriels et leurs entreprises restent les acteurs principaux dans ces sociétés. Ils sont appuyés en cela par l'État, qui joue toujours un rôle crucial dans le soutien de ce groupe et de ce système économique. À côté des entrepreneurs et de l'État, les travailleurs salariés avec leurs organisations — les syndicats et les coopératives. Nous avons là — entreprise, syndicat, coopérative et État — les principaux éléments qui tissent l'organisation de nos sociétés capitalistes.

LES PRINCIPALES ORGANISATIONS DE LA SOCIÉTÉ CAPITALISTE

Cette section est consacrée à un examen des principales organisations de la société capitaliste. Le marché, qui en est l'institution centrale, sera l'objet du chapitre suivant. Nous donnerons pour chacune des organisations (entreprise, syndicat, coopérative et État) une brève description de leur origine, de leurs structures et des problèmes et des défis qu'elles rencontrent.

L'ENTREPRISE

Origine

Les marchands capitalistes sont à l'origine de l'entreprise moderne. Ils commerçaient autant à l'étranger que sur leur propre territoire. Ils allaient chercher des marchandises précieuses (soie, porcelaine, épices, etc.) en Orient et ailleurs dans le monde. Ils équipaient et armaient des bateaux à cette fin. En Europe, ils achetaient la production des artisans et des paysans travaillant à domicile — ces derniers faisaient surtout de la filature et du tissage. Toutes ces marchandises étaient écoulées dans les marchés urbains d'Europe, celles qui étaient produites en Europe servant aussi de valeur d'échange pour obtenir les marchandises en provenance de l'étranger. La croissance des échanges obligea les marchands à couvrir un territoire de plus en plus grand pour se procurer les marchandises réclamées par les marchés urbains d'Europe et les marchés internationaux. C'est ainsi qu'ils durent se rendre dans les régions les plus reculées de leur pays pour trouver une main-d'œuvre capable de produire ces marchandises. Ils fournissaient très souvent les métiers à tisser et la matière première aux paysans. Mais, à l'évidence, ce travail à domicile des paysans — qu'exerçaient aussi leurs enfants et les gens à leur service — et le travail des artisans dans leurs ateliers ne suffisaient pas à la demande, entre autres parce que la production était en règle générale irrégulière et peu abondante. Chacun travaillait davantage en fonction de ses besoins qu'en fonction de ceux des marchands.

Pour remédier à ce problème, des marchands se transformèrent en fabricants, regroupant de plus en plus les artisans et les paysans sous un même toit pour surveiller la production et imposer un rythme de travail plus productif à raison de six jours par semaine et de 12 à 15 heures par jour. Des artisans, parce qu'ils n'avaient pas d'autre choix, acceptaient d'y travailler. Les centres d'artisanat dirigés par les marchands-fabricants se multiplièrent. Pour y attirer les paysans, les marchands cessaient de leur fournir la matière première ou leur retiraient tout simplement leur métier à tisser, de sorte que les plus pauvres d'entre eux, ceux qui avaient besoin de ce surplus pour subsister, étaient obligés de migrer dans les centres, où se trouvaient ces nouveaux lieux de production. C'est ainsi que naîtront les manufactures, qui sont essentiellement au début un lieu où la production est regroupée (Beaud, 1990, p. 67). Les réformes de l'agriculture contribuèrent aussi à fournir de la main-d'œuvre bon marché à ces nouvelles manufactures, comme nous l'avons vu plus haut.

À partir du milieu du XVIIIe siècle, ces manufactures seront remplacées par des fabriques. La fabrique se différencie de la manufacture par l'emploi de machines mues par une source d'énergie qui ne dépend pas de la force de l'homme ou d'un animal. C'est la fabrique qui est au cœur de la révolution industrielle et qui transformera radicalement le monde de la production. Les premières fabriques utiliseront surtout l'énergie hydraulique pour actionner les mécanismes des machines, mais rapidement d'autres sources d'énergie prennent le relais et offrent plus de possibilités. Comme le rappelle Beaud :

> La fabrique utilise une énergie (houille noire pour la chaleur, houille blanche pour actionner les mécanismes) et des machines. Ce n'est qu'à la fin du siècle que les moteurs à vapeur, conçus et expérimentés par Watt entre 1765 et 1775, seront utilisés pour actionner des machines (il y en aura environ cinq cents en service vers 1800). Avec cette énergie est animé un système de machines d'où découle nécessairement l'organisation de la production et les cadences de travail, et qui implique une nouvelle discipline pour les travailleurs qui le servent. Les filatures sont construites, bâtiments de brique de quatre ou cinq étages employant plusieurs centaines d'ouvriers ; des fabriques de fer et de fonte rassemblent plusieurs hauts fourneaux et plusieurs forges. (Beaud, 1990, p. 95.)

Le mouvement des fabriques déclenché en Angleterre s'étendra par la suite ailleurs en Europe et aux États-Unis au XIXe siècle. Mais aux États-Unis, ce n'est qu'après la découverte d'importants gisements d'anthracite (charbon) en Pennsylvanie, en 1830, que la fabrique s'étendra à d'autres productions que le textile. En effet, si les filatures pouvaient fonctionner grâce à l'énergie hydraulique, celle-ci était insuffisante dans d'autres secteurs. Le charbon apportait donc

> la chaleur élevée et régulière nécessaire aux nouvelles méthodes de production dans les activités de raffinage et de distillation, ainsi que dans les industries de la fusion et de la fonte. Le charbon, désormais disponible en grandes quantités, permit à son tour la naissance de l'industrie sidérurgique moderne, et, dans son sillage, celle des industries de fabrication de machines et des autres industries des métaux dont les États-Unis disposent aujourd'hui. (Chandler, 1988, p. 275.)

Mais, comme le souligne l'historien américain Alfred Chandler (1988, p. 275), «bien que ce soient le charbon, le fer et les machines qui aient fourni respectivement l'énergie, la matière première et l'équipement nécessaires à l'usine moderne, ce sont les chemins de fer et le télégraphe qui ont encouragé la diffusion rapide de la nouvelle forme de production». En effet, ces nouveaux moyens de transport et de communication favoriseront la production et la distribution de masse. Les chemins de fer et le télégraphe assurent l'approvisionnement rapide des usines en matières premières et la distribution tout aussi rapide des marchandises qui y sont produites, ce qui permet aux fabricants de rentabiliser leurs machines et de conserver une main-d'œuvre ouvrière permanente. Du coup, les entrepreneurs seront incités à investir dans de nouvelles usines et dans des installations de plus en plus importantes. De plus, ces moyens contribuent à l'établissement d'une communication rapide et directe entre producteurs et grossistes, ce qui facilite les échanges commerciaux. Les multiples intermédiaires sont désormais supprimés, et l'on verra apparaître de grandes entreprises qui accaparent la distribution.

Il existe donc, à la fin du XIXᵉ siècle, de grandes entreprises de production et de distribution. Ces deux types d'entreprises ont bénéficié de ce que Chandler appelle des économies de vitesse et d'échelle. Ces entreprises fabriquaient ou distribuaient plus rapidement, en plus grande quantité et à un coût moindre que les entreprises traditionnelles de production et de distribution de l'époque. Cette révolution a été autant technique (nouvelles sources d'énergie, nouvelles machines) que managériale (organisation de la production et de la distribution).

Structures

L'entreprise moderne qui se met en place à la fin du XIXᵉ siècle intégrera dans la même structure les fonctions de production et de distribution, ce qui permet «de combiner les économies engendrées par la production en grande série avec les avantages d'une rotation rapide des stocks et d'une trésorerie abondante» (Chandler, 1988, p. 317). L'intégration exige souvent la concentration dans un même lieu de processus de production qui étaient séparés autrefois. Ainsi, la pièce qui entrait dans un processus de fabrication et qui était produite ailleurs est désormais fabriquée dans l'entreprise. L'objectif était tout autant de s'assurer un approvisionnement régulier de cette pièce que d'en diminuer les coûts pour l'entreprise. Il s'agit donc pour une seule entreprise d'«effectuer les nombreuses opérations que nécessitent la fabrication et la vente de toute une ligne de produits» (*ibid.*). L'entreprise le fera en créant soit un réseau de commercialisation, soit des unités de production, ou en fusionnant avec des entreprises de production ou de commercialisation, selon le cas. On est ici en face de ce que Chandler (1989, p. 56) appelle l'entreprise intégrée à départements multiples. Elle comprend d'ordinaire une direction générale appuyée par des directions fonctionnelles (achats, ventes, personnel, etc.) et par des unités de production (voir la figure 1.1).

Ces entreprises industrielles modernes qui occupent d'abord l'espace national, puis qui se lancent à la conquête du marché international, auront des besoins de plus en plus grands en matière de gestion pour coordonner les multiples activités de production et de distribution. Alors que, jusque dans le milieu du XIXe siècle, les entreprises commerciales ou de production comptaient rarement plus d'un administrateur — qui était la plupart du temps le propriétaire dirigeant —, elles emploieront des équipes d'administrateurs à la fin du même siècle. Très rapidement, ces administrateurs se répartiront dans des structures hiérarchiques et fonctionnelles. Divers services fonctionnels (ventes, achats, production, etc.) sont créés et placés sous l'autorité d'une direction générale qui s'occupe de l'ensemble de l'entreprise. Ces innovations organisationnelles ont lieu entre 1880 et 1920. C'est la naissance des structures d'organisations complexes et de la classe des administrateurs professionnels (managers). Dans ces grandes organisations modernes, la propriété de l'entreprise et sa direction sont souvent séparées. D'autres transformations structurelles se produiront par la suite.

Par exemple, pour rentabiliser leur entreprise, les dirigeants se lanceront dans des projets de diversification des gammes de produits. L'idée est d'exploiter

FIGURE 1.1   Entreprise intégrée centralisée

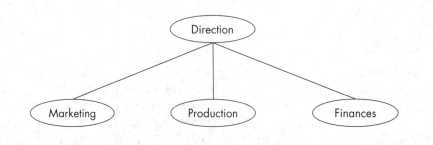

au maximum les installations et le personnel et d'éviter des sous-utilisations coûteuses. Quand une matière première fabriquée par une usine (comme c'est le cas de la nitrocellulose chez Du Pont, une matière qui sert à fabriquer des explosifs) est en surproduction à cause d'une baisse de la demande pour cette matière, on cherche d'autres débouchés pour celle-ci. S'il n'est pas possible de vendre ce produit à d'autres entreprises, on cherche alors de nouvelles applications et on fabrique de nouveaux produits qu'on lancera soi-même sur le marché.

Cette expansion par la diversification, qui permet en outre d'assurer la rentabilité des installations de l'entreprise, pose cependant un sérieux problème de gestion aux dirigeants au fur et à mesure qu'ils multiplient les produits, les usines, les réseaux de vente, celui de la coordination, à partir du sommet, de toutes ces activités. Il devient évident que la direction générale ne peut s'occuper à la fois des opérations de chacune des divisions (achats, ventes, etc.) et des unités de production et voir, en même temps, à la bonne marche de l'ensemble de l'entreprise. Les dirigeants sont tout simplement débordés, incapables de tout superviser ; ils n'ont pas non plus la formation nécessaire pour remplir ce rôle. Comment en effet peuvent-ils juger de la pertinence, de la qualité, du développement des produits qu'ils connaissent parfois très mal ? La solution passera par une organisation plus décentralisée : l'entreprise multidivisionnelle décentralisée (Chandler, 1989, p. 79). Dans ce type d'organisation, la gestion d'une région ou d'une ligne de production, incluant l'approvisionnement en matières premières, la vente du produit, la comptabilité, etc., est confiée à une division autonome. La direction générale s'occupe uniquement de la bonne marche de l'ensemble, c'est-à-dire de tout ce qui touche les stratégies et les structures de l'entreprise (voir la figure 1.2). Les premières entreprises à adopter ce mode d'organisation, à partir des années 20, furent Du Pont, General Motors, Standard Oil Company et Sears Roebuck and Company (Chandler, 1989).

FIGURE 1.2   Entreprise multidivisionnelle décentralisée

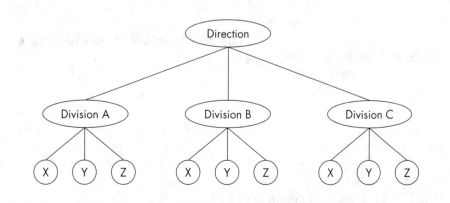

En 1960, ce type d'organisation était «devenu la forme de gestion la plus courante pour les entreprises américaines les plus complexes et les plus diversifiées» (Chandler, 1989, p. 88) Les entreprises qui n'ont pas opté pour la diversification ont conservé la structure de l'entreprise intégrée à départements multiples qui présente une gestion plus centralisée. On trouvera, mais en moins grand nombre, ce genre d'entreprises dans des pays industrialisés comme l'Allemagne et la Grande-Bretagne (Chandler, 1992).

L'entreprise intégrée à départements multiples et l'entreprise multidivisionnelle décentralisée sont ainsi les formes dominantes de l'entreprise capitaliste moderne. Les formes plus traditionnelles, comme la PME exploitée par un propriétaire dirigeant, subsistent, mais elles n'ont pas l'envergure des grandes entreprises multinationales. En 1992, ces dernières, qui sont au nombre de 37000, et qui regroupent 206000 filiales et emploient 73 millions de salariés, sont responsables en effet de 25 % du PIB mondial d'après l'ONU (cité dans Thuderoz, 1996, p. 34). Ces entreprises ont en quelque sorte réussi à dominer le marché en accaparant, d'une part, les fournisseurs de matières premières et de pièces, et, d'autre part, les réseaux de distribution et de vente, et ce, à l'échelle d'un pays, voire du monde très souvent. On parle alors d'une situation de monopole ou d'oligopole. La situation se présente aux États-Unis dès la fin du XIXe siècle et s'intensifie au XXe siècle.

Problèmes et défis contemporains

L'aménagement des deux formes structurelles dominantes des grandes entreprises que décrit Chandler n'a pas réglé pour autant le problème de la coordination des travailleurs et des unités de production et de distribution dans l'entreprise. Le problème en fait se pose avec encore plus d'acuité aujourd'hui dans le contexte de la mondialisation qui implique des fusions, des alliances, des partenariats qui augmentent le besoin de coordination et qui en appellent de nouvelles formes. C'est pourquoi on présentera de plus en plus l'entreprise comme entreprise-réseau ou entreprise virtuelle, soulignant par là qu'elle existe plus par l'interdépendance de ses unités que par les structures formelles qu'elle se donne. Le problème aujourd'hui, comme hier, est de trouver la structure la plus adaptée aux pratiques réelles de l'entreprise. C'est une quête incessante qui joue souvent des tours aux dirigeants qui peuvent avoir des préférences théoriques pouvant s'avérer à moyen ou à long terme nuisibles à l'entreprise.

Pour illustrer notre propos, prenons le cas de DMR, une multinationale québécoise de conseil en informatique qui a fait des percées remarquables sur la scène internationale dans les années 80 (ce qui suit est tiré de Meilleur et Beaudoin, 1997). Cette entreprise a été fondée en 1973 par trois cadres d'IBM Canada, soit Pierre Ducros, Serge Meilleur et Alain Roy, qui ont donné leurs noms à l'entreprise (D pour Ducros, M pour Meilleur et R pour Roy). Cette entreprise, qui a connu une croissance remarquable — ses revenus passent de 800 000 $ en 1975 à 11 millions en 1980, à 51 millions en 1985, à 170 millions en 1990 et à 276 millions en 1995 —, a commencé à éprouver des difficultés après avoir opté pour une structure décentralisée alors qu'elle possédait traditionnellement une structure centralisée. L'engouement de Pierre Ducros pour les petites structures, dans la mouvance du mouvement *small is beautiful*, l'avait amené à proposer, puis à mettre en place, au milieu des années 80, une structure décentralisée qui répartissait les ressources stratégiques de l'entreprise dans de petits ensembles autonomes (organisés sur des bases régionales ou selon la spécialisation). L'opposition de Serge Meilleur, responsable des opérations, avait retardé l'adoption de ce projet mais n'a pu l'empêcher quand Alain Roy a appuyé la proposition de réforme. Meilleur s'est finalement rallié à cette proposition, mais il a quitté plus tard l'entreprise, vendant ses actions, parce que, selon lui, la nouvelle organisation décentralisée était en train de tuer l'entreprise et la culture qui en faisait la force.

En effet, la structure centralisée permettait de mobiliser les meilleures ressources de l'entreprise pour les affecter à des projets qui faisaient sa réputation (par exemple, l'implantation du système informatique d'Hydro-Québec, de celui des Jeux olympiques de Montréal et de Moscou, etc.). Or l'organisation en sous-ensembles ne permettait plus, ou le faisait beaucoup plus difficilement, de procéder ainsi, les projets étant davantage sous la responsabilité d'une division régionale. En fait, la plupart des divisions régionales étaient extrêmement réticentes à prêter leurs meilleurs éléments aux autres divisions. À l'opposé, l'organisation centralisée permettait d'affecter en tout temps les meilleures ressources aux projets les plus importants pour l'entreprise. Ainsi, la nouvelle structure organisationnelle était source de conflits et de divisions dans l'entreprise, notamment parce qu'elle allait à l'encontre des pratiques traditionnelles pourtant fort efficaces.

L'entreprise devint moins efficace par la suite, avec une baisse marquée des profits en 1988, malgré une augmentation de ses revenus. De plus, le climat se détériorait à l'intérieur de l'entreprise. Si bien qu'Alain Roy convainquit alors Serge Meilleur de reprendre, à titre de salarié cependant, la direction des opérations de l'entreprise. Ce qu'il accepta en 1989, sans pouvoir toutefois imposer totalement sa façon de faire. L'entreprise ne se remettra jamais de cette réforme structurelle entreprise en 1985. Ainsi, devant une situation devenue de plus en plus difficile, les deux actionnaires principaux optent pour la vente de l'entreprise. C'est Amdahl, un géant américain de l'informatique, qui l'acquiert en 1995. À ce moment, Serge Meilleur quitte de nouveau l'entreprise et fonde, avec d'autres démissionnaires de DMR, la société AGTI Services Conseils inc. Ainsi, un « problème » de coordination des ressources humaines et matérielles, combiné à d'autres facteurs, a entraîné une série de conséquences inattendues, dont la perte de motivation chez une partie du personnel et la vente de l'entreprise. La coordination des employés, des ressources, des unités de production, de services et de distribution reste une exigence centrale pour les entreprises contemporaines de plus en plus grandes et complexes.

Cette question de la coordination est indissociable de celle de la mobilisation du personnel. En effet, coordonner les hommes et les femmes, c'est non seulement leur assigner des tâches particulières, mais c'est aussi faire en sorte qu'ils soient motivés, qu'ils s'engagent personnellement dans leur travail et qu'ils se mobilisent autour de projets collectifs dans l'entreprise. Or il semble qu'il soit de plus en plus difficile pour les directions d'entreprise de motiver, de faire participer et de mobiliser le personnel (employés spécialisés comme non spécialisés, cadres, professionnels). Toutes les modes managériales des 25 dernières années visaient, et visent encore, à changer cette situation. Qu'on parle de groupes de qualité de vie au travail, de gestion participative ou de culture d'entreprise, le problème relevé reste un problème d'engagement, de motivation, de mobilisation. Plusieurs facteurs d'ordre sociologique expliquent cette difficulté : taille des entreprises qui les rend impersonnelles, société de consommation qui fait en sorte que les individus se définissent plus par la consommation que par le travail, etc. Par contre, l'entreprise elle-même, par l'entremise de ses pratiques de gestion, engendre des comportements de désengagement et de démotivation : réorganisation constante du personnel, mises à pied fréquentes, précarisation du travail (temps partiel, à forfait), etc. Au-delà des enjeux proprement économiques, la question de la participation du personnel constitue le plus grand défi qu'ont à relever les gestionnaires d'aujourd'hui.

LE SYNDICAT

Comme nous l'avons mentionné précédemment, les syndicats sont apparus en réaction aux conditions de vie et de travail difficiles qui découlent de l'industrialisation, en Angleterre d'abord et dans les autres pays par la suite. Les syndicats ne sont pourtant qu'une des formes d'organisations qui naîtront du mouvement ouvrier, vaste mouvement sociopolitique qui s'oppose aux capitalistes. Ils suivent souvent la création d'associations ouvrières qui cherchent à venir en aide aux travailleurs manuels, à les protéger (fraternités, mutuelles, caisses de secours). Les caisses de secours, par exemple, peuvent aider la famille d'un ouvrier décédé ou aux prises avec la maladie. D'autres organisations verront le jour par la suite, comme les coopératives et les partis politiques (socialistes, communistes, sociaux-démocrates).

Origine

On situe habituellement en Angleterre, à la fin du XVIIIe siècle, l'émergence des syndicats modernes issus de la révolution industrielle. Les premiers syndicats sont créés par des gens de métiers qui cherchent à protéger leurs professions contre les effets négatifs de l'industrialisation. En effet, la manufacture puis la fabrique, où ils se trouvent de plus en plus nombreux, menacent leur autonomie, leur savoir-faire et leurs conditions de travail. Cependant, très rapidement, le gouvernement anglais va adopter des lois — les Combinations Acts de 1799-1800 — interdisant les associations ouvrières professionnelles (Sagnes, 1994a, p. 23). La résistance des ouvriers, qui s'exprime par des grèves spontanées, des marches populaires et le bris de machinerie, et la situation tragique de nombreux ouvriers en milieu urbain forceront le gouvernement anglais à reconnaître les syndicats comme des organisations légitimes (non criminelles) au début des années 1820. Il faudra cependant attendre encore 50 ans avant que des droits juridiques soient finalement concédés aux syndicats anglais, comme le droit de recourir aux tribunaux pour lutter contre des patrons abusifs.

Comme le souligne Sagnes (1994a, p. 24), ce sont principalement les travailleurs des professions anciennes et hautement spécialisées (chapeliers, cordonniers, imprimeurs, menuisiers, tailleurs, tisserands) qui tireront profit de cette reconnaissance, puisqu'ils étaient souvent déjà organisés en syndicats ou en quasi-syndicats. La masse des ouvriers de la grande industrie naissante sont encore peu organisés. Cela explique en grande partie pourquoi, en Angleterre, le syndicalisme s'est surtout articulé autour de la notion de métiers, par opposition au syndicalisme d'industrie ou d'entreprise qui regroupe les travailleurs, indépendamment de leurs métiers, sur la base de l'industrie ou de l'entreprise. Ce type de syndicalisme se développera plus tard, vers la fin du XIXe siècle. Il est lié davantage aux travailleurs peu spécialisés de la grande industrie de masse.

Structures

Ce syndicalisme de métier qui domine en Angleterre cherchera, dès 1824 ou 1825, à s'organiser sur un plan national, mais il ne réussira pas avant la deuxième moitié du siècle. Des fédérations nationales regroupant les travailleurs de la mécanique, ceux du coton, les charpentiers, les menuisiers et d'autres sont créées durant cette période. L'organisation à l'échelle nationale vise une plus grande portée de l'action syndicale. En effet, si tous les travailleurs d'un métier entreprennent une action sur le plan national, ses chances d'aboutir sont plus grandes que si elle est le fait de travailleurs d'une seule localité. La possibilité de paralyser une ou plusieurs industries à la grandeur du pays, par un débrayage ou une grève, est une stratégie qui provoque, à coup sûr, une réaction des milieux gouvernemental et patronal, pour le meilleur ou pour le pire.

Cette logique de regroupement sera poussée plus loin. D'abord, on cherchera à réunir dans une organisation nationale tous les acteurs du monde syndical en émergence, c'est-à-dire non seulement les fédérations nationales, mais les autres types de regroupements plus locaux qui se multiplient à l'époque. Parallèlement, on tentera de regrouper toutes ces fédérations nationales sur le plan international. L'idée est évidemment que plus grande est la solidarité de cette classe sociale, plus forte est la pression qu'elle exerce sur les gouvernements et les patrons du monde capitaliste.

C'est ainsi qu'a lieu en Angleterre, en 1868, le premier grand rassemblement de syndicats anglais. Le Congrès des syndicats voit le jour lors de cet événement. Dès l'année suivante, la quasi-totalité des *trade unions*, les fameux syndicats de métiers anglais, se joignent à ce regroupement national (Sagnes, 1994a, p. 25). L'organisation sur le plan international a débuté par la création à Londres, en 1864, de l'Association internationale des travailleurs, dissoute en 1872, mais recréée en 1889 (Sagnes, 1994b, p. 182-183). Ces deux associations, appelées aussi Première et Deuxième Internationales, sont surtout une plate-forme où partis politiques et syndicats sont confondus et où s'exprime leur vision de la société à construire. Il faut attendre 1901 pour voir la création d'un secrétariat syndical international qui regroupe les confédérations nationales et qui vise expressément l'action syndicale. Le Secrétariat n'accepte qu'une confédération par pays, et ce, dans le but de forcer le regroupement des forces syndicales derrière une grande organisation (confédération) par pays, afin d'être plus efficace dans l'action. Il faut préciser cependant qu'aussi bien à l'intérieur d'un pays qu'à l'échelle internationale cette unité sera rarement atteinte. Il restera souvent des fédérations ou des syndicats indépendants, il y aura aussi des cas où plus d'une confédération nationale existe. Par exemple, les syndicats chrétiens, qui sont créés en riposte aux syndicats socialistes «athées», et qui tiennent à s'en démarquer, s'organiseront sur une base nationale et internationale en marge du mouvement dominant prosocialiste, à l'exception du courant américain lui aussi souvent en marge du mouvement dominant.

Cette organisation syndicale locale, nationale et internationale a fait progresser rapidement le mouvement. En Angleterre, on compte 50 000 travailleurs syndiqués en 1840, 100 000 en 1850, 1 million en 1870, 1,6 million en 1892 et 4 millions en 1913. Il y a bien ici et là des ralentissements, voire des reculs, comme en 1874, alors que le mouvement perd momentanément la moitié de ses membres, mais, dans l'ensemble, le mouvement est largement positif. On retrouvera sensiblement la même évolution structurelle dans les autres pays d'Europe, avec de légers décalages, les pays nordiques étant plus rapidement sur cette voie que les pays latins. Autrement dit, dans ces pays aussi, on verra la naissance des syndicats de métiers d'abord, puis une organisation sur le plan national par métiers, suivie de la création de confédérations nationales. Les syndicats d'entreprises ou d'industries apparaîtront après. L'Amérique du Nord connaîtra un développement structurel similaire.

Le syndicat créé pour défendre les intérêts professionnels de ses membres prendra cependant des couleurs différentes du point de vue idéologique. Des syndicats seront plus révolutionnaires, d'autres plus réformistes, certains plus corporatistes, ou anarchistes, etc. Ainsi, selon les pays et selon les époques, les syndicats présenteront un visage différent, d'où la difficulté de mettre sur pied un mouvement syndical unifié tant à l'intérieur d'un pays qu'à l'échelle internationale. En effet, plusieurs idéologies syndicales coexistent très souvent à l'intérieur d'un même pays, mais habituellement une ou deux dominent. Il y aura donc pendant longtemps, et c'est encore le cas dans plusieurs sociétés, plus d'une structure nationale. Par exemple, au Québec, la Fédération des travailleurs du Québec (FTQ), la Confédération des syndicats nationaux (CSN), la Centrale de l'enseignement du Québec (CEQ) et la Centrale des syndicats démocratiques (CSD) sont des fédérations nationales.

Problèmes et défis contemporains

Les cycles économiques influent sur l'évolution du mouvement syndical. De manière générale, le mouvement se développe davantage en période de croissance et d'expansion économiques et stagne ou régresse en période de crise et de déclin économiques. Ainsi, durant la crise économique du début des années 1870, il perd la moitié de ses membres en Angleterre. Durant la crise des années 30, il recule partout. Par contre, la prospérité économique d'après-guerre, en particulier celle qui suit la Deuxième Guerre mondiale, est une période plus faste pour les syndicats : accroissement notable du nombre de membres, amélioration des conditions de travail, adoption de législations plus favorables, etc. En période de prospérité économique, les gouvernements et les entreprises sont plus généreux envers les syndicats (lois favorables, meilleurs salaires, etc.) que durant les périodes de crise économique. En fait, ils ne veulent pas freiner la croissance économique du moment, et pour cela ils sont prêts à faire des compromis. En période de crise, cependant, les entreprises exercent une forte pression sur les syndicats (en licenciant massivement, en déménageant la production, en rouvrant les conventions collectives, etc.) et sur les gouvernements (pour qu'ils adoptent des lois moins favorables aux travailleurs). C'est le cas depuis le milieu des années 70, ce qui provoque une baisse des effectifs des syndicats. Le taux de syndicalisation des travailleurs salariés a ainsi diminué de façon radicale dans plusieurs pays depuis une vingtaine d'années, après avoir atteint des sommets dans les années 70, quoique certains s'en sortent mieux que d'autres, comme l'indique le tableau 1.1 (p. 22).

La crise que traverse le syndicalisme se traduit aussi par une désaffiliation de plusieurs syndicats des regroupements professionnels ou nationaux. Ainsi, les syndicats indépendants prennent de plus en plus de place. Le sociologue français Pierre Rosanvallon (1988) parle d'une crise qui va au-delà de la fonction traditionnelle des syndicats — défense des intérêts des membres — forcément touchée par les récessions qui se succèdent depuis 1973 (récession à la suite du premier choc pétrolier en 1973, récession de 1980-1981 et celle des années 90).

TABLEAU 1.1   Taux de syndicalisation dans quelques pays industrialisés

	1970	1980	1989
Allemagne	33,0	34,3	30,8
Belgique	41,3	55,8	54,8
Canada	32,2	32,0	34,3
États-Unis	28,3	22,8	15,6
France	21,5	17,6	10,2
Québec	36,1	34,4	39,9
Royaume-Uni	44,6	48,6	38,3
Suède	66,2	78,0	82,9

Source : Rouillard (1996, p. 171). Reproduit avec permission.

La crise actuelle du syndicalisme touche également deux autres fonctions que remplissent les syndicats depuis leur naissance et leur reconnaissance légale : le développement de l'identité ouvrière et la régulation sociale.

En effet, l'identité ouvrière s'est forgée autour du travail manuel et du métier. Or plusieurs phénomènes contemporains du monde du travail viennent ébranler les bases de l'identité ouvrière. Nous n'en examinerons que deux ici, parmi les plus importants. Le premier a trait à la lente mais progressive disparition du travail manuel sous la poussée du progrès technologique. De plus en plus, en effet, les travailleurs sont remplacés par des machines performantes ; en outre, même lorsqu'ils conservent leurs emplois, ceux-ci perdent souvent leur caractère manuel. Le nouvel ouvrier qui manipule des données sur son ordinateur ressemble davantage à un travailleur de l'information qu'à un ouvrier manuel traditionnel. L'identification par le travail manuel est de moins en moins possible. Le deuxième phénomène est que les patrons demandent de plus en plus à leurs ouvriers de s'identifier à l'entreprise plutôt qu'à leur travail, et ce, pour mieux affronter la concurrence étrangère. Les ouvriers doivent, dans ce contexte, faire preuve de flexibilité et accepter de travailler à différents postes dans l'entreprise, selon les besoins du moment. Il devient alors plus difficile de s'identifier à un métier et d'être solidaire avec les gens du métier. La solidarité passe davantage par l'entreprise (notre entreprise contre les autres entreprises) que par le métier (notre métier contre les patrons). Les fondements de l'identité ouvrière, travail manuel et métier, sont donc de plus en plus menacés. Il devient difficile pour les syndicats de représenter les travailleurs sur la base d'une classe sociale constituée d'ouvriers manuels et de métiers, ces travailleurs pouvant de moins en moins s'identifier à ces éléments.

Le rôle de régulation sociale joué par les syndicats, bien que largement reconnu, est de plus en plus contesté ; une large partie de la population, loin de reconnaître ce rôle, voit plutôt les syndicats comme des gêneurs. Précisons d'abord en quoi consiste ce rôle de régulation sociale. À l'origine de la reconnaissance légale des syndicats se trouve l'idée que ceux-ci seraient des interlocuteurs responsables qui contribueraient à civiliser les relations dans le monde du travail et empêcheraient, par le biais de la négociation, l'éclatement de conflits violents (insurrection ouvrière, répressions policières, etc.). Les syndicats ont ainsi commencé à agir à titre de régulateurs, contribuant à la stabilité de la société. Par la suite, et sous la pression des syndicats eux-mêmes, les gouvernements ont de plus en plus consulté les syndicats ou les ont associés à leurs décisions. Il n'est donc pas rare, de nos jours, de voir les syndicats, comme les associations patronales d'ailleurs, siéger dans des organismes gouvernementaux comme représentants des travailleurs. Le problème est que, aujourd'hui, un nombre grandissant de personnes contestent la capacité des syndicats à représenter les travailleurs, particulièrement dans les pays où le taux de syndicalisation est faible. On soutient, à tort ou à raison, que les syndicats ne défendent pas les intérêts de tous les travailleurs, qu'ils privilégient leurs membres au détriment de tous les autres (travailleurs précaires, chômeurs, etc.). Certains gouvernements profitent de cette critique pour exclure les syndicats de leurs consultations ou de la gestion des organismes publics et parapublics. Il devient donc difficile pour les syndicats de remplir cette fonction traditionnelle de régulation.

La crise du syndicalisme est donc triple, comme le soutient Rosanvallon (1989), puisqu'elle englobe le problème de la défense des intérêts des travailleurs syndiqués de moins en moins nombreux, le problème de l'identité ouvrière qui tend à disparaître (ou à se transformer radicalement) et le problème lié à sa fonction de régulation sociale, qui est remise en question par une large partie de la population. Au premier problème, les syndicats ont réagi historiquement en étendant leur protection à tous les travailleurs salariés, c'est-à-dire aux employés de bureau, aux fonctionnaires et même aux cadres salariés qui, dans certains pays comme la Suède, ont été largement syndiqués. Il reste que le recul du taux de syndicalisation a freiné ce mouvement ces dernières années. Devant le deuxième problème, les syndicats ont tenté, sans grand succès, de redéfinir l'identité des travailleurs salariés. La difficulté vient de la grande variété des catégories d'emplois couverts. Il est en effet difficile de faire accepter une même identité, fût-elle aussi générale que celle de salarié, à une secrétaire d'école, à un ouvrier du bâtiment, à une ouvrière du textile et à un cadre professionnel d'une grande entreprise publique. Se sentent-ils tous sur le même pied, partageant les mêmes préoccupations, connaissant les mêmes conditions de travail, etc. ? Contre le troisième problème, les syndicats essaient, chaque fois que l'occasion se présente, de défendre les travailleurs les plus démunis. Ils s'associent alors aux groupes communautaires, mais il semble que la population soit insensible à ces actions.

Cette crise du syndicalisme, c'est aussi la crise que vit depuis plus longtemps encore — depuis toujours ? — le mouvement syndical à l'échelle internationale.

Les regroupements nationaux et internationaux censés protéger les travailleurs contre les actions des entreprises multinationales qui déplacent leurs activités vers des pays à faible coût de main-d'œuvre n'ont pas été en mesure d'offrir la protection promise, et ce, tant aux travailleurs occidentaux qui perdent leur emploi qu'aux travailleurs du Tiers-Monde qui se voient imposer des conditions de travail rappelant le XIXe siècle européen. Récemment, dans plusieurs régions du monde, les syndicats ont été incapables d'obtenir des garanties des gouvernements pour assurer des conditions de travail comparables entre pays lors de l'adoption de traités de libre-échange, comme l'accord conclu en Amérique du Nord entre le Canada et les États-Unis en 1988, puis entre ces deux pays et le Mexique quelques années plus tard. La mondialisation, et ses conséquences en matière de pertes d'emplois et de détérioration des conditions de travail, est plus que jamais le défi principal du syndicalisme.

LA COOPÉRATIVE

Comme les syndicats, les coopératives ont été un instrument utilisé par les ouvriers pour améliorer leur sort durant le processus d'industrialisation. Plus largement, elles ont constitué un instrument d'émancipation économique pour plusieurs personnes ou collectivités qui désiraient s'affranchir de la dépendance capitaliste. À ce titre, les coopératives étaient souvent porteuses d'une utopie visant l'édification d'une société nouvelle, plus communautaire et coopérative. Il reste peu de chose de cette utopie aujourd'hui; par contre, dans le sillage de ce mouvement, de puissantes organisations coopératives ont vu le jour dans de nombreuses sociétés où elles occupent à présent une place centrale, dans certains secteurs du moins. Il s'agit donc d'un type d'entreprise non négligeable qui modèle plus particulièrement certaines sociétés capitalistes. C'est pourquoi nous y consacrons une section.

Origine

On présente très souvent la création de la coopérative de consommation de Rochdale en 1844 par une vingtaine de tisserands pauvres de ce faubourg industriel de Manchester comme le point de départ du mouvement coopératif contemporain. C'est que l'expérience de Rochdale a inspiré la création de nombreuses autres coopératives de consommation en Angleterre et en Europe par la suite. D'ailleurs, les règles coopératives adoptées par ces artisans deviendront celles de l'Association coopérative internationale (ACI), qui fédère les coopératives du monde à partir de la fin du XIXe siècle. En fait, la création de la coopérative de Rochdale s'inscrit dans le contexte d'un mouvement communautariste qui cherchait un contrepoids à la société capitaliste qui se mettait en place à l'époque. L'idée de recréer une société, une vaste communauté, fondée sur des principes de justice, d'égalité et de solidarité animait plusieurs groupes, et des tentatives de

créer de telles communautés ont été faites. Mais plutôt que d'attendre l'avènement de ces communautés idéales, certains, dont des ouvriers de Rochdale, foyer
de nombreux groupes, sectes et églises communautaristes, ont préféré inverser la
démarche, comme l'explique le sociologue français Henri Desroches :

> Plutôt que de faire appel à des collectes aléatoires pour fonder des villages
> d'Harmonie chers à l'Église owénite, pourquoi ne pas faire appel à la mobili-
> sation et à la fructification des épargnes en les investissant dans des bouti-
> ques de distribution — les stores ? Il sera toujours temps de passer, après et
> moyennant cette phase coopérative dûment équipée, à la phase suivante :
> celle de la communauté. C'est la [...] tactique reprise à Rochdale avec les
> cotisations en capital social et l'ouverture du magasin de Toad Lane.
> (Desroches, 1976, p. 54.)

La Société des équitables pionniers de Rochdale achetait des produits de première nécessité qu'elle revendait à ses membres. L'achat en groupe permettait
d'obtenir un meilleur prix pour les marchandises, et ces économies étaient
remises aux membres sous forme d'une ristourne au prorata de leurs achats. Les
objectifs de la coopérative étaient, à long terme, de produire elle-même ces marchandises, de façon coopérative, et de créer éventuellement des communautés
entièrement coopératives. La coopérative de consommation de Rochdale n'était
pas la première coopérative à voir le jour, mais elle est celle qui a servi de modèle
par la suite. Le mouvement a rapidement dépassé les coopératives de consommation et a franchi les frontières de l'Angleterre. Ainsi, si ce dernier pays est considéré comme le foyer de la coopérative de consommation, la France fut celui des
coopératives de production et l'Allemagne, celui des coopératives de crédit
(Desroches, 1976, p. 57). Toute cette ébullition coopérative a pris forme dans les
années 1840-1850. Avec l'apparition, par la suite, des coopératives agricoles,
nous avons là les quatre secteurs clés de l'économie coopérative tels qu'ils existent encore aujourd'hui : consommation, production, crédit et agriculture.
D'autres secteurs, marginaux ceux-là, s'ajouteront.

Structures

Comme les syndicats, les coopératives s'empressent d'étendre leur organisation à
l'échelle nationale et internationale. Les premières fédérations nationales
verront le jour en 1869 en Angleterre et en 1885 en France. Dès le milieu du
XIXe siècle, on tente de créer un regroupement international, mais ce n'est qu'en
1895 que sera fondée l'Association coopérative internationale. Ce sont les coopératives de consommation, plus rapides à se développer et à acquérir un pouvoir
économique important, qui domineront les activités de l'ACI pendant une
cinquantaine d'années, provoquant des conflits avec les autres secteurs, en particulier avec celui de la production. L'un des différends se rapporte au refus des coopératives de consommation d'offrir à leurs travailleurs de participer à la propriété

et à la gestion de la coopérative. Cette attitude, qui privilégie le membre au détriment du travailleur, offusque les partisans d'une véritable autogestion coopérative qui, disent-ils, fait également appel à la participation des travailleurs. Cette question, que de nombreuses coopératives refusent d'aborder, se pose encore aujourd'hui.

Notons également le développement très inégal des secteurs d'activité selon les pays. De manière générale, dans les pays européens, les coopératives de consommation et les coopératives agricoles dominent, mais il existe des variations régionales. Par exemple, la France compte en plus beaucoup de coopératives d'entrepreneurs; en Belgique, les banques coopératives, les assurances et les pharmacies populaires sont plus nombreuses. Au Québec, le secteur de la consommation est faiblement développé contrairement aux secteurs financier (Mouvement Desjardins) et agricole. On relève aussi des différences dans l'application des règles et des principes adoptés par l'ACI. Certains pays — l'Espagne, l'Italie, le Québec et la Suède — s'en tiennent assez scrupuleusement à ces règles et principes lors de l'adoption des législations encadrant les coopératives, tandis que d'autres, comme la Belgique, les négligent. En Belgique, par exemple, où la législation est très permissive, et la formule très avantageuse sur le plan fiscal, on trouve un grand nombre de coopératives, soit plus de 38 000. Toutefois, la majorité d'entre elles sont considérées comme de «fausses» coopératives. Pour distinguer les «vraies» des «fausses», le gouvernement belge a créé en 1955 un organisme, le Conseil national de la coopération, chargé de fédérer les «vraies» coopératives. Sur les 38 000, seulement 800 ont joint le Conseil national et donc, dans les faits, respectent un certain nombre de critères proches de ceux de l'ACI.

Problèmes et défis contemporains

Quelle est l'originalité de l'entreprise coopérative par rapport à l'entreprise capitaliste? En effet, si elle exclut si souvent, comme c'est le cas des coopératives de consommation, les travailleurs de la propriété, de la gestion et de la répartition des surplus, en quoi se démarque-t-elle de l'entreprise capitaliste? Les analystes de la coopérative la présentent comme étant à la fois une association de personnes et une entreprise économique, où la dernière est au service de la première. Il s'agit ici d'une association de personnes, et non d'une association de capitaux, caractéristique de l'entreprise capitaliste, ce qui se traduit par un fonctionnement plus démocratique. Ce fonctionnement se fonde sur le principe de «une personne, un vote» et non pas sur celui d'un vote en proportion des actions détenues dans l'entreprise. Ces personnes s'associent en tant qu'usagers et, à ce titre, elles sont égales, ce qu'elles ne sont pas en tant que propriétaires. La coopérative est aussi une entreprise économique au service de l'association, ce qui signifie que, au contraire de l'entreprise capitaliste, où les réserves accumulées sont la propriété des actionnaires et sont partagées entre eux en cas de dissolution, dans la coopérative, les réserves sont collectives, impartageables et inaliénables; en cas de dissolution, elles doivent être, en vertu de la loi et des statuts, attribuées soit à une autre coopérative, soit à des œuvres d'intérêt général (Lasserre, 1977, p. 17). La viabilité et le succès d'une coopérative reposent sur la viabilité de l'association (réussite humaine, selon Lasserre) et sur la viabilité de l'entreprise (réussite économique, selon Lasserre).

L'évolution du mouvement des entreprises coopératives partout dans le monde montre que, dans un premier temps, l'aspect associatif domine largement mais que, après un certain temps, dans de nombreux cas, un glissement se produit vers la prédominance de l'entreprise économique par rapport à l'association et une nouvelle finalité se dessine. Dans un contexte de mondialisation économique, n'est-ce pas ce qui menace plus que jamais les coopératives? Leurs dirigeants en sont bien conscients, et la plupart des grandes coopératives ont demandé à leurs gouvernements respectifs de modifier les lois relatives aux coopératives pour tenir compte des transformations économiques qui se produisent à l'échelle internationale et de la concurrence accrue. Ces demandes ont été exaucées à plus d'un titre dans la majorité des pays occidentaux. Les modifications visent dans l'ensemble à donner aux coopératives une plus grande marge de manœuvre. On constate donc que, de manière générale, la fonction économique de la coopérative tend à l'emporter sur la fonction sociale. L'un des changements les plus notables est celui qui permet à des non-membres d'investir du capital dans une coopérative, mesure qui s'applique tout particulièrement aux banques coopératives (ou caisses populaires). L'objectif est de permettre à ces coopératives d'augmenter leur capitalisation pour être en mesure de concurrencer des entreprises privées de plus en plus concentrées et de plus en plus puissantes. La Belgique, l'Espagne, la France, l'Italie, le Québec et la Suède ont adopté des lois allant dans ce sens. On notera aussi la multiplication de sociétés anonymes sous le contrôle de coopératives, moyen de plus en plus utilisé par les coopératives agricoles qui «devient un des principaux instruments de croissance externe et de pénétration dans les industries agro-alimentaires» (Chomel et Vienney, 1995, p. 137). Encore là, la France, le Québec, l'Italie et la Suède sont touchés par ce phénomène.

Comme le signalent Chomel et Vienney (1995, p. 146), c'est «la loi du marché qui détermine de plus en plus rigoureusement les transformations d'activités» des coopératives. Qu'advient-il alors des valeurs et des principes coopératifs? Certains auteurs concluent que les nouvelles dispositions n'influent pas sur l'esprit et la pratique des coopératives parce que celles-ci sont fortement encadrées. C'est la conclusion que tire Margaretha Lisein Norman, qui a étudié en Belgique la transformation des caisses rurales coopératives en une grande banque coopérative (CERA). Selon elle, malgré l'élargissement de la clientèle et l'ouverture aux investisseurs non membres, et contrairement à son hypothèse de départ, la pérennité des valeurs coopératives n'est pas menacée.

L'hypothèse était: CERA entretient une culture d'entreprise semblable à celle résultant de nouveaux (par rapport au taylorisme) modes capitalistes de gestion sociale plutôt qu'une forme de culture associée traditionnellement aux coopératives.

Sur la base de la production des discours recueillis — et sans vouloir en généraliser la portée — concluons que, même si certaines caractéristiques mentionnées relèvent (aussi) du management participatif, la structure coopérative de CERA a plutôt tendance à créer une culture d'appartenance, de partage de valeurs, de volonté d'implication définie comme étant celle traditionnellement associée aux formes d'activités coopératives. (Norman, 1995, p. 91-92.)

D'autres auteurs, moins optimistes, parlent plutôt de la création d'une nouvelle forme d'organisation, à mi-chemin de l'entreprise coopérative et de l'entreprise capitaliste.

Entre la coopérative traditionnelle, groupement de personnes associées pour participer aux activités d'une entreprise qui leur sont directement utiles (gestion de service) et l'entreprise de type capitaliste, groupement de capitaux engagés dans les activités relativement les plus rentables (gestion de rapport), est donc construite une organisation intermédiaire, plus complexe puisqu'elle a pour objet de les combiner. (Chomel et Vienney, 1995, p. 144.)

En fait, peu d'auteurs concluent à la fin des coopératives, à leur travestissement total; il reste toujours des éléments qui les distinguent des entreprises capitalistes. Il y a donc, malgré les changements, une continuité dans l'application des principes coopératifs. Le phénomène de la mondialisation des marchés oblige à une redéfinition des coopératives et de leurs activités. La dérive capitaliste reprochée à plusieurs coopératives est en fait celle du mouvement coopératif à l'échelle internationale, qui parvient malgré tout, selon certains experts, à maintenir des traits distinctifs (voir à ce propos l'ouvrage sous la direction de Zévi et Monzón Campos, 1995).

L'ÉTAT

Si les syndicats et les coopératives modernes peuvent être présentés comme des produits du capitalisme industriel, il en va autrement de l'État moderne apparu il y a plusieurs siècles. Il reste que l'État moderne s'est construit en même temps, et dans les mêmes lieux, que le capitalisme et qu'il est encore, de nos jours, une institution centrale des sociétés capitalistes. Comme le souligne le politologue québécois Gérard Bergeron (1990, p. 181), l'État est devenu au fil du temps «une Organisation d'organisations» remplissant plusieurs fonctions sociales, et même le plus faible d'entre eux «reste plus "fort" que la plus puissante multinationale» (*ibid.*, p. 255) par son pouvoir d'avoir le dernier mot (ou de légiférer).

Origine et structuration

L'État moderne a émergé au cœur de la féodalité européenne, entre 1280 et 1360, «lorsque confrontés à des guerres incessantes, les rois et les princes d'Occident ont fait appel à ceux qui résidaient sur leurs terres pour qu'ils contribuent, de leurs personnes et de leurs biens, à la défense et à la protection de la communauté» (Actes de la Table ronde, École française de Rome, cité dans Bergeron, 1990, p. 64, n. 16). Les rois et les princes déclencheront ainsi «un vaste processus d'intégration politique» qui aboutira à l'idée, qui fonde l'État moderne, de souveraineté politique. Autour du personnage du souverain, et d'un territoire placé sous sa protection, se créent une autorité et des fonctions publiques (armée, justice, etc.) qui minent le lien politique féodal reposant sur des relations personnelles de dépendance fortement hiérarchisées (celles «d'un homme envers un autre»).

La première forme que prend donc cet État moderne en devenir est celle d'un État dynastique autour de la figure du roi ou du souverain. Ce pouvoir politique est transmis et renforcé par les liens et les alliances dynastiques. L'Angleterre et la France sont les deux pays où se constitue cet État moderne qui verra son cercle se compléter graduellement en Europe à partir du XVIᵉ siècle (Bergeron, 1990, p. 106). En Angleterre, un ensemble d'innovations politiques voient le jour dès le XIIIᵉ siècle, qui contribuent à la création de cet État moderne, comme «la Grande Charte de 1215, les Provisions d'Oxford, le Parlement (The Mother of Parliaments), le procès par jury, puis l'Habeas Corpus, etc.» (*ibid.*, p. 86). La France, grande rivale de l'Angleterre, lui emboîte rapidement le pas par «l'édification progressive d'une bureaucratie [...] permettant [...] de prétendre régir, depuis Paris, le gouvernement des provinces» (*ibid.*, p. 89).

Cette forme dynastique de l'État deviendra souvent absolutiste, voire impérialiste par la suite, les rois abusant en quelque sorte de leur pouvoir de souveraineté. Les révolutions française et américaine s'attaquent à ces formes d'États et aux abus qu'elles autorisent. En fait, ce qui est remis en question, ce n'est pas tant «le principe même de l'État, ni l'institution étatique comme unité de fonctionnement, mais bien plutôt la nature et les limites d'un pouvoir trop fort et trop centralisé (l'absolutiste), trop distant et trop rigide (l'impérialiste)» (Bergeron, 1990, p. 133). Ces révolutions mettront fin au pouvoir monarchique absolutiste ou impérialiste sur ces deux territoires. Une idée nouvelle s'impose alors: celle de la souveraineté non plus d'un roi, mais d'un peuple ou d'une nation. Ce n'est donc plus autour de la figure du roi que se construiront l'autorité et les fonctions publiques, mais autour du peuple ou de la nation et de ses représentants désignés (élus). Ainsi, au début du XIXᵉ siècle, se déploie une forme d'État «national» qui va ébranler la forme d'État dynastique, absolutiste ou impérialiste à l'œuvre dans d'autres pays. Il est à noter qu'en Angleterre, dans la foulée des deux révolutions de 1648 et 1688, la monarchie absolutiste s'est progressivement transformée en monarchie parlementaire. Après la Révolution française, d'autres pays suivront la voie anglaise et se transformeront en monarchies parlementaires.

Pour limiter le pouvoir de l'État, qu'il soit monarchique ou républicain, le moyen tout trouvé sera de le soumettre à la constitution. L'apogée de ce processus de transformation vint quand l'État «accepta de constitutionnaliser son autorité, de voir dans son propre consentement à ces autolimitations une manifestation même de souveraineté» (Bergeron, 1990, p. 215). La constitutionnalisation du pouvoir de l'État marque le triomphe du principe de droit sur les conceptions plus personnelles du pouvoir politique. L'adoption de la Constitution britannique en 1688, les constitutions issues des révolutions française et américaine du XVIIIᵉ siècle en sont des figures exemplaires. Elles aboutirent à notre conception moderne de l'État qui est l'État de droit, et à son évolution ultérieure comme l'État-providence, qui élargit la notion de droit-protecteur à celle de droit-assureur (droit d'être soigné, droit à un salaire minimum, etc.). Nous y reviendrons.

Ainsi, paradoxalement, alors qu'aujourd'hui on condamne l'omnipotence de l'État, celui-ci s'est structuré historiquement en autolimitant le pouvoir politique. Les tentatives absolutistes de puissantes monarchies ont été combattues, tout comme le sont les régimes totalitaires du XXᵉ siècle. Il y a là une constance dans l'histoire de l'Europe depuis la chute de l'Empire romain, celle de l'incapacité pour un pouvoir politique de s'emparer de ce continent et de le soumettre à sa toute-puissance. Et, nous l'avons vu précédemment, c'est cette absence d'un pouvoir politique tout-puissant qui a donné naissance à la société capitaliste, société dominée par les acteurs économiques. Il n'est donc pas étonnant que la montée de l'État, accompagnant et soutenant celle du capitalisme, ait été encadrée, limitée par une société civile dominée par les acteurs économiques. Les libertés individuelles (notamment la liberté de commercer), la protection de la propriété privée (celle des marchands tout particulièrement) ont été au fondement de cet État moderne autolimitant son pouvoir.

Problèmes et défis contemporains

Il est vrai par ailleurs que l'État moderne est immense et qu'il a tendance à être envahissant. Le travail de la société civile pour en limiter le pouvoir est une tâche qui semble toujours à recommencer. Regardons de plus près comment l'État moderne en est venu à être si omniprésent en examinant les droits qu'il a voulu garantir. Comme le soutient le politologue René Rémond (1962), l'évolution du rôle de l'État est liée à diverses causes. Il voit «en gros deux ordres de causes qui se sont additionnées» et qui ont favorisé l'extension progressive du rôle de l'État au départ libéral, neutre, non-interventionniste et restreint: «les unes, de nature technique, les nécessités de fait; les autres, plus politiques ou idéologiques, aspirations de l'opinion, mouvement des esprits, diffusion d'impératifs moraux» (*ibid.*, p. 21). Dans le premier cas, on se trouve en présence d'un État-protecteur qui va être forcé d'intervenir par nécessité pour assurer le respect de droits jugés fondamentaux, comme le droit à la vie — être protégé dans son intégrité physique contre toutes les menaces de violence intérieure et extérieure — et le droit de propriété — le droit de jouir en toute liberté de ses biens. Le droit à la vie s'étendra rapidement et des mesures sont prises pour l'assurer : lois en matière d'hygiène publique, campagnes de vaccination obligatoire, contrôle des aliments, etc. Principalement, ces mesures visent à enrayer les risques d'épidémies qui menacent l'existence de chacun. Certaines situations exceptionnelles, comme les guerres et les crises économiques, forcent aussi l'État à intervenir pour soulager les populations touchées. Ici, l'État est davantage un État de droit et il répond à des nécessités de fait.

Le deuxième type d'intervention se rattache surtout au rôle de l'État-providence, c'est-à-dire à son rôle social. L'idéologie de l'égalité issue des révolutions française et américaine y est pour beaucoup. Il s'agit de donner à tous la chance d'être un citoyen à part entière en lui garantissant un droit à l'éducation, à la santé, au logement, à un revenu minimum, etc. Pour ce faire, l'État élabore et met en œuvre des programmes auxquels sa population a facilement accès. Il s'agit aussi de suppléer à l'impuissance des individus pour offrir à la communauté tout entière un degré satisfaisant d'avancement, de culture. Aussi l'État interviendra-t-il pour encourager le développement économique du pays en mettant sur pied des sociétés d'État qui exploiteront les richesses naturelles que recèle son territoire, ou pour garantir des émissions de télévision de qualité promouvant la culture du pays en créant des stations de télévision d'État.

Si, de manière générale, les interventions étatiques de premier type, celles qui sont relatives à l'État de droit, ne sont pas contestées, celles qui se rattachent à l'État-providence ou à l'intervention économique le sont beaucoup plus. Certains, comme les ultra-libéraux, aimeraient que l'État se limite au premier type d'interventions et qu'il laisse les actions requises par le deuxième à l'initiative des individus, des groupes et des entreprises. Le contexte actuel de crise financière des États leur donne beau jeu. Ils soutiennent très souvent, dans la même foulée, que c'est l'intervention excessive de l'État qui est responsable des crises économiques que vivent plusieurs pays. En fait, c'est la classique question du rôle de l'État dans le développement économique qui est relancée. Si aux yeux des uns, l'État apparaît comme un frein au développement économique, il est un moteur aux yeux des autres. Des auteurs ont montré que l'État, en créant un marché national et en adoptant des lois favorables aux entreprises, a largement contribué au développement du capitalisme. D'autres, qui refusent de reconnaître un rôle de premier plan à l'État dans le développement du capitalisme, préfèrent insister sur les obstacles qu'il a introduits.

Toute la question est de savoir ce qui est une intervention raisonnable de l'État, quel genre d'intervention favorise ou défavorise le développement économique. Il n'est pas facile en effet de trouver la ligne à ne pas franchir, au-delà de laquelle l'action de l'État devient contre-productive, même si tout le monde admet qu'il existe un tel point de rupture. Une analyse comparative du rôle de l'État dans plusieurs pays capitalistes pourrait nous aider à apporter un peu de lumière sur cette délicate mais importante question. C'est l'un des objets de la prochaine section. Plus fondamentalement, l'analyse de cas concrets nous permettra de voir qu'il n'y a pas un capitalisme mais des capitalismes à l'œuvre dans le monde et que le rôle que peut jouer l'État varie énormément d'une société à l'autre, en fonction du contexte historique, de la puissance des acteurs économiques, etc.

LES CAPITALISMES À L'ŒUVRE DANS LE MONDE

Nous avons présenté le capitalisme comme un système dominé par les acteurs économiques, en particulier par les entreprises. Nous avons également présenté la création d'organisations telles que les syndicats et les coopératives comme une réaction à la domination des entreprises capitalistes. Nous avons finalement associé le développement du capitalisme à celui de l'État moderne, les deux se renforçant mutuellement au cours des siècles à travers une relation complexe qui reste à préciser. Selon les époques et les pays, les entrepreneurs capitalistes, les ouvriers, les pouvoirs politiques ont interagi différemment, donnant naissance à diverses formes de capitalisme. C'est ce que nous nous attacherons à montrer ici. En fait, même en ne s'en tenant qu'aux entreprises qui ont des activités dans les pays concernés, c'est-à-dire en excluant les syndicats, les coopératives et l'État, qui donnent souvent au capitalisme sa forme nationale, on peut voir que le capitalisme varie d'un pays à l'autre. En effet, et les travaux de Chandler le démontrent, les grandes entreprises capitalistes varient selon les sociétés, au point d'amener ce dernier à qualifier différemment le capitalisme à l'œuvre dans chacune des sociétés qu'il a étudiées. C'est le premier cas de figure que nous examinerons. Nous croyons cependant mieux rendre compte du phénomène en montrant les interactions que les entreprises ont avec les autres organisations de la société capitaliste, ce que nous ferons par la suite.

Les capitalismes vus à travers le prisme de l'entreprise

Se centrant exclusivement sur les 200 plus grandes entreprises industrielles des trois pays les plus industrialisés de la fin du XIXe siècle jusqu'au milieu du XXe, soit l'Angleterre, les États-Unis et l'Allemagne, Chandler (1992, 1993a, 1993b) relève les traits caractéristiques du capitalisme industriel et les formes différentes qu'il peut prendre. Il montre d'abord qu'au cœur de la dynamique du capitalisme industriel se trouvent les entreprises ayant un grand potentiel organisationnel qui donnent aux industries et aux pays auxquels elles appartiennent un avantage incomparable à l'échelle tant nationale qu'internationale. Ces entreprises sont celles qui, les premières, ont réussi à se transformer en grandes entreprises industrielles modernes, c'est-à-dire celles qui ont largement investi dans leurs capacités de production, de distribution et de gestion (à ce sujet, revoir la section «L'entreprise»). Cette réussite est si grande qu'en 1973 ces mêmes entreprises dominent toujours dans leur industrie, et l'industrie nationale à laquelle elles appartiennent domine le monde.

Ce phénomène de transformation des entreprises a lieu simultanément dans plusieurs pays en voie d'industrialisation, bien que, pour des raisons historiques, ce type de grandes entreprises s'implante davantage aux États-Unis. En fait, aux États-Unis, de telles entreprises se déploient en grand nombre tant dans le secteur de la production que dans celui de la distribution. En Grande-Bretagne, c'est surtout dans le secteur de la distribution que les entrepreneurs réussissent à s'implanter, et en Allemagne, c'est dans le secteur de la production. Selon Chandler, les solutions managériales adoptées par les entrepreneurs dans les diverses industries et d'un pays à l'autre face aux défis qu'ils avaient à relever pour rester concurrentiels dans leur pays et dans le monde ont favorisé ou empêché la transformation des entreprises en grandes entreprises industrielles modernes. Il semble que, de ce côté, les entrepreneurs américains et allemands aient mieux réussi que ceux de Grande-Bretagne. À la lumière des différences qu'il constate dans l'évolution des entreprises capitalistes dans ces trois pays, notamment celles qui ont trait à la capacité et à la volonté de créer de grandes entreprises industrielles modernes, Chandler qualifie le capitalisme américain de managérial compétitif, l'anglais, de familial et l'allemand, de coopératif. Examinons cela un peu plus en détail.

Le cas américain est la figure de référence. C'est en effet l'étude de la transformation des entreprises américaines dans la période 1880-1920 qui permet à Chandler de dégager le modèle de grande entreprise industrielle moderne (tel qu'il a été présenté dans la section «L'entreprise»). Aux États-Unis, un marché intérieur en expansion rapide et une population rurale très importante et dispersée sur un vaste territoire favorisent à la fois la production et la distribution à grande échelle. La coordination de ces activités de production et de distribution appelle la mise en place d'équipes de managers au sommet comme à la base. Finalement, les lois antitrust américaines favorisent la fusion d'entreprises, plutôt que l'organisation d'entreprises en cartels, pour desservir cet immense marché. Tous ces éléments débouchent finalement, sous l'impulsion d'entrepreneurs et de managers innovateurs, sur la création de la grande entreprise industrielle moderne.

Aux États-Unis, le capitalisme est donc de type managérial compétitif, puisque le contexte économique et juridique pousse à la concurrence et à l'innovation organisationnelle (résoudre des problèmes logistiques comme celui d'alimenter un marché en expansion rapide sur un territoire de plus en plus grand sans le recours à la coopération interfirmes [cartels]). Sont dès lors favorisées les entreprises qui comptent sur les managers les plus innovateurs, ceux qui sont en mesure de résoudre ces problèmes de logistique, de gestion.

En Grande-Bretagne, les entrepreneurs évoluent aussi dans un marché en expansion, mais celle-ci n'est pas aussi rapide qu'aux États-Unis. Ainsi, en 1870, la population américaine est légèrement supérieure à celle de la Grande-Bretagne, soit respectivement 40 millions d'habitants et 31 millions; en 1913, la population des États-Unis atteint 100 millions, comparativement à seulement 46 millions en Grande-Bretagne (Chandler, 1992, p. 95). Ce qui accentue encore plus la différence entre les deux pays, c'est que la population de Grande-Bretagne est beaucoup plus concentrée et urbanisée que celle des États-Unis, ce qui ne favorise pas la multiplication des unités de production pour satisfaire la clientèle. En fait, en Grande-Bretagne, «on ne pouvait dégager que peu de bénéfices supplémentaires, en termes de coûts de transport par la construction de nouvelles capacités de production éloignées de l'usine-mère» (Chandler, 1993a, p. 56). Une telle situation explique, en partie du moins, le fait que ce soient surtout des entreprises de distribution, et non de production, qui façonnent la grande entreprise intégrée en Grande-Bretagne. D'autres éléments ont joué, comme le résume Chandler:

> La superficie limitée de la Grande-Bretagne, son manque de matières premières, ses industries encore très rentables — celles qui avaient vu le jour avant l'apparition du chemin de fer et du télégraphe — et ses marchés de consommation extraordinairement riches l'amènent à investir ses ressources (en installations et en hommes) dans les industries de la consommation (et ce, en particulier dans les industries de produits conditionnés et vendus sous marques), de distribution de masse et dans les industries traditionnelles de la première révolution industrielle. (Chandler, 1993, p. 86.)

Cependant, selon Chandler, plus important encore est l'attachement des entrepreneurs à des valeurs traditionnelles comme la famille, le rang social, etc. En effet, les entrepreneurs anglais étaient très souvent plus préoccupés de conserver la gestion individuelle et familiale de leur entreprise et de s'enrichir que de faire croître leurs entreprises. De plus, le rôle de manager n'était pas aussi valorisé qu'aux États-Unis, si bien que les universités prestigieuses de Cambridge et d'Oxford n'encourageaient pas tellement la formation en gestion ou en ingénierie, donc les professions de managers et d'ingénieurs qui vont en revanche fleurir aux États-Unis et en Allemagne. Il y a eu bien sûr des exceptions, surtout dans le domaine de la distribution où des entrepreneurs ont instauré la grande entreprise industrielle intégrée, mais, dans l'ensemble, les entrepreneurs britanniques, pionniers de la première révolution industrielle, ont été dépassés par ceux des États-Unis et d'Allemagne. Même après que l'Allemagne eut subi des pertes énormes en installations, en ressources et en compétences, conséquemment à sa défaite lors de la Première Guerre mondiale, les entrepreneurs britanniques ont été incapables de profiter de l'occasion pour prendre la place des Allemands sur les marchés et dans les industries que ces derniers dominaient avant la guerre.

La Grande-Bretagne présente ainsi un capitalisme de type familial, selon Chandler, tant ses entrepreneurs sont restés attachés à la gestion personnelle et familiale de leurs entreprises. Ce capitalisme s'est révélé moins efficace que celui des Américains pour conquérir les marchés nés de la deuxième révolution industrielle. Si bien que la Grande-Bretagne, qui détenait 32 % de la production industrielle en 1870, n'en détient plus que 9 % à la veille de la Deuxième Guerre mondiale. Durant la même période, les États-Unis passaient de 23 % à 32 % de la production mondiale, alors que l'Allemagne maintenait sa place avec une production variant entre 10 % et 20 % (Chandler, 1992, p. 26).

En Allemagne, où la population passe de 39 millions d'habitants en 1870 à 66 millions en 1913, la croissance du marché intérieur n'est pas aussi rapide qu'aux États-Unis, bien qu'elle soit supérieure à la croissance du marché de Grande-Bretagne. Comme les entrepreneurs britanniques, et contrairement aux Américains, les entrepreneurs allemands devaient viser beaucoup plus rapidement les marchés mondiaux pour faire croître leurs entreprises et les amener à des tailles semblables à celles des Américains. Ces marchés existaient, mais ils étaient un peu plus difficiles à pénétrer qu'un marché intérieur ; si la Grande-Bretagne visait surtout le marché des pays de l'Empire britannique, l'Allemagne lorgnait plutôt du côté des pays d'Europe de l'Est et du Sud-Est (Chandler, 1993b, p. 59).

Les Allemands ont mieux réussi que les Britanniques à s'imposer dans les entreprises de la seconde révolution industrielle (plus exigeantes en capital et en technologies) parce que, comme aux États-Unis, leur société valorise les managers, les ingénieurs et l'avancement des connaissances scientifiques et techniques. Tout le système d'éducation allemand a rapidement été axé sur ces domaines. Les liens très serrés qu'entretient ce système d'éducation avec l'industrie sont l'une des particularités de la façon de faire allemande. On trouvait aussi en Allemagne des entrepreneurs moins attachés à la gestion personnelle et familiale que les Britanniques, bien que légèrement plus que les Américains. Cela donnera naissance à des formules hybrides comme les *Konzerne*, espèce de trusts familiaux.

Par contre, on relève de nombreuses différences entre les Allemands et les Américains, la plus importante étant que les Allemands préconisaient très largement la coopération interfirmes sous forme de cartels pour conquérir de nouveaux marchés. Ce qui était interdit aux États-Unis était parfaitement légal en Allemagne. Or, tout au long de leur développement, les entreprises allemandes ont favorisé cette formule. Même qu'au lendemain de la défaite de leur pays à la Première Guerre mondiale, ils ont renforcé cette tendance. Et ces cartels sont parvenus à se donner une coordination au sommet qui avait l'efficacité de celle des équipes de managers dirigeant les grandes entreprises industrielles américaines. Ces cartels, qui regroupaient deux ou trois grandes entreprises et des plus petites, permettaient à ces entreprises de se partager le marché, de fixer les prix et les quotas, de rationaliser la production, voire très souvent de partager non seulement les droits et les savoirs, mais aussi les profits, car la part de chacun était établie à l'avance indépendamment des résultats réels des entreprises. Ce processus n'a pas empêché la formation de grandes entreprises intégrées, mais il n'y avait pas, comme aux États-Unis, une incitation législative (lois antitrust) à la fusion. De plus, la taille moindre du marché allemand incitait moins à l'implantation de plusieurs grandes entreprises qui s'y seraient fait concurrence. En règle générale, les entrepreneurs cherchaient surtout à consolider leurs parts du marché intérieur tout en se lançant ensemble à la conquête de nouveaux marchés extérieurs, action qui fut couronnée de succès dans les secteurs de la production d'équipements de machinerie lourde, de la chimie et des métaux, trois secteurs où le savoir-faire allemand est mondialement reconnu depuis maintenant près d'un siècle.

Le financement des entreprises allemandes se démarque aussi nettement du modèle américain ou anglais. Ces dernières ont été financées plus par les grandes banques polyvalentes que par le marché boursier, comme aux États-Unis. Les banques se trouvaient ainsi à occuper une bonne place dans les conseils d'administration des entreprises et, comme elles avaient souvent des intérêts dans plusieurs entreprises, la concurrence à tout prix n'était pas de mise. La coopération permettait de mieux rentabiliser l'ensemble de leurs investissements. Ce capitalisme, Chandler le qualifie, et avec raison, de coopératif, puisqu'il mise énormément sur la coopération interfirmes.

On le constate, le capitalisme prend très tôt, sous l'impulsion même des chefs d'entreprise, des formes diverses, la concurrence pure et dure n'étant pas la règle guidant toutes les actions. D'autres logiques — familiale, de coopération — ont été mises en œuvre par les entrepreneurs eux-mêmes. Ce sont les contextes d'action différents dans lesquels s'insèrent les divers acteurs entrepreneuriaux qui les amènent à adopter certaines stratégies plutôt que d'autres. Il est vrai cependant que ce sont les entreprises qui ont réussi le triple investissement dont parle Chandler — comme GM et Du Pont, aux États-Unis, Bayer et BASF en Allemagne, Unilever en Grande-Bretagne, etc. — qui sont depuis longtemps les principaux chefs de file de l'industrie à laquelle elles appartiennent à l'échelle mondiale, mais les chemins pour y parvenir ont varié beaucoup, et varient encore, selon les sociétés.

LES CAPITALISMES NATIONAUX

S'il est vrai que Chandler tient bien compte du rôle de l'État en soulignant que ce dernier, par l'adoption de réglementations contraignantes ou incitatives, ainsi que par le biais de ses institutions d'enseignement qui favorisent des voies et des contenus d'apprentissage plutôt que d'autres, influe sur l'orientation du développement des entreprises capitalistes, il faut dire qu'il ne s'étend guère sur la question du rôle de celui-ci dans l'établissement des capitalismes nationaux. De plus, il ne traite pas des syndicats qui, dans plusieurs sociétés, semblent avoir joué un rôle prépondérant. Chez Chandler, l'impulsion déterminante reste celle des entrepreneurs[3]. Loin de nous l'idée de contester le fait que ce sont ces derniers qui ont été, et qui restent très souvent, les moteurs du capitalisme, mais il paraît évident que tant l'État que les syndicats ont joué des rôles centraux dans l'histoire du capitalisme, en particulier dans les formes nationales qu'il a prises.

Voyons d'abord ce qu'il en est du rôle de l'État. Nous avons souligné précédemment que la place de l'État est allée en grandissant dans nos sociétés. Son rôle s'est particulièrement accentué à partir des années 30, et même une société libérale comme les États-Unis a vu l'État intervenir davantage dans l'économie et le social. La crise économique des années 30 est d'une telle ampleur que la plupart des gouvernements, sous l'influence des travaux de l'économiste Keynes, interviennent pour aider les plus démunis, stimuler la croissance et l'emploi, réglementer davantage les entreprises, etc. Aux États-Unis, c'est le président Roosevelt qui instaurera des politiques et des programmes qui survivront pour la plupart jusqu'à l'ère Reagan. Ce dernier ne parviendra à démanteler que partiellement les réalisations de Roosevelt et de ses successeurs. Il reste cependant que les États-Unis sont allés moins loin que de nombreux gouvernements d'Europe durant la même période. L'un des éléments qui nous intéressent ici, c'est la portée et l'efficacité des interventions sur le plan économique. La plupart des pays européens d'après-guerre se sont dotés de politiques industrielles pour relancer leur économie affaiblie par une guerre dévastatrice. Par politique industrielle, il faut entendre des politiques élaborées au sommet de l'État, en collaboration ou non avec les entreprises et les syndicats, visant à favoriser le développement économique.

On pourrait classer les différents pays le long d'une échelle allant de l'État minimal à l'État maximal. On aurait, d'une part, les pays capitalistes plus près de l'État minimal, mais avec des écarts importants entre certains, et, d'autre part, les pays socialistes et les dictatures plus près de l'État maximal. Examinons le cas des pays capitalistes en faisant ressortir les écarts entre eux. L'Allemagne et le Japon ont, par exemple, des États qui cherchent à habiliter les acteurs pour qu'ils donnent un meilleur rendement. Ils encouragent en particulier la coopération entre acteurs, c'est-à-dire entre entreprises, entre entreprises et syndicats, entre universités et entreprises, etc. Ils cherchent à institutionnaliser ces rapports de

---

3. À la décharge de Chandler, il faut préciser que son projet portait surtout sur l'histoire des entreprises et que la période couverte, 1880-1948, est une période au cours de laquelle les États intervenaient moins. Cependant, ses études comparatives l'amènent à constater que les différences entre les entreprises américaines, britanniques et allemandes reposent sur des histoires et des cultures propres à chacun de ces pays, mais il explore très peu cette voie et néglige ainsi le rôle des autres acteurs.

coopération par la mise en place de lois et de structures. À l'opposé, dans les pays anglo-saxons, l'État cherche peu à encourager ces rapports. Les États-Unis, comme l'Angleterre, ont même rendu illégaux certains types de collaboration. Les États-Unis, par exemple, interdisent non seulement les cartels (depuis le Sherman Act de 1890), mais aussi les investissements croisés entre banques et entreprises (depuis le Clayton Act de 1914) tels qu'ils se pratiquent au Japon et en Allemagne.

Des pays comme l'Italie et la France favorisent au contraire une forte inter-vention de l'État, même en l'absence de consensus des acteurs économiques en ce sens. Si bien qu'en France c'est l'État qui est le véritable maître d'œuvre du développement économique. En fait, dans ce pays, on trouve un grand nombre de diplômés des deux grandes écoles universitaires françaises (Poly et ENA) à la tête des grandes entreprises. La plupart du temps, avant d'accéder à de tels postes, ils ont fait un détour par l'administration publique comme député, ministre ou haut fonctionnaire. C'est là une caractéristique du capitalisme d'État à la française. Selon les recherches des sociologues français Michel Bauer et Bernadette Bertin-Mourot (1995), plus du tiers des postes de hauts dirigeants ont été ainsi pourvus en 1993. Les autres dirigeants viennent soit des grandes fortunes familiales (32 %) ou ont été formés au sein de l'entreprise (21 %). En Allemagne, au contraire, les hauts dirigeants viennent largement (dans une pro-portion de plus de 65 %) de l'entreprise.

En ce qui concerne les syndicats, nous avons vu précédemment qu'ils agis-sent en tant que régulateurs dans presque toutes les sociétés, et comme tels ils sont soit consultés, soit associés d'une façon ou d'une autre dans le fonctionne-ment de l'État comme de l'économie. Nous avons vu également que la place qu'ils occupent dans chaque société est variable, que leur orientation idéologique n'est pas la même, etc. Ces caractéristiques teintent forcément leurs rapports avec les entreprises ou avec l'État. Ainsi, aux États-Unis, où le taux de syndicali-sation est faible, les entreprises ont tendance à percevoir les syndicats comme des adversaires, tandis qu'en Allemagne, où le taux est plus élevé, on les voit davan-tage comme des partenaires (Albert, 1991, p. 142-144). Il est évident que, dans ce contexte, le rôle des syndicats va varier énormément d'un pays à l'autre. Il est vrai que ce rôle et ce poids des syndicats dépendent considérablement de la posi-tion de l'État et des citoyens d'un pays, mais comme historiquement ce sont sou-vent les syndicats qui forcent les États à intervenir davantage, il faut conclure que la place des syndicats dans ces pays repose sur l'acceptation de valeurs collec-tives plus fortes. Il y a là toute une synergie entre la société, ou les citoyens, et les institutions qui la constituent. Aux États-Unis, la prégnance de l'individualisme dessert les actions collectives comme celles que mènent les syndicats.

En fait, si on regarde de plus près cette synergie entre l'État, les entreprises, les syndicats et d'autres institutions comme les établissements scolaires, on peut en dégager trois grands types de capitalismes que nous appellerons libéral, coopératif et étatique. Le type libéral est le plus près du capitalisme pur ; il repose principalement sur les entreprises et les marchés et il tolère mal une trop grande intervention de l'État, des syndicats et des autres institutions collectives en général dans le fonctionnement de l'économie. Le type coopératif valorise au contraire de telles institutions tout en laissant une grande place aux entreprises et aux marchés. Le type étatique ne remet pas en question le rôle des entreprises et des marchés ni celui des institutions collectives non étatiques, mais, pour des raisons propres à ces sociétés, l'action de l'État est privilégiée, voire dominante. L'échec des grandes entreprises privées à assurer le développement du pays ou la présence d'une fonction publique forte et efficace, comme en France, peuvent être des raisons qui justifient ce rôle de l'État.

Cela ne veut pas dire qu'il n'existe pas de différences entre les États-Unis et la Grande-Bretagne, tous les deux classés sous le type libéral, ni qu'il n'y a pas de coopération dans ces pays entre les institutions, ni que l'État ne joue pas un rôle important. C'est la dominance qui est soulignée ici. De même, il existe des différences entre l'Allemagne, le Japon et la Suède, classés tous les trois sous le type coopératif, ou entre l'Italie et la France, classées sous le type étatique. Examinons très brièvement tout cela.

Selon le sociologue américain Rogers Hollingsworth (1996, p. 179), « les formes de gouvernance sur lesquelles repose l'économie américaine sont essentiellement les hiérarchies privées, les marchés et l'État dont l'évolution a permis, selon les périodes, des performances variables d'un secteur industriel à l'autre ». L'État a notamment joué un rôle prépondérant dans les domaines militaire et sanitaire, mais non dans les secteurs plus traditionnels, au grand étonnement de Hollingsworth, car, selon lui, ce sont dans ces secteurs que les États-Unis ont été les plus performants (*ibid.*, p. 191).

> La construction aéronautique, les semi-conducteurs, les circuits intégrés, l'informatique, l'énergie nucléaire, les télécommunications par faisceaux hertziens, les nouveaux matériaux, tels les alliages d'acier haute résistance, les plastiques armés, le titane, et les équipements pour la métallurgie comme les machines-outils à contrôle numérique, constituent ainsi des produits et des technologies coordonnés par des réseaux solidement imbriqués dans un tissu complexe de relations de coopération avec des scientifiques et des ingénieurs travaillant dans des laboratoires universitaires, avec l'État (spécialement dans le secteur militaire) ainsi qu'avec d'autres entreprises qui sont à la fois partenaires et rivales. En l'absence de ces réseaux, ces technologies et produits n'auraient pu se développer aux États-Unis. (Hollingsworth, 1996, p. 191-192.)

Nous le voyons, même les États-Unis utilisent l'État et la coopération inter-institutionnelle comme ressources, mais, pour des raisons difficiles à expliquer — historiques en grande partie —, les Américains limitent ce recours à certains domaines.

La version britannique se distingue de l'américaine, comme le dit Chandler (1992), par son attachement à la gestion personnelle et familiale des entreprises et par la valorisation des plus petites entreprises (voir aussi à ce propos le sociologue anglais Andrew Graham [1996, p. 160]).

Du côté des pays où le modèle est de type coopératif, l'Allemagne est souvent présentée comme chef de file. Le sociologue allemand Wolfgang Streeck résume ainsi les caractéristiques du modèle allemand :

> Une coopération structurée et généralisée entre concurrents, et une négociation entre intérêts organisés, menées par des associations habilitées par l'État, constituent probablement le trait le plus caractéristique de l'économie politique allemande. La gouvernance est déléguée soit à des associations spécifiques, soit aux négociations collectives menées entre elles. L'État accord[e] souvent au résultat un statut d'obligation légale. (Streeck, 1996, p. 52-53.)

Le modèle japonais lui ressemble énormément. En fait, le Japon comme l'Allemagne ont une vision plus collectiviste de l'économie ; ils considèrent l'entreprise comme une communauté de partenaires, ils en ont une vision à long terme, ils établissent des liens de longue durée avec leurs employés et avec leurs fournisseurs, etc. (voir Albert, 1991 ; ce dernier classe ces deux pays dans ce qu'il appelle le modèle rhénan). En fait, ces éléments sont ceux qui les différencient le plus du modèle libéral en vogue aux États-Unis et en Angleterre (voir le tableau 1.2 sur les différences entre les modèles néo-libéral et rhénan selon Albert [1990]). Le Japon se distingue de l'Allemagne par un syndicalisme plus discret, présent surtout dans l'entreprise, et par un État plus interventionniste et plus protecteur sur le plan économique.

La version suédoise est présentée par Jonas Pontusson (1996, p. 79) comme «la variante social-démocrate progressiste du modèle rhénan», les différences entre les deux modèles reposant essentiellement sur l'hégémonie politique de la social-démocratie qui règne en Suède, du moins qui régnait il n'y pas si longtemps encore. Pontusson relève trois points de divergence entre les deux modèles :

> Tout d'abord, l'économie allemande se caractérise par une différenciation régionale plus marquée et par un secteur de petites entreprises plus développé que dans l'économie suédoise. Ensuite, la politique allemande de compromis de classe gravite autour de la codécision au niveau des entreprises et de la négociation collective au niveau des secteurs industriels, tandis qu'en Suède le compromis institutionnel est né d'un accord politique national et que la négociation entre travail et capital a pris des formes plus centralisées qui associent plus directement et explicitement la politique gouvernementale à la formation des salaires. Enfin le secteur public est beaucoup plus important en Suède où l'État-providence couvre davantage d'activités qu'en Allemagne. (Pontusson, 1996, p. 78-79.)

TABLEAU 1.2   Comparaison entre les modèles néo-libéral et rhénan

	Le modèle néo-libéral (aux É.-U.)	Le modèle rhénan (en Allemagne)
Conception de l'entreprise	Une marchandise comme les autres (un paquet d'actions)	Une communauté d'intérêts (actionnaires, patrons, encadrement, syndicats pratiquent la cogestion)
Conception de l'économie et du marché	Marché économique pur	Économie sociale de marché
Instrument privilégié du financement des entreprises	Marché boursier (tyrannie du rapport trimestriel ; instabilité du capital)	Banques (stabilité des relations par le partenariat ; stabilité du capital)
Vision de l'avenir	À court terme (rentabilité immédiate)	À long terme (rentabilité à long terme)
Conséquences sur la gestion et le développement	Réduction des dépenses les moins urgentes (dans l'avenir) : publicité, recherche, formation, prospection à long terme ; déclin	Accent sur l'avenir : publicité, recherche, formation, prospection à long terme, etc.; progrès
Traits culturels	Jouissance du présent ; l'intérêt particulier prime l'intérêt général ; taux d'épargne faible	Construction de l'avenir ; l'intérêt général prime l'intérêt particulier ; taux d'épargne élevé ; culture de l'économie
Rôle et place des syndicats	Adversaires ; seulement 15 % des travailleurs sont syndiqués	Partenaires ; 42 % des travailleurs sont syndiqués ; gèrent en grande partie le système de formation ; responsables des centres de qualification des chômeurs ; etc.
Rôle et place de l'État	Intervention minimale (déréglementer, réduire les impôts, etc.)	Maintenir l'équilibre entre l'économie et le social ; garantir les conditions de concurrence ; soutenir l'industrie ; etc.
Efficacité économique	Perte de vitesse de l'industrie américaine (perte de deux millions d'emplois sous Reagan) ; moins de 20 % de son PIB ; déficit croissant (le plus grand emprunteur du monde)	Chef de file industriel (30 % de son PIB) ; prêteur international
Salaires et horaires de travail	Pas de données	Horaires de travail les plus courts et les salaires les plus élevés de tous les grands pays industrialisés
Jours de travail perdus (grèves)	12 215 000 en 1988	28 000 en 1988
Protection sociale	Faible (les très pauvres et les personnes âgées)	Maximale (tous ; santé, logement, etc.)

→

TABLEAU 1.2   Comparaison entre les modèles néo-libéral et rhénan (suite)

	Le modèle néo-libéral (aux É.-U.)	Le modèle rhénan (en Allemagne)
Efficacité sociale	Une société coupée en deux – écart de revenus élevé (un patron de grande entreprise gagne en moyenne 110 fois plus que la moyenne de ses employés ; entre États, l'écart de revenu moyen par habitant peut atteindre 50 % ; 50 % des habitants ont un revenu près de la moyenne nationale ; 17 % de pauvres – le plus d'illettrés (en %) parmi les pays occidentaux et le plus de Ph.D. – coûts de santé : 11 % du PIB (35 millions d'Américains sans assurance) – taux de mortalité infantile élevé (22e rang)	Une société plus égalitaire – écart de revenus plus faible (un patron de grande entreprise gagne en moyenne 23 fois plus que la moyenne de ses employés ; entre *Landers*, l'écart de revenu moyen par habitant ne peut dépasser 5 % ; 75 % des habitants ont un revenu près de la moyenne nationale ; 5 % de pauvres – force sur la formation des niveaux intermédiaires – coûts de santé : 9 % du PIB (tout le monde est couvert)

Source : D'après Albert (1991).

En fait, comme le montrent Crouch et Streeck (1996, p. 21) et Boyer (1996b, p. 46), l'organisation suédoise relève plus d'un modèle de gestion tripartite (État, entreprises et syndicats) que la version allemande, qui voit l'État encourager et encadrer les relations syndicats-entreprises ou entreprises-entreprises sans nécessairement s'immiscer dans celles-ci. Pour Boyer, la différence est d'importance, au point qu'il voit dans le modèle suédois un quatrième type de capitalisme. La différence entre les versions allemande et suédoise du modèle coopératif est semblable à celle qu'on trouve entre la version américaine et la version canadienne du modèle libéral (Boyer, 1996b, p. 46 ; il classe le Canada dans ce type), cette dernière étant plus progressiste (dans la perspective de l'État-providence) que la première. Comme quoi il y a toujours un peu de tout dans chaque modèle et qu'il s'agit d'abord et avant tout d'une question de dosage, certains mettant davantage l'accent sur les dimensions économiques, d'autres, sur les dimensions sociopolitiques (de justice, d'égalité).

Nous avons déjà évoqué le cas de la France, parfait exemple, selon Boyer (1996a), du capitalisme étatique, ainsi qu'il l'explique :

> Clairement la spécificité du modèle français tient au caractère stratégique, puis à la permanence d'interventions de l'État central, visant à piloter une modernisation qui ne fait que rarement l'objet d'un compromis général et explicite entre patronat et syndicats. (Boyer, 1996a, p. 107.)

La version italienne est beaucoup moins efficace, notamment à cause de l'instabilité politique en Italie, malgré la volonté gouvernementale. Comme le note le sociologue italien Marino Regini :

> Même quand les politiques publiques semblent accorder un rôle de premier plan à la réglementation gouvernementale (comme c'est le cas, par exemple, avec les politiques fiscales ou celles de l'emploi) [...], des mécanismes visant à les contourner se mettent souvent en place, ou bien l'application des textes est velléitaire et inefficace. (Regini, 1996, p. 144.)

Heureusement, selon Regini, cette faiblesse de la réglementation institutionnelle est compensée par la force de la réglementation spontanée provenant de la collaboration interentreprises et interinstitutionnelle à l'échelle locale et régionale. L'Italie se caractérise donc, sur le plan économique, par une économie d'entreprises enracinées localement et régionalement dans ce qu'on appelle souvent des districts industriels, capables d'une production diversifiée de qualité, d'une production de masse et d'une spécialisation flexible. Ainsi, malgré un capitalisme étatique de surface, se cache une économie diversifiée et relativement efficace reposant sur des accords locaux et régionaux.

Ces trois types de capitalismes, et leurs variantes, dominent le monde industriel depuis la fin de la Deuxième Guerre mondiale. Plusieurs observateurs soulignent cependant que le phénomène récent de mondialisation est en train d'uniformiser les capitalismes, si bien que les formes nationales sont appelées à disparaître. Avant d'examiner cette importante question, nous allons caractériser les capitalismes canadien et québécois et les situer par rapport à ces trois types.

LES CAPITALISMES CANADIEN ET QUÉBÉCOIS

Le Canada se rattacherait, d'après Boyer (1996b), à une variante du modèle libéral du capitalisme. Qu'en est-il au juste ? Et est-ce aussi le cas du Québec, qui appartient à l'ensemble canadien politiquement parlant ? Nous examinerons ces questions principalement en considérant la situation des entreprises et le rôle de l'État, comme nous l'avons fait dans les autres cas.

Il est généralement reconnu que le Canada et le Québec ont pris la voie de l'industrialisation plus tardivement que les principaux États européens et que les États-Unis d'Amérique. C'est que les hommes d'affaires canadiens ont surtout créé des entreprises d'exportation (céréales, bois), des institutions financières (banques) et des entreprises d'utilité publique (chemins de fer au début, électricité plus tard). Le développement de l'industrie et des mines est venu par la suite et a été très souvent le fait d'investisseurs étrangers, américains notamment. Cette présence des investisseurs étrangers marquera l'économie canadienne tout au long de son histoire.

Il n'empêche qu'au début du XXᵉ siècle les Canadiens et les Québécois sont engagés dans l'industrialisation du pays. De nombreuses entreprises industrielles et de services croissent très rapidement (voir la liste des principales entreprises canadiennes dans le tableau 1.3). Par contre, leur taille est relativement modeste par rapport à celle des entreprises américaines. Ainsi, comme le mentionnent Graham Taylor et Peter Baskerville (1994, p. 312), en 1909, les 30 plus grandes entreprises au Canada ont ensemble un actif inférieur à celui de la United States Steel Corporation, le géant américain. De plus, à la même époque, 11 de ces 30 entreprises sont entièrement ou partiellement contrôlées par des étrangers, proportion qui passe à 15 sur 30 en 1929 (*ibid.*). En fait, en 1929, on compte au Canada plus de 1 000 firmes qui sont entièrement ou partiellement contrôlées par les Américains (*ibid.*, p. 326). La situation s'explique en partie par des tarifs douaniers élevés qui forcent les entreprises américaines à venir s'établir au Canada. C'est d'ailleurs une pratique encouragée par le gouvernement canadien qui, devant le désintérêt de sa classe d'hommes d'affaires pour le développement industriel et l'exode d'une partie de sa population qui va travailler dans les usines américaines, choisit d'attirer les investisseurs américains. D'un autre côté, ces derniers sont attirés par les abondantes ressources naturelles (mines et forêts) du Canada, secteurs dans lesquels ils investiront énormément.

Les Canadiens ne sont ainsi pas capables, et pas nécessairement intéressés non plus, d'entrer en compétition internationale avec les Américains, les Britanniques ou les Allemands dans les industries associées à la deuxième révolution industrielle (sidérurgie, automobile, chimie, etc.). Il existe certes des entreprises dans ces secteurs, mais elles sont pour la plupart en partie contrôlées par des étrangers, comme dans le secteur des pâtes et papiers ou dans les mines, ou elles limitent leur marché au marché canadien et ont souvent besoin des contrats et des subsides gouvernementaux pour survivre, comme dans le secteur sidérurgique avec Algoma, Stelco et Besco par exemple (Taylor et Baskerville, 1994, p. 325). Les entrepreneurs canadiens ne demeurent pas pour autant inactifs sur la scène internationale, mais ils se concentrent surtout dans leurs secteurs forts, entre autres les entreprises d'utilité publique, et se tournent vers les marchés prometteurs des pays d'Amérique du Sud et des Caraïbes, où les villes sont en pleine croissance et nécessitent des infrastructures (transport public, réseau d'électricité, etc.). Brascan, classée au 27e rang au Canada en 1996[4], est une entreprise issue de cette aventure sud-américaine. À l'origine, deux Canadiens fondent la São Paulo Railway, Light and Power Co. pour fournir des infrastructures à la ville de São Paulo, au Brésil. L'entreprise étend ensuite ses activités à d'autres villes du Brésil sous le nom de Brazilian Traction, Light and Power Co. À la suite du rachat des services d'utilité par le gouvernement brésilien en 1978, l'entreprise se réorganise au Canada sous le nom de Brascan, un conglomérat qui finira par passer dans les mains de la famille Bronfman (*ibid.*, p. 272-273).

---

4. Toutes les données sur le rang des entreprises canadiennes contenues dans cette section proviennent de *L'actualité*, cahier «Économie et finance», 15 juin 1997, p. 32-35.

TABLEAU 1.3   Les 20 premières entreprises canadiennes non financières*
(selon les actifs), 1909 et 1929

	1909	1929
1	Canadian Pacific Railway	Canadian Pacific Railway
2	Grand Trunk Railway	International Power & Paper
3	Canadian Northern Railway	Imperial Oil Co.
4	Minnesota, St Paul & Sault Ste Marie Railway	Abitibi Paper Co.
5	MacKay Co.	Minnesota, St Paul & Sault Ste Marie Railway
6	Lake Superior Corp. (Algoma)	Bell Telephone Co. of Canada
7	Atlantic Railway	Shawinigan Water & Power
8	Commercial Cable Co.	MacKay Co.
9	Dominion Iron & Steel Co.	Canada Power & Paper
10	Montreal Light, Heat & Power	Dominion Steel & Coal Co.
11	Canada Cement Co.	Montreal Light, Heat & Power
12	Dominion Coal Co.	International Nickel
13	Amalgamated Asbestos Co.	Price Brothers
14	Bell Telephone Co. of Canada	Duluth, South Shore & Atlantic Railway
15	Canadian Car & Foundry	Twin City Transit Co.
16	Dominion Power & Transmission	Duke/Price Co.
17	Montreal Street Railway	Imperial Tobacco Co.
18	Ontario Power Co.	Massey-Harris Co.
19	Granby Consolidated Mining	Hudson's Bay Co.
20	British Columbia Electric Railway	Steel Co. of Canada

* Il est à noter qu'à l'époque les entreprises canadiennes-anglaises ou ayant des activités au Canada ne se donnaient pas une raison sociale dans les deux langues du pays. Le français n'était pas encore reconnu comme l'une des langues officielles du Canada. Cela ne viendra que dans les années 60.

Source : Taylor et Baskerville (1994, p. 312) ; © Graham D. Taylor and Peter A. Baskerville, 1994. Reproduit avec l'autorisation d'Oxford University Press, Canada.

Des débuts de l'industrialisation aux années 30, le gouvernement canadien est peu interventionniste. En fait, il l'est moins encore que celui des États-Unis, où sévit périodiquement un mouvement antitrust visant à restreindre les pouvoirs de la grande entreprise oligopolistique ou monopolistique. Des lois antitrust y sont adoptées, comme nous l'avons mentionné plus haut. Le gouvernement canadien est, comme l'Allemagne et d'autres pays européens, assez favorable à la coopération entre entreprises pour qu'elles soient en mesure de concurrencer les géants américains. Le cas de la Grande-Bretagne, où les entreprises sont jugées trop petites pour faire concurrence à celles des États-Unis, sert aussi de contre-exemple.

La Deuxième Guerre mondiale relance l'économie canadienne qui a souffert de la crise des années 30, à quoi s'ajoute l'injection de capitaux américains au Canada. Le gouvernement est toujours favorable à cette entrée massive de capitaux (17 milliards entre 1945 et 1960 et 17 milliards dans cette dernière décennie seulement) qui créent de nombreux emplois au Canada, notamment en Ontario. Ces nouveaux capitaux sont surtout engagés dans les mines et le pétrole et, en 1967, ces investisseurs dominent plus de 50% de l'industrie canadienne. Dans d'autres industries, comme l'automobile, les produits chimiques, le tabac, le caoutchouc, les investisseurs américains possèdent entre 80% et 100% des actifs des entreprises (Taylor et Baskerville, 1994, p. 451). Ce n'est qu'à la fin des années 50 que le gouvernement fédéral commence à s'inquiéter de la mainmise croissante des Américains sur l'économie canadienne. Il faudra cependant attendre les années 70 avant que le gouvernement canadien (le Parti libéral au pouvoir à ce moment), cédant aux pressions d'une partie de l'opinion publique, adopte des mesures concrètes, comme la création de la Corporation de développement du Canada et de l'agence de tamisage des investissements étrangers, pour freiner ce mouvement et tenter de «recanadianiser» l'économie. Notons aussi la création de Pétro-Canada, société d'État, qui assure un certain contrôle du secteur pétrolier largement dominé par les Américains.

La Corporation de développement du Canada est une société qui sert de partenaire financier à des entreprises canadiennes qui veulent prendre le contrôle d'entreprises nationales ou étrangères. Elle sera cependant plus souvent qu'autrement principal propriétaire d'entreprises au lieu d'en être un partenaire minoritaire, comme le prévoyait le projet initial. Ce sera le cas, par exemple, d'Havilland et de Canadair, qu'elle rachète d'entreprises britannique et américaine. L'agence de tamisage cherche à restreindre la prise de contrôle des entreprises canadiennes par des intérêts étrangers en filtrant l'entrée des investissements étrangers. Ces mesures, plus ou moins efficaces, ne survivront pas aux années 80 (crise économique et élection d'un gouvernement conservateur en 1984). Le Canada reste toujours un lieu de prédilection pour les entreprises et les investisseurs américains.

Le Canada a vu ses entrepreneurs investir surtout dans les entreprises d'utilité publique (les chemins de fer et les télécommunications), les institutions financières (les banques) et les entreprises d'exportation de produits de base (bois et céréales). Pendant longtemps, ces entreprises ont dominé, par leur taille, leurs chiffres d'affaires et leurs actifs, la scène canadienne. C'est souvent encore le cas aujourd'hui. On pense ici au Canadien Pacific (CP) et au Canadien National (CN) qui, en diversifiant leurs activités, se sont maintenus parmi les plus grandes entreprises canadiennes pendant de nombreuses décennies. Le CP a presque toujours occupé le premier rang au Canada, du début du siècle jusqu'aux années 80. Dans le domaine des télécommunications, Bell Canada et Northern Telecom occupent respectivement le premier et le quatrième rang des entreprises au

Canada en 1996. De même, les banques canadiennes ont occupé et occupent toujours une place importante. Parmi les 10 plus grandes entreprises canadiennes en 1996 figurent quatre banques : la Banque Royale, la CIBC, la Banque de Montréal et la Banque de Nouvelle-Écosse. Finalement, les entreprises exportatrices de bois se sont transformées en productrices de bois, de pâtes et papiers qu'elles exportent toujours en grande quantité. Nous pensons ici à Foresterie Noranda, à MacMillan Bloedel, à Abitibi-Price et à Stone Consolidated qui, toutes, se maintiennent dans les 100 premières entreprises canadiennes, tout comme la Saskatchewan Wheat Pool, qui vend et exporte des céréales canadiennes partout dans le monde.

Il est sûr que, parmi ces entreprises, certaines sont de propriété mixte, avec souvent une direction aux mains des Américains. C'est notamment le cas dans le secteur forestier. Il faut dire que dans ce secteur, comme dans les mines (Inco par exemple), les grandes entreprises se sont développées souvent grâce à l'appui de financiers britanniques et américains. La présence américaine se manifeste aussi dans les grandes entreprises de l'automobile dont les filiales canadiennes occupent le deuxième (General Motors Canada), le troisième (Ford Motor du Canada) et le cinquième (Chrysler Canada) rang des entreprises au Canada en 1996, et dans de nombreuses autres liées au commerce de détail et à l'alimentation (Sears, Canada Safeway), au pétrole et au gaz naturel (Ultramar Canada, Mobil Oil, TransCanada Pipelines), à l'informatique (IBM Canada, Digital Equipment du Canada), etc.

La présence étrangère, américaine entre autres, et le peu d'interventions du gouvernement canadien, à l'exception de celles des années 70, font bel et bien du Canada une variante du modèle libéral dans le monde capitaliste, une variante adoucie par l'existence d'un régime national d'assurance-maladie et de programmes d'aide offerts par l'État à tous ses citoyens. Le cas du Québec se présente différemment : d'une part, il a été partie intégrante de ce modèle, puisque c'est là d'abord que la classe d'affaires anglo-saxonne du Canada a commencé ses activités commerciales et industrielles ; d'autre part, sa partie francophone, majoritaire faut-il le préciser, a été un acteur bien secondaire dans ce développement.

Le cas particulier du Québec

L'absence de capitaux et de liens privilégiés avec les investisseurs britanniques ou américains a rendu presque impossible le développement des grandes entreprises francophones avant les années 60. Les entrepreneurs canadiens-français qui se sont lancés dans les secteurs exigeants sur le plan du capital et de la technologie ont en effet été vite dépassés par les Américains ou les Canadiens anglais, qui peuvent disposer plus facilement de capitaux. Le cas de Julien-Édouard Dubuc est exemplaire à ce propos. Il est le premier à fonder une entreprise fabriquant de la pâte à papier au Saguenay au début du siècle. Il en ajoutera plusieurs autres par la suite. De même, en bon industriel, il tentera de diversifier ses activités et de trouver de nouvelles sources de financement pour être en mesure de résister à la poussée anglo-américaine. Il ne réussira pas, faute d'appuis financiers suffisants. Pourtant, les entrepreneurs anglo-saxons qui suivront, comme les Price, Duke, Davis, réussiront parce qu'ils auront accès aux capitaux britanniques ou américains, ce qui leur permettra de faire croître rapidement leurs entreprises et surtout de s'approprier des productions plus prometteuses comme «celles du papier qui exige des investissements quatre fois supérieurs à la production de la pâte» (Girard et Perron, 1989, p. 307).

Pour donner une idée de l'ampleur des capitaux américains disponibles, signalons qu'au moment où Dubuc a de la difficulté à financer ses projets, des dirigeants d'American Tobacco Company viennent au Saguenay pour évaluer le potentiel hydraulique de la région. Impressionnés par ce qu'ils voient (rivières puissantes et lacs servant de réservoirs naturels), ils s'empresseront d'acquérir d'immenses propriétés et construiront, entre 1923 et 1925, une usine hydro-électrique ultramoderne, un projet ayant nécessité des investissements estimés à 55 millions de dollars (Girard et Perron, 1989, p. 317). C'est là une somme énorme pour l'époque, «quand on sait que les revenus du gouvernement du Québec pour l'année 1926-1927 représentent 26 millions» (*ibid.*). Personne au Québec n'a les moyens de concurrencer de tels géants (d'autres sont présents, comme l'Aluminium Corporation of America, qui créera l'Alcan en 1928), même pas le gouvernement.

Les entrepreneurs canadiens-français ont en revanche mieux réussi dans des secteurs comme l'industrie alimentaire, le textile, le cuir et d'autres issus de la première révolution industrielle, plus exigeants en matière de main-d'œuvre mais beaucoup moins pour ce qui est des capitaux. De plus, en réunissant plusieurs entreprises des secteurs manufacturier et financier, certains réussiront à constituer de petits empires industriels régionaux. Nous pensons ici aux empires, familiaux pour la plupart, des Bienvenu, Brillant, Simard, Raymond et Lévesque qui constituent, dans la période 1940-1960, autant de réseaux d'entreprises et de banques étroitement reliés (voir Bélanger et Fournier, 1987, p. 109-121). Ces empires et leurs entreprises résisteront mal à la compétition croissante des entreprises américaines au début des années 60. Faillites, offres d'achat irrésistibles d'entreprises américaines, mauvaises décisions d'affaires contribuent au démantèlement de ces empires et empêchent la constitution de grandes entreprises francophones compétitrices à l'échelle nationale ou internationale. Il faudra attendre l'intervention de l'État et son soutien financier pour voir s'implanter et s'épanouir de grandes entreprises francophones au Québec.

Mais bien avant que l'État intervienne, des hommes d'affaires et des observateurs attentifs avaient reconnu ce besoin de capitaux pour assurer le démarrage et l'essor des entreprises. Dès le milieu du XIXe siècle en fait, des hommes d'affaires essaient de créer des banques canadiennes-françaises pour recueillir l'épargne locale et nationale et la mettre à la disposition des entrepreneurs francophones[5].

De 1835 à 1874, ces entrepreneurs fondent plusieurs banques au Québec : Banque du peuple, Banque Jacques-Cartier, Banque de Saint-Hyacinthe, Banque de Saint-Jean, etc. Elles donnent «naissance à un embryon financier qui constituera le noyau du réseau économique francophone», selon Yves Bélanger et Pierre Fournier (1987, p. 17). Cependant, ces institutions résistent mal à l'internationalisation du capital, à la concentration des entreprises et à la crise économique qui caractérisent les premières décennies du XXe siècle. Trois banques seulement passent au travers cette période difficile. Le décollage industriel francophone tant souhaité n'aura pas lieu.

À partir de ce moment, on assiste, d'une part, au repli sur les petites et moyennes entreprises et à la lente constitution de petits empires régionaux dont nous avons déjà parlé et, d'autre part, à la mise en place de coopératives comme contrepoids au capitalisme. La création des caisses populaires au début du siècle et leur succès relatif incitent les nationalistes à favoriser la voie coopérative comme mode de développement pour l'économie québécoise. La crise économique des années 30 accentue cette tendance et de nombreuses coopératives sont formées dans des divers secteurs : habitation, consommation, forêts, pêches, hydroélectricité, etc.

Après s'être longtemps opposés à l'étatisme, de plus en plus d'acteurs (nationalistes, coopérateurs, etc.) se laissent convaincre qu'il s'agit probablement de la seule voie possible pour enfin parvenir à exercer une influence sur l'économie. En effet, si, dans les années 50, plusieurs se rendent compte que les coopératives ne permettront pas d'atteindre ces objectifs, il apparaît, au début des années 60, que les petits empires industriels régionaux ne réussiront pas plus à renverser les tendances lourdes de l'économie québécoise. L'intervention de l'État, longtemps perçue négativement par les principaux acteurs de la société civile, devient alors le seul espoir d'y arriver.

La création du Conseil d'orientation économique du Québec (COEQ) en 1961 est, selon plusieurs analystes, le premier geste important accompli par le gouvernement Lesage en vue de transformer l'économie de la province. Le COEQ est composé d'individus actifs dans divers milieux, entre autres dans le milieu des affaires, les milieux coopératif, syndical et universitaire. La mission du Conseil d'orientation est

---

5. L'exposé qui suit reprend dans ses grandes lignes celui que nous avons fait à Chicoutimi en 1996 dans le cadre d'un forum régional sur «Le rôle des acteurs locaux et régionaux dans la construction du modèle québécois de développement économique» (Forum régional sur le développement, Chicoutimi, département des sciences économiques et administratives, Université du Québec à Chicoutimi, 11 avril 1996, p. 1-22).

de donner des conseils sur les programmes à adopter pour préparer un plan global de développement du Québec et ce, à long terme. Ensuite, il peut, soit de sa propre initiative, soit à la demande du gouvernement, faire des recommandations sur toute mesure économique. (Archibald, 1983, p. 188.)

Le COEQ fera rapidement — avant même d'avoir élaboré un véritable plan de développement du Québec — des recommandations spéciales au gouvernement Lesage. Ce dernier mettra de l'avant certaines d'entre elles, entre autres celles qui ont trait à la mise sur pied d'une corporation d'investissement et à la formation d'un complexe sidérurgique (Archibald, 1983, p. 188). Il créera, en 1962, la Société générale de financement (SGF), qui vise à soutenir la croissance des entreprises québécoises qui ont besoin de capitaux, et, en 1964, Sidbec, qui veut favoriser la transformation au Québec des ressources minérales comme le fer en y développant une industrie lourde.

La nationalisation de l'électricité en 1962, la création de la Société québécoise d'exploration minière (Soquem) en 1965, de la Société de récupération, d'exploitation et de développement forestiers (Rexfor) en 1969, de la Société d'énergie de la Baie James en 1971 et de quelques autres sont motivées par des objectifs similaires: stimuler l'exploitation des ressources naturelles de la province et favoriser, par la même occasion, l'industrialisation du Québec par les francophones. La création de la Caisse de dépôt et placement en 1965 a permis, quant à elle, de réunir des capitaux et de les mettre à la disposition des entreprises francophones.

Par ailleurs, l'esprit de coopération et de concertation qui anime les acteurs institutionnels au début des années 60 va permettre une consolidation des syndicats et des coopératives par la modernisation des lois les régissant et par l'extension des pouvoirs qui leur sont accordés: un nouveau Code du travail qui inclut les employés du secteur public, une nouvelle loi sur les coopératives, une loi propre aux caisses populaires, etc.

Ainsi, dans un premier temps, il s'agit de créer des institutions étatiques pouvant soutenir le développement économique et de moderniser les lois et les institutions existantes. Dans un deuxième temps, dans les années 70 et 80, il s'agira surtout, selon Alain Noël (1995), de consolider l'entrepreneuriat francophone en soutenant des entreprises — dans des secteurs jugés prometteurs de l'économie québécoise — pour qu'elles puissent faire face à la concurrence anglo-saxonne et étrangère. De grandes entreprises francophones voient ainsi le jour grâce au soutien de l'État et d'autres institutions québécoises qui ont été créées ou ont connu une croissance importante dans les années 60. Comme le souligne Noël à propos des Canam-Manac, Cascades, Groupe DMR, Groupe GTC, Jean Coutu, Provigo, Quebecor, Téléglobe et Vidéotron:

> Toutes ont fait l'objet de discussions systématiques impliquant tour à tour la Caisse de dépôt et de placement du Québec, le Mouvement Desjardins et le

Fonds de solidarité des travailleurs du Québec et souvent aussi la Société de développement industriel, la Banque Nationale du Canada et sa filiale Lévesque, Beaubien, Geoffrion ainsi que des firmes de services professionnels comme Raymond, Chabot, Martin, Paré et associés ou Stikeman Elliott. (Noël, 1995, p. 72.)

Cette forme de collaboration entre les diverses institutions — étatiques, coopératives, syndicales et privées — caractérise le développement économique au Québec depuis les années 60. Il n'est pas toujours facile d'en arriver à des consensus et à des actions concrètes, mais les grandes réalisations, comme l'établissement de grandes entreprises francophones, sont souvent le fruit de cette collaboration. En définitive, les actions entreprises par les Québécois au XXe siècle ont donné naissance à des institutions coopératives, syndicales et étatiques qui caractérisent l'économie du Québec. En effet, ici plus qu'ailleurs en Amérique du Nord, le fonctionnement de l'économie repose sur des acteurs collectifs, comme la Caisse de dépôt et placement du Québec, le Mouvement Desjardins et le Fonds de solidarité des travailleurs du Québec dans le secteur financier, et sur les liens qu'ils tissent entre eux autour d'objectifs de développement.

Les ressorts de ce modèle de développement sont donc d'ordre sociohistorique. Il fallait plus particulièrement que les Canadiens français prennent d'abord conscience de leur situation d'infériorité économique, du sous-développement économique du Québec. Cette prise de conscience se manifeste dès le milieu du XIXe siècle, puis s'intensifie tout au long du XXe siècle. Le modèle est le résultat de cette prise de conscience sans cesse renouvelée et de diverses initiatives. Ce modèle, qui mise davantage sur l'État, se rapproche, tout en étant loin d'être identique et aussi accompli, des modèles allemand ou suédois. Il est en tout cas plus près d'un modèle communautaire de capitalisme que le modèle *canadian*.

VERS LE DÉCLIN DES CAPITALISMES NATIONAUX ?

Selon plusieurs spécialistes, la mondialisation actuelle de l'économie entraînerait la disparition des capitalismes nationaux, ou plutôt le triomphe du modèle libéral. Selon l'économiste britannique Susan Strange (1996, p. 254), « les forces largement statiques de divergence entre les formes de capitalisme moderne ont été submergées par les forces essentiellement dynamiques de convergence dérivées des changements structurels de l'économie mondiale ». Selon elle, les forces qui agiraient dans le sens d'une convergence vers le modèle libéral, et donc vers l'uniformisation du capitalisme, seraient principalement l'accélération du rythme du changement technologique et la mobilité du capital. Ces deux forces contraindraient les entreprises comme l'État à l'internationalisation. Par rapport aux changements technologiques, les entreprises feraient face à une double obligation : d'abord, introduire massivement de nouvelles technologies pour être compétitives sur leur propre marché local ; ensuite, élargir leur marché en allant sur les marchés internationaux pour rentabiliser ces investissements élevés. En voulant soutenir leurs entreprises dans ce projet de conquête des marchés mondiaux, les États ont dû eux-mêmes ouvrir leurs portes aux entreprises étrangères dans un esprit de réciprocité. Les traités de libre-échange concrétisent ces ouvertures réciproques. Tout cela atténue la portée des politiques nationales, puisque les États doivent déréglementer leur propre marché pour permettre cet accès.

Strange constate finalement que les gouvernements sont de plus en plus incapables de gérer leur économie nationale, que les réglementations transnationales se multiplient et que de plus en plus de firmes sont en voie de dénationalisation, phénomènes qui montrent bien le déclin de l'influence des politiques des gouvernements nationaux en matière économique.

L'économiste français Philip G. Cerny (1996) constate pour sa part une véritable internationalisation de la finance qui sape les bases mêmes de la diversité des capitalismes. En fait, selon lui, «une forte tension structurelle s'est créée entre l'internationalisation de la finance et la réglementation financière nationale [depuis le début des années 80]. La réaction irrésistible à cette tension — la "déréglementation" de la finance — a affecté la portée autant que la substance de l'intervention économique» (*ibid.*, p. 238) des États. Bref, «le type de contrôle financier gouvernemental qui a permis aux formes nationales du capitalisme de se diversifier durant les Trente Glorieuses est en voie rapide de disparition» (*ibid.*, p. 245).

L'internationalisation, c'est aussi le développement spectaculaire des marchés financiers à l'échelle planétaire, comme le signale Beaud: «À l'époque de Keynes, dans les années 30, le montant des activités financières était à peu près deux fois celui du commerce international. Dans les années 70, il était à peu près dix fois plus grand. Aujourd'hui, cent fois plus grand!» (Beaud, cité dans Pichette, 1996, p. B1.) On comprendra alors mieux la pression qu'exerce ce milieu sur les États nationaux par le biais de ses activités internationales.

La politologue française Suzanne Berger (1996) résume bien la situation générale: «En somme, à travers un nombre croissant de négociations locales et internationales, les sociétés sont confrontées à la demande de transformation de leurs règles et institutions intérieures afin de se conformer à un modèle imposé de l'extérieur» (*ibid.*, p. 55), ce modèle étant le modèle libéral tel que le mettent de l'avant les sociétés américaine et britannique et des organismes internationaux comme la Banque mondiale et le Fonds monétaire international. Ces forces nouvelles touchent donc surtout les types de capitalismes non libéraux, les modèles coopératif et étatique.

La solution la plus facile pour faire la transition vers la mondialisation semble être le laisser-faire, qui prend très souvent la forme d'une déconstruction de la trame institutionnelle existante (déréglementation, privatisation, etc.). Or le succès actuel du modèle libéral tient au fait qu'il est plus facile, dans un premier temps, de laisser aller les forces du marché plutôt que de construire de nouvelles institutions publiques de régulation de l'économie (le cas de l'Europe de l'Est) ou que de les transformer en tenant compte de la nouvelle réalité mondiale (le cas de l'Europe de l'Ouest). Illustrons cela par des cas concrets.

Prenons d'abord le cas de la Suède parce qu'elle est le pays qui a entrepris, à l'ouest, les changements les plus radicaux par rapport à son idéologie d'origine. En effet, la Suède, présentée comme la variante progressiste du type coopératif, a amorcé voilà une dizaine d'années un virage vers une forme plus libérale d'économie, qui se traduit par «une accentuation du rôle des mécanismes de marché dans la répartition des ressources productives, des revenus et de la consommation...» (Pontusson, 1996, p. 94). Le gouvernement a réduit son rôle et a transformé profondément la trame institutionnelle tripartite (État, entreprises et syndicats) en décentralisant les négociations salariales, en supprimant la représentation officielle des groupements d'intérêt dans les comités de décision de plusieurs grandes sociétés d'État, en réduisant la protection sociale, en entreprenant une réforme fiscale qui réduisait les taux d'imposition marginaux et en déréglementant les marchés (*ibid.*, p. 80-82). Selon Pontusson (*ibid.*, p. 95), ces actions ont rapproché l'économie suédoise du système allemand, mais la question est de savoir si les réformes s'arrêteront là et si le modèle allemand lui-même ne disparaîtra pas.

La question se pose en effet en ce qui concerne le modèle allemand, luimême en crise, surtout depuis la réunification avec l'Allemagne de l'Est. Cependant, Wolfgang Streeck pense que le modèle allemand avait atteint ses limites avant la réunification :

> Tout indiquait qu'une lente détérioration le conduisait à un modèle où les marchés institutionnalisés, la gestion concertée, les politiques aux structures conservatrices, la gouvernance associative quasi publique et le traditionalisme culturel aboutissaient non plus à une innovation industrielle, mais à un nombre toujours plus important d'individus relégués dans un filet de sécurité de plus en plus coûteux et, finalement, impossible à assumer sur le plan social, puisque ces individus étaient écartés de la population active aux dépens des fonds publics ou conservés dans leur emploi aux dépens de l'argent privé. (Streeck, 1996, p. 62.)

Le choc de la réunification a bien sûr amplifié ces problèmes puisqu'il fallait intégrer 17 millions d'habitants issus d'une économie moribonde. À cela s'ajoute le défi de la mondialisation qui, de par sa nature, cadre mal avec «les formes de gouvernance économique qui requièrent l'intervention de pouvoirs publics» (Streeck, 1996, p. 70) comme en Allemagne. Ainsi que l'explique Streeck :

> Le compromis intervenu après la guerre entre le travail et le capital, autrement dit entre la société allemande et son économie capitaliste, reposait sur une faible mobilité internationale des facteurs de production. Il se basait essentiellement sur un ajustement mutuel institutionnalisé entre les marchés

du capital et du travail, tous deux fortement organisés par l'intervention des pouvoirs publics et par une autoréglementation associative. L'objectif commun était de transformer un capital très peu mobile en ressource sociétale, et le secteur financier en une infrastructure économique, afin de mettre en place un modèle de production compatible avec des objectifs sociaux tels que la réduction des inégalités; en échange était proposée une main-d'œuvre désireuse et capable de satisfaire aux exigences économiques de la forte concurrence qui régnait sur les marchés internationaux de la qualité. L'internationalisation, donc la désorganisation, des marchés du capital et du travail ont éliminé toute coordination négociée qui avait pu exister entre ces deux marchés, pour lui substituer une domination hiérarchique globale du capital sur le travail. (Streeck, 1996, p. 65.)

Streeck pense donc qu'à terme le modèle allemand disparaîtra, mais cela reste à voir.

Qu'en est-il alors des capitalismes de type étatique? En fait, ce type est depuis plus longtemps encore en difficulté. Boyer (1996a) rappelle que le capitalisme d'État français a été très efficace jusqu'en 1973 mais que, depuis lors, les élites cherchent une nouvelle voie. Tantôt attirées par le modèle américain, à d'autres moments par le modèle allemand, les élites politique et d'affaires françaises pourraient aussi bien choisir une voie étatique renouvelée. Selon Boyer (*ibid.*, p. 137), tout est encore possible, même si, «en tout état de cause, une certaine érosion du particularisme français est en cours». Le capitalisme d'État italien ne se porte guère mieux, comme nous l'avons vu précédemment.

Ainsi, à l'heure actuelle, le mouvement à l'œuvre consiste dans un affrontement entre le capitalisme organisé tel qu'il existe en Allemagne, auquel se rallient de nombreux pays européens, et le capitalisme peu organisé tel qu'il domine aux États-Unis et qui s'impose au chapitre des échanges internationaux car, comme le dit Streeck (1996, p. 70), la mondialisation en cours «privilégie les systèmes nationaux, comme ceux des États-Unis et de la Grande-Bretagne, qui s'appuient traditionnellement davantage sur une gouvernance privée et contractuelle que publique et politique, car ces régimes sont plus compatibles dans leurs structures avec le système mondial naissant».

À terme, il y a bien sûr la possibilité que le modèle libéral l'emporte et qu'il y ait une convergence au sein des pays capitalistes. Mais est-ce à dire que ce sera la fin de la diversité des capitalismes? Non, croient plusieurs analystes, ce sera plutôt la fin de l'hégémonie de l'État et des politiques nationales comme sources de différenciation des capitalismes. D'autres sources se manifesteront. Se présentent ici deux possibilités, celle des sous-ensembles locaux et régionaux et celle des ensembles supranationaux. L'Italie des régions est un bel exemple de la première possibilité. Ce ne sont plus les politiques étatiques qui, depuis assez longtemps, distinguent l'Italie et lui donnent ses entreprises les plus dynamiques. C'est plutôt l'existence de réseaux locaux et régionaux dans certains secteurs de l'activité économique. Crouch et Streeck (1996, p. 24) voient là, avec la constitution de secteurs internationaux de production et d'alliances d'entreprises, la principale source de « la diversité future du capitalisme. »

La deuxième possibilité se rapporte à la mise en place d'ensembles plus vastes, supranationaux, comme la Communauté économique européenne (CEE), qui donneraient au capitalisme une orientation différente selon les grandes régions du monde. Certains pensent que pourrait prendre forme, par exemple, une semblable communauté s'inspirant du modèle allemand. Ce n'est pas le cas de Streeck (1996, p. 69), qui souligne que certaines institutions économiques allemandes sont en voie d'être internationalisées ou européanisées sans leur contrepartie sociale, tel « le monétarisme institutionnalisé [...] [qui] est sur le point d'être transféré à la Communauté européenne sans l'autogouvernance associative qui le rend *sozialverträglich* (acceptable socialement) en Allemagne ». Il considère que l'imbrication des institutions économiques et sociales est tellement liée à l'histoire du pays qu'il est impossible de les transposer à l'échelle européenne ou internationale. Streeck néglige ici l'évolution des réactions des populations européennes aux changements qu'introduit la mondialisation. Ainsi, pour ne prendre qu'un exemple, la France, tant ses élites que la population en général, a été tentée par la solution libérale, mais, récemment, le soutien à cette solution s'est effondré. En fait, en l'espace de 10 ans, l'appui au libre-échange a fondu comme neige au soleil. Ainsi, en 1984, 61 % de la population appuyait cette ligne de conduite. Or, en 1993, après avoir goûté aux fruits de l'ouverture des marchés, « 67 % des gens interrogés affirmaient que l'importation de produits dans l'Union européenne devrait être limitée de même que l'importation en France » (Berger, 1996, p. 56). Cette mauvaise humeur s'est transformée en mauvaise surprise pour la droite française quand, au printemps 1997, elle essuyait une cuisante défaite électorale qui ramenait la gauche au pouvoir. On peut donc penser qu'à long terme la CEE est susceptible de concevoir un modèle inspiré surtout du modèle allemand, plus soucieux de valeurs collectives, plutôt que du modèle libéral.

Tout compte fait, il serait illusoire de croire qu'un seul et même modèle conviendrait à toutes les entreprises et à toutes les populations — qu'elles soient locales, régionales ou nationales — du monde converti au capitalisme. Les raisons sous-jacentes à la diversité des capitalismes à l'échelle nationale — des populations ayant des histoires, des traditions et des institutions différentes — vont jouer sur d'autres plans et contribuer à recréer de la différence. Les modèles ont été par le passé difficilement exportables intégralement et ils continueront de l'être. Par contre, des rectifications, des innovations et des arrangements locaux, régionaux et supranationaux continueront sans doute d'être mis de l'avant par les acteurs, y compris par les entreprises. De plus, il ne faut pas croire que le rôle des États-nations sera nul pour autant, car ils participeront, ils le font déjà, à la redéfinition de l'économie mondiale. Nous ne savons malheureusement pas si ce qui en sortira sera mieux ou pire pour les populations concernées que ce qui existe actuellement, ni combien de temps durera la transition. Comme le veut la célèbre formule, «seul le temps le dira». Nous savons uniquement que le processus est amorcé et qu'il favorise, pour l'instant, un modèle libéral.

Bibliographie

ALBERT, M. (1991). *Capitalisme contre capitalisme*, Paris, Seuil, 318 p.

ARCHIBALD, C. (1983). *Un Québec corporatiste?*, Hull, Éditions Asticou, 429 p.

BAECHLER, J. (1971). *Les origines du capitalisme*, Paris, Gallimard, 188 p.

BAUER, M., et BERTIN-MOUROT, B. (1995). «Production d'autorité légitime, typologie des dirigeants de grandes entreprises et comparaison internationale. Schéma d'analyse et premiers résultats comparatifs européens», communication présentée au colloque international «Entreprises et sociétés. Enracinement, mutations et mondialisation», Montréal, École des HEC, 23 août. (Texte disponible sur CD-ROM, p. 122.)

BEAUD, M. (1990). *Histoire du capitalisme, de 1500 à nos jours*, Paris, Seuil.

BÉLANGER, Y., et FOURNIER, P. (1987). *L'entreprise québécoise. Développement historique et dynamique contemporaine*, Montréal, Hurtubise HMH, 187 p.

BERGER, P.L. (1992). *La révolution capitaliste: cinquante propositions concernant la prospérité, l'égalité et la liberté*, Paris, Nouveaux Horizons et Litec, 257 p.

BERGER, S. (1996). «Le rôle des États dans la globalisation», *Sciences humaines*, Hors série n° 14, p. 52-56.

BERGERON, G. (1990). *Petit traité de l'État*, Paris, PUF, 263 p.

BOYER, R. (1996a). «Le capitalisme étatique à la française à la croisée des chemins», dans C. Crouch et W. Streeck (sous la dir. de), *Les capitalismes en Europe*, Paris, La Découverte, p. 97-137.

BOYER, R. (1996b). «Les capitalismes à la croisée des chemins», *Sciences humaines*, Hors série n° 14, p. 44-49.

BRAUDEL, F. (1979). *Civilisation matérielle, économie et capitalisme, XVe-XVIIe siècle*, tome 3: *Le temps du monde*, Paris, Armand Colin, 922 p.

BRAUDEL, F. (1985). *La dynamique du capitalisme*, Paris, Éditions Arthaud et Flammarion, 121 p.

CASTORIADIS, C. (1975). *L'institution imaginaire de la société*, Paris, Seuil, 497 p.

CERNY, P.G. (1996). «Finance internationale et érosion du capitalisme diversifié», dans C. Crouch et W. Streeck (sous la dir. de), *Les capitalismes en Europe*, Paris, La Découverte, p. 235-246.

CHANDLER, A.D. (1988). *La main invisible des managers: une analyse historique*, Paris, Economica, 635 p.

CHANDLER, A.D. (1989). *Stratégies et structures de l'entreprise*, Paris, Éditions d'organisation, 543 p.

CHANDLER, A.D. (1992). *Organisation et performance des entreprises*, tome 1: *Les USA 1880-1948*, Paris, Éditions d'organisation, 429 p.

CHANDLER, A.D. (1993a). *Organisation et performance des entreprises*, tome 2: *La Grande-Bretagne 1880-1948*, Paris, Éditions d'organisation, 303 p.

CHANDLER, A.D. (1993b). *Organisation et performance des entreprises*, tome 3: *L'Allemagne 1880-1939*, Paris, Éditions d'organisation, 412 p.

CHOMEL, A., et VIENNEY, C. (1995). «Évolution des principes et des règles des organisations coopératives en France (1945-1992)», dans A. Zévi et J.L. Monzón Campos (sous la dir. de), *Coopératives, marchés, principes coopératifs*, Bruxelles, Ciriec et De Boeck, p. 117-154.

CROUCH, C., et STREECK, W. (1996). «Les capitalismes en Europe», dans C. Crouch et W. Streeck (sous la dir. de), *Les capitalismes en Europe*, Paris, La Découverte, p. 11-25.

DESROCHES, H. (1976). *Le projet coopératif*, Paris, Éditions Économie et Humanisme et Les Éditions ouvrières, 461 p.

FITOUSSI, J.-P. (1996). «Après l'écroulement du communisme, existe-t-il une troisième voie?», dans C. Crouch et W. Streeck (sous la dir. de), *Les capitalismes en Europe*, Paris, La Découverte, p. 201-217.

GIRARD, C., et PERRON, N. (1989). *Histoire du Saguenay–Lac-Saint-Jean*, Québec, Institut québécois de recherche sur la culture, 660 p.

GRAHAM, A. (1996). «Mythes et réalités du capitalisme conservateur au Royaume-Uni, de 1979 à 1995», dans C. Crouch et W. Streeck (sous la dir. de), *Les capitalismes en Europe*, Paris, La Découverte, p. 157-178.

HEILBRONER, R.L. (1986). *Le capitalisme : nature et logique*, Paris, Atlas et Economica, 184 p.

HOLLINGSWORTH, R. (1996). «L'imbrication du capitalisme américain dans les institutions», dans C. Crouch et W. Streeck (sous la dir. de), *Les capitalismes en Europe*, Paris, La Découverte, p. 179-199.

KENNEDY, P. (1989). *Naissance et déclin des grandes puissances*, Paris, Payot, 730 p.

L'ACTUALITÉ (1997). «Les 100 premières entreprises canadiennes», cahier «Économie et finance», 15 juin, p. 32-35.

LASSERRE, G. (1977). *Les entreprises coopératives*, Paris, PUF, coll. «Que sais-je?», 127 p.

MANTOUX, P. (1959). *La révolution industrielle au XVIIIe s. : essai sur les commencements de la grande industrie moderne en Angleterre*, Paris, Génin, 577 p.

MEILLEUR, S., et BEAUDOIN, P. (1997). *DMR. La fin d'un rêve*, Montréal, Les Éditions Transcontinental, 302 p.

MULLET, M. (1987). *Popular Culture and Popular Protest in Late Medieval and Early Europe*, Londres, Croom Helm, 176 p.

NOËL, A. (1995). «Québec Inc. : Veni! Vidi! Vici?», dans J.-P. Dupuis (sous la dir. de), *Le modèle québécois de développement économique. Débats sur son contenu, son efficacité et ses liens avec les modes de gestion des entreprises*, Cap-Rouge et Casablanca, Presses Inter Universitaires et Éditions 2 Continents, p. 67-94.

NORMAN, M.L. (1995). «Évolution des principes et des pratiques dans une banque coopérative en Belgique. CERA, une étude de cas», dans A. Zévi et J.L. Monzón Campos (sous la dir. de), *Coopératives, marchés, principes coopératifs*, Bruxelles, Ciriec et De Boeck, p. 59-95.

PEYREFITTE, A. (1989). *L'Empire immobile ou le choc des cultures*, Paris, Fayard, 797 p.

PICHETTE, J. (1996). «Un économiste féru d'éthique», *Le Devoir*, 18 novembre, p. B1.

PONTUSSON, J. (1996). «Le modèle suédois en mutation : vers le néolibéralisme ou le modèle allemand», dans C. Crouch et W. Streeck (sous la dir. de), *Les capitalismes en Europe*, Paris, La Découverte, p. 77-96.

REGINI, M. (1996). «Les différentes formes de capitalisme en Italie», dans C. Crouch et W. Streeck (sous la dir. de), *Les capitalismes en Europe*, Paris, La Découverte, p. 139-155.

RÉMOND, R. (1962). «L'évolution du rôle de l'État», dans A. Raynauld (sous la dir. de), *Le rôle de l'État*, Montréal, Les Éditions du Jour, p. 13-34.

RIOUX, C. (1997). «Les nouveaux pauvres», *Le Devoir*, 23 avril, p. A1.

RIOUX, J.-P. (1971). *La révolution industrielle. 1780-1880*, Paris, Seuil, 248 p.

ROSANVALLON, P. (1988). *La question syndicale*, Paris, Calmann-Lévy, 268 p.

ROUILLARD, J. (1996). «Qu'en est-il de la singularité québécoise en matière de syndicalisation?», *Relations industrielles*, vol. 51, n° 1, p. 158-176.

SAGNES, J. (1994a). «Voies européennes du syndicalisme», dans J. Sagnes (sous la dir. de), *Histoire du syndicalisme dans le monde*, Toulouse, Éditions Privat, p. 21-59.

SAGNES, J. (1994b). «Les dimensions internationales du syndicalisme jusqu'à la Seconde Guerre mondiale», dans J. Sagnes (sous la dir. de), *Histoire du syndicalisme dans le monde*, Toulouse, Éditions Privat, p. 179-194.

STRANGE, S. (1996). «L'avenir du capitalisme mondial. La diversité peut-elle persister indéfiniment?», dans C. Crouch et W. Streeck (sous la dir. de), *Les capitalismes en Europe*, Paris, La Découverte, p. 247-260.

STREECK, W. (1996). «Le capitalisme allemand: existe-t-il? A-t-il des chances de survivre?» dans C. Crouch et W. Streeck (sous la dir. de), *Les capitalismes en Europe*, Paris, La Découverte, p. 47-75.

TAYLOR, G.D., et BASKERVILLE, P.A. (1994). *A Concise History of Business in Canada*, Toronto, Oxford University Press, 491 p.

THUDEROZ, C. (1996). *Sociologie des entreprises*, Paris, La Découverte et Syros, 123 p.

ZÉVI, A. et MONZÓN CAMPOS, J.L. (sous la dir. de) (1995). *Coopératives, marchés, principes coopératifs*, Bruxelles, Ciriec et De Boeck, 344 p.

Chapitre 2

L'inscription sociale des marchés

André Kuzminski

On assiste actuellement à une revitalisation du discours sur la supériorité de l'économie du marché comme moteur de la croissance des économies et, partant, des sociétés. Dans l'imaginaire qui s'est créé autour de la chute du mur de Berlin et de la fin de l'Empire soviétique, qui consacrent le triomphe du capitalisme, et autour des divers accords de libéralisation des échanges (sur le plan mondial et régional), le marché libéré des contraintes semble prendre la forme d'une force indépendante de toutes assises sociales et nationales.

Dans cette conjoncture, le marché est devenu (surtout s'il tend à être mondial) le déterminant de toutes les restructurations. La prégnance de cet imaginaire est telle que, malgré leurs répercussions sociales, les stratégies d'adaptation, qu'elles prennent la forme d'une restructuration des économies, d'un désengagement des États ou d'une réorganisation des entreprises, commencent à apparaître comme l'inévitable et peut-être lourd tribut à payer pour les profondes mutations en cours. La «modernisation» des économies a un prix. Il y aurait là une loi économique naturelle qu'il faut considérer. L'heure étant à la mondialisation et à la compétitivité entre les nations et entre les entreprises, les acquis sociaux sont devenus des freins à la croissance, entre autres parce que les pays tiers, où les clauses sociales sont tout au plus minimales, tentent de s'inscrire de plus en plus dans ce mouvement d'internationalisation des échanges. Bref, les économies modernes ont besoin de plus de liberté pour fonctionner efficacement et nécessitent le monde comme territoire.

Or, en même temps que prend corps cette «culture» de la supériorité de l'économie de marché, pour reprendre le terme qu'emploient Martin et Savidan (1994) à propos de la dette publique, en même temps qu'une partie du débat reste enfermée dans le «vieux paradigme» (Block, 1994) qui oppose le rôle que joue et devrait jouer l'État dans une société et dans l'économie au rôle du marché (comme s'il s'agissait de deux réalités évoluant dans des univers parallèles) émerge un courant de pensée que les sociologues appellent sociologie économique et que d'autres désignent sous le terme de socioéconomie, désignation qui inclut toutes les autres disciplines sociales (économie, histoire, etc.) qui participent à ce renouveau. Quelle que soit l'appellation utilisée, ce courant exprime beaucoup plus l'ensemble des liens qu'entretiennent les acteurs de l'économie et de la société qu'une remise en question de la place de l'État dans l'économie.

C'est précisément dans cette mouvance que s'inscrit le premier chapitre. Jean-Pierre Dupuis a tenté d'y établir que non seulement le capitalisme est une réalité qui émerge dans des conditions historiques particulières, mais que sa forme est socialement déterminée, entre autres, par le jeu des acteurs (anciens et nouveaux) de chacune des sociétés dans lesquelles il se développe. En ce qui concerne les marchés, il a démontré qu'«un marché autonome n'a pas vu le jour par lui-même; il a été créé par l'exercice d'un pouvoir politique et étatique» (Friedland et Robertson, 1990, p. 7; traduction libre). Le premier chapitre démontre donc qu'on ne peut comprendre l'organisation économique d'une société sans faire un détour par l'histoire et sans tenir compte de la dynamique qui y est à l'œuvre.

Le marché étant ce que d'aucuns considèrent comme le mécanisme central du capitalisme, il nous paraît important de lui consacrer un chapitre afin d'y apporter un éclairage qui dépasse l'économisme ambiant. Nous examinerons donc la dynamique sociale qui y est à l'œuvre, ne recourant que de façon accessoire à la dimension historique de son émergence. Nous tenterons de montrer que le marché est une construction sociale et que, à ce titre, «le champ des rapports économiques est travaillé par des logiques qui ne se réduisent pas au comportement d'un *Homo economicus* rationnel ni à la simple rencontre vertueuse d'une offre et d'une demande» (Lallement, 1993, p. 39). Cela signifie concrètement que «rapports économiques» n'est pas synonyme de marché (il ne s'agit pas du seul mode d'échange dans une société) et que des limites sont imposées à ce dernier par la culture, la morale, la religion, etc. Pour comprendre le marché, il faut en conséquence aller au-delà de la place du marché (Friedland et Robertson, 1990) et tenir compte du non-économique.

Ce chapitre s'articule autour de trois questions. Nous verrons d'abord que ce qui est soumis au jeu de l'offre et de la demande — et ce qui ne l'est pas — est socialement déterminé. Cette question nous amènera à examiner les dimensions économiques, sociales et culturelles qui contribuent à la définition d'un marché. Nous analyserons ensuite la façon dont se constituent socialement les marchés. Enfin, nous examinerons les structures qui prennent forme pour aborder les marchés. Auparavant, voyons brièvement les principales contributions de la sociologie économique à l'étude des marchés.

LE MARCHÉ DU POINT DE VUE
DE LA SOCIOLOGIE ÉCONOMIQUE

L'intérêt de la sociologie pour l'économie et les marchés n'est pas nouveau. Il repose sur une très longue tradition, qui s'est toujours maintenue avec plus ou moins d'intensité sous diverses formes dans le temps[1]. Toutefois, c'est à partir des années 70 que se manifeste ce que Granovetter (1990) et Swedberg (1994b) ont appelé la nouvelle sociologie économique et Block (1994), le *market reconstruction perspective*[2]. Pour une très large part, ce nouveau paradigme s'est construit sur la base d'une critique de la conception du marché et de la rationalité de l'*Homo economicus* introduite par les marginalistes.

On sait que, pour ces derniers, le marché est ce lieu où s'établit l'équilibre entre une offre et une demande et où se déterminent les prix. Il constitue également le mécanisme central, abstrait et atemporel d'allocation des ressources. On sait de plus que l'acteur qui intervient dans ce marché pourtant abstrait a des comportements de maximisation de ses intérêts[3]. Dans cette conception, le marché est autonome et l'acteur, asocial. Laissé à lui-même, le marché aurait cette capacité de s'autoréguler par la force d'une main invisible. Bref, il s'agit d'un univers d'échangeurs et d'échanges sans ancrage social. Que le modèle théorique de l'économie néoclassique — Friedland et Robertson (1990) parlent de « révolution marginaliste » — se soit imposé comme la définition repère du marché et du processus de formation des prix[4] constitue en soi un phénomène social. Ce phénomène est d'autant plus « extraordinaire » que la majorité des marchés concrets ne se conforment pas à la définition qui a été retenue[5].

---

1. Pour une histoire de l'évolution de la sociologie économique, on pourra lire Swedberg (1994a) ou, pour une lecture plus succincte, Smelser et Swedberg (1994) et Granovetter (1990).
2. La notion de *market reconstruction* implique une tentative de considérer le marché comme une institution mais suppose que, dans certains contextes, les acteurs adoptent des comportements qui ressemblent à ceux de l'*Homo economicus* (Granovetter, 1992).
3. Gary Becker, dans Friedland et Robertson (1990, p. 18), considère même que l'approche par le marché s'applique à tous les comportements humains. La seule sphère où les lois du marché ne s'appliqueraient pas est celle de la vente et de l'achat des enfants : les vendeurs, avec leur rationalité de maximisation, auraient tendance à offrir le moins brillant de leurs enfants.
4. Il aurait été intéressant de rappeler l'histoire du concept et la dynamique universitaire qui a présidé à cette hégémonie du concept. Nous nous contenterons de renvoyer le lecteur intéressé à Swedberg (1994a, 1994b), qui en retrace les origines et l'évolution et qui montre particulièrement bien la constitution du champ de l'économie dans la science.
5. Pourquoi une définition « retenue » ? Tout simplement parce que l'histoire de l'étude du marché par les économistes est beaucoup plus riche que ne le donne à penser la conception qui en est venue à dominer. Ce n'est pas, chez les économistes, la seule théorie du marché qui a existé, et tous les économistes ne partagent pas cette théorie du marché. Ce qu'il faudra un jour expliquer, c'est pourquoi s'est opéré le renversement marginaliste et pourquoi cette révolution théorique s'est maintenue dans le temps malgré toutes les preuves contre elle.

C'est en grande partie en réaction à cette désinscription sociale de l'économie et des marchés que s'est construite la nouvelle sociologie économique. L'une de ses contributions principales, et il s'agit pour une très large part d'un héritage de Karl Polanyi (1957), c'est d'avoir considéré les marchés comme des processus qui se sont institutionnalisés dans le temps. Ce qui signifie que les marchés sont des formes historiquement construites par des acteurs et qu'ils ne constituent qu'une des formes sociales de l'échange. En outre, les marchés sont continuellement animés par une dynamique sociale qui leur est propre et qui en même temps transcende cet univers de rapports économiques (ils sont en interaction avec les autres institutions que se donne une société pour assurer son fonctionnement). Dans cette perspective, les acteurs dans les marchés doivent être considérés comme des acteurs sociaux, le sens de leurs actions ne relevant pas de la seule rationalité économique mais dépendant de la façon dont ils s'inscrivent dans le champ de l'économie.

LE MARCHÉ COMME INSTITUTION

Dire que les marchés sont des institutions appelle une définition de l'institution. Selon le *Petit Larousse*, une institution est «un ensemble de règles établies en vue de la satisfaction d'intérêts collectifs; l'organisme visant à les maintenir». Dans cette définition, qui a l'avantage d'être simple, les éléments qui caractérisent une institution sont présents: la contrainte (les règles), son caractère dynamique (les règles *établies*), la dimension collective des intérêts à satisfaire et la dimension organisationnelle (l'organisme).

Quand on parle de règles établies, on désigne deux ordres de contrainte: l'une juridique et réglementaire et l'autre normative. Pour préciser ce qu'on entend par normative, faisons un léger détour par la sociologie. Dans son introduction à la sociologie, Johnson (1960) définit l'institution comme une norme sociale qui a été institutionnalisée dans un système social spécifique. Pour être considérée comme institutionnalisée, une norme sociale doit satisfaire trois conditions: il faut que le temps ait fait son œuvre et qu'un très grand nombre de membres d'un système social en viennent à accepter cette norme; parmi ceux qui l'acceptent, il faut qu'un nombre important l'ait intériorisée au point de s'y conformer; finalement, il faut qu'elle soit suffisamment reconnue par tous comme la règle qui gouverne (exerce une forme de contrainte) des relations spécifiques (dans les circonstances appropriées) entre acteurs. Pour prendre un exemple simple, le mariage est une institution sociale.

Si ce niveau d'analyse simple permet d'entrevoir le processus d'institutionnalisation, tel n'est pas le cas avec les institutions sociales, où l'ensemble des règles et des normes qui y existent est beaucoup plus complexe, ne serait-ce qu'en raison de la diversité des acteurs sociaux, des situations, des formes de régulation

qui s'y appliquent et des «agences» ainsi que des mécanismes qui assurent la conformité aux règles et aux normes. C'est le cas des marchés.

Pour illustrer la complexité des marchés, prenons l'exemple de l'économie
informelle et voyons comment cette économie s'articule avec ce qu'on appelle
l'économie formelle. Alejandro Portes (1994) a défini l'économie informelle
comme représentant toutes les activités qui échappent à la régulation de l'État,
autant les activités criminelles que les activités illégales qui viennent alimenter la
sphère marchande. Concrètement, il peut s'agir d'activités de subsistance produites dans la sphère domestique, mais destinées à un réseau marchand. Il peut
également s'agir d'activités de sous-traitance accomplies par des entrepreneurs
qui n'ont pas d'existence légale. Il peut finalement s'agir d'un système interorga-
nisationnel de micro-entreprises qui se mobilisent et se structurent autour d'un
réseau de solidarité permettant une accumulation du capital et une certaine
flexibilité. On peut illustrer ainsi ces trois formes de participation à l'économie
informelle (*ibid.*, p. 429) : la vente de produits sur la rue dans les économies moins
avancées, les «contrats» de sous-traitance entre des entrepreneurs immigrants
plus ou moins légaux et des intermédiaires (*jobbers*) ou de grandes entreprises aux
États-Unis et, finalement, le réseau de microproducteurs artisans du centre de
l'Italie. Dans le cas des activités criminelles ou illégales, les règles (au sens large)
sont appliquées soit par les forces policières, soit par les «agences» du milieu. On
connaît l'efficacité de ces agences. Dans le cas des activités de l'économie informelle, de nombreuses études démontrent qu'un des mécanismes les plus efficaces
pour assurer la conformité est l'exclusion du réseau, et l'on peut comprendre
pourquoi.

Cette illustration laisse entrevoir que l'analyse institutionnelle des marchés
est complexe, entre autres parce que les frontières entre l'économie légale et illégale, entre l'économie formelle et informelle se confondent. Une société a besoin
d'institutions. On peut à cet égard évoquer la difficulté de la plupart des pays de
l'Europe de l'Est à faire la transition vers l'économie de marché, difficulté qui
tient pour une large part à la carence en institutions qui pourraient soutenir le
développement de leur économie (Fitoussi, 1996, p. 208) ; ces institutions sont
plus présentes et plus visibles en Allemagne qu'aux États-Unis par exemple. On
s'est en effet aperçu que le laisser-faire (un comportement induit par l'État)[6]
prôné par les Américains n'était pas si productif dans une société en manque
d'institutions. Quand l'État avec tous ses appareils de régulation, de coercition et
de développement (centres de recherche, armée, universités, etc.) s'effondre, un
système qui se substitue aux règles assurant la stabilité des échanges se met en
place. C'est ainsi qu'on explique en grande partie l'émergence d'un «capitalisme
sauvage» et le rôle joué par les mafiosi russes.

---

6. Polanyi (1983) affirme que «le laisser-faire n'avait rien de naturel, [...] l'économie du laisser-faire
   était produite par l'action délibérée de l'État [...]».

Voyons maintenant comment on a eu tendance à aborder les institutions dans la sociologie économique. Traditionnellement, il y a, en simplifiant énormément, deux façons d'aborder les institutions. Une première approche consiste à considérer les institutions comme un acquis déjà codifié. Dans cette approche, on soutient que la dynamique à travers laquelle les acteurs ont construit, dans le temps et l'espace, des règles et des normes de fonctionnement a fait son œuvre et que ces dernières sont devenues suffisamment stables et «cristallisées» pour s'imposer comme façon de se comporter dans un marché par exemple. Les rapports sociaux historiques à travers lesquels se sont construites les règles ne font pas à strictement parler partie de l'analyse. Ce qui intéresse les chercheurs, c'est de découvrir deux choses : la nature des règles et des normes qui structurent les comportements et les mécanismes qui assurent la conformité. L'institution est ici un acquis. Dans la deuxième approche, on recourt à l'histoire pour mieux faire ressortir les mutations qu'ont subies les institutions dans le temps, mais ce qui intéresse davantage les analystes est de découvrir quels processus sociaux mettent en œuvre les acteurs pour adapter les institutions afin qu'elles servent mieux leurs intérêts ou les intérêts collectifs. Nous présenterons cette deuxième approche dans la prochaine section («Le marché comme système de rapports sociaux»).

Richard Scott (1995) a tenté une synthèse des diverses perspectives adoptées par les tenants de la première approche dans l'étude des institutions. Selon son analyse, une institution repose sur trois axes : un système de règles de nature plus coercitive qui s'exercent par les lois et les règlements et par les systèmes de gouvernance, un système normatif au sens où nous l'avons défini plus haut et dont la conformité est assurée par des mécanismes sociaux propres aux participants (exclusion du groupe par exemple) et finalement un système culturel de cognition, de représentations de la réalité qu'adoptent par mimétisme les membres appartenant à une catégorie sociale. Essayons d'opérationnaliser cette définition en retenant toutefois que la frontière entre ces trois formes de régulation n'est pas toujours bien démarquée.

Quels que soient la société ou le type d'économie, il existe un système de lois et de règlements qui régissent les comportements et le déroulement des choses. Un marché est toujours encadré par une régulation juridique et administrative qui détermine qui peut faire quoi, comment et avec qui. Les acteurs dans un marché agissent donc dans un environnement socio-juridico-politique très large. Cette réglementation peut avoir comme source le gouvernement ou l'une de ses agences et porter directement sur l'encadrement d'un secteur industriel précis (la réglementation des brevets par exemple), sur l'encadrement général des relations de travail ou encore sur l'encadrement de la gestion de l'environnement. Elle peut également avoir une portée sociale plus large (par exemple la Charte des droits et libertés de la personne, la Charte de la langue française, la Loi de la protection du consommateur, la Loi sur l'usage du tabac, les règlements sur l'environnement, etc.). Cette régulation peut être coercitive et s'accompagner de sanctions devant les tribunaux; elle peut aussi ne pas s'exercer ou encore s'exercer de façon très flexible. Font également partie de ce système de régulation les politiques qu'adoptent les gouvernements en vue de canaliser les énergies et d'encourager les investissements dans certains secteurs et qui s'accompagnent généralement de diverses formes de soutien (garantie de prêts, subventions, levée des règlements qui pourraient empêcher le maintien et la croissance d'un secteur d'activité). Comme on le constate, le système de règles est très complexe, mais c'est cet ensemble de règles (ces règles étant le résultat de rapports sociaux) qui structure le marché.

Dans cette approche, l'accent est mis sur les structures et les mécanismes institutionnels qui contraignent les acteurs. Il y réside une conception sursocialisée de l'acteur: il n'a pour ainsi dire pas le choix de ses actions. À partir du moment où il occupe une place dans la société, où il a une identité sociale ou culturelle, où il appartient à un collectif, il est en quelque sorte contraint d'agir dans le cadre de ces paramètres. C'est sans aucun doute la faiblesse de cette perspective, qui montre par ailleurs non seulement les déterminants des actions et les mécanismes qui assurent la conformité, mais également les déterminants structurels qui définissent un marché. Or on sait que les acteurs en présence sont nombreux et débordent du cadre strict du champ d'action. Pour reprendre le titre d'un livre qui a eu son succès, il y a des *stakeholders*, des acteurs individuels ou collectifs qui ont un intérêt dans les comportements des acteurs économiques et politiques. On peut à cet égard penser aux lobbies ou aux divers groupes de pression plus ou moins structurés qui agissent directement sur les acteurs économiques ou sur les gouvernements pour qu'ils encadrent un secteur. L'industrie de l'environnement illustre bien ce propos. Ce secteur économique dépend presque entièrement de la réglementation des gouvernements pour son maintien et sa croissance. Or on sait le rôle que jouent les divers groupes écologistes dans ce domaine ainsi que les divers groupes d'intérêts qui se forment spontanément autour d'enjeux locaux (comme la pollution par le bruit, par les odeurs, etc.).

Ce que nous venons de voir constitue pour une large part la dimension coercitive et relativement codifiée de la régulation. Mais le marché opère également à l'ombre d'un système normatif dont on ne prend souvent conscience qu'à travers l'interaction entre des systèmes normatifs différents. Comme nous l'avons indiqué plus haut, ce sont les valeurs et les normes qui gouvernent les comportements sociaux. Ces normes et ces valeurs donnent un sens à l'action et spécifient les objectifs poursuivis ainsi que les moyens acceptés pour les atteindre (respect de la parole donnée, solidarité du groupe, etc.).

La mondialisation, qui est aussi le lieu de rencontre de cultures différentes, constitue un espace privilégié où l'on découvre qu'il existe des différences sur le plan des relations commerciales ainsi que des contraintes culturelles au marketing global. Jean-Claude Usunier (1992b) illustre abondamment cette dimension cachée des comportements; nous y reviendrons plus loin. Citons pour l'instant un exemple de normes sociales à l'œuvre dans les contacts entre gens d'affaires de pays différents (Usunier, 1992a, p. 114). On sait ainsi que, selon le contexte dans lequel interviennent les acteurs, la façon dont se structure une relation d'affaires diffère d'un pays à l'autre. On a rapporté le cas bien réel d'un Italien faisant des affaires avec un Québécois. La relation entre l'entrepreneur (italien) et son client (québécois) s'est progressivement établie à travers une série de rencontres à l'occasion de repas où les deux ont appris à se connaître. Ce n'est que lorsque l'entrepreneur a jugé qu'il existait un lien de confiance réciproque suffisant qu'il y a eu signature d'un contrat en bonne et due forme, comportant la date de livraison du produit. Mais ce qui était pour le Québécois une date ferme d'exécution du contrat signifiait pour l'Italien la consécration officielle du lien de confiance : on pouvait maintenant sceller cette confiance et déterminer un moment pour l'exécution du contrat. Il s'agissait pour lui d'une date «idéale», qui serait honorée si tous ses propres fournisseurs réussissaient à respecter leurs engagements et si aucun problème ne surgissait au cours de la production. Comme on peut s'en douter, la non-exécution du contrat dans les délais déterminés a abouti à une poursuite juridique. L'entrepreneur a dû tenter d'expliquer au juge que le contrat était ferme, qu'il entendait honorer ses obligations, que le délai de livraison déterminé dans le contrat constituait la date idéale autour de laquelle l'obligation serait normalement exécutée, mais il a évidemment perdu sa cause.

Dans cette première perspective, l'institution est également définie comme un système culturel de cognition. On pourrait définir le mode de cognition comme la carte mentale qui structure la perception de la réalité et oriente en conséquence les actions. Cette carte mentale relève de la personnalité de chacun, mais elle constitue également une construction sociale qui appartient autant à la culture comme système de croyances et d'attitudes propres à une religion ou à une société qu'à la place que les acteurs occupent dans une société[7] et au réseau dans lequel on agit normalement. Il s'agit ici d'une carte mentale qui repose sur un niveau plus profond des formes de cognition (Di Maggio, 1990). Un exemple simple, puisé chez Taïeb Hafsi et Christiane Demers (1997), montre le cas de Biotech, une entreprise spécialisée dans les appareils de traitement de l'air. Pour le président-fondateur, le succès de l'entreprise est le résultat de la recherche et du développement ainsi que de la qualité des produits. Pour le vice-président, le succès tient plutôt au système de distribution de l'entreprise. Deux perceptions d'une même réalité qui se traduiront par des actions différentes. De façon plus générale, on peut citer comme exemples de carte mentale les conceptions de temps et d'espace, de domaine privé et de domaine public dans les

---

7. Bourdieu a désigné cette réalité sous le terme «habitus», une façon de percevoir formée dans le milieu social d'appartenance.

diverses sociétés, conceptions qui structurent souvent inconsciemment la connaissance et le mode d'appréhension de la réalité et des autres.

LE MARCHÉ COMME SYSTÈME DE RAPPORTS SOCIAUX

Le fait de présenter le marché comme une institution met l'accent sur la dimension structurelle des marchés. Les diverses formes de régulation que nous avons présentées donnent à penser que ces systèmes sont déterminants dans la structuration des rapports sociaux, ce qui n'est pas faux. Il existe cependant, comme nous l'avons dit plus haut, une tout autre approche qui met l'accent sur le processus de structuration des règles. La question au centre de cette analyse est de savoir comment naissent, se développent et s'institutionnalisent des comportements et comment se maintiennent ou se modifient les institutions. Dans cette approche, les acteurs individuels ou collectifs sont des acteurs en situation : les structures dans lesquelles ils évoluent déterminent leurs comportements et, de la même manière, ils interviennent sur ces structures pour les changer.

Ces acteurs sont des hommes, des femmes, jeunes ou vieux, marqués par la culture à laquelle ils appartiennent. Ils ont des valeurs, des représentations de la réalité qui leur sont propres, des connaissances. Ils ont été socialisés dans des contextes sociaux particuliers. Ils se projettent dans l'action à travers leur représentation de la réalité et le sens qu'ils donnent à leurs actions. Ils sont des acteurs sociaux dont la rationalité n'est pas toujours guidée par la maximisation de leurs intérêts économiques. S'ils sont socialement marqués, ils conservent toutefois des marges de liberté où ils exercent leur initiative.

En tant qu'acteurs, ils occupent une place dans la société et dans ses institutions et y jouent des rôles. Ils sont membres de groupes, de réseaux et d'organisations formelles. À ce titre, ils participent à la vie sociale à travers les règles et les normes qui accompagnent les rôles qui leur sont assignés par la structure. Les rôles constituent un système de régulation des relations qui agit comme contrainte à l'action, mais les normes et les règles qui les régissent ne sont jamais totalement contraignantes. Les acteurs négocient leur participation aux systèmes d'action et les organisations résultent des actions (individuelles ou collectives) d'acteurs qui acceptent de coopérer entre eux pour fonctionner dans un cadre donné. Les acteurs construisent donc des structures : un ensemble de relations régulières soumises aux contraintes changeantes de l'environnement. Les règles de fonctionnement étant établies, elles agissent comme régulateurs des actions des acteurs. Par exemple, les lois qui régissent les négociations dans le domaine du travail contraignent tous les acteurs en délimitant leurs possibilités d'action.

Les acteurs s'associent et développent au sein de la société et des organisations des stratégies particulières fondées sur leurs intérêts communs, devenant ainsi des acteurs collectifs (organisations, institutions, sociétés, groupes, etc.). Ils font fonctionner le système par le biais d'un réseau de relations où ils négocient, échangent et prennent des décisions qui permettent de résoudre les problèmes concrets d'une organisation ou d'une société. Il existe donc des relations de pouvoir entre acteurs.

Il découle de cette observation qu'un système d'action est toujours un compromis entre des intérêts individuels et des intérêts collectifs. Dans cette perspective, le cadre que se donnent les acteurs pour fonctionner ensemble est instable, toujours en équilibre précaire. Les frontières de ce cadre d'action ne sont jamais déterminées à l'avance. Elles sont établies par le rapport de force qui s'exerce dans une situation, un problème. Dans ce sens, il s'agit des règles du jeu que les acteurs invoquent pour régler le problème qui les oppose.

Dans un système d'action, toute relation est donc politique du fait de l'interdépendance des acteurs, qui ont besoin les uns des autres pour fonctionner (la coopération est «négociée»), et du fait aussi que le système d'action n'est jamais totalement contraignant (il y a toujours des marges de liberté). C'est à travers les relations que l'acteur cherche à rendre profitables les échanges qui le lient aux autres acteurs. En entrant en relation de pouvoir, tout acteur peut gagner ou perdre quelque chose dans l'échange : il y a toujours des enjeux.

C'est cette dernière perspective que nous adopterons dans la suite de ce chapitre.

LES MARCHANDISES, LES MARCHÉS ET LA COMPÉTITION : DES CONSTRUCTIONS SOCIALES

LA CRÉATION SOCIALE DE LA MARCHANDISE ET LA DÉFINITION SOCIALE DES BIENS

Du point de vue de la sociologie économique, la nature marchande n'est pas une caractéristique qui accompagne naturellement les biens et les services. Il s'agit, au sens fort du terme, d'un construit social. Dans cette perspective, il n'est pas inutile de rappeler que l'extension progressive de la logique marchande dans l'espace de la production l'a transformée[8] et a redéfini socialement non seulement ce qui constituait un bien, mais également la nature même de ce qui est un travail. Jean-Pierre Dupuis a décrit globalement, dans le premier chapitre, le processus par lequel le capitalisme industriel a transformé le mode d'organisation de la production des biens. Des biens et des services qui étaient produits dans la sphère privée (domestique) ou dans la sphère institutionnelle (les corporations) sont entrés progressivement dans la sphère de l'échange marchand ; ils sont

---

8. Transformation ne signifie pas extinction de toute forme autre que «capitaliste».

devenus des marchandises. En d'autres termes, pour reprendre Marx, les biens et les services qui constituaient des valeurs d'usage pour soi sont devenus des valeurs d'usage pour les autres, des valeurs d'échange, diraient les économistes classiques. Ce processus de marchandisation s'est accompagné d'un deuxième processus, tout aussi — sinon plus — important, celui de la constitution d'un marché du travail. La dynamique qui s'est instaurée entre la sphère marchande et la sphère productive a eu pour résultat que le travail est devenu cette activité qui est exercée contre rémunération. Toute activité qui n'est pas accomplie contre rémunération est définie comme n'étant pas du travail. Le capitalisme industriel a fait du salariat la norme sociale, au sens fort du terme, l'étalon qui permet de mesurer ce qui constitue du travail. Cette phrase d'un célèbre humoriste québécois rend bien cette réalité : «Ma mère ne travaillait pas, elle avait trop d'ouvrage ! »

Pour qu'un bien ou un service soit une marchandise, il lui faut donc, selon la conception qu'on s'en fait, entrer comme tel dans la sphère marchande. En d'autres termes, c'est l'espace dans lequel circule un bien ou un service qui lui a conféré la qualité d'être une marchandise au sens où elle a été définie. Or ce qui entre ou non dans la sphère marchande est déterminé socialement soit par le jeu des rapports de pouvoir qui s'exercent dans une société donnée, soit par la structure sociale d'une société.

Il existe par ailleurs d'autres formes sociales d'échange[9]. Parmi celles-ci figurent les biens et les services produits dans le secteur public. D'une façon générale, on a tendance à les tenir pour acquis jusqu'à ce qu'émergent divers processus de privatisation de ce qu'on considère comme un bien collectif qui doit être soustrait à la pure logique marchande. La définition politique de ce qui doit entrer dans la sphère marchande apparaît alors au grand jour. Si on y regarde de plus près, on constate que les sociétés définissent différemment ce qui appartient à l'une ou à l'autre sphère. Alain Noël (1994), s'inspirant de Michel Albert (1991), a très bien illustré cette réalité (figure 2.1, p. 70).

Dans le modèle néo-américain (désigné comme modèle libéral dans le premier chapitre), les entreprises, la détermination des salaires, le logement, les transports urbains et, pour une très large part, les médias appartiennent à la sphère marchande ; seuls la religion, la santé et l'enseignement appartiennent à la sphère mixte ou aux trois sphères. Dans le modèle rhénan (désigné aussi comme modèle coopératif), les entreprises et les salaires font partie de la sphère mixte alors que le logement, l'enseignement et la santé appartiennent aux trois sphères ; la religion appartient quant à elle à la sphère non marchande.

---

9. On sait qu'il existe en économie un courant de pensée pour lequel toute réalité sociale peut être abordée comme un marché, y inclus l'État et la famille. Cependant, la question de la marchandise n'y est jamais traitée : elle est tenue pour acquise.

FIGURE 2.1   Les types de biens et les modèles de développement

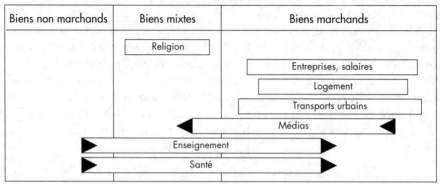

Le modèle néo-américain

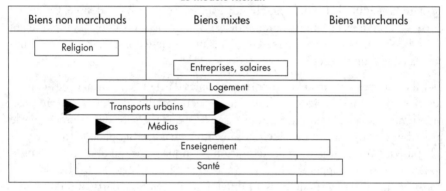

Le modèle rhénan

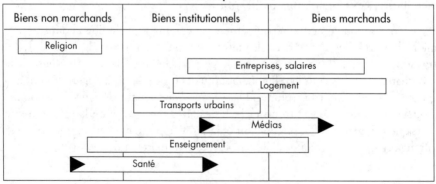

Le modèle québécois

On note également dans la figure 2.1 une certaine dynamique. En effet, dans une même société, un bien ou un service passe d'une sphère à l'autre au cours des ans. À cet égard, l'histoire des services publics de base (eau, électricité, transport en commun, etc.) dans les sociétés industrielles avancées reflète bien la circulation d'un service d'une sphère à l'autre et même la constitution d'une sphère mixte, les enjeux du moment et les rapports de pouvoir définissant l'appartenance à l'un ou à l'autre domaine. Pour illustrer la dynamique qui sous-tend cette «circulation», voyons un cas d'étatisation des services publics, celle de l'électricité à Montréal et au Québec (encadré 2.1).

ENCADRÉ 2.1   L'étatisation des services publics : le cas de l'électricité à Montréal et au Québec

Au tournant du XXe siècle, Montréal est en pleine transformation sous l'effet de l'industrialisation. La population de la ville et de sa banlieue croît à une vitesse vertigineuse, passant de 250 165 en 1881 à plus de 689 753 en 1921 (Linteau, 1992, p. 160). Cette augmentation rapide de la population exige une croissance équivalente des services publics. C'est un marché fabuleux qui s'offre aux entrepreneurs puisque, à l'époque, les grands services publics (le transport en commun, l'éclairage des rues, la distribution d'électricité, de gaz, etc.) sont assurés par l'entreprise privée. C'est d'ailleurs un domaine dans lequel les entrepreneurs canadiens feront leur marque dans le monde, notamment en Amérique du Sud. Il faut se rappeler par exemple que l'entreprise Brascan a bâti son empire dans les services publics au Brésil [revoir le chapitre 1 à ce propos]. À Montréal, la fusion d'entreprises de gaz et d'électricité en 1901 donne naissance à la Montréal Light, Heat and Power (MLHP). Cette entreprise sera présidée par un ingénieur canadien-anglais, Herbert Samuel Holt, qui deviendra plus tard, pendant plus de 25 ans, le président de la Banque Royale du Canada (Linteau, 1992, p. 168).

Au fil des ans, cette entreprise réussira à éliminer la concurrence (offres d'achat irrésistibles, guerre des tarifs, etc.) et à s'emparer du monopole de la distribution d'électricité à Montréal et dans sa banlieue. Comme le rappelle Linteau (1992, p. 277), reprenant en cela les propos de Dales :

> L'histoire de MLHP est avant tout une histoire financière. [...] Ses bénéfices sont en effet tellement fabuleux qu'elle doit régulièrement les camoufler dans le cadre de réorganisations financières. De 1902 à 1916, par exemple, la compagnie distribue une somme de 16 950 000 $ en dividendes et, en 1916, il lui reste encore dans ses coffres 5 742 000 $ de profits non distribués. Pour réaliser de tels bénéfices, il ne fait pas de doute que la compagnie peut compter sur des tarifs extrêmement élevés, beaucoup plus que ceux qu'on trouve en Ontario à la même époque. [...] En 1913, par exemple, pour une consommation mensuelle de 60 kilowatts/heure, les Montréalais payent 3,99 $ alors que les Torontois s'en tirent pour 2,20 $.

Cette situation de monopole et de profitabilité extrême, de tarifs élevés et de mauvais services (l'entreprise prête peu d'attention au service à la clientèle, à la qualité et à la fiabilité des services) finit par être dénoncée par de plus en plus de citoyens, d'hommes d'affaires (qui paient eux aussi davantage qu'à Toronto) et de politiciens au début des années 30. On exige l'étatisation des compagnies d'électricité comme en Ontario, où celle-ci a été réalisée avec succès en 1906 (Chanlat et autres, 1984, p. 36), et l'on souligne que l'électricité est un bien public et qu'à ce titre tous ont droit à un service de qualité et à un prix raisonnable. Le gouvernement libéral est, malgré l'exemple probant de l'Ontario, réticent à intervenir ; il préfère exercer un contrôle plus grand sur les activités des entreprises. Il crée à cette fin une commission de l'électricité au milieu des années 30. Ce n'est finalement qu'en 1944, après plus de 10 ans de tergiversations, que le gouvernement libéral, de retour au pouvoir depuis 1939*, se résout, devant les pressions populaires, et à la toute fin de son mandat, à étatiser les services d'électricité de Montréal et de sa banlieue. Hydro-Québec voit ainsi le jour, mais ce n'est cependant qu'une demi-victoire pour les partisans de l'étatisation, qui espéraient que cette dernière couvre toutes les entreprises de la province.

La nationalisation des autres compagnies privées en 1963 est une épreuve de force opposant ces dernières à Hydro-Québec et au gouvernement du Québec, devenu depuis favorable à cette option grâce notamment au pouvoir de conviction de son ministre des Richesses naturelles, qui a pour nom René Lévesque. Fort d'une volonté collective de reprendre en main le développement économique du Québec, le gouvernement a pu imposer, sous l'impulsion de son ministre charismatique, une nationalisation aux entreprises qui acceptent les unes après les autres d'être achetées par Hydro-Québec. Mais cela ne s'est pas fait sans mal ni acrimonie, comme le relatent Chanlat et ses collaborateurs (1984, p. 64) :

> Les compagnies organisent leur défense. La Shawinigan en prend le leadership. On agite l'épouvantail du socialisme, de la bureaucratisation et de son cortège d'inefficacités. On prédit des réactions négatives des investisseurs et leurs effets désastreux sur le chômage et le développement économique. On met en garde contre le coût élevé de la nationalisation. On souligne les conséquences néfastes qu'elle ne manquera pas d'avoir sur les possibilités d'emprunt de la province, sur l'endettement de l'entreprise et sur ses frais financiers. Des journaux se chargent de propager ces scénarios apocalyptiques. On exerce des pressions sur les employés des compagnies privées et on leur laisse entrevoir des baisses de salaire.

Le gouvernement du Québec peut cependant s'appuyer sur de bons arguments économiques, sociaux et culturels pour promouvoir sa cause (Chanlat et autres, 1984, p. 60-64). L'argument économique : les entreprises privées ont de toute façon tendance à se partager le territoire sous forme de monopoles régionaux et ainsi la concurrence et ses supposés bénéfices n'existent pas ; de plus, un vaste potentiel de production (de nombreuses rivières) n'est pas exploité. L'argument social (qui réintroduit l'idée du bien public) : les tarifs et la qualité du service varient d'une région à l'autre et cela est socialement injuste et inacceptable. L'argument culturel : ces entreprises sont contrôlées par des intérêts anglo-saxons et la place qu'y occupent les francophones est minuscule ; ceux-ci n'y détiennent aucun pouvoir réel, et cela est aussi considéré comme inacceptable. La motivation politique du gouvernement de reprendre en main le développement économique du Québec fera le reste, et la nationalisation sera une réussite.

Ainsi, l'acteur gouvernemental l'emporte clairement sur les acteurs privés. C'est que les règles du jeu ne sont plus les mêmes. Le libéralisme a été largement contesté depuis les années 30, tant en Europe qu'aux États-Unis où triomphent les idées de l'économiste Keynes, favorable, à bien des égards, à l'intervention de l'État. De plus, les entreprises, en s'entêtant dans leurs mauvaises habitudes, en ne voulant pas se mettre à l'écoute des clients et des aspirations des Québécois (la Shawinigan Power se donne un nom français quelques mois avant les élections de 1962, qui portent essentiellement sur la nationalisation des compagnies d'électricité !), ont choisi la mauvaise stratégie. S'ajuster, s'adapter, se moderniser, se québéciser auraient constitué de meilleures stratégies et auraient probablement évité leur nationalisation.

Notons en terminant que le mouvement inverse se dessine depuis quelque temps. Il a en effet été question récemment de privatisation, partielle ou totale, d'Hydro-Québec. Certains parlent d'un processus de dénationalisation d'Hydro-Québec, qui serait amorcé dans le contexte de l'actuelle déréglementation du secteur de l'énergie en Amérique du Nord. Ainsi, pour permettre à Hydro-Québec d'accaparer une part du marché américain de l'énergie, le gouvernement du Québec est prêt à déréglementer le secteur de l'énergie au Québec, en permettant notamment la production, la vente et la distribution d'électricité au Québec par des entreprises privées d'ici ou d'ailleurs (États-Unis). Cela soulève à nouveau la question qui était au cœur de l'étatisation des entreprises privées d'hydroélectricité par le gouvernement du Québec : l'électricité est-elle un bien public ou un bien privé ? Le débat est à faire, ou plutôt à refaire.

* Le gouvernement libéral est de retour au pouvoir en 1944, après en avoir été chassé en 1936 par l'Union nationale, dont le chef s'oppose aussi à l'étatisation.

Source : Tiré d'un texte (non publié) de Jean-Pierre Dupuis.

Le cas qui précède illustre bien que c'est en grande partie la sphère dans laquelle circule le bien ou le service qui lui donne son caractère de marchandise, qui lui imprime la logique marchande, le profit, et non pas le fait que le bien s'échange contre une monnaie, comme l'ont d'ailleurs démontré les anthropologues en étudiant les sociétés sans marché (Gregory, 1997).

Nous avons évoqué au début de cette section que ce qui entrait dans la sphère de l'échange pouvait être défini par la structure sociale ou, si on préfère, par les diverses formes de rapports sociaux qui existent dans une société. Illustrons cette dimension par un exemple puisé dans la sphère des échanges économiques non monétaires.

Le fait qu'on ait placé le marché au centre de l'économie a eu pour effet de gommer ou de considérer comme marginal tout ce qui échappe aux règles du marché, tel qu'il est censé s'être constitué. On a tendance à penser que le processus historique qui a présidé à la construction des marchés a fait disparaître toutes les autres formes d'échange, ce qui est loin d'être le cas. En effet, on s'est peu intéressé à la sphère des échanges économiques non monétaires dans l'univers domestique. Il ne s'agit pas, selon nous, d'une survivance d'une forme ancienne, mais bien d'une forme d'échange profondément ancrée dans les sociétés. Il importe de se pencher sur cette dimension, non seulement parce que cette sphère d'échange peut se transformer en sphère de production de marchandises, mais aussi parce qu'en raison des transformations de la famille (diminution du nombre d'enfants, rétrécissement de la parentèle, instabilité des couples, etc.), le marché pourrait avoir de plus en plus tendance à se substituer aux solidarités familiales et domestiques.

D'une façon générale, on associe souvent la notion d'échanges économiques non monétaires à ce qu'on désigne sous le terme de troc. On sait que, dans certaines économies même avancées, cette forme d'échange a repris de la vigueur. Mais ce n'est pas de ce phénomène dont nous voulons traiter ici, entre autres parce qu'une partie de cette forme d'échange semblerait appartenir davantage à l'économie informelle qu'à la sphère qu'on pourrait qualifier d'une part de sphère sociale et d'autre part de sphère domestique.

Les deux phénomènes qui caractérisent les échanges économiques non monétaires sont en effet d'un autre ordre. L'un se situe à la frontière du social et l'autre dans la sphère domestique. Ils ont deux choses en commun : d'une part, ils constituent une forme de production et d'échanges de biens et de services économiques non monétaires et, d'autre part, ils font partie des institutions sociales qui permettent à une économie formelle de fonctionner plus efficacement.

Le premier phénomène tient davantage du don que de l'échange. L'activité la plus représentative de cette sphère est le bénévolat : un don de travail gratuit sans contrepartie financière. Signalons à titre d'exemple le cas des personnes qui remplissent des fonctions de bibliothécaire dans les écoles primaires et secondaires, des parents qui assument à l'école leur tour de garde des enfants au moment des repas, des personnes qui fournissent des services dans les hôpitaux. Ce phénomène peut sembler marginal, mais pas aux yeux des organisations, qui comptent sur cette forme de don pour diminuer leurs coûts. Il peut également prendre la forme d'une organisation de production de services. Titmuss (cité dans Swedberg, 1994a, p. 211) a montré que le système de volontariat et de bénévolat sur lequel reposait la collecte de sang en Angleterre constituait un mode de fonctionnement plus efficace que le système américain, où coexistent les banques de sang commerciales et non commerciales.

Le deuxième phénomène se situe dans la sphère domestique au sens large. Il a pour base le réseau social et plus particulièrement la parentèle. L'anthropologue

Andrée Roberge (1984) a décrit, il y a quelques années, le fonctionnement d'un tel système d'échange de biens de consommation et de services qui n'avait pas pour finalité le profit de ceux qui y participaient. Étudiant les comportements économiques d'unités domestiques unies par des liens de parenté, de voisinage et d'amitié dans une communauté semi-rurale, en banlieue de Québec, elle a demandé aux participants de consigner chacune de leurs activités d'échange (la nature du bien ou du service rendu et reçu, le partenaire de l'échange et son lien avec la personne) au cours de quatre périodes (pour tenir compte des fluctuations saisonnières). En consultant les données enregistrées, elle a constaté que les échanges portaient en majorité sur les biens de consommation (43 %), suivis des services de transport (22,6 %), des services domestiques (12,3 %) et des soins aux enfants (9,6 %). Après avoir attribué à chacun de ces biens et services leur propre valeur marchande, elle a noté que la valeur des biens et des services rendus par la femme était moindre que celle attribuée aux hommes, du fait de la dévalorisation des services rendus par la femme.

Son enquête s'étant déroulée de 1975 à 1978, elle a estimé qu'il y a eu en moyenne 21 684 actes d'échange par année, qui avaient une valeur marchande globale de 137 202 $, une valeur loin d'être négligeable pour 30 unités domestiques qui disposaient de revenus moyens ou modestes (le seuil de pauvreté en 1976 pour une famille de quatre personnes se situait à 10 860 $). Sur le plan de l'unité domestique moyenne, l'activité d'échange se chiffrait annuellement à 4 573,40 $, une valeur répartie sur 722 échanges. C'est à l'intérieur de la parenté que se sont réalisés 80 % des échanges et 80 % de la valeur des échanges. Le voisinage compte respectivement pour 8,1 % des échanges et 6,4 % de la valeur des échanges. Les liens d'amitié comptent pour 7,7 % des échanges et 7,9 % de la valeur. Seuls les échanges effectués entre amis se rapprochaient de la réciprocité. Cette symétrie relative n'existe pas au sein de la parentèle : l'échange asymétrique profite aux plus nécessiteux.

Ce court survol et la dernière remarque sur la circulation des biens et des services donnent à penser qu'on commet une erreur en négligeant cette sphère fondamentale de l'économie comme processus de maintien de l'affiliation sociale et comme support au fonctionnement efficace d'une économie de marché. L'existence de cette sphère permet de démontrer que le marché fonctionne à l'intersection d'un ensemble de phénomènes sociaux.

Citons un dernier exemple qui illustre comment la culture et la morale entrent dans la définition de ce qui fera partie de l'échange marchand. Il s'agit de la difficulté éprouvée au XIXe siècle par les compagnies d'assurances qui ont entrepris l'introduction des assurances sur la vie. Zeliger (cité dans Swedberg, 1994a, p. 211) a montré combien l'idée de constituer un marché sur la mort heurtait profondément un système de valeurs qui considérait la vie humaine comme possédant un caractère sacré qui ne se prête pas à des mesures d'ordre financier. Cette résistance a duré plusieurs décennies avant de se dissiper. L'assurance sur la vie des enfants s'est heurtée à une difficulté morale encore plus grande, et ce, même dans un contexte où la famille était considérée comme une unité économique à laquelle participaient les enfants. Pendant très longtemps, même jusqu'au XXe siècle, le montant souscrit était celui du coût de l'enterrement de l'enfant.

Terminons en mentionnant rapidement une forme particulière de marché : l'encan. Selon Smith (1989, p. IX), l'encan, qui peut prendre diverses formes, constitue fondamentalement un processus social « servant à établir une définition socialement acceptable de la valeur et de la propriété » (traduction libre). Ce n'est donc pas uniquement le bien ou le service qui est socialement défini, mais également le prix. Nous n'en traiterons pas davantage, ces quelques exemples ayant permis d'entrevoir l'entrecroisement du social, du culturel et de l'économique.

LA CONSTRUCTION SOCIALE DES MARCHÉS : QUELQUES EXEMPLES

Cette section porte sur la construction sociale du marché comme institution. Nous avons posé au début de ce chapitre que le marché était un construit social, ce qui implique trois choses : qu'il n'a pas toujours existé sous sa forme actuelle, qu'il résulte de rapports sociaux et que, pour devenir une institution et être en mesure d'exercer ses effets et d'encadrer les actions, il faut qu'il ait acquis une « existence » telle qu'il s'impose en quelque sorte comme forme instituée de comportements. Bref, deux axes sont à considérer : un axe historique, car c'est sur le passé que se construit le présent, et un axe dynamique, qui tient compte des rapports sociaux. Nous n'étudierons pas davantage cette dimension théorique, l'objectif étant ici d'illustrer concrètement comment s'opère cette construction dans divers types de marché.

On peut illustrer la construction sociale des marchés à partir de deux perspectives : l'une montre comment des acteurs construisent un marché et l'autre explique comment s'articulent des institutions sociales. Dans le premier cas, l'analyse est centrée sur la dynamique de construction alors que, dans le deuxième cas, elle est axée sur le fonctionnement structurel.

Le cas d'Hydro-Québec, exposé dans l'encadré 2.1, et le cas de l'encan, brièvement évoqué, constituent les premières illustrations de notre propos. On en trouvera une autre illustration dans le premier chapitre, qui traite entre autres de la constitution, avec le soutien actif de l'État, d'un marché national (interne) en Angleterre et d'un marché du travail.

Revenons d'abord, très brièvement, sur la construction sociale du marché du travail. Nous verrons ensuite la construction du marché des actions, d'un marché local (le cas de la Beauce), d'un marché industriel (celui de l'automobile) et, finalement, une tentative de développement d'un marché à l'étranger.

La construction du marché du travail en Angleterre

On se rappellera (voir le chapitre 1) que le marché du travail s'est constitué à l'intersection des rapports qu'ont entretenus les marchands avec la sphère domestique et les ateliers d'artisans (processus qui a donné naissance à la manufacture puis à la fabrique) et avec l'État. Il y a donc ici un double processus, l'un situé dans l'univers économique, l'autre dans l'univers politique. Du premier, Tilly et Tilly (1994) disent que cette transformation d'un système de sous-traitance en système de production organisé a été parfois accidentelle, parfois délibérée, comme lorsque les entrepreneurs ont remplacé les travailleurs qui manquaient de discipline et qui étaient payés trop cher par une main-d'œuvre plus docile. Des historiens ont toutefois relevé des cas où ce sont les maîtres artisans qui ont réclamé que des capitalistes viennent les organiser sous forme de manufacture parce qu'ils n'arrivaient pas à discipliner leurs compagnons et apprentis. Mais cette transformation économique n'était pas suffisante pour instituer un marché du travail libre, il y manquait la sanction de l'État. Elle est venue en 1834, avec l'abolition de la Loi des pauvres. Polanyi (1983, p. 365) a particulièrement bien démontré que l'adoption de la Loi des pauvres à Speenhamland en 1795, due à des juges de paix locaux, a retardé de 40 ans l'existence d'un marché du travail libéré des contraintes juridiques qui faisaient obstacle à son instauration en permettant à des acteurs de bénéficier d'un revenu de soutien «suffisant» pour qu'ils puissent se soustraire à l'obligation de travailler. Il est un point important qu'il faut souligner ici: l'intervention de l'État vient non seulement consacrer un «état de fait» mais également l'institutionnaliser, car, comme l'a démontré Polanyi, les autorités administratives et juridiques ont, en général, montré très peu d'empressement à faire appliquer la Loi des pauvres. Aussi longtemps que le «marché du travail» n'avait pas la sanction de l'État, on se trouvait en face d'une situation d'exception. Dans un tel contexte, pour que le marché du travail devienne une institution, il aurait fallu que les autorités non seulement ne montrent aucun empressement à appliquer les règles de droit, mais également qu'elles renoncent même implicitement à leur application.

Les grandes corporations et la construction du marché des actions

Le cas de la constitution des premières sociétés par actions permet d'illustrer comment des acteurs économiques ont réussi à mobiliser les ressources de l'État à leur avantage et, ce faisant, ont construit ce qui est devenu par la suite le modèle institué des sociétés par actions. Selon Jung (citée dans Friedland et Robertson, 1990, p. 8), la naissance de la Comstock Mining Corporations of California and Nevada, qui a été l'une des premières sociétés par actions, est due à l'action concertée d'un petit groupe de personnes qui détenaient une part importante des mines, des aciéries et des entreprises de transformation du bois dont dépendaient ces corporations. Cette transformation des entreprises en sociétés par actions visait un seul objectif: accroître les profits personnels du groupe de propriétaires. Elle ne s'est donc pas accompagnée de leur intégration organisationnelle. En se regroupant, les propriétaires ont accru leur capacité d'exercer des pressions sur les pouvoirs politiques et ont développé un ensemble de stratégies pour justifier la restructuration de la forme de propriété des entreprises. Alors qu'il n'existait pas de véritable compétition entre les industries de ce secteur, ils ont, entre autres, créé l'illusion qu'elle était telle que non seulement elle nuisait à l'efficacité des entreprises, mais elle menaçait leur survie. Leur intervention concertée a été couronnée de succès: les sociétés par actions ont vu le jour avec l'investissement de capital privé que cela comporte, et les propriétaires ont obtenu que l'État leur transfère les droits publics sur le sol, les terres et les forêts et leur verse les dépenses publiques afférentes à ces éléments. Une fois établi ce marché des actions, les propriétaires ont utilisé leur position d'actionnaires initiés pour manipuler la valeur des actions et empocher les profits: pendant relativement longtemps, il n'y a eu aucun lien entre le prix des actions et la productivité des entreprises. Les propriétaires ont joué sur les deux fronts: celui du profit des entreprises et celui de la valeur des actions. Pour Jung, cette forme d'organisation d'entreprises, qui a été par la suite institutionnalisée, doit son émergence à l'utilisation d'un pouvoir politique et économique fondé sur l'appartenance à des réseaux sociaux et au recours à des pratiques à la limite de la fraude. Ici, c'est la collusion qui définit le paramètre des échanges, et non la rencontre libre d'une offre et d'une demande.

La construction d'un marché local

Le cas de la Beauce, que nous présentons dans l'encadré 2.2, se situe à la frontière de la construction sociale d'un marché local et de l'organisation sociale de la compétition sur le marché (que nous verrons dans la prochaine section). C'est là entre autres que réside son intérêt.

ENCADRÉ 2.2   L'inscription sociale du marché: le cas du Québec et de la Beauce

Devant l'internationalisation du commerce et des rapports économiques, les grandes entreprises semblent à première vue privilégiées: grandes capacités de production, accès aux capitaux, expertises multiples, etc. C'est pourquoi les gouvernements des différents pays occidentaux ont tous cherché à favoriser la création de telles entreprises, seules capables de survivre dans un contexte d'intense compétition. Au Québec, les grandes entreprises francophones sont une création récente, résultat notamment de l'intervention étatique et d'institutions financières ayant ciblé des secteurs clés à promouvoir. À la fin des années 80, la politique des grappes industrielles du ministre Gérald Tremblay a systématisé cette pratique en ciblant 13 secteurs, appelés grappes industrielles:

aérospatiale, industrie pharmaceutique, technologies de l'information, transformation de l'énergie électrique, mines et métaux, transport terrestre, pétro-
chimie et plastiques, industrie bioalimentaire, habitat, mode et textiles, industrie forestière, environnement et industries culturelles.

L'idée était d'identifier les forces industrielles du Québec et d'aviser les
acteurs des intentions du gouvernement de favoriser leur collaboration dans
ces secteurs dans l'espoir de développer des industries compétitives à l'échelle
internationale. En fait, la politique des grappes industrielles, c'est la volonté
exprimée de créer des réseaux de solidarité et de coopération entre entreprises,
et entre institutions (État et sociétés d'État, syndicats) et entreprises. Il s'agit
donc ici d'exprimer une solidarité sectorielle et nationale pour être davantage
en mesure d'affronter les défis de la mondialisation. La particularité de ce
modèle repose sur l'originalité des institutions financières soutenant les
entreprises : institutions financières étatiques (Caisse de dépôt et placement,
Société générale de financement), banques coopératives (Mouvement Desjardins) et fonds syndicaux (Fonds de solidarité de la FTQ). Ces institutions sont
fortement encastrées dans l'histoire économique, sociale et politique du
Québec. Elles ont été créées pour compenser la faiblesse du secteur capitaliste
francophone. Précisons cependant que ce ne sont pas tous les secteurs qui utilisent ce réseau d'institutions financières. Certains secteurs et certaines grandes
entreprises sont plutôt branchés sur le réseau des banques canadiennes-
anglaises ou sur le financement international (bourses).

Dans ce nouveau contexte d'internationalisation, on pourrait penser que
les petites et moyennes entreprises sont exclues d'entrée de jeu. Disons tout de
suite que tel n'est pas le cas. D'une part, elles sont souvent, à titre de sous-
traitants, associées aux projets des grappes industrielles. Dans ce cas, leur croissance est fortement soutenue par l'État et ses partenaires financiers. D'autre
part, elles peuvent elles-mêmes s'insérer dans des réseaux locaux de coopération et viser, à partir de ces réseaux, les marchés internationaux. C'est le cas de
ce qu'on appelle les nouveaux districts industriels (voir à ce propos Benko et
Lipietz, 1992). On trouve ceux-ci dans la plupart des pays occidentaux. L'Italie
est probablement le pays où cette pratique est la plus répandue et qui fait en
sorte que, malgré la faiblesse de ses grandes entreprises ou des politiques industrielles de son État, elle parvient tout de même à bien se comporter sur le plan
international. La force des PME, en Italie comme ailleurs, repose notamment
sur la souplesse de la production (qui peut répondre rapidement à des besoins
changeants du marché) et sur la qualité des produits.

Au Québec, une région est particulièrement renommée pour la force de
ses PME : la Beauce. Cette force repose sur un système local de règles sociales.
Ce sont ces règles sociales, mises en place par les principaux acteurs économiques régionaux, qui lui permettent de bien performer. Ces règles sociales reposent principalement sur la solidarité communautaire et la coopération entre
entrepreneurs. Le cas de la région de Saint-Georges-de-Beauce, analysé par les
sociologues André Billette, Mario Carrier et Jules Saglio (1991), nous permettra d'illustrer ce phénomène.

Avant d'examiner plus en détail les règles sociales à l'œuvre, présentons très brièvement les caractéristiques de la région. Disons d'abord qu'il s'agit d'une région relativement isolée bien que pas très éloignée de la ville de Québec. La région a été pendant longtemps difficile d'accès et il s'est développé au fil du temps un fort esprit communautaire parmi sa population. Cette dernière est assez petite, avec à peine 80 000 personnes en 1991. Sur le plan économique, notons l'absence des grandes entreprises canadiennes et étrangères, celle des agences gouvernementales provinciales et fédérales et des grandes institutions publiques (pas d'université par exemple). Ainsi, contrairement à d'autres régions du Québec telles que le Saguenay ou l'Abitibi, il n'y a pas de grandes entreprises ou de grandes institutions pourvoyeuses d'emplois en Beauce. Seules les PME, et quelques-unes devenues plus importantes comme Canam Manac, fournissent des emplois.

Examinons maintenant les règles sociales du système industriel de PME de Saint-Georges-de-Beauce. Par règles sociales, il faut entendre des techniques ou des procédures généralisables permettant de produire et de reproduire les pratiques sociales d'un système (Giddens, 1987). Il y a d'abord les règles relatives à l'activité économique. Première règle : un fort enracinement local des entrepreneurs. La majorité des entreprises ont été fondées par des entrepreneurs locaux et ceux-ci ont tendance à rester présents dans la région même lorsque leurs entreprises atteignent une taille plus importante et vivent surtout des marchés canadiens et internationaux.

Deuxième règle : la priorité accordée à la petite et moyenne entreprise par les élus locaux. Ces derniers ont pris acte de l'absence des grandes entreprises, et ce, malgré certains efforts faits pour les attirer dans les années 60, et ils ont plutôt favorisé la création d'entreprises par des entrepreneurs locaux. Ainsi, à partir du milieu des années 70, le Conseil économique de Beauce va surtout orienter ses actions vers la création et le développement de petites et de moyennes entreprises.

Troisième règle : le réinvestissement local. Cette règle implique que la majorité des entrepreneurs réinvestissent en partie leurs profits dans la région, sous forme de réinvestissement industriel ou en y conservant un bureau d'affaires malgré les succès de l'entreprise sur la scène canadienne et mondiale.

Quatrième règle : l'achat local. Les entrepreneurs vont la plupart du temps privilégier l'achat en région plutôt qu'à l'extérieur si le produit dont ils ont besoin existe, est de qualité et est à prix comparable. Il n'est pas rare qu'un industriel appelle les manufacturiers de sa région pour prendre connaissance du prix de ses produits et pour discuter des possibilités de conclure une affaire.

Cinquième règle : l'entraide sociale et économique. Les entrepreneurs vont fortement s'impliquer dans les activités communautaires et contribuer généreusement à des organismes locaux. Au niveau économique, l'entraide se manifeste de plusieurs façons. D'abord, les prêts pour le démarrage et le développement d'entreprises. Il n'est pas rare que des entrepreneurs aident d'autres entrepreneurs à démarrer une entreprise en leur fournissant du soutien financier. La formule privilégiée est souvent l'association d'hommes d'affaires qui deviennent actionnaires minoritaires de l'entreprise en question. Il y a aussi la création de fonds industriels par les municipalités (Saint-Éphrem et La Guadeloupe par exemple), constitués souvent à partir de collectes dans la population, qui mettent des sommes d'argent à la disposition des entrepreneurs pour démarrer une entreprise ou pour la faire croître. Il s'agit de prêts à bas taux d'intérêt ou d'investissements sous forme d'actions dans l'entreprise.

Il y a également les regroupements d'entreprises «soit pour réaliser des commandes ou soit pour effectuer des achats» (Billette, Carrier et Saglio, 1991, p. 196) qu'elles ne pouvaient faire seules, particulièrement dans le cas des commandes où chaque entreprise prise individuellement n'avait pas le volume de production nécessaire pour obtenir le contrat. Il y a aussi le sauvetage des entreprises en difficulté, qui est fait tant par les municipalités que par les entrepreneurs, à la condition bien sûr que l'entreprise soit considérée comme viable et que l'entrepreneur ait respecté les autres règles précédemment évoquées (achat local, entraide, etc.). De plus, les entrepreneurs s'échangent de l'information technique et commerciale, se prêtent de la machinerie en cas de pépin, même entre concurrents (selon le principe qu'une entreprise qui ne peut respecter un contrat par cause de bris de machinerie risque de nuire à la réputation de toutes les entreprises de la région), etc.

Mis à part ces règles sociales relatives à l'activité économique, il y a aussi les règles sociales concernant les relations industrielles, à savoir celles relatives à l'emploi et au fonctionnement des entreprises. Examinons rapidement les règles relatives à l'emploi. Première règle : la priorité d'embauche aux travailleurs beaucerons. Cette règle peut sembler évidente dans une région où il n'y a pas d'immigration. Pourtant, rappellent Billette, Carrier et Saglio (1991, p. 208), à la fin des années 40, un industriel de la région avait fait venir 100 travailleuses polonaises d'Europe pour compléter son personnel. Le geste avait été mal perçu par la population locale au point où cet entrepreneur, député fédéral, se fit battre aux élections suivantes et que, de plus, son entreprise vécut une tentative de syndicalisation et une grève par la suite. Cet événement a marqué l'imaginaire de la population et des entrepreneurs. Cette règle se manifeste aujourd'hui par l'embauche des travailleurs du village où se situe l'entreprise avant de recruter des travailleurs d'autres villages de la région ou de l'extérieur.

Deuxième règle : la non-débauche de la main-d'œuvre entre entreprises locales. Ces dernières s'entendent pour ne pas recruter les travailleurs dont elles ont besoin dans les entreprises déjà en opération. Il n'est ainsi pas question de voler les travailleurs d'une entreprise en leur offrant de meilleurs salaires ou de meilleures conditions de travail. Il y a, de la part d'une majorité des entrepreneurs, un respect très strict de cette règle en ce qui concerne les entreprises d'une même localité. La règle est appliquée avec plus de souplesse quand il s'agit d'entreprises de municipalités différentes, particulièrement quand elles sont éloignées l'une de l'autre. Cette règle permet notamment de contrôler la structure des salaires et d'éviter la surenchère salariale. Les salaires industriels de la Beauce sont parmi les plus bas du Québec.

Les règles suivantes concernent le fonctionnement de l'entreprise. Première règle : l'identification à l'entreprise. Les travailleurs comme les propriétaires s'identifient fortement à la région et, par ricochet, à l'entreprise pour laquelle ils travaillent. La non-débauche des travailleurs permet une stabilité du personnel dans l'entreprise et permet de construire un sentiment d'appartenance fort. L'identification à l'entreprise est donc plus facile dans ce contexte. La taille des entreprises est un autre facteur qui favorise cette situation. Il en résulte un faible taux de syndicalisation dans les entreprises beauceronnes.

Deuxième règle : la proximité sociale entre travailleurs et employeurs. Elle découle de la première règle et la renforce tout à la fois. En effet, la stabilité du personnel, la taille de l'entreprise, l'embauche locale, notamment de membres d'une même famille ou issus de la parenté élargie, contribuent à entretenir des relations de proximité entre le personnel et la direction. Ces relations de proximité sont entretenues et cultivées par les deux parties. De plus, l'accès à l'actionnariat des travailleurs dans de nombreuses entreprises ou encore la création locale d'entreprises par d'anciens travailleurs contribuent également au maintien de ces relations. Ainsi, dans ce dernier cas, parmi les 45 industriels rencontrés par Billette, Carrier et Saglio (1991, p. 232), « 25 sont d'anciens travailleurs et huit d'entre eux ont fondé ou acquis leur entreprise au cours des dix dernières années ».

Troisième règle : salaires et mode de vie sont interreliés. On admet volontiers que les salaires sont plus bas dans la région qu'ailleurs au Québec. Par contre, on fait valoir que de nombreuses entreprises offrent à leurs employés des accommodements permettant la pratique de certaines activités liées au mode de vie des Beaucerons comme la pêche et la chasse, la coupe du bois, l'agriculture ou l'exploitation d'une érablière. Ainsi, dans certains cas, lorsqu'il y a des mises à pied temporaires causées par une baisse des activités, ce ne sont pas automatiquement les plus jeunes qui se retrouvent sans emploi, ce sont plutôt les plus anciens qui peuvent se prévaloir de ce droit (« de mise à pied ») pour aller pratiquer leurs activités préférées (dont certaines généreront un revenu), tout en bénéficiant de l'assurance-chômage. Il y a donc des pratiques locales qui compensent en partie les faibles salaires.

Les quatrième et cinquième règles concernent la stabilité de l'emploi et la faiblesse du syndicalisme en région. Nous en avons déjà brièvement parlé. Ajoutons à cela que la stabilité de l'emploi repose aussi sur la spécificité des qualifications dans les entreprises qui sont difficilement transférables. Quant au syndicalisme, il est perçu comme une importation des grands centres urbains et est souvent rejeté parce qu'il est vu comme une tentative externe d'influencer les façons de faire des Beaucerons. À la limite, les syndicats indépendants sont tolérés parce qu'ils ne sont pas sous le contrôle des grands leaders syndicaux de Montréal ou de Toronto. Il n'en demeure pas moins que le syndicalisme est présent dans la région et que la FTQ a réussi il y a quelques années à syndiquer une grande entreprise.

Ces règles sociales relatives à l'activité économique et aux relations industrielles caractérisent le système industriel de PME en Beauce. Il y a bien sûr des entrepreneurs qui ne respectent pas ces règles, mais il faut savoir qu'il y a un coût qui peut être extrêmement lourd à payer pour ces derniers. En effet, en cas de difficultés financières ou autres, ils ne pourront pas compter sur l'entraide des communautés ni sur celle des entrepreneurs. Ils devront s'en sortir seuls, ou même pis encore verront les acteurs locaux s'arranger pour récupérer leur entreprise et la céder à d'autres entrepreneurs en cas de faillite.

Ce type de système, très ancré dans une société locale, n'empêche pas le commerce international ; au contraire, il permet aux entrepreneurs d'y accéder puisqu'il est soutenu par des institutions et des entrepreneurs locaux. Le cas de la Beauce est assez unique au Québec bien que d'autres régions commencent à l'imiter, notamment l'Estrie (autour de Sherbrooke), les Bois-Francs (autour de Drummondville), le Bas-Saint-Laurent (autour de La Pocatière). Rappelons que l'économie de l'Italie repose en grande partie sur ces systèmes locaux de petites et moyennes entreprises. Ainsi, si les règles du jeu économique vont vers une mondialisation des marchés, cela ne veut pas dire que seules les grandes entreprises multinationales peuvent y jouer. Les PME le peuvent aussi dans la mesure où elles sont incluses au sein d'un réseau d'entreprises locales bien développé, et la force de ce réseau dépendra de son ancrage social, des règles que les populations et les entrepreneurs se donneront. Nous savons que ces règles ne sont pas qu'économiques et qu'elles sont aussi sociales.

Il est intéressant de constater en terminant que ces règles sociales qui ont permis de développer les entreprises industrielles en Beauce sont très semblables à celles adoptées par le gouvernement du Québec dans les années 60 pour développer les grandes entreprises : création d'institutions (locales ou nationales) permettant de soutenir les entrepreneurs ; coopération et partenariat entre institutions et entreprises, entre entreprises ; accent sur les ressources et les compétences locales ; promotion de l'achat chez nous, etc. En Beauce, comme au Québec, c'est en s'inscrivant dans son histoire sociale, politique et économique que les hommes et les femmes ont fait leur marque dans l'économie. L'économie reste ainsi, qu'importe la région du monde, toujours encastrée dans un contexte particulier qui la conditionne.

Source :   Tiré d'un texte (non publié) de Jean-Pierre Dupuis.

La construction du marché de l'automobile au Japon

Le cas du marché de l'automobile est intéressant puisqu'il se situe à la jonction du marché national et du marché international. Regardons comment le Japon s'y est pris pour développer son industrie de l'automobile et lui permettre de prendre sa place sur le marché mondial. On verra notamment que c'est en mettant de l'avant une politique de protection du marché au cours des années 1946-1971 qu'il a réussi.

Avant 1936, GM et Ford, à travers leurs filiales japonaises, dominent 85 % du marché au Japon. À partir de 1936, le gouvernement impose aux importateurs étrangers des droits de douane élevés sur les pièces et les voitures importées: contrôle du montant des dépenses en devises étrangères et imposition d'un système de permis sur les importations et la production. Le résultat? GM et Ford quittent le Japon. En 1945, les responsables de l'occupation rétablissent la situation qui existait avant 1936, ce qui se traduit par une reprise de 44,6% des parts du marché par les Américains. Toyota et Nissan survivent grâce aux prêts consentis par les banques.

S'il y a reprise de l'industrie automobile japonaise lors de la guerre de Corée (1950-1953), l'armée américaine faisant appel à l'industrie pour la fabrication de véhicules militaires, les entreprises japonaises concluent des ententes avec l'industrie automobile européenne pour l'assemblage des modèles construits en Europe. Les objectifs poursuivis sont «de voir les entreprises japonaises apprendre à partir des pièces importées, d'augmenter peu à peu le nombre de pièces produites au Japon et finalement de se passer des partenaires étrangers pour fabriquer totalement au Japon des voitures calquées sur les modèles étrangers» (Bernier, 1995, p. 51).

En même temps qu'on instaure cette politique, on impose une taxe sur la valeur ajoutée de 40% pour les voitures importées et un tarif de 30%. L'investissement étranger dans le secteur de l'automobile n'est plus permis et on met en place deux grandes mesures additionnelles: une inspection sévère de chaque véhicule qui sera importé et l'établissement de normes de qualité très strictes. L'application de ces mesures se traduit par une augmentation faramineuse du prix des automobiles importées. La part des automobiles étrangères au Japon passe de 46,6% en 1951 à 1,1% en 1960.

Bernier (1995) signale que ces mesures se sont accompagnées d'autres mesures telles que «l'amortissement accéléré sélectif, l'accès à des sites industriels équipés au frais des administrations publiques, les dégrèvements d'impôt et la formation de cartels de production n'incluant que des entreprises japonaises» (p. 52).

Ce n'est que lorsque l'industrie automobile japonaise est en mesure d'affronter pleinement la concurrence, en 1983, que les dernières mesures de protection sont levées. Ce n'est donc pas en jouant le jeu du libre marché que le Japon se dote d'une industrie nationale capable de concurrencer l'industrie automobile américaine, mais en protégeant son marché et en aidant les entreprises. Il ne s'agit pas d'un marché issu du simple jeu de l'offre et de la demande, mais d'un construit sociohistorique des acteurs japonais.

Un tentative de développement d'un marché à l'étranger

Le cas que nous présentons dans l'encadré 2.3 illustre une situation dans laquelle se pose la question du choix entre une stratégie d'adaptation et une stratégie de standardisation de produits sur un marché étranger. Dans la perspective que nous adoptons ici, ce cas présente toutefois un intérêt plus large. Il met en scène, entre autres, deux formes institutionnelles de comportements sur un marché, ce qui est illustré de plusieurs façons : attitude à l'égard de la signification des brevets, nature des acteurs en présence (un producteur d'un côté et de l'autre un distributeur accompagné d'un membre du réseau de distribution) et finalement signification sociale du produit.

ENCADRÉ 2.3   Culture et commerce international

Lestra Design est une PME familiale française qui se propose de pénétrer le marché japonais des duvets et édredons. L'entreprise s'était déjà acquis une réputation internationale à cause entre autres des motifs originaux sur ses tissus. Ce marché représentait un débouché intéressant compte tenu d'un potentiel de 60 millions de couettes.

À l'occasion d'une foire tenue à Francfort à l'automne de 1979, Lestra Design est approchée par une entreprise japonaise, intéressée par les dessins innovateurs des couettes et édredons et le label « Made in France ».

À la fin de l'année, l'entreprise japonaise commande 200 couettes, mais la commande n'a pas de suite. Au cours d'un voyage au Japon, le président de Lestra Design découvre que l'entreprise japonaise avait fait le dépôt des marques commerciales en son propre nom. Comme d'autres entreprises françaises avaient eu des difficultés au sujet des marques commerciales, le président de Lestra Design consulte des experts français et japonais en matière de litiges sur les marques commerciales. À la suite d'un certain nombre de démarches, le PDG apprend que l'entreprise japonaise avait fait enregistrer les marques pour se protéger des concurrents japonais. Le litige fut réglé par le transfert de l'enregistrement au profit de Lestra Design en échange du remboursement de tous les frais engagés pour l'enregistrement de la marque.

Au printemps de 1983, Lestra Design, toujours intéressée à pénétrer le marché japonais, se met à la recherche d'un nouveau partenaire. L'entreprise explore plusieurs avenues (grands magasins implantés partout au Japon, entreprises de literie et d'ameublement, etc.). La réaction des acheteurs potentiels est unanime : le label « Made in France » constitue un avantage compétitif intéressant, mais les couleurs des modèles de Lestra Design, soit le bleu, le rouge, le vert et le noir, ne sont pas des couleurs culturellement appropriées pour le Japon.

Au mois de juillet, le PDG de Lestra Design rencontre le PDG d'une entreprise japonaise spécialisée dans l'importation et l'exportation de duvet et de plumes, entreprise qui a un réseau très bien établi au sein du système complexe de distribution de l'industrie du duvet et de la plume. La rencontre se déroule d'ailleurs en présence d'un distributeur. On établit qu'il faudrait adapter les produits de Lestra Design au marché japonais : modification du design pour

→

inclure des motifs floraux, modification de la taille des couettes et introduction de piqués en carreaux pour empêcher le duvet et les plumes de se déplacer à l'intérieur de la couette. Un délai d'un mois est fixé pour la livraison des premiers échantillons. Le PDG de Lestra Design explique que les Français prennent de longues vacances au mois d'août et qu'il faut en conséquence fixer la livraison au cours du mois de septembre.

Un échantillon est produit selon les spécifications proposées. L'examen de l'échantillon révèle cependant que lorsqu'on bat la couette avec la main, il s'en dégage un nuage de poussière, ce qui est, en matière de qualité, inacceptable pour le marché japonais. Le PDG accepte donc d'examiner le problème. Un nouvel échantillon est expédié, mais le même problème se présente. Après avoir ouvert la couette et examiné le duvet, on fait l'hypothèse que la méthode de lavage des plumes et du duvet ainsi que les produits chimiques utilisés sont probablement à l'origine du problème de poussière. Mais au cours de l'examen du contenu du duvet, le PDG de la firme japonaise constate que la couette est constituée de duvet blanc et gris et de plumes, ce qui est inacceptable. Seul du duvet blanc de première qualité doit être utilisé. Le PDG de Lestra découvre qu'il ne s'agit pas d'une exigence des consommateurs mais bien d'une exigence commandée par la stratégie de l'entreprise japonaise, qui souhaite faire le marketing du produit sous le slogan de « pur duvet d'oie vierge », un argument commercial qui permet de capitaliser sur l'image de haute qualité des produits fabriqués en France et de justifier le prix élevé (le double du prix français) pour la distribution des duvets de Lestra Design.

Un nouvel échantillon est produit, mais il ne passe pas le test avec succès. Il est en conséquence décidé que le PDG de Lestra, accompagné du personnel technique de son entreprise, visitera une usine japonaise de fabrication de couettes. Au cours de la visite, la délégation française est impressionnée par la modernité de l'équipement utilisé, qui permet entre autres de mesurer le taux de gras du duvet, et par la présence d'employés occupés à séparer avec des pinces médicales les petites plumes de duvet non conformes aux spécifications.

Après avoir obtenu d'une firme chimique française une formule de lavage de duvet très semblable à celle utilisée au Japon, Lestra Design fait parvenir, à la fin du mois de mai 1984, trois nouveaux échantillons qui, encore une fois, ne réussissent pas le test : s'il y avait une amélioration très sensible du problème de la poussière, la question n'était pas encore totalement résolue. Selon le PDG de la firme japonaise, ce problème pourrait être attribué à la densité des tissus utilisés par Lestra Design, ce qui est confirmé par un laboratoire japonais. Le PDG de Lestra, en colère, estima qu'il s'agissait de barrières non tarifaires imposées par les Japonais. Il était d'autant plus en colère qu'il avait fait procéder à la fabrication de 200 couettes pour répondre à la commande qui avait été faite. Malgré ses protestations, rien n'y fit, le distributeur japonais jugeant qu'il ne pouvait importer et vendre des produits de qualité inférieure à ceux de ses concurrents. On mit fin à la relation.

→

Au début de 1985, Lestra Design reçoit une offre d'achat de ses motifs pour fin de fabrication sous licence au Japon. Compte tenu des difficultés de paiement, entre autres, que connaissaient des entreprises françaises qui avaient opté pour cette solution, le PDG de Lestra Design s'est montré peu enclin à accepter cette proposition. Une autre solution s'offrait à lui : acheter les tissus en Allemagne de l'Ouest, ce pays possédant des normes de fabrication de tissus très semblables à celles du Japon.

Source : Adapté d'Usunier (1992b, p. 110).

Le marché et l'institution sociale de la famille

Avant de clore ce survol de la construction sociale des marchés à l'aide d'exemples situés à la jonction de diverses sphères sociales, ajoutons un dernier exemple, qui porte plus particulièrement sur le marché du travail des cadres, mais qu'on pourrait étendre aux autres marchés du travail. Il permet de montrer que, pour une très large part, le marché du travail s'est construit sur la base de la famille, telle qu'elle s'est instituée dans les sociétés industrielles avancées. On a d'ailleurs soutenu que les compromis sociaux qui avaient permis 30 années (de 1945 à 1975) de croissance sous-tendaient une division sociale du travail entre les hommes et les femmes et même que le compromis salarial fordiste qui s'y était établi supposait un marché du travail masculin.

Dans un article publié dans *Fortune* (mars 1997), Betsy Morris fait état d'une étude réalisée auprès de titulaires de M.B.A. qui montre que, dans un ménage où la femme assume en totalité ou presque toutes les tâches domestiques, la carrière du mari progresse nettement mieux, sa mobilité ascendante dans l'entreprise est plus rapide et son revenu est souvent plus élevé que dans les ménages où le mari participe aux tâches domestiques. Au contraire, chez les couples où il y a deux

TABLEAU 2.1 Ascension professionnelle des hommes selon la situation de leur femme

	Revenu	Mobilité
Hommes dont la femme travaille	95 067 $ Une augmentation de 48 % en six ans	28 % des hommes ont un poste de cadre supérieur
Hommes dont la femme ne travaille pas	125 120 $ Une augmentation de 59 % en six ans	38 % des hommes ont un poste de cadre supérieur

Source : Adapté de Morris (1997, p. 72).

revenus, la mobilité ascendante est plus lente et les revenus plus faibles, une carrière n'étant pas plus privilégiée que l'autre. Le tableau 2.1 (p. 87) compare la carrière des hommes dont la femme travaille avec celle des hommes dont la femme ne travaille pas.

Cette étude révèle que l'efficacité des entreprises repose pour une large part sur l'existence d'une sphère sociale dont la fonction est d'en assurer la performance. Dire qu'il y a une femme derrière chaque homme, c'est poser cette réalité très sociale.

L'ORGANISATION SOCIALE DE LA COMPÉTITION

Contrairement à une croyance largement répandue selon laquelle les marchés constituent un espace où s'affrontent librement des acteurs autonomes et «rationnels», la compétition sur les marchés est socialement organisée. Il y a plusieurs façons de le démontrer.

On peut aborder chaque type de marché (marché financier, marché de la consommation, marché du travail et marché industriel ou marché de la production) comme une forme organisationnelle, un système de coordination qui possède ses règles de gouvernance et sa hiérarchie d'acteurs. Bien que cette dimension mérite qu'on s'y arrête un peu, ne serait-ce que pour montrer le système de gouvernance qui y est à l'œuvre[10], nous ne pourrons le faire ici, pour des raisons d'espace et de perspective. Cette dimension était d'ailleurs implicite dans la section sur la construction sociale des marchés.

Ce que nous voulons démontrer se situe davantage en amont des marchés, dans la mesure où les comportements sur le marché même résultent en partie d'une construction qui leur est antérieure. Avant d'aller plus loin, voyons un exemple qui illustre l'objectif que nous poursuivons. Wayne Baker (1984) a constaté, à partir d'une analyse des échanges d'options sur le parquet de la bourse, qu'il y existait deux réseaux. L'un est composé d'un nombre restreint d'acteurs qui entretiennent des relations relativement denses entre eux, alors que l'autre est moins structuré et est formé d'acteurs plus nombreux. Ces réseaux ont été structurés pour une part sur la base des interactions sur le parquet et pour une autre part sur la base de liens antérieurs. Le résultat de cette organisation sociale de la compétition est que, dans le premier réseau, la volatilité des prix est significativement plus faible que dans le deuxième réseau, moins densément structuré. Selon Baker (1984), ces constats remettent en cause deux choses. D'abord, il est faux de prétendre que plus il y a d'acteurs, plus le marché est parfait; ensuite, la compétition est socialement plus structurée qu'il n'y paraît.

---

10. Powell et Smith-Doerr (1994) ont montré que l'émergence des *junk bonds* constitue une stratégie de contournement du contrôle exercé par la hiérarchie à Wall Street.

Comme on le constate, la compétition est socialement organisée. Les acteurs de l'économie se constituent comme acteurs sociaux par le sens qu'ils donnent à leurs actions et en mobilisant les ressources de leur environnement, qui peuvent devenir autant d'occasions de se positionner sur un marché. Il a été abondamment démontré que le sens que donnent les acteurs à leurs actions sur les marchés est fortement influencé par l'organisation sociale, les perceptions et les croyances collectives, les modèles des renseignements diffusés et les réseaux qu'ils construisent pour s'insérer sur le marché. De plus, on a constaté que lorsque les systèmes sociaux prennent la forme de réseaux formels ou informels auxquels les acteurs participent activement, ces réseaux exercent dans le temps des contraintes sur eux et orientent leurs actions. Bref, il semblerait que les réseaux ne soient pas des taxis qu'on peut quitter à n'importe quel moment de la course. Cette logique d'insertion sur le marché vaut également pour les acteurs collectifs que sont les entreprises. Dans ce sens, les entreprises élaborent des stratégies de collaboration et d'alliances formelles et informelles qui leur permettent de maximiser leurs intérêts mais, ce faisant, leurs comportements sont alors également influencés par leur appartenance (faible ou forte) à ce qu'on a appelé une « structure sociale » (Swedberg, 1994b) ou encore un réseau (Powell et Smith-Doerr, 1994).

La structure sociale et les comportements sur le marché

Les exemples qui suivent permettent de voir comment l'insertion dans une structure sociale influe sur le sens que donnent les acteurs à leurs actions et comment, en conséquence, des acteurs peuvent organiser leurs comportements sur les marchés.

Le mode d'insertion des femmes sur le marché du travail

Lorsqu'on analyse la distribution de la main-d'œuvre en tenant compte de la variable sexe, on constate qu'il y a une forte « féminisation » de certains secteurs industriels et de la forme de participation à l'emploi (travail à temps partiel, temporaire, sur appel, etc.). Pour les uns, il s'agit du prolongement de comportements féminins selon lesquels les femmes ont été socialisées alors que, pour d'autres, il s'agit du résultat d'une stratégie (délibérée ou socialement déterminée?) établie pour faire face aux « préjugés[11] » sexistes entretenus dans l'univers des entreprises. Pour d'autres encore, il faut interpréter cette situation comme une forme d'organisation sociale de la compétition entre participants

---

11. Ces préjugés peuvent prendre plusieurs formes dont celle, très répandue dans la littérature du domaine de la gestion, voulant que les femmes, du fait de leur socialisation ou par nature, ont des qualités de flexibilité et d'entregent qui correspondent aux besoins de l'entreprise moderne.

dans le marché du travail[12], et l'on sait combien cette « lutte » amène des femmes à s'investir dans leur travail. Quelle que soit l'interprétation qu'on fasse de ce phénomène (voir le chapitre 4), il indique qu'on ne peut aborder le marché, qui constitue par définition un espace de compétition, comme une institution exempte de toute détermination sociale.

Le mode d'insertion des nouveaux immigrants sur le marché du travail

Cet exemple d'insertion, choisi également pour l'aspect social et politique qu'il comporte, permet de montrer que l'entrée sur le marché du travail suppose, dans certains cas, que des acteurs s'appuient sur une communauté d'appartenance ou en établissent une. Parler d'immigration, c'est par définition parler de différenciation culturelle (voir le chapitre 5) mais aussi de la structuration sociale de leur insertion économique. La question qui nous intéresse ici est la suivante : comment les immigrants s'organisent-ils socialement pour s'insérer dans le marché du travail ? On peut risquer une première réponse à savoir que, selon qu'ils sont venus pour des raisons économiques, pour des raisons familiales ou encore à titre de réfugiés politiques, leur mode d'insertion dans le système économique et social sera probablement différent.

On peut penser qu'une partie des immigrants économiques (les plus qualifiés et scolarisés par exemple) auront tendance à adopter des comportements d'insertion économique beaucoup plus près de l'entrepreneuriat individuel. C'est ainsi que s'est constituée une chaîne de restaurants asiatiques devenus par la suite des restaurants franchisés. À l'origine, un père de famille qui cherche sans succès à intégrer le marché du travail. À partir d'un faible fonds de capital, il ouvre un premier restaurant, dont la main-d'œuvre est familiale (son capital social). À la suite de son succès, il établit chacun des membres de sa famille dans une succursale. Diverses études ont par ailleurs démontré que le « contrôle » de certains secteurs d'activité économique reposait sur des filières d'immigration dans lesquelles la décision d'émigrer dépendait des liens entretenus avec des immigrants établis. Tilly et Tilly (1994) ont démontré à cet égard comment, dans le domaine de la restauration aux États-Unis, des Grecs faisaient circuler leurs avoirs à l'intérieur de réseaux constitués, circulation qui se fait souvent au détriment de la valeur économique qu'ils pourraient tirer de la vente sur le marché « libre ».

Dans le cas des immigrants peu qualifiés et peu scolarisés, des immigrants illégaux ou venus pour retrouver leur famille, il a été établi, selon certaines études américaines, qu'ils auront tendance à chercher un emploi à travers les réseaux

---

12. Plusieurs études sociologiques et historiques démontrent précisément que des hommes se sont opposés à l'entrée des femmes sur le marché du travail, non pas sur la base de préjugés mais pour protéger l'emploi.

que constituent les membres de leur communauté. Il y a peu d'études sur ce type d'insertion au Québec, mais tous connaissent l'existence de secteurs d'activité fortement ethnicisés. Aux États-Unis s'est développée une importante économie informelle qui vit de ces immigrants. La situation des réfugiés politiques ressemble à certains égards et pour une large part à celle des immigrants venus pour la réunification des familles. Toutefois, dans les cas où la communauté n'existe pas encore, on a noté, au Québec du moins, qu'ils avaient tendance à se regrouper pour s'entraider en vue de s'insérer sur le marché du travail. C'est d'ailleurs ainsi qu'on explique l'échec des politiques d'établissement des immigrants en région.

La force des réseaux

Les deux exemples qui précèdent permettent d'introduire deux facteurs importants dans l'analyse de l'organisation sociale de la compétition. Le premier a trait à l'inscription structurelle des acteurs dans une société. Le deuxième concerne le rôle des réseaux comme facteurs de structuration des comportements sur les marchés et comme stratégies de positionnement.

Selon Granovetter (1990), l'inscription structurelle des acteurs a des effets relativement subtils sur les comportements des acteurs, d'autant plus qu'il s'agit souvent de normes sociales et de culture. C'est dans cette perspective que nous avons dit plus haut que le sens que donnent les acteurs à leurs actions sur les marchés peut être fortement influencé par l'organisation sociale, les perceptions et les croyances collectives. Selon la place qu'occupe un acteur dans un système social, ses actions seront différemment «déterminées». Dans les cas où les liens sont relativement denses (par exemple les liens familiaux), les pressions pour que l'acteur se conforme aux normes du groupe s'exerceront beaucoup plus fortement que si les liens sont faibles ou de nature structurelle (appartenance à une catégorie sociale par exemple ou appartenance à un établissement d'enseignement universitaire). Il est à noter que les liens forts s'accompagnent généralement de relations interpersonnelles relativement fréquentes.

Ces distinctions montrent donc que les liens forts renforcent à tout point de vue la cohésion du groupe alors que les liens faibles ou de nature structurelle laissent aux acteurs une marge de liberté nettement plus grande. Dans le cas des liens forts, les acteurs en viennent à partager leurs façons d'entrevoir la réalité (la cognition) et développent, au sens fort du terme, une culture de groupe. La rationalité des acteurs n'est donc pas une réalité établie mais bien une réalité qui se construit dans les groupes d'appartenance et de référence. À la limite, les acteurs n'adoptent pas toujours une rationalité de maximisation de leurs intérêts, dans la mesure précisément où leurs comportements sont influencés par les réseaux dans lesquels ils s'insèrent. Or, plus l'appartenance au groupe est forte et plus la dépendance à son égard est forte, plus la sanction éventuelle d'exclusion du groupe agit comme un système de régulation des comportements. Cette forme d'appartenance permet un accès à des renseignements privilégiés ainsi qu'à une structure de soutien politique, social et économique (accès à des capitaux par exemple). Cependant, l'aspect négatif de cette appartenance peut se révéler dans certaines circonstances limitatives du fait même de la cohésion des formes de pensée et de la conformité des comportements. Par exemple, la nature de l'information qui y circule est limitée. Or il a été établi (Granovetter, 1992) que les liens faibles permettent un accès à des renseignements qui ne circulent pas dans les réseaux de liens forts. Ce sont souvent les liens faibles qui permettent à un acteur de trouver un emploi dans la mesure où précisément il est lié à des acteurs qui appartiennent à d'autres réseaux. Cela a d'ailleurs été fortement démontré par un ensemble de recherches à cet effet. Les liens forts agissent à un autre titre sur la rationalité des acteurs : ces derniers peuvent en venir à maintenir des liens économiques avec un fournisseur ou un sous-traitant même s'il est économiquement plus rentable de changer d'interlocuteur. Ici, le lien établi se substitue à la rationalité économique. On peut citer à cet égard un autre exemple, le cas où un acteur agit à l'intérieur du cadre d'une relation familiale. C'est ainsi qu'on peut refuser de prêter de l'argent à un membre de la famille alors qu'on le fera pour une personne extérieure au cercle familial. On explique en général ce comportement par la nature de la sanction qu'une relation impersonnelle implique : on peut recourir aux tribunaux pour assurer la conformité aux ententes. Par contre, dans le cadre d'une relation familiale, le recours aux tribunaux peut s'interpréter, selon les circonstances et le degré de cohésion, comme une absence de solidarité et une transgression des normes d'appartenance à la famille. Toutefois, cette forme d'appartenance ne met pas à l'abri de tels comportements (il n'est pas rare d'entendre dire de quelqu'un qu'« il est prêt à vendre sa mère pour faire de l'argent »).

Burt (1992) a élaboré un modèle d'analyse des réseaux qui suggère que le capital social que possède un acteur (les liens qu'il entretient avec d'autres acteurs) est aussi, sinon plus, important que le capital financier et le capital humain (ses compétences) comme avantage compétitif sur le marché. Si tel est le cas, selon lui, c'est en grande partie à cause des renseignements auxquels donne accès l'appartenance à un réseau. Si un acteur réussit à tirer avantage de la compétition qui existe entre des acteurs de différents réseaux, il se place dans une position qui le favorise. Les acteurs qui sont structurellement autonomes ou qui s'insèrent dans des réseaux qui ne se recoupent pas sont donc dans la meilleure position pour maximiser leurs intérêts.

L'exemple qui figure dans l'encadré 2.4 illustre la situation d'un acteur structurellement inscrit dans un réseau relativement fermé qui met en œuvre un processus de construction de réseau qui lui donnera accès à des renseignements extérieurs à son groupe d'appartenance tout en lui permettant de former des alliances utiles pour renverser une situation.

ENCADRÉ 2.4 Les rapports de pouvoir chez Dow Jones et au *Wall Street Journal*

Lorsque Clarence W. Barron, propriétaire du *Wall Street Journal* et du Dow Jones News Serive, meurt en 1928, ses descendants héritent non seulement des actions de ce qui deviendra Dow Jones & Co. mais également une mission : produire un journal dont la qualité de l'information doit primer toutes les autres considérations, y inclus ses intérêts économiques.

C'est un héritage que les membres de la famille ont toujours respecté en nommant à la direction de Dow Jones un journaliste chevronné du *Wall Street Journal* et en lui laissant toute l'autonomie nécessaire pour diriger l'entreprise. Quels que soient les résultats financiers de l'entreprise, toutes les décisions et toutes les orientations prises par la direction de Dow Jones & Co. ont toujours reçu l'appui des descendants qui siègent au conseil d'administration. L'inscription de Dow Jones en bourse en 1963 n'a rien changé à cette orientation.

Au cours des années 80-90, alors que de nombreuses entreprises subissaient des prises de contrôle «hostiles», les descendants ont assuré la pérennité de leur contrôle sur l'entreprise en créant une catégorie d'actions qui multiplient par 10 les pouvoirs de vote de leurs détenteurs aussi longtemps qu'elles ne sont pas vendues. La famille possède aujourd'hui moins de la moitié des actions ordinaires mais conserve près des trois quarts de ces actions dites de classe B.

La composition du conseil d'administration reflète cette mainmise de la famille et de la direction. Il est composé de 17 personnes : quatre sièges sont traditionnellement accordés aux membres de la famille Barron, quatre autres sont occupés par des personnes désignées par la direction interne de l'entreprise : neuf personnes provenant de l'extérieur complètent le conseil. Ce groupe externe comprend un ex-président de Dow Jones et cinq autres administrateurs moins présents au sein du conseil ; le président d'ITT, le président de Hallmark Cards et deux personnes qui se partagent 17 conseils d'administration.

La performance de Dow Jones

Les profits de l'entreprise sont restés relativement stables au cours des 10 dernières années, mais sa marge de profit a subit une diminution très nette. De plus, au cours de la même période, l'augmentation des parts du marché de Dow Jones n'a été que le sixième de celle qu'a connue Reuters, l'un de ses principaux concurrents. Seuls les dividendes payés aux actionnaires ont augmenté sensiblement.

Sur le marché, Dow Jones est perçue comme une firme qui n'a pas vu toute l'importance des nouvelles technologies de l'information pour le marché financier : elle a vendu les actions qu'elle possédait dans Continental Cablevision, n'a pas su s'assurer le contrôle du réseau télévisé de nouvelles financières et n'a acquis que très progressivement et à prix très élevé Telerate, une entreprise qui fournit en temps réel des données aux professionnels de Wall Street. Cette dernière acquisition s'est accompagnée du licenciement des

$\longrightarrow$

entrepreneurs qui ont construit Telerate et de leur remplacement par une direction conservatrice formée en partie de journalistes. Plusieurs estiment que ses terminaux sont désuets, que la qualité des données et des analyses fournies ne se compare pas à celle d'autres entreprises semblables. On estime que, si ces entreprises concurrentes étendaient leurs activités à l'Europe, où Telerate exploite déjà un marché, c'en serait fini de l'entreprise.

Pour toutes ces raisons (contrôle familial dominant et décisions conservatrices), Wall Street boude les actions de Dow Jones, qui se classe au dernier rang de l'index de Standard & Poor 500.

L'arrivée d'une nouvelle génération

Bettina Bancroft, l'une des neuf petits-enfants de Clarence W. Barron, meurt en mai 1997. Elle était membre du conseil d'administration de l'entreprise. Sa fille, Lizzie Goth, a hérité un bloc d'actions estimées à 23 millions de dollars, ce qui en fait l'actionnaire dominant parmi les membres de sa génération. Membre d'une autre génération et en apparence moins sensible aux traditions familiales, Lizzie Goth s'interroge sur la valeur de son capital au sein de Dow Jones et sur les façons de s'assurer que les autres actions dont elle héritera éventuellement acquerront de la valeur avec le temps. À cette fin, elle entreprend un ensemble de consultations auprès de diverses personnalités du monde des affaires. Ses consultations indisposent autant les membres de sa famille que la direction de l'entreprise, et ce, d'autant plus que quatre membres du conseil d'administration doivent être remplacés incessamment. Les décisions qu'elle prendra risquent de toucher tout autant la direction que la propriété de l'entreprise.

Elle a un allié au sein de la famille. Il s'agit de William Cox, un cousin et l'un des rares membres de la famille à occuper un emploi au sein de Dow Jones. Alors que le père de ce dernier, également employé de Dow Jones, est un membre dévoué du conseil d'administration, Bill Cox se considère comme un investisseur avisé.

Warren Buffet, considéré comme un gourou dans le secteur financier, a déjà affirmé que Dow Jones était un exemple parfait d'entreprise «sousperformante», entre autres parce que les propriétaires ne s'investissent pas dans la gestion de l'entreprise. Consulté par Lizzie Goth et William Cox, il leur a évidemment conseillé de jouer pleinement leur rôle de propriétaires. Il leur a de plus recommandé de prendre avis auprès de son ami Tom Murphy, l'homme qui a construit et géré Cap Cities/ABC, et même de s'informer si ce dernier serait intéressé par une participation dans l'entreprise.

Pour sa part, Brian McNally, le conseiller financier de Lizzie Goth, suggère que les deux cousins consultent une amie, Nancy Peretsman, membre de la firme Allen & Co., une banque spécialisée dans les investissements. Selon lui, non seulement cette dernière peut les conseiller, mais elle pourrait probablement obtenir qu'ils participent à une rencontre organisée annuellement par Allen & Co. C'est au cours d'une de ces rencontres que Buffet, Murphy et Eisner (Disney) ont formé le projet d'acheter Cap Cities/ABC.

$\longrightarrow$

Une série de rencontres entre les cousins et Nancy Peretsman révèle qu'il y a peu d'investisseurs institutionnels au sein du conseil d'administration et que George Soros, un investisseur important, ne semble pas y jouer un rôle actif. De plus, le mari de Nancy Peretsman, également banquier mais dans une autre firme qu'Allen & Co., connaît personnellement Ira Millstein, un avocat spécialisé dans le droit corporatif au sein d'une très importante firme de New York et qui est renommé comme défenseur des intérêts des actionnaires.

Intéressé par la cause des deux cousins, Millstein rencontre Roy A. Hammet, un avocat qui agit comme mandataire de plusieurs des fiducies dans lesquelles sont déposées, entre autres, les actions de la famille Barron. Ce dernier, souhaitant éviter tout conflit d'intérêts, propose de rencontrer les membres de la famille et de leur exposer la nature des responsabilités d'un fiduciaire. Tous les membres de la famille ont assisté à cette rencontre. La famille est divisée sur les orientations à prendre. Deux générations s'opposent.

Les rapports de pouvoir sont pour l'instant engagés autour du remplacement des quatre administrateurs. Lizzie Goth a refusé de siéger au conseil parce qu'elle estime ne rien connaître à l'administration d'une entreprise.

Source : Adapté de J. Nocera, « Heard on the street. Disgruntled heiress leads revolt at Dow Jones », *Fortune*, vol. 135, n° 2, 1997, p. 72-80.

Le cas présenté dans l'encadré 2.4 montre qu'une entreprise constitue un monde social dans lequel s'exercent des rapports de pouvoir entre la direction et les propriétaires économiques de l'entreprise. Il illustre plus particulièrement le jeu des liens forts et des liens faibles dont nous avons parlé plus haut, où un acteur individuel, ne se sentant pas entièrement contraint par son appartenance au réseau familial, entreprend de tisser un ensemble de liens qui lui permettront d'atteindre des objectifs de maximisation de ses intérêts personnels. Par exemple, c'est à travers les liens faibles que Lizzie Goth peut construire sa rationalité. En d'autres termes, c'est en « sortant » du réseau familial (réseau fort) et de la rationalité qui le caractérise qu'elle peut structurer sa propre rationalité. Dans cette perspective, on peut faire l'hypothèse que le réseau faible auquel elle a recours deviendra dans le temps un réseau de liens forts.

Les entreprises comme réseaux d'alliances

Nous avons analysé jusqu'ici diverses situations relatives à des réseaux d'acteurs individuels. Il convient d'examiner aussi le cas des entreprises. Selon une littérature abondante, dans un contexte d'incertitude des marchés et de mondialisation, l'avenir des entreprises repose sur leur capacité à adopter des formes d'organisation qui permettent la flexibilité. C'est d'ailleurs largement à cette enseigne qu'on assiste à une restructuration des entreprises. L'entreprise-réseau est devenue la clé du succès.

Fondamentalement, les recherches sur les relations entre les firmes ont pris trois grandes directions : elles concernent les *corporate interlocks* (constitution de réseaux d'administrateurs siégeant à divers conseils d'administration), les réseaux de pouvoir corporatif (constitution d'une élite corporative qui détient le pouvoir) et les stratégies d'alliances interorganisationnelles. Nous n'examinerons pas ces champs d'analyse en détail ; il y existe une telle diversité de perpectives et de résultats que toute synthèse serait vaine.

Attardons-nous cependant un instant sur les *corporate interlocks*. Selon une certaine littérature, il s'agit de réseaux sociaux dont l'enjeu est sinon le pouvoir, du moins l'hégémonie d'une entreprise sur son marché et son environnement. Lorsqu'on observe la composition des conseils d'administration des grandes entreprises, on constate qu'ils sont composés pour une part d'administrateurs de l'entreprise et pour une autre part d'un certain nombre de personnes qui ont appartenu à la sphère politique ou qui proviennent d'autres entreprises, particulièrement du secteur bancaire et du secteur financier. La participation d'une même personne à deux ou plusieurs conseils d'administration créerait une relation sociale entre entreprises et favoriserait un réseau complexe d'interrelations qui vont du réseau de communications à l'exercice d'un pouvoir ou d'une hégémonie dans un secteur industriel donné.

Or une synthèse effectuée par Mark S. Mizruchi (1996) révèle que les résultats actuels des diverses études sont contradictoires et ne permettent pas de tirer des conclusions claires quant aux effets véritables de l'*interlocking*. Cette situation s'expliquerait selon lui par la diversité des stratégies de recherche utilisées, des problématiques et des situations étudiées. Pour certains, l'*interlocking* constitue un système de cooptation dont la source est l'incertitude du marché alors que pour d'autres, il s'agit d'une forme d'autorité (*monitoring*) sur les décisions des entreprises. Pour d'autres encore, il ne s'agit nullement de coopération ou d'alliances interfirmes, les membres des conseils d'administration étant choisis sur la base de leur expérience ou en raison des liens qu'ils entretiennent avec d'autres membres de conseils d'administration, ou encore sur la base de leur réputation et de leur prestige. Powell et Smith-Doerr (1994) tirent des conclusions tout à fait opposées à celles de Mizruchi. Pour eux, les études sont concluantes et démontrent abondamment le rôle déterminant des réseaux comme structure de pouvoir et d'influences réciproques.

Une synthèse semblable effectuée par John Scott (1991) sur la constitution de réseaux de pouvoir démontre que les résultats des études ne peuvent être généralisés pour toutes les sociétés. Il est essentiel, selon lui, de tenir compte de l'inscription sociale de ces réseaux dans la structure institutionnelle d'une société et de la culture qui y prévaut. Il montre, entre autres, que le maintien des réseaux de pouvoir (*business group*) repose pour une large part sur la stabilité des membres du groupe. Or cette stabilité est assurée non seulement par la cohésion du groupe mais également par le système de transmission du patrimoine économique. Là où la transmission repose sur des règles d'égalité entre descendants du propriétaire, on risque d'assister à un fractionnement de la propriété de l'entreprise entre les descendants, qui peut s'accompagner de conflits familiaux. L'échec de Steinberg, entreprise du secteur de l'alimentation célèbre pour le rôle qu'elle a joué dans l'émergence des grandes surfaces au Québec, démontre jusqu'à quel point les règles de transmission de la propriété d'une entreprise sont déterminantes pour sa survie. Dans cette perspective, la solidarité sociale (telle qu'elle est constituée par la culture d'une société) qui existe entre les membres d'une même famille devient un déterminant de la stabilité et de l'orientation de l'entreprise. Des recherches indiquent que, dans la société coréenne, il existe une tendance visant à maintenir les liens familiaux même étendus dans l'entreprise, ce qui évite son éclatement. Dans les pays où les valeurs sociales qui entourent la transmission du patrimoine économique sont culturellement moins contraignantes, comme c'est le cas au Québec ou aux États-Unis, on transmet la propriété réelle à un seul des descendants ou bien on confie à une fiducie ou à une fondation le soin d'assurer la pérennité de l'entreprise, comme en atteste le cas Dow Jones présenté plus haut.

Quelles conclusions peut-on tirer de synthèses aussi contradictoires quant aux répercussions véritables de l'*interlocking* et du rôle des réseaux d'alliances? Nous en avons retenu trois, dont les deux premières sont d'ordre méthodologique. Premièrement, les variables retenues pour opérationnaliser les concepts de réseau et de pouvoir se prêtent à des interprétations multiples. Deuxièmement, on tente de généraliser à l'ensemble des entreprises ce qui appartient à un secteur économique en particulier. Si on comparait l'*interlocking* entre entreprises d'un même secteur économique avec un échantillon relativement grand d'entreprises, on en arriverait peut-être à des conclusions différentes. Bref, le désir de construire une théorie générale ou intermédiaire de l'*interlocking* semble l'emporter sur la prudence habituelle des chercheurs. Troisièmement, le phénomène est probablement plus complexe qu'on ne l'a cru et nécessite qu'on tienne compte des institutions sociales qui y interviennent.

Bref, il semble que la théorie des réseaux en ce qui concerne les entreprises serait plus riche d'enseignements sur leur inscription sociale que ne le donne à penser la façon dont on a mesuré le phénomène.

LA MONDIALISATION ET LA GLOBALISATION DES MARCHÉS : LA FIN DE L'INSCRIPTION SOCIALE OU UNE NOUVELLE FORME D'INSCRIPTION ?

Une très grande partie des interprétations du phénomène de la mondialisation des marchés a pendant un certain temps donné à penser que la mondialisation constituait une «dénationalisation» des économies et la fin de l'État-nation, ou du moins du rôle des États dans les économies. Selon cette image, les entreprises globales perdaient toute assise nationale pour se constituer en quelque sorte dans un espace supranational. Cette «croyance» tient pour une large part à la convergence de plusieurs phénomènes de nature différente : augmentation spectaculaire des échanges internationaux liée à la déréglementation des marchés, dont nous entretiennent abondamment les médias, mobilité des entreprises et du capital, et émergence de nouvelles technologies qui accroissent la rapidité des échanges, entre autres dans le domaine financier, et qui auraient pour effet d'entretenir l'image du «village global». Du côté des salariés, on peut mentionner les relocalisations ou les menaces de relocalisation des entreprises là où la main-d'œuvre est moins chère et où les frais d'exploitation sont plus faibles. Les effets de cette mobilité des entreprises sur les économies locales, les emplois et les rapports de pouvoir entre entreprises et syndicats, et entre entreprises et État, ont constitué autant de preuves concrètes que les entreprises échappaient désormais aux règles de fonctionnement des économies nationales et qu'il existait un ordre économique qui échappait au contrôle des économies nationales. Bref, la mondialisation est apparue comme la fin de l'inscription sociale des entreprises et le règne déterminant de l'économie de marché.

Il s'agit, pour Boyer (1996), de mythes qu'il faut dépasser pour cerner la véritable nature des phénomènes qu'ils cachent. Dans une perspective relativement semblable, Paul Hirst et Grahame Thomson (1996) invitent à une remise en question de la globalisation. En définitive, on commence à porter un regard nouveau sur le phénomène, qui se montre complexe et revêt plusieurs formes.

Selon Boyer (1996), on ne peut cerner la nature du phénomène sans définir ce qu'on désigne sous les termes de mondialisation et de globalisation. Il en a repéré quatre acceptions.

1) Il y aurait émergence d'une demande mondiale et les marchés tendraient à fonctionner comme si l'espace-monde était global et constituait une entité unique (on vend la même chose et de la même manière partout). Ce que cette définition désigne, c'est l'internationalisation des échanges.

2) Les entreprises seraient devenues globales. Elles auraient intégré, sur une base mondiale, toutes les étapes de la «chaîne de la création de la valeur, y inclus le recrutement du personnel: recherche et développement, ingénierie, production, marchandisation, services et finance» (Boyer, 1996, p. 15). Une forme inachevée de cette intégration désignerait le processus par lequel une firme ouvre d'abord des points de vente à l'étranger, puis y établit sa production et enfin accorde à sa filiale la maîtrise complète de chaîne de la valeur.

3) La globalisation de la production ayant atteint une très grande importance, des entreprises tenteraient de «redéfinir à leur profit les règles du jeu précédemment imposées par les États-nations» (*ibid.*, p. 16).

4) La globalisation désigne la constitution d'une sphère supranationale qui échappe au contrôle des États-nations et qui rend interdépendants les divers territoires qui lui appartiennent.

Examinons ces quatre «réalités» de la mondialisation.

LA DEMANDE MONDIALE

Il n'est plus nécessaire de démontrer la croissance «extraordinaire» du commerce international. Il suffit de signaler que les échanges internationaux croissent nettement plus vite que les productions nationales. Sur le plan quantitatif, il n'y a aucun doute qu'on assiste à une explosion de ces échanges.

Cependant, cet accroissement prend une forme particulière: les échanges économiques internationaux sont triangulaires, pour une grande part. Selon Christian Deblock et Michèle Rioux (1992, p. 61), de 1980 à 1990, 75% des investissements internationaux dans le monde, de 65% à 71% des importations et de 63% à 72% des exportations se sont faits dans trois régions économiques, chacune dominée par un pays (les États-Unis pour l'Amérique du Nord, l'Allemagne pour la Communauté économique européenne et le Japon pour l'Asie du Sud-Est).

Cette émergence de blocs économiques «recouvre des formes et des contenus» (Brunelle, 1992) différenciés d'intégration des économies internes et des agences de régulation: Communauté économique européenne (CEE), Accord de libre-échange nord-américain (ALENA) et Association des nations du Sud-Est asiatique (ANSEA). Il importe de souligner que ces diverses formes de régionalismes résultent d'une concertation entre acteurs qui appartiennent autant à la sphère économique qu'à la sphère politique, pour ne pas dire sociale. Il s'agit là du résultat de négociations qui impliquaient des enjeux politiques et économiques propres à chacun des pays participant aux divers types d'accords. Nous y reviendrons.

Les relations triangulaires s'accompagnent d'une intensification du commerce intrarégional. Selon Brunelle (1992), si on considère le pourcentage du commerce total de chacune des régions (entre 80 et 90), on constate qu'en Amérique du Nord la part des exportations intrarégionales passe de 34,9% à 41,8% alors que la part des importations intrarégionales passe de 32,5% à 36%. Pour la CEE, la part des exportations intrarégionales passe de 56,7% à 58,9% alors que la part des importations intrarégionales passe de 49,8% à 57,9%. En Asie du Sud-Est, la part des exportations intrarégionales passe de 15,7% à 19% alors que la part des importations intrarégionales passe de 20,1% à 35%.

Cette mondialisation est donc principalement concentrée dans trois régions du monde, excluant du coup de nombreux pays et régions, voire un continent entier (l'Afrique).

De plus, ces échanges extrarégionaux ne sont pas égaux. C'est ainsi que la part des États-Unis et de la CEE dans l'activité économique mondiale (dans les industries manufacturières) a eu tendance à diminuer alors que celle du Japon et du reste de la région asiatique a augmenté. De même, la part des États-Unis dans les exportations à destination du Japon ou de l'Allemagne «augmente moins vite» que les importations provenant de ces deux pays. Il s'agit sans doute de la persistance d'une forme de protectionnisme.

Sur le plan qualitatif, on semble assister à une homogénéisation des biens et des services et à une américanisation des modes de vie. Que cette homogénéisation ait donné lieu à l'émergence du Big Mac comme étalon international du pouvoir d'achat des monnaies (selon *The Economist*) n'implique pas que les cultures nationales disparaissent au profit d'une culture transnationale, comme certains auraient tendance à le penser. Comme l'ont appris ceux qui traitent sur la scène mondiale, il existe des façons différentes de faire des affaires selon les pays. Dans ce sens, la mondialisation a aussi signifié la rencontre des cultures où s'opposent parfois des conceptions différentes du temps, de l'espace et des rapports entre acteurs.

L'ENTREPRISE GLOBALE

On assisterait à un essor sans précédent des investissements directs à l'étranger, les grandes entreprises établissant une part de plus en plus importante de leur production à l'étranger. Boyer (1996) cite le cas du Japon, dont l'investissement direct cumulé est passé de 17 à 217 milliards de dollars entre 1980 et 1991, dépassant ainsi les États-Unis. Il signale que la production d'automobiles du Japon à l'étranger aurait même dépassé ses exportations. Il y a là un phénomène nouveau. Non seulement assiste-t-on à une intégration globale de plus en plus forte de la production, mais il y a une mobilité de plus en plus forte des entreprises et de la production. Cette intégration ne concerne pas uniquement la production mais s'étend également à l'innovation.

On assiste d'ailleurs dans le secteur de la recherche et du développement à une multiplication des diverses formes d'alliances stratégiques, qui permettent un partage des risques liés à la recherche de nouveaux produits. Non seulement ces alliances se multiplient, mais beaucoup d'entreprises ont tendance à s'établir dans des zones favorables à l'innovation, c'est-à-dire là où elles trouvent une main-d'œuvre de pointe, un régime fiscal favorable et un système de protection des inventions. C'est le cas, entre autres, du domaine pharmaceutique, de l'électronique, des télécommunications et de l'industrie aéronautique.

Selon Boyer (1996), bien qu'il y ait un essor des investissements directs, la plupart des grandes entreprises continuent de fonctionner à partir d'une base nationale, la part de la production à l'étranger ne demeurant que très partielle. À ce titre, elles continuent à être soumises aux règles du pays où elles sont établies. En plus de fonctionner à partir d'une base nationale, très peu d'entreprises recrutent plus de 50% de leurs salariés à l'étranger. Il existe bien sûr des exceptions : Ford (50%), Sony (55%), Nestlé (96%), ABB (93%) et Electrolux (82%). Comme on le constate, seules quelques entreprises (en Suisse et en Suède) sont vraiment globales.

Même si, dans le domaine de l'innovation, on multiplie les alliances stratégiques ou on fusionne des entreprises dont l'existence dépend de la recherche et
du développement, on a constaté que l'attitude à l'égard de la propriété des innovations tient autant à la stratégie des entreprises qu'à des stratégies nationales.
En ce qui regarde les entreprises, il est bien connu, d'une part, qu'elles considèrent leurs innovations comme des avantages compétitifs qu'on ne disperse pas
dans des espaces qu'on ne domine pas et, d'autre part, que la structure de l'innovation diffère selon le modèle de développement économique auquel on appartient. En effet, pour ce qui est des États-nations, la gestion des brevets diffère
beaucoup d'un État à l'autre. Alors que l'Allemagne et le Japon ont des comportements beaucoup plus protectionnistes, ce qui s'explique par le rôle que joue
l'État dans l'économie, les États-Unis, qui tiennent à leur modèle d'économie de
marché, ont beaucoup plus tendance à disséminer leurs innovations. Bref, la différenciation des stratégies nationales à l'égard des innovations dépend pour une
large part des modèles de développement économique. Le modèle coopératif est
grandement axé sur l'investissement à long terme alors que le modèle libéral est
plutôt orienté sur l'investissement à court terme. Il est difficile d'évaluer l'efficacité réelle de ces deux attitudes dans la mesure où l'on doit tenir compte de l'inscription institutionnelle de la technologie. On s'est inquiété dans les médias du
retard de la France en matière de technologies de l'information. On a oublié que
les communications y sont facturées sur la base d'unités de temps : il y coûte cher
d'utiliser un modem.

Sur un autre plan, Petrella (1996) a montré que les entreprises globales s'ins-
crivaient dans des technopoles qu'il qualifie de «techno-apartheid», ce que
Boyer (1996) appelle «technoglobalisme» et Castells (1997), «milieu d'innovation». Selon la thèse qui a été avancée sur cette question, il existerait quelques
grands centres où se concentrent savoir, technologies, innovation et financement. Ces technopoles seraient devenues des centres de décision où tout transite
sans autres interventions que celles des acteurs qui s'y concertent. Elles seraient
interreliées et intégrées de telle façon qu'elles exercent le véritable pouvoir quant
au développement des économies. Il est possible qu'il y ait une concentration des
centres de décision à l'intérieur des pays, mais il est peu probable que ces centres
échappent à toute forme de régulation nationale. L'idée fascine, mais les faits
démentent l'ampleur du pouvoir qui s'y exerce. Nous en avons évoqué les paramètres lorsque nous avons traité de l'inscription de l'innovation dans des modèles
de développement.

L'INTERNATIONALISATION DES MARCHÉS FINANCIERS

Le secteur des marchés financiers suscite de plus en plus l'intérêt des observateurs de l'évolution des économies nationales. Secteur déjà fortement interrelié,
il fonctionne sur une base continue (le temps et l'espace ne constituent plus des

contraintes) grâce aux progrès en matière de technologie des communications, qui décuplent également les possibilités d'échange de renseignements. La plupart des analystes s'entendent pour affirmer qu'il s'agit là du seul secteur véritablement global. Un marché unique de l'argent est bel et bien en place. Grâce à la globalisation sur le plan financier, les entreprises multinationales sont en mesure d'emprunter ou de déplacer de l'argent selon leurs besoins. Selon Plihon (1996), cette capacité est favorisée par trois processus : la désintermédiation, qui permet l'accès direct aux marchés financiers, le décloisonnement des marchés de l'argent, des finances, des changes, des marchés à terme, etc., et la déréglementation qui s'est imposée dans tous les pays. Peut-être y aurait-il lieu d'ajouter qu'on assiste à une séparation de plus en plus marquée de l'espace financier et de l'espace de la production. Comme le dit Plihon (*ibid.*, p. 75), «le gonflement des transactions sur les marchés financiers n'a plus de rapport direct avec le financement de la production et des échanges internationaux». Le découplage des deux espaces se traduit par un découplage des intérêts des acteurs évoluant dans ces espaces. En effet, les acteurs de la scène financière mondiale recherchent des liquidités et la rentabilité à court terme alors que, dans le domaine de la production à l'échelle nationale, on recherche le financement durable.

Dans un tel contexte, «la globalisation financière consacre la suprématie des forces du marché sur les politiques économiques» (Plihon, 1996, p. 77). À cet égard, on constate l'émergence d'un contre-pouvoir. Dans la mesure où le secteur financier cherche à maximiser ses investissements, on assiste à la création d'entreprises dont le rôle est de surveiller l'évolution économique et politique des sociétés. Ainsi, chaque fois que le ministre des finances d'un pays dépose son budget, il s'empresse de sécuriser les entreprises de cotation des entreprises et des États, parce qu'elles exercent une influence considérable dans le milieu financier. Il faut entendre le témoignage de Robert Reich, ancien secrétaire du Travail aux États-Unis, qui fait état de la préoccupation presque maladive de l'exécutif de la Maison-Blanche à l'égard des réactions de Wall Street.

Soulignons que si le poids du secteur financier est si important sur le plan des économies nationales et sur le plan des entreprises, c'est en grande partie parce que les gouvernements et les entreprises sont fortement endettés.

Le fait que les économies nationales empruntent des capitaux sur le marché international ne constitue pas un problème en soi ; la question est de savoir dans quelle mesure elles dépendent de ces capitaux. En d'autres termes, quel est le poids respectif des emprunts sur le marché mondial par rapport à ceux du marché national ? La réponse est complexe. Si certains pays dépendent très fortement du marché mondial, cela tient au taux d'endettement du pays et à l'importance des épargnes à l'intérieur des frontières du pays. Il y a des pays prêteurs et il y a des pays emprunteurs. Les premiers appartiennent davantage au modèle coopératif alors que les seconds appartiennent au modèle libéral. Mais quel que soit le pays, Boyer (1996) démontre que les entreprises continuent à dépendre pour une très large part du secteur financier national pour leur financement. Comme on peut le constater, si les politiques nationales subissent les contraintes de l'internationalisation du secteur financier, néanmoins elles sont encore fortement marquées par les particularités nationales, qui n'appartiennent pas uniquement aux politiques économiques comme telles mais également aux rapports entre capital et travail. Selon Boyer (*ibid.*, p. 17), «l'internationalisation agit avec ces déterminants internes, elle ne les abolit pas».

L'INTERNATIONALISATION OU LA GLOBALISATION ?

On ne peut souscrire sans réserve à la thèse de la globalisation achevée du fait, entre autres, que l'inscription des sociétés dans l'économie-monde se fait à travers diverses formes de régionalismes et du fait que ces régionalismes émergent avec la participation active des États.

Comme l'ont indiqué Deblock et Rioux (1992) et Brunelle (1992), l'ALENA constitue une forme particulière de régionalisme par rapport à l'accord de libre-échange adopté en Europe, où le régionalisme économique s'accompagne d'une tentative d'harmonisation des politiques sociales, de l'adoption d'une monnaie unique et de l'émergence d'un pouvoir européen supranational.

Selon Brunelle (1992), l'ALENA tient plus de la stratégie que de l'intégration et constitue une politique économique internationale qui vise à établir un rapport de force avec les autres régions et pays, et à permettre aux trois pays qui le forment de s'insérer dans un ensemble économique où ils bénéficieront d'une position plus avantageuse au sein de l'économie mondiale. L'un des intérêts de cette forme de régionalisme réside précisément dans le degré de liberté qu'il permet dans les relations qu'entretiennent ces trois pays avec l'extérieur.

L'enjeu pour le Canada est l'«intégration» de l'économie canadienne à celle des États-Unis de façon à garantir le maintien du niveau de vie de la population sur la base d'une efficacité retrouvée et à obtenir un statut commercial privilégié qui lui assurera l'accès à son marché principal et lui donnera la possibilité de s'en servir comme tremplin pour s'insérer dans l'économie mondiale. Pour le Canada comme pour le Mexique, il s'agit d'un retour au jeu des forces du marché ainsi que d'une tentative de reprendre en main une économie dépassée par la concurrence internationale.

Alors que pour le Mexique l'enjeu principal est la croissance et la modernisation d'une économie étouffée par le protectionnisme, il s'agit pour les États-Unis de libérer les entreprises multinationales des contraintes de l'interventionnisme et du nationalisme économique de ses deux voisins et de retrouver une position concurrentielle sur les marchés internationaux en tirant parti des avantages comparatifs dont disposent le Canada avec ses ressources naturelles et le Mexique avec ses faibles coûts de main-d'œuvre.

*
* *

Comme on a pu le constater, la mondialisation constitue un phénomène beaucoup plus complexe et multiforme que ne le donne à penser l'emploi usuel du terme. La mondialisation apparaît, pour l'instant, beaucoup plus comme un accroissement des échanges internationaux que comme une globalisation proprement dite, sauf évidemment en ce qui concerne le secteur financier. S'il y a des effets certains sur les politiques économiques et sur l'orientation des entreprises, ces effets ne sont pas encore aussi déterminants qu'on ne le laisse croire. Il s'agit fondamentalement d'un processus dont on ne peut prédire l'issue. La difficile émergence d'une monnaie unique en Europe et la remise en cause périodique des accords de l'ALENA constituent des symptômes de la fragilité relative du processus en cours. L'assainissement des finances publiques et la recherche du déficit zéro au Québec, et dans une perspective différente au Canada et aux États-Unis, constituent des mutations qui peuvent changer la situation.

Les entreprises «globales» n'échappent pas encore aux contraintes de leur ancrage dans des milieux d'innovation et dans des espaces nationaux, à moins que la globalisation n'emprunte la voie d'une zone franche mondialisée! Si les pouvoirs des États sont fragilisés, cette globalisation résulte néanmoins de stratégies nationales qui pourraient changer au cours des ans et qui se traduiraient par une modification de la trajectoire que prend la mondialisation.

Il semblerait donc que, malgré toutes les références à un village global, la globalisation dans sa forme actuelle constitue une nouvelle forme d'inscription sociale plutôt qu'une désinscription.

Bibliographie

ALBERT, M. (1991). *Capitalisme contre capitalisme*, Paris, Seuil, 316 p.

BAKER, W.E. (1984). «Floor trading and crowd dynamics», dans P. Alder et P. Adler (sous la dir. de), *The Social Dynamics of Financial Markets*, Greenwich (Conn.), Jai Press, p. 85-106.

BENKO, G., et LIPIETZ, A. (1992). *Les régions qui gagnent. Districts et réseaux: les nouveaux paradigmes de la géographie économique*, Paris, PUF, 424 p.

BERNIER, B. (1995). *Le Japon contemporain*, Montréal, Presses de l'Université de Montréal, 311 p.

BILLETTE, A., CARRIER, M., et SAGLIO, J. (1991). «Structuration sociale d'un système industriel de PME: le cas de la région de Saint-Georges-de-Beauce», rapport de recherche, Québec, Université Laval, 369 p.

BLOCK, F. (1990). *Postindustrial Possibilities*, Berkeley, University of California Press, 227 p.

BLOCK, F. (1994). «The role of states in the economy», dans N.J. Smelser et R. Swedberg (sous la dir. de), *The Handbook of Economic Sociology*, Princeton (N.J.), Russell Sage Foundation, Princeton University Press, p. 691-710.

BOYER, R. (1996). «Les mots et les réalités», dans S. Cordellier et F. Doutaut (sous la dir. de), *Mondialisation. Au-delà des mythes*, Paris, La Découverte, p. 13-56.

BRUNELLE, D. (1992). «Le bloc économique canado-américain. Solidarité axiologique et hégémonie politique», dans C. Deblock et D. Ethier (sous la dir. de), *Mondialisation et régionalisation*, Sainte-Foy, Presses de l'Université du Québec, p. 3-20.

BURT, R. (1992). «Social structure of competition», dans N. Nohria et R.G. Eccles (sous la dir. de), *Networks and Organizations: Structure, Form, and Action*, Boston (Mass.), Harvard Business School Press, p. 57-91.

CASTEL, R. (1995). *Les métamorphoses de la question sociale*, Paris, Fayard, 490 p.

CASTELLS, M. (1997). *The Rise of the Network Society*, Cambridge (Mass.) et Oxford (Angleterre), Blackwell Publishers, 556 p.

CHANLAT, A., BOLDUC, A., et LAROUCHE, D. (1984). *Gestion et culture d'entreprise. Le cheminement d'Hydro-Québec*, Montréal, Boréal, 250 p.

COSTA, J.A. (1995). «The social organization of consumer behavior», dans J.F. Sherry Jr. (sous la dir. de), *Contemporary Marketing and Consumer Behavior. An Anthropological Sourcebook*, Thousand Oaks (Calif.), Sage Publication, p. 213-244.

CROZIER, M., et FRIEDBERG, E. (1997). *L'acteur et le système*, Paris, Seuil, 500 p.

DEBLOCK, C., et RIOUX, M. (1992). «Le libre-échange nord-américain. Le joker des États-Unis?», dans C. Deblock et D. Éthier (sous la dir. de), *Mondialisation et régionalisation*, Sainte-Foy, Presses de l'Université du Québec, 1992, p. 21-74.

DI MAGGIO, P. (1990). «Cultural aspect of economic action and organization», dans R. Friedland et A.F. Robertson (sous la dir. de), *Beyond the Market Place: Rethinking Economy and Society*, New York, Aldine de Gruyter, p. 113-135.

FITOUSSI, J.-P. (1996). «Après l'écroulement du communisme, existe-t-il une troisième voie?», dans C. Crouch et W. Streeck (sous la dir. de), *Les capitalismes en Europe*, Paris, La Découverte, p. 201-217.

FRANKS, J., et MAYER, C. (1997). «Corporate ownership and control in the U.K., Germany and France», *Bank of America. Journal of Applied Corporate Finance*, vol. 9, n° 4, p. 30-43.

FRIEDBERG, E. (1993). *Le pouvoir et la règle. Dynamiques de l'action organisée*, Paris, Seuil, 1993, 404 p.

FRIEDLAND, R., et ROBERTSON, A.F. (sous la dir. de) (1990). *Beyond the Market Place: Rethinking Economy and Society*, New York, Aldine de Gruyter, 365 p.

GIDDENS, A. (1987). *La constitution de la société*, Paris, PUF, 424 p.

GRANOVETTER, M. (1990). «The old and the new economic sociology: A history and an agenda», dans R. Friedland et A.F. Robertson (sous la dir. de), *Beyond the Market Place: Rethinking Economy and Society*, New York, Aldine de Gruyter, p. 89-111.

GRANOVETTER, M. (1992). «Problems of explanation in economic sociology», dans N. Nohria et R.G. Eccles, *Networks and Organizations: Structure, Form, and Action*, Boston (Mass.), Harvard Business School Press, p. 25-56.

GREGORY, C.A. (1997). «Exchange and reciprocity», dans T. Ingold (sous la dir. de), *Companion Encyclopedia of Anthropology*, Londres et New York, Routledge, p. 911-939.

HAFSI, T., et DEMERS, C. (1997). *Comprendre et mesurer la capacité de changement des organisations*, Montréal, Éditions Transcontinental, 322 p.

HIRST, P., et THOMPSON, G. (1996). *Globalization in Question*, Cambridge, Polity Press, 227 p.

JOHNSON, H.M. (1960). *Sociology, a Systematic Introduction*, New York et Chicago, Harcourt, Brace and World, 688 p.

LALLEMENT, M. (1993). «La construction sociale de l'échange», *Sciences humaines*, n° 25, p. 39-43.

LINTEAU, P.-A. (1992). *Histoire de Montréal depuis la Confédération*, Montréal, Boréal, 613 p.

MARTIN, P., et SAVIDAN, P. (1994). *La culture de la dette*, Montréal, Boréal, 136 p.

MITROFF, I. (1983). *Stakeholders of the Organizational Mind*, San Francisco, Jossey-Bass, 178 p.

MIZRUCHI, M.S. (1996). «What do interlocks do? An analysis, critic and assessment of research on interlocking directorates», *Annual Review of Sociology*, vol. 22, p. 271-298.

MORRIS, B. (1997). «Is your family wrecking your career and vice versa?», *Fortune Magazine*, vol. 135, n° 5, p. 71-90.

NOËL, A. (1994). «Québec inc.: Veni! Vidi! Vici?», *Gestion, Revue internationale de gestion*, vol. 19, n° 1, p. 6-21.

PETRELLA, R. (1993). «Vers un techno-apartheid global», *Manière de voir*, n° 18, mai, Paris, Éditions du Monde diplomatique, p. 30-33.

PLIHON, D. (1996). «Les enjeux de la globalisation financière», dans S. Cordellier et F. Doutaut (sous la dir. de), *Mondialisation. Au-delà des mythes*, Paris, La Découverte, p. 69-80.

POLANYI, K. (1957). «L'économie en tant que procès institutionnalisé», dans K. Polanyi et C. Arensberg (sous la dir. de), *Les systèmes économiques dans l'histoire et dans la théorie*, Paris, Larousse, p. 239-260.

POLANYI, K. (1983). *La grande transformation* (traduit par Catherine Malamoud), Paris, Gallimard, 419 p.

PORTES, A. (1994). «The informal economy and its paradoxes», dans N.J. Smelser et R. Swedberg (sous la dir. de), *The Handbook of Economic Sociology*, Princeton (N.J.), Russell Sage Foundation, Princeton University Press, p. 426-449.

POWELL, W.W., et SMITH-DOERR, L. (1994). «Network and economic life», dans N.J. Smelser et R. Swedberg (sous la dir. de), *The Handbook of Economic Sociology*, Princeton (N.J.), Russell Sage Foundation, Princeton University Press, p. 369-402.

ROBERGE, A. (1984). *L'économie informelle: échange de biens et services entre unités domestiques au Québec semi-rural*, thèse de doctorat, Québec, Université Laval, 406 p.

SCOTT, J. (1991). «Networks of corporate power: A comparative assessment», *Annual Review of Sociology*, vol. 17, p. 181-203.

SCOTT, R. (1995). *Institutions and Organizations*, Thousand Oaks (Calif.), Sage Publications, 178 p.

SMELSER, N.J. et SWEDBERG, R. (1994). «The sociological perspective and the economy», dans N.J. Smelser et R. Swedberg (sous la dir. de), *The Handbook of Economic Sociology*, Princeton (N.J.), Russell Sage Foundation, Princeton University Press, p. 3-26.

SMITH, C.W. (1989). *Auctions. The Social Construction of Value*, New York, The Free Press, et Londres, Collier Mac-Millan, 225 p.

SWEDBERG, R. (1994a). «Markets as social structures», dans N.J. Smelser et R. Swedberg (sous la dir. de), *The Handbook of Economic Sociology*, Princeton (N.J.), Russell Sage Foundation, Princeton University Press, p. 255-282.

SWEDBERG, R. (1994b). *Une histoire de la sociologie économique*, Paris, Desclée de Brouwer, 315 p.

TILLY, C., et TILLY, C. (1994). «Capitalist work and labour markets», dans N.J. Smelser et R. Swedberg (sous la dir. de), *The Handbook of Economic Sociology*, Princeton (N.J.), Russell Sage Foundation, Princeton University Press, p. 283-312.

TREMBLAY, D.-G. (1990). *Économie du travail*, Québec et Montréal, Téléuniversité et Éditions Saint-Martin, 586 p.

USUNIER, J.-C. (1992a). *Commerce entre cultures. Une approche culturelle du marketing international*, tome 1, Paris, PUF, 453 p.

USUNIER, J.-C. (1992b). *Commerce entre cultures. Une approche culturelle du marketing international*, tome 2, Paris, PUF, 217 p.

Chapitre 3

Nouvelles technologies : entre utopie et tyrannie

André Kuzminski

L'introduction des nouvelles technologies, qui touche de plus en plus de secteurs de l'activité humaine, suscite un ensemble d'images contradictoires. Il n'y a là rien de nouveau. Chaque grande innovation technologique[1] (particulièrement lorsqu'il s'agit du domaine des communications) s'est toujours accompagnée d'un discours sur les bouleversements sociaux qu'elle allait engendrer. Pour les uns, un monde nouveau est en train de naître, symbolisé par l'image du village global qui réduit les distances sociales et culturelles entre les individus et permet la manifestation de nouvelles formes de solidarité. Le temps et l'espace ne constituent plus des barrières à la communication ; nous entrons dans un monde virtuel, un monde dans lequel il n'y aurait plus d'ancrage social. Pour les autres, les craintes l'emportent sur le rêve. Les nouvelles technologies entraînent une restructuration des économies et des entreprises, la modification des rapports sociaux et l'indifférenciation des espaces publics et privés. Pour eux, la fin annoncée du travail ne signifie pas une société sans travail mais une société sans emploi. Bref, la célébration presque mythique du progrès côtoie la dénonciation de ses répercussions sur les plans tant social qu'individuel. Tout se passe comme si le mythe s'opposait à la réalité et l'utopie, à la tyrannie.

Devant des visions aussi contrastées des effets de l'introduction des technologies, on ne peut que s'interroger sur ce qui permet aux uns comme aux autres de porter de tels jugements. Est-on dans l'univers des préjugés, de l'imaginaire, du discours qui accompagne généralement les changements ? Si tel est le cas, selon qu'on est technophile ou technophobe, pour s'en tenir à la seule dimension des attitudes, on aurait donc une vision différente de la technologie. S'agirait-il

---

1. Il serait sans doute plus précis de parler d'époque ou de période d'innovation.

plutôt d'effets réels, observés sur des expériences concrètes? Dans ce cas, cela donnerait à penser que les technologies ont un caractère multiforme et complexe, entraînant des effets très différenciés selon la société et l'entreprise où elles sont implantées. Il n'est pas possible de répondre à ces questions, entre autres parce que les études sur les nouvelles technologies adoptent une perspective beaucoup plus normative que scientifique.

En effet, l'examen des publications sur ce sujet révèle deux choses. La première est que la plupart des auteurs sont beaucoup plus préoccupés à décrire les potentialités des nouvelles technologies et à prescrire des normes d'utilisation et les processus à mettre en œuvre qu'à mesurer leurs conséquences véritables sur la société, le travail et les entreprises. On dispose donc de très peu d'études sur leurs conséquences sociales. La deuxième est que les nouvelles technologies s'accompagnent d'un ensemble de mythes (Callon, 1994; Flichy, 1997), d'une vision romancée de leur origine. Dans cette mythologie, les inventions seraient uniquement le fait d'individus particulièrement créatifs et visionnaires, et elles ne seraient soumises à aucune règle sociale. Et pourtant, comme le démontre entre autres l'histoire de l'invention de la machine à écrire (Huff et Finholt, 1994, p. 2), celle-ci n'a trouvé preneurs que lorsqu'on a réussi à concevoir un clavier suffisamment lent pour éviter que les fontes ne se coincent et surtout pour permettre le recours à une main-d'œuvre peu qualifiée, les femmes, qu'on jugeait peu habiles en matière de technologie. C'est ainsi que le modèle QWERTY (nom formé des six premières lettres de la ligne du haut d'un clavier), qui nécessite l'utilisation de tous les doigts de la main, incluant l'auriculaire, a vu le jour. N'est-il pas paradoxal que les claviers des micro-ordinateurs reposent encore aujourd'hui sur une conception ergonomique dont la caractéristique est la lenteur?

À ces difficultés de rendre compte de ce qui se passe réellement s'en ajoute au moins une autre: on ne s'entend pas sur la définition de ce qui constitue une technologie et, en conséquence, il se forme une controverse non seulement quant à l'ampleur des innovations technologiques en cours mais aussi quant à leurs conséquences pour les sociétés. Selon la définition qu'on en donnera, on pourra prétendre, comme le font beaucoup d'auteurs, qu'une révolution est en cours et qu'une nouvelle société est en train de naître. Au-delà de cette controverse, il est particulièrement important de souligner que cette vision des conséquences des nouvelles technologies sur la société implique qu'elles possèdent la particularité essentielle de déterminer à elles seules le cours de l'histoire. Pourtant, il est reconnu que, pour qu'une technologie particulière ait quelque succès, il faut qu'elle trouve un financement pour son développement, qu'elle soit produite par une entreprise, vendue sur le marché, adoptée par des firmes, appliquée par des gestionnaires et des techniciens et utilisée par des travailleurs. Est-il besoin d'ajouter qu'il est rare que les intérêts de tous ces acteurs convergent parfaitement? En outre, les individus et les sociétés changent en général moins rapidement que les technologies. Dans cette perspective, penser la technologie comme un déterminant constitue un non-sens.

Selon Manuel Castells (1997), il y aurait bien une révolution en cours, mais les nouvelles technologies, comme cela a été le cas de toutes les innovations techniques passées, sont soumises à une dynamique sociale qui dépasse les simples considérations du marché. Elles ne représentent pas un phénomène extérieur qui se superpose à une société. Marquées par l'histoire de leur naissance, elles prendront la forme que leur donnera l'ensemble des acteurs sociaux. Elles ont pris naissance à des époques déterminées de l'histoire et dans un espace déterminé et, en conséquence, leur avenir est socialement déterminé. La technologie ne déterminera pas ce que sera la société. Bien qu'il y ait encore quelques débats sur le poids des technologies dans l'évolution des sociétés (Roe Smith et Marx, 1994), il existe peu de scientifiques pour affirmer que c'est la technologie qui est le moteur de l'histoire. Comme l'indique Castells (1997), l'évolution des technologies dépend d'un ensemble de processus complexes dans lesquels les découvertes scientifiques, les innovations technologiques et leurs applications interagissent entre elles et avec l'inventivité des individus et la capacité des acteurs à les mettre en marché. Des processus sociaux autant que des processus individuels sont donc à l'œuvre. Les nouvelles technologies sont soumises à des logiques sociales et culturelles autant qu'à des logiques économiques, politiques et scientifiques. Bref, on doit tenir compte de la dynamique historique et sociale qui entoure ce phénomène si on veut le comprendre et le situer adéquatement.

La nature de cette révolution, d'après Castells (1997), concerne l'émergence d'une société de l'information et surtout d'une société informationnelle, ce dernier terme désignant à la fois un ensemble de technologies fondées sur l'application de connaissances et d'informations à d'autres connaissances et informations, et à la fois un système social où le réseau constitue le fondement de son organisation. Puisqu'on est en présence d'une « nouvelle société », il est impérieux de dépasser l'aspect « phénoménal » des nouvelles technologies pour les situer dans leur contexte social global. Castells suppose d'ailleurs que les processus de transformation en cours ne sont pas seulement d'ordre social et technique mais sont aussi d'ordre culturel et politique. Il s'agit d'un phénomène global où tout est interrelié.

NOUVELLES TECHNOLOGIES ET SOCIÉTÉS

Compte tenu de ce qui précède, on ne peut aborder les nouvelles technologies sans les situer dans leur contexte, à partir de leur apparition jusqu'à leur inscription sociale dans divers types de société. La popularité de la notion de futur, intimement liée aux nouvelles technologies, est telle qu'on ne peut que s'interroger sur les divers phénomènes qui l'accompagnent. On ne peut donc se prononcer formellement sur l'évolution des technologies, car trop d'éléments entrent en ligne de compte.

Nous aborderons la relation entre les nouvelles technologies et les sociétés selon deux perspectives. Nous examinerons d'abord les nouvelles technologies sous l'angle de leur naissance et de leur histoire, en tenant compte des acteurs concernés et du contexte de leur apparition. Nous traiterons ensuite de la dynamique sociale dans laquelle elles se développent et prennent racine.

L'INVENTIVITÉ INDIVIDUELLE ET LES INSTITUTIONS SOCIALES

Il existe un mythe largement répandu voulant que les nouvelles technologies prennent souvent naissance dans des lieux plus que modestes, imaginées par des individus particulièrement inventifs, pionniers, selon certains, d'une deuxième révolution. Tel n'est pas tout à fait le cas. Il est vrai, par exemple, que le micro-ordinateur a vu le jour dans un garage. Cependant, cette innovation s'est constituée sur la base de découvertes et d'applications qui lui sont antérieures et dans un contexte particulier. Encore une fois, si on veut véritablement comprendre la nature des nouvelles technologies et de leurs répercussions, il faut en analyser l'histoire et dégager la dynamique qui a permis la convergence de certaines technologies (systèmes informatiques de grande dimension, transistors, Internet, fibres optiques, microprocesseurs, etc.) et l'explosion de nouvelles inventions. On verrait que l'inventivité individuelle est soutenue par un ensemble d'institutions. On constaterait également que la dynamique qui permet la convergence de nouvelles inventions entraîne aussi la compétition entre technologies. Le cas du télécopieur, qui a probablement retardé la diffusion d'Internet, ou encore celui du Minitel[2] en France, qui freine l'adoption d'Internet comme mode d'accès à l'information, constituent à cet égard des exemples typiques. On verrait finalement comment certaines technologies ont été prématurément inventées. Stratford Sherman (1994) cite à ce propos le télécopieur, dont l'invention date de 1843 (*sic*), le photocopieur de type Xérox (1953) et la souris d'ordinateur (1964).

Le propos de ce chapitre n'est pas d'établir l'histoire des nouvelles technologies. Toutefois, comme on traite souvent les nouvelles technologies comme un ensemble sans histoire et qu'on ne tient pas compte des utilisations qui en sont socialement et véritablement faites, il nous paraît important de situer quelques-unes de ces innovations, ne serait-ce que pour éviter toute confusion quant à leurs «responsabilités» sociales:

---

2. Il importe de ne pas uniquement opposer une technologie à une autre. Le cas du Minitel est également relié au mode de facturation des appels (au temps d'utilisation) dans plusieurs pays d'Europe ainsi que sans doute à des facteurs culturels.

Militaires

- 1969 : invention d'Internet par des universitaires, un système dont l'une des fonctions principales est d'échapper à toute forme de contrôle ;
- 1970 : production industrielle de fibres optiques ;
- 1971 : invention du microprocesseur ;
- 1974 : apparition de la seconde génération de microprocesseurs ;
- 1975 : invention des micro-ordinateurs ;
- 1977 : production de logiciels pour les ordinateurs par Macintosh ;
- 1981 : introduction du micro-ordinateur sur le marché par IBM ;
  1983 : obtention de la première licence d'exploitation du téléphone cellulaire ;
- 1984 : introduction du micro-ordinateur Macintosh.

Les nouvelles technologies de l'information (NTI), ou plus précisément les nouvelles technologies de l'information et de la communication (NTIC), ont donc une histoire, mais elles portent aussi les marques de leur naissance[3]. À titre d'exemple, Patrice Flichy (1997) illustre les deux grandes périodes du développement d'Internet : celle des années 70-80, où un réseau était conçu par des universitaires à des fins militaires et scientifiques, et celle des années 90, où l'on a ouvert ce réseau aux entreprises et au grand public. Il décrit comment, au cours de la première période, un réseau d'ordinateurs interconnectés pour protéger les données informatiques militaires contre toute attaque nucléaire est devenu rapidement un système de partage de puissance informatique entre les laboratoires associés au projet du département de la défense américaine, comment il a été utilisé par les scientifiques pour communiquer entre eux et comment, par la suite, s'est créé un autre réseau, le World Wide Web[4](WWW), destiné à l'ensemble des universitaires. Il note à cet égard que le fait que le développement d'Internet et du WWW se soit fait au sein des universités a profondément marqué la nature des systèmes et a surtout permis leur développement et leur diffusion. En effet, seuls des universitaires dont l'intérêt était d'abord d'ordre scientifique pouvaient d'une part établir une synergie entre les domaines militaire, scolaire et industriel (industrie informatique) et d'autre part négocier un protocole sociotechnique de standards de communication. Mais surtout — et cet élément est important —, le fait que des universitaires soient à l'origine de cette technologie a permis que les valeurs fondamentales de l'enseignement, à savoir la liberté de pensée et le libre accès aux résultats des recherches, aient été intégrées dans ces systèmes.

Selon Flichy (1997), contrairement aux deux réseaux Internet des années 70-80, les applications pour les entreprises et le grand public effectuées au

---

3. On peut lire, à cet égard, l'histoire du Macintosh vu de l'intérieur (voir Kawasaki, 1990).
4. Pour une histoire succincte du WWW et des désillusions de son inventeur, Tim Berners-Lee, voir Wright (1997).

cours des années 90 sont porteuses de contradictions et d'utopies. En effet, les principes qui ont marqué la naissance des réseaux (échange égalitaire, circulation libre et gratuite de l'information et gestion des réseaux par les usagers) entrent en contradiction avec ceux de divers groupes d'intérêts : les uns cherchent à «établir une nation virtuelle et promouvoir l'informatique comme instrument de liberté et d'épanouissement individuel» (*ibid.*, 1997, p. 67), d'autres visent à en faire un instrument de communication démocratique et d'autres encore y voient un instrument commercial. Bref, ces nouvelles technologies éveillent les intérêts les plus contradictoires. On peut déjà entrevoir comment une logique d'autorité politique faite à la fois de démocratie mais aussi de fermeture aux «adversaires» s'oppose à une logique d'accès libre et gratuit et à une logique de maîtrise commerciale des standards d'échanges entre les systèmes. Celui qui régira les standards pourra diriger le marché et gérer ses bénéfices. Pour Flichy, l'Internet des années 90 n'est encore qu'un «objet-valise» aux contours indéfinis.

Comme il le souligne, l'interaction entre la conception et l'usage a été dans le cas des deux réseaux beaucoup plus étroite que dans le cas d'autres inventions, où l'on passe de la conception dans un lieu de recherche à une diffusion à des usagers potentiels. «À chaque évolution [...] les concepteurs en furent toujours les usagers. L'utilisation fut d'autant plus intense qu'elle était gratuite pour les chercheurs.» (Flichy, 1997, p. 66.)

On remarquera que la naissance et le développement d'une technologie représentent donc un processus de construction sociale d'une réalité. Ainsi, ce n'est pas par pur hasard que les NTIC se sont développées pour une très large part dans une région précise, en Californie, dans la Silicon Valley. C'est dans cette région que le prolongement des événements de mai 1968 a eu le plus de répercussions. Au dire de Castells (1997), les NTIC ont constitué un exutoire pour de jeunes marginaux qui voulaient réinventer le monde. Mais la Silicon Valley était déjà un milieu d'innovation depuis les années 50 grâce aux initiatives de l'Université Stanford, qui avait recruté entre autres William Shockley, l'inventeur du transistor. C'est sous l'impulsion de ce dernier que cette région a connu son véritable essor, même si ce fut de façon détournée. En effet, de l'équipe de jeunes et brillants ingénieurs qu'il avait constituée, issus d'entreprises comme Bell, aucun n'est resté à Stanford plus d'un an, chacun préférant travailler sur ce qui lui semblait plus prometteur que les projets de Shockley. Chacun des huit membres de l'équipe originale a fondé sa propre entreprise. Toutes ces nouvelles entreprises se sont installées dans la Silicon Valley, de sorte que, d'après Castells (1997), environ la moitié des 85 plus grandes entreprises de microconducteurs sont des «produits» de Stanford.

Pendant ce temps, un mouvement semblable s'est amorcé, toujours issu de Stanford, dans le domaine de la génétique. Là aussi ont convergé dans la Silicon Valley plusieurs jeunes scientifiques, laboratoires de recherche et firmes pharmaceutiques venant d'un peu partout dans le monde. Là aussi, la mobilité des scientifiques a eu des suites inattendues. C'est précisément ce croisement dans un espace restreint entre les laboratoires de recherche et les entreprises nova-trices qui a fait de la Silicon Valley ce milieu d'innovation et d'échanges qu'on connaît aujourd'hui. Selon Castells (1997), la Silicon Valley aurait attiré vers 1975 des dizaines de milliers de jeunes en quête de gloire et d'argent. Milieu scientifique et entrepreneurial, la Silicon Valley a également été un milieu social, au sens fort du terme, dans lequel les bars, les brasseries et les boîtes de nuit ont joué un rôle de rassemblement et d'échanges aussi important, sinon plus, que les séminaires ou les colloques organisés par l'université et les laboratoires. À partir du moment où un milieu d'innovation réussit à mettre en place l'infrastructure de services dont il a besoin pour se développer, il engendre ainsi sa propre dyna-mique.

Comme on le constate, l'émergence des NTIC n'est pas uniquement due aux initiatives entrepreneuriales, l'État et de grandes institutions comme l'armée et les universités y ayant joué un rôle fondamental. Comme le dit Castells (1997, p. 60), les NTIC ont connu leur croissance grâce à l'effet conjugué, d'une part, de vastes programmes de recherche financés par l'État et du développement, égale-ment par l'État, de larges marchés et, d'autre part, d'un système décentralisé d'innovations stimulées par une culture avant-gardiste et l'image de réussite qui y est associée.

LES STRATÉGIES D'ENTREPRISE, LES NOUVELLES TECHNOLOGIES ET LE PROCESSUS DE MONDIALISATION

Les NTIC occupent une certaine place dans l'évolution économique et sociale des sociétés. Historiquement, les stratégies de relocalisation, de modification des structures organisationnelles et de «flexibilisation» de la main-d'œuvre sont antérieures ou contemporaines de l'émergence et du développement des NTIC, tout comme l'est le processus de mondialisation des marchés. Les NTIC n'en sont donc pas la cause, comme on le croit souvent. Si elles sont apparues vers la fin des 30 années de croissance qui ont suivi la Deuxième Guerre mondiale, elles ne deviennent véritablement déterminantes pour l'évolution économique et sociale qu'à partir des années 80, au cours desquelles les membres du G-7 entreprennent une restructuration majeure de leur économie et les entreprises, une restructura-tion de leur organisation. Une fois inscrites dans ce processus, les NTIC ont accé-léré les mutations et participé activement aux changements, dans la mesure pré-cisément où elles répondaient à des orientations stratégiques.

Les NTIC sont donc apparues au moment où les sociétés industrielles avan-cées connaissaient une crise économique. Certains ont attribué cette situation au rapport salarial dérivant du fordisme, d'autres au choc pétrolier et d'autres encore à un problème de productivité lié à la croissance du secteur des services, etc.

Quelle que soit l'explication retenue, ce sont les stratégies que les États et les entreprises ont adoptées pour sortir de la crise qui importent ici.

De façon un peu expéditive et sans doute un peu mécanique, on peut dire que, globalement, les États ont cherché à protéger leurs économies, à augmenter la compétitivité des entreprises et à ouvrir des marchés. Les entreprises, généralement plus préoccupées par les résultats à court terme, ont adopté quant à elles trois principales stratégies : accroître leur part du marché, diminuer les coûts de production, surtout ceux de la main-d'œuvre, et augmenter leur productivité. Concrètement, les entreprises introduisent le changement de trois façons : elles se restructurent, elles adoptent des technologies qui leur permettent d'augmenter leur productivité et elles cherchent à mobiliser la main-d'œuvre, en jouant parfois sur les emplois et les statuts d'emploi.

En d'autres termes, la technologie, qu'elle soit nouvelle ou non, ne constitue qu'un outil au service de la croissance des profits. Les technologies ne sont pas recherchées pour elles-mêmes mais pour les gains qu'elles peuvent amener. Elles ne représentent donc qu'une des stratégies possibles. On peut d'ailleurs supposer que les entreprises et les économies ont d'abord privilégié les stratégies d'expansion des marchés et de compétitivité pour sortir de la crise. Ce faisant, elles ont transformé les marchés internationaux en marché mondial. Comme l'indique Castells :

> Pour qu'il soit possible d'ouvrir de nouveaux marchés en reliant au sein d'un réseau mondial les segments de marché intéressants de chaque pays, il fallait que les capitaux deviennent très mobiles et que les entreprises améliorent de beaucoup leurs capacités de communication. Or la déréglementation des marchés et les nouvelles technologies de l'information, agissant en relation étroite, ont permis de satisfaire ces conditions. Les premiers à bénéficier de pareille restructuration furent les artisans mêmes de la transformation techno-économique, soit les entreprises de pointe et les sociétés financières. (Castells, 1997, p. 84-85 ; traduction libre.)

Nous ne reviendrons pas sur le processus de globalisation qui est à l'œuvre (voir le chapitre 2), sinon pour rappeler l'extrême diversité des stratégies d'alliance et de coopération interfirmes et l'inscription sociale des entreprises dites « globales ». Ajoutons que l'« industrie de l'innovation » adopte les mêmes stratégies que les autres industries et que, à ce titre, elles sont sur le plan mondial soumises aux régulations des espaces nationaux dans lesquels elles s'implantent.

Pour décrire plus en détail les contextes d'implantation des NTIC, il faudrait logiquement examiner le rythme et l'intensité de leur introduction dans les diverses sociétés. Un tel examen exige de considérer les divers systèmes d'institutions qui encadrent le fonctionnement des entreprises dans les sociétés et de tenir compte de la dimension culturelle, ce qui déborde le cadre de ce chapitre. Nous renvoyons le lecteur intéressé à Castells (1997).

Les entreprises ont multiplié les stratégies pour sortir de la crise. Il n'est pas facile de rendre compte de l'ensemble de ces stratégies, dans la mesure où précisément elles ont pris plusieurs formes, qu'elles ont varié selon les secteurs d'activité, selon la taille des entreprises et selon les pays. Toutefois, elles ont en commun la recherche de la flexibilité tant sur le plan organisationnel que sur le plan de l'utilisation de la main-d'œuvre. Il semblerait qu'elles aient d'abord privilégié la flexibilité de la main-d'œuvre pour ensuite procéder à une restructuration. Lorsque les entreprises ont eu recours aux technologies de l'information, c'était beaucoup plus dans une perspective de recherche de productivité et de contrôle de la main-d'œuvre.

Sur le plan de l'organisation du travail et de la production, l'intégration horizontale des entreprises a succédé à l'intégration verticale ; plus précisément, de nouvelles formes d'intégration sont apparues, caractérisant ce qu'on appelle parfois les «entreprises-réseaux», désignation qui décrit relativement bien le processus à l'œuvre si on considère les diverses formes d'alliances et de liens qui existent entre des entreprises et leurs sous-traitants. Dans la sociologie économique du marché du travail, on a désigné une partie de cette forme de restructuration par l'expression «marché dual», qui implique une relation entre un centre (*core*) et une périphérie. Loin d'internaliser les contraintes du marché et plus précisément les contraintes de la compétition, on a eu tendance à «externaliser» certaines fonctions de l'entreprise, distribuant ainsi les risques entre un ensemble d'entreprises à la fois indépendantes et liées. La montée du travail autonome constitue à certains égards une forme d'externalisation flexible des fonctions de l'entreprise. Dans cette perspective, les stratégies de gestion de la production qu'on appelle le juste-à-temps caractérisent d'abord une entreprise-réseau avant de représenter une stratégie de gestion de la production.

Quelle que soit la forme qu'a prise la recherche de la flexibilité, elle nécessitait la mise en place d'une forme de communication pour assurer la synergie entre les diverses parties du réseau, qu'il soit interne ou externe. C'est sur cette réalité que se sont greffées les NTIC, mais uniquement à partir du moment où elles sont devenues interactives. En d'autres termes, les NTIC sont venues renforcer un processus déjà en cours et ont apporté la flexibilité dont les entreprises avaient besoin.

L'ÉMERGENCE D'UN NOUVEAU PARADIGME SOCIAL

Selon Castells (1997, p. 61), le nouveau paradigme introduit par les NTIC comporte cinq caractéristiques fondamentales :

1) ce sont les technologies qui permettent d'agir sur l'information et non pas l'information qui permet d'agir sur la technologie. Dans cette perspective, elles représentent le cas exceptionnel dans l'histoire où des connaissances et

des informations peuvent être appliquées à des connaissances et à des informations ;

2) les changements qu'entraînent ces technologies sont fondamentaux dans la mesure où l'information fait partie des besoins humains ;

3) il y a dans les NTIC une logique d'interaction et de réseaux. Les NTIC favorisent pour une large part la capacité d'organiser des informations complexes de façon flexible ;

4) les NTIC sont par définition flexibles et permettent toutes les déstructurations et restructurations possibles sans changer la nature des organisations. Elles sont en quelque sorte porteuses de virtualité ;

5) diverses technologies spécifiques se rencontrent pour former des systèmes hautement intégrés.

Partant de ces caractéristiques, on peut dans une certaine mesure comprendre pourquoi les NTIC suscitent à la fois l'enthousiasme et la crainte. Structurellement, elles correspondent à des besoins humains tels qu'ils ont été socialement construits. Dans l'univers d'individualisation qui se dessine peu à peu, elles permettent aux usagers de se transformer en acteurs. On peut supposer que si elles suscitent la crainte et entraînent même la technophobie, ce n'est peut-être pas pour des raisons d'adaptation mais bien parce qu'elles remettent fondamentalement en question les façons d'entrer en rapport avec les autres et avec les choses.

Parmi toutes les mutations que provoque la culture de la virtualité, à cause précisément des caractéristiques dont nous avons parlé plus haut, deux types de rapports se trouvent modifiés : le rapport avec l'espace et le rapport avec le temps.

LE RAPPORT AVEC L'ESPACE

Comme nous l'avons indiqué au début du chapitre, une des images les plus courantes que suggèrent les NTIC est celle d'un village global dans lequel la notion d'espace perd toute signification. Il n'y aurait plus de frontières entre les continents, les pays, les régions, les villes, les entreprises. Même l'espace public (l'entreprise) et l'espace privé (le domicile) deviendraient indifférenciés sous l'effet des nouvelles formes de travail comme le télétravail, le travail autonome et le travail à domicile. Le télétravail entraînerait même l'isolement individuel et social, l'affaiblissement du pouvoir de négociation avec l'employeur et la modification des liens d'appartenance à l'entreprise, surtout en matière de loyauté. La modification de notre rapport avec l'espace résulte-t-elle de l'introduction des NTIC, des mutations structurelles des économies et des entreprises ou encore de l'émergence de nouvelles formes de travail ?

On suppose généralement que les nouveaux modes de télécommunication conduisent à des délocalisations à l'échelle régionale et même mondiale. Une recherche (Castells, 1997) portant sur le secteur des affaires d'une grande ville américaine (Manhattan) démontre que l'arrivée des NTIC a eu l'effet contraire : elle a ralenti le processus de relocalisation qui était en cours. Une autre recherche (présentée dans Castells, 1997), portant cette fois sur la relation entre le travail à domicile et la densité urbaine, démontre qu'il n'y a aucune relation entre les deux phénomènes, c'est-à-dire entre l'utilisation des NTIC et la densité urbaine. Au contraire, les technologies de l'information ont été utilisées pour structurer des rencontres dans les centres urbains. On a également constaté que seul un faible pourcentage de personnes aux États-Unis utilisent les nouvelles technologies dans leur travail à domicile (de 1 % à 2 % de la main-d'œuvre selon Qvortup, cité dans Castells [1997]). Des recherches démontrent également que la croissance du travail à domicile s'explique par le fait qu'il s'effectue de manière discontinue, par des employés qui bénéficient d'un travail flexible. Bref, on ne peut directement attribuer aux nouvelles technologies l'émergence et la croissance des nouvelles formes de travail. Ce sont plutôt les stratégies de flexibilité des entreprises qui en sont à l'origine. L'existence et la disponibilité des technologies ont simplement favorisé l'application de ces orientations. La technologie est donc ici un outil.

Dans une étude mettant en relation les NTIC, la restructuration des économies et les processus urbains et régionaux, Castells (1989) remarque que l'examen des pratiques des entreprises du secteur tertiaire avancé (finance, assurance, marketing, publicité, recherche et développement, etc.) révèle un double processus de concentration et de dispersion dans l'espace. D'une part, les firmes se concentrent dans certains centres régionaux ou urbains à vocation particulière et, d'autre part, elles dispersent leurs activités dans un plus grand nombre de centres urbains à travers le monde, y créant d'ailleurs beaucoup d'emplois, dont une partie constitue un déplacement de main-d'œuvre. En fait, on assiste globalement à diverses formes de hiérarchisation des espaces : concentration des sièges sociaux et de l'expertise dans quelques grands centres et dispersion des autres services dans des centres urbains de moindre importance. Toutefois, le phénomène est plus complexe que l'idée qu'on se fait d'un centre et d'une périphérie. Plusieurs éléments interviennent, dont bien sûr le secteur d'activité. Les firmes dont les activités reposent sur la recherche auront tendance à s'installer là où se trouve l'expertise dont elles ont besoin : universités, laboratoires de recherche connexe, technologies, réseaux de distribution, etc. Le deuxième élément fondamental est le réseau global dans lequel s'inscrivent les activités des firmes. Si Londres, New York et Tokyo rassemblent le secteur financier et si leurs bourses sont aussi importantes, c'est en grande partie parce que ces centres urbains couvrent plusieurs fuseaux horaires. Le troisième élément concerne la proximité des marchés, sur laquelle il n'est pas besoin d'insister davantage. Le quatrième élément touche l'accès à l'information : l'entreprise s'installera là où elle trouvera l'information nécessaire à son développement. Cette information, est-il besoin de le rappeler, ne circule pas sur le réseau Internet : les rencontres personnelles constituent encore, et constitueront très longtemps, la forme privilégiée d'accès aux informations «fiables». On pourrait dire que, dans un tel contexte, si on se trompe, tout le monde se trompe en même temps.

Il ne s'agit pas là des seuls éléments qui justifient les décisions de localisation des entreprises. Plusieurs phénomènes complexes sont à l'œuvre, dont la dynamique qui existe entre ces éléments. Castells (1997, p. 385), citant une étude effectuée par Saskia Sassen, montre que des éléments plus prosaïques sont en outre considérés dans ces décisions, dont le prestige, les gratifications purement personnelles, l'accès pour les enfants à des écoles renommées et la proximité des grands centres d'art, sans oublier le fait que les affaires se traitent souvent à la limite de la légalité, ce qui nécessite des relations étendues. Quoi qu'il en soit, une conclusion semble se dégager : parmi les logiques à l'œuvre, les NTIC ne constituent pas pour l'instant la variable la plus influente, sauf peut-être en ce qui concerne certains secteurs, dont le secteur financier (voir le chapitre 2).

Avant de terminer, revenons un peu sur le télétravail, qui annonce un déplacement général en périphérie urbaine. Selon une étude citée par Castells (1997), on ne peut tirer de conclusions claires sur cette question dans la mesure où la définition du télétravail est ambiguë et désigne des statuts d'emplois de toutes sortes. On distingue le cas des personnes dont le domicile devient le seul lieu de travail, celui des travailleurs autonomes (pigistes, consultants, etc.) et finalement celui des personnes dont le travail à domicile est un prolongement de leur travail dans une organisation (même si cette forme de travail peut être traditionnelle comme dans le cas des professeurs d'université). Les deux premières formes de télétravail ne concernent qu'un très faible pourcentage de la main-d'œuvre. En 1991, aux États-Unis, moins de la moitié de ces personnes utilisaient un ordinateur, la majorité travaillant avec un crayon et un téléphone. Les centres de télétravail (où l'on traite des appels) ont été exclus de la définition parce qu'ils constituent une forme de délocalisation ou encore parce qu'il s'agit d'entreprises sous-traitantes spécialisées dans le traitement d'information.

En ce qui regarde l'indifférenciation progressive entre l'espace privé et l'espace public et l'isolement individuel et social, il s'agit sans aucun doute de phénomènes très réels mais peu répandus pour l'instant qui concernent davantage les travailleurs autonomes, surtout ceux qui le sont devenus après avoir perdu leur emploi. Dans cette perspective, on pourrait faire l'hypothèse que l'isolement individuel et social et l'indifférenciation des espaces privés et publics sont beaucoup plus une conséquence de l'«exclusion» que de la technologie.

L'affaiblissement du pouvoir de négociation et la modification des liens d'appartenance à l'entreprise constituent eux aussi des phénomènes très réels mais encore peu répandus dans la mesure où, comme nous venons de le voir, il y a peu de travailleurs dans cette situation. À notre avis, ils résultent davantage des réaménagements organisationnels que de l'implantation des nouvelles technologies.

LE RAPPORT AVEC LE TEMPS

Les nombreux chercheurs[5] qui se sont penchés sur la notion de temps s'entendent pour dire que l'espace et le temps sont des aspects fondamentaux de l'activité humaine et que, socialement et culturellement, le temps ne revêt un sens que par rapport à l'espace. Or l'une des caractéristiques fondamentales des nouvelles technologies de l'information est précisément de permettre une «délocalisation» du temps non seulement sur le plan du travail mais également dans l'espace privé. Selon Castells (1997), dans le cyberespace, le temps n'aurait plus d'ancrage spatial. À notre avis, le village global tiendrait d'ailleurs beaucoup plus à ce désancrage qu'à l'abolition des frontières entre différents espaces. Sur le plan du travail, les NTIC permettent de dissocier et de désynchroniser le temps de l'entreprise et le temps de travail. Bref, les NTIC influeraient davantage sur le temps que sur l'espace dans le cadre des activités humaines.

Du fait que le temps s'inscrit dans un espace spécifique, il inspire des représentations différentes selon les cultures et les sociétés. Nous ne traiterons pas ici de cette dimension dans la mesure où, à notre connaissance, aucune étude ne traite de la relation entre les NTIC et le temps dans sa dimension culturelle.

En revanche, il est possible d'examiner brièvement le rapport avec le temps dans les sociétés industrielles avancées parce que les NTIC constituent le point d'entrée dans une nouvelle ère, qu'on la qualifie de société postindustrielle, de société de l'information ou de société informationnelle. Un bref détour par l'histoire permettra de mieux saisir les changements en cours[6]. Selon Alvin Toffler (1971), le «choc du futur» tient précisément au fait que nous constituerions actuellement la dernière «génération» d'une vieille civilisation et la première d'une nouvelle civilisation. Trois vagues de civilisation auraient caractérisé l'histoire de l'humanité, chacune entraînant une modification profonde des modes de production et changeant aussi les sociétés et les personnes. À la première vague correspond la société agricole ; la deuxième vague est caractérisée par la société industrielle ; la troisième vague est marquée par la société informationnelle.

Dans la société agricole, le temps est marqué par l'alternance des jours et des nuits et le passage des saisons. Le temps y est donc cyclique et discontinu. L'unité de temps et le lieu de travail sont déterminés par des éléments précis. Le temps est également qualitatif, dans la mesure où le temps de travail et le temps social (fêtes, rites religieux) sont interreliés. Bref, tous travaillent en même temps et fêtent en même temps.

Dans la société industrielle, le temps est mesuré différemment, ponctué par les horloges et le rythme des machines. Le temps est linéaire, continu et quantifié.

---

5. Voir Chanlat (1990).
6. Ces réflexions s'appuient sur un texte non publié de Jean-Pierre Dupuis.

L'unité de temps et le lieu de travail sont définis, mais l'espace privé et l'espace public sont différenciés, comme le sont le temps de travail et le temps social. Toutefois, d'une façon générale, tous travaillent en même temps et fêtent en même temps.

Quelle est la nature du temps dans la société informationnelle ? Peut-on, sans tomber dans la fantaisie, analyser les répercussions réelles des NTIC sur la représentation du temps et du rapport avec le temps dans les sociétés avancées ? Sur le plan concret, quel rôle jouent les NTIC dans le réaménagement du temps de travail ? Les NTIC transforment-elles le rapport avec le temps autrement qu'en permettant plus de flexibilité dans les horaires et en offrant la possibilité de prolonger le temps de travail au-delà des heures « normales » ? Quels sont les effets d'une transformation du temps linéaire en non-temps ?

À la vérité, les réponses à ces questions ne peuvent être que virtuelles, dans la mesure où le temps, justement, n'a pas fait son œuvre et que les NTIC n'ont pas encore pénétré l'ensemble des sociétés et des entreprises et n'ont pas encore transformé le rapport avec le temps propre à la société industrielle. Il s'agit d'une révolution en devenir. Il est vrai que le développement des médias permet aujourd'hui l'accès immédiat et en direct à des événements qui se déroulent n'importe où dans le monde. Mais il est également exact que seuls les événements exceptionnels reçoivent l'attention du public. Les chaînes d'information comme CNN ne connaissent que des succès relativement sporadiques.

Il est vrai aussi que le réseau Internet, entre autres, permet une communication instantanée et interactive à l'échelle du globe. Par contre (Allemand, 1997), sur les 24 millions d'utilisateurs d'Internet en Amérique du Nord en 1996, seul un tiers s'en servent au moins une fois par jour pour une durée moyenne d'environ trois quarts d'heure ; 6 utilisateurs sur 10 explorent le Web (World Wide Web) ; 25 % l'utilisent pour son courrier électronique et 7 %, pour des conférences. Si on poursuit l'analyse des données, on constate que la « navigation » constitue l'activité principale de quatre utilisateurs sur cinq ; deux personnes sur trois l'utilisent pour jouer ; seul un utilisateur sur deux s'en sert à des fins professionnelles. Par ailleurs, 2,5 millions de personnes font du télétravail à partir du Web. Loïc Grasland (1997), citant une étude de la maison de sondage Nielson, définit ainsi le profil type de l'« internaute » : il s'agit d'un homme (66 %) de moins de 44 ans, qui a fait des études universitaires (79 %) ; il est cadre, ingénieur ou exerce une profession libérale (70 %) et gagne plus de 60 000 $ par année (60 %).

La répartition des micro-ordinateurs personnels dans le monde est très inégale : on en trouve dans 15 % des foyers en France, dans 25 % des foyers dans les pays du nord de l'Europe et dans 35 % des foyers aux États-Unis. En ce qui concerne la répartition territoriale française des sites Web, Grasland (1997) observe qu'ils sont surtout implantés dans les secteurs urbains (73 %) et proviennent des entreprises privées et des associations ; 27 % appartiennent à des établissements d'enseignement.

Si ces données remettent en question le bien-fondé du temps virtuel, on ne peut passer sous silence le fait que, dans le secteur financier, au moins trois sites fonctionnent 24 heures par jour et que les capitaux ont acquis une fluidité dont les répercussions sont énormes sur les économies des pays concernés. On ne peut également ignorer la capacité de mobilisation que permettent les NTIC: l'exemple des zapatistes communiquant leurs revendications sur Internet à partir de leur camp dans la forêt est éloquent à ce propos.

À notre connaissance, il existe peu d'études sur les effets des NTIC dans les organisations. Toutefois, un court communiqué de l'agence Reuter reproduit dans le journal *La Presse* du mardi 15 octobre 1996 paraît très révélateur de la situation qui y règne. L'article, intitulé «La surcharge d'information accroît le stress des cadres», fait état d'une étude internationale qui révèle, entre autres, que 49% des cadres sont incapables de gérer l'information reçue et que 38% perdent du temps à situer la bonne information. Bref, selon ces observations, le problème n'est pas l'accès à l'information mais la reconnaissance de l'information pertinente pour une prise de décision rapide.

Compte tenu de tout ce qui précède, le temps dans la société information-nelle serait abstrait; il s'agirait d'un non-temps fondé sur l'instantanéité. Le temps est indifférencié mais quantifiable. Le lieu de travail et le temps de travail peuvent être séparés. En outre, on introduit la flexibilité dans l'unité de temps. Si le temps de travail et le temps social sont différenciés, comme dans la société industrielle, ce lien peut être encore plus variable, selon cette fois les individus (on ne travaille pas nécessairement en même temps et on ne fête pas nécessaire-ment en même temps), et peut même devenir indifférencié (il y a moins de distinction entre le temps social et le temps de travail).

Encore une fois, le rapport avec le temps demeure, pour l'instant, fonction de l'espace dans lequel évoluent les individus. Il reste encore socialement ancré.

LE LIEN ENTRE LES NTIC, LES MUTATIONS DU TRAVAIL ET LA FIN DE L'EMPLOI

Au-delà des scénarios réjouissants qui annoncent la fin du travail et de ceux, plus sombres, qui annoncent la fin des emplois, est-il possible, dans l'état actuel des données, d'avoir une juste idée de la situation? D'entrée, on ne peut que faire des prédictions prudentes parce que la nature des données et des analyses dont on dispose ne permet que des déductions incertaines, qu'on ne peut prévoir l'appro-priation que feront les acteurs sociaux des nouvelles technologies et surtout parce qu'il n'existe pas de simple relation de cause à effet entre les NTIC et l'emploi. Bref, les NTIC, l'emploi et le travail s'inscrivent dans un ensemble d'ins-titutions sociales et dépendent du rapport de force entre les acteurs sociaux, tant à l'échelle nationale qu'internationale.

Les réponses au questionnement sur le lien entre les nouvelles technologies et les mutations du travail ne sont pas simples. D'abord, comme nous l'avons dit plus haut, parce qu'on ne dispose pas véritablement d'études qui permettraient de documenter sérieusement les évolutions en cours, mais aussi parce que les problématiques qui accompagnent les données existantes sont à leur base même erronées. On dispose donc d'une littérature normative plus préoccupée à vanter les mérites des NTIC ou à en dénoncer les défauts qu'à en analyser les conséquences véritables. L'étude de Jeremy Rifkin (1996) est typique à cet égard. Elle repose fondamentalement sur une analyse de la tertiarisation des économies et sur un ensemble d'exemples anecdotiques censé illustrer la fin du travail. Son raisonnement est le suivant : comme le secteur tertiaire est en croissance et que les nouvelles technologies s'inscrivent dans ce mouvement, on se dirige par conséquent vers une économie de service, indicateur par excellence de l'avènement d'une société postindustrielle. Non seulement l'association entre économie de service et économie informationnelle est-elle fausse, mais les conclusions de l'analyse de l'évolution de la structure des emplois cache une dimension importante : la croissance des emplois, entre autres (aux États-Unis par exemple). En outre, l'analyse repose non sur l'hypothèse mais bien sur la proposition d'une trajectoire linéaire et constante de la structure des emplois dans le temps. La civilisation étant passée d'une société agricole à une société industrielle, la logique voudrait que la prochaine étape soit l'économie de service.

Comme le souligne Castells (1997), il faut reformuler les problématiques, à commencer par la nature de l'économie informationnelle. S'il est vrai que la structure des emplois dans une société est un bon indicateur de la nature de cette société, on ne peut l'analyser à partir des seules catégories héritées de Colin Clark, à savoir la distribution de la main-d'œuvre entre les secteurs primaire, secondaire et tertiaire. La société dite postindustrielle ne repose pas uniquement sur l'industrie de l'innovation informationnelle : les NTIC ont pénétré, avec bien sûr divers degrés d'intensité, les trois secteurs d'activité. Comme dirait Castells (1997, p. 204) : «Il faut faire la distinction non pas entre les sociétés industrielle et postindustrielle, mais plutôt entre deux formes de productions première, secondaire et tertiaire.» (Traduction libre.)

L'ÉVOLUTION DE LA STRUCTURE DES EMPLOIS

Castells (1997, p. 208)[7], en examinant l'évolution de la structure des emplois dans les pays du G-7 entre 1920 et 1990 et plus particulièrement des emplois du secteur des services, a tenté de distinguer ce qui appartient aux «emplois à valeur ajoutée en matière de connaissances et de savoirs». Il est parvenu à l'hypothèse

---

7. Pour la méthodologie employée, voir Castells (1997, p. 207-208).

suivante : entre 1920 et 1970, les sociétés appartenant au G-7 sont effectivement devenues postagricoles[8], à des degrés divers, alors que, dans la période allant de 1970 à 1990, elles sont devenues postindustrielles, soulignant par ce terme le fait qu'on a effectivement assisté à un déclin relatif du secteur industriel au profit du secteur des services et à une croissance des emplois fondés sur la connaissance (*knowledge-based*) : emplois techniques, professionnels et de gestion. Toutefois, si l'ensemble des pays du G-7 suivent cette tendance, il importe de souligner qu'il existe au sein du groupe une différenciation dans la structure respective des emplois. Cela semble indiquer qu'il existe entre les NTIC et l'économie un ensemble d'institutions sociales qui modèlent l'emploi et les occupations, et que l'évolution de la structure des emplois est marquée par son histoire. À cet égard, l'analyse de Castells révèle qu'au Japon et en Allemagne la croissance des activités de services à l'industrie est beaucoup plus faible que dans des pays comme les États-Unis et le Canada. Selon lui, ces données suggèrent qu'au Japon et en Allemagne le secteur manufacturier a beaucoup plus fortement internalisé ces activités que dans les deux autres pays. Bref, si on a assisté en Amérique du Nord à une restructuration des entreprises sur la base du centre et de la périphérie, tel n'a pas été le cas partout :

> [...] le Japon et l'Allemagne semblent avoir élaboré un ensemble de liens plus efficace entre la fabrication, les services aux producteurs, les services sociaux et les services de distribution que ne l'ont fait les sociétés anglo-saxonnes ; tandis que la France et l'Italie ont adopté une position intermédiaire. » (Castells, 1997, p. 216 ; traduction libre.)

Dans son analyse des années 90, Castells (1997, p. 217) constate que le Japon et les États-Unis constituent deux modèles très différents de l'évolution de la structure des emplois. Alors qu'on assiste au Japon à une croissance des emplois professionnels et techniques et au maintien des emplois qualifiés et de la main-d'œuvre agricole, les États-Unis semblent procéder à un remplacement plus radical d'emplois traditionnels par de nouveaux emplois, en principe plus près des préoccupations de l'économie informationnelle. Comme on le constate, l'évolution vers une économie informationnelle emprunte des voies très différentes selon les pays.

LA MUTATION DU TRAVAIL

Il ne fait aucun doute qu'on assiste à une mutation des processus de travail sous l'influence des NTIC. Cependant, cette mutation suit une dynamique propre à

---

8. Citant Singelmann, Castells (1997) montre qu'entre 1920 et 1970 on a assisté à un déplacement de la structure des emplois de l'agriculture vers le secteur des services et de la construction, et non hors du secteur manufacturier.

chaque société. Globalement, les industries ont mis 10 ans (depuis 1980) pour introduire ce que Castells (1997, p. 240) appelle les machines assistées par l'ordinateur (*micro-electronics-based machinery*), et ce n'est qu'à partir des années 90 que les systèmes interactifs de micro-ordinateurs ont commencé à pénétrer le secteur des services. La situation au milieu des années 90 semble indiquer que les bases d'une société informationnelle sont maintenant en place.

Il existe en sociologie une longue tradition selon laquelle les relations entre la technologie et l'organisation sont médiatisées par un système complexe d'interaction entre les stratégies patronales, les systèmes de relations de travail, les politiques gouvernementales et le réseau d'institutions propres à chaque société. Au-delà de cette conception, peut-on dégager des tendances qui permettraient de situer la trajectoire des NTIC dans les entreprises? Le peu d'études sérieuses sur le sujet empêche ici aussi d'apporter une réponse complète. Cependant, diverses études comparatives portant sur des entreprises d'un même secteur industriel ont démontré que l'introduction d'une même technologie avait des effets différents sur l'organisation du travail et la structure des emplois. Alors que dans certaines entreprises la technologie entraînait une requalification des tâches, elle donnait lieu ailleurs à une déqualification des mêmes tâches. Cela donne à penser que les technologies ne sont pas déterminantes en soi et que beaucoup d'autres facteurs entrent en ligne de compte, dont le niveau de formation de la main-d'œuvre concernée, les stratégies de gestion des changements, les relations entre les gestionnaires et les employés, l'autonomie laissée aux employés et, peut-être, les objectifs poursuivis par les dirigeants.

On sait par exemple que l'introduction de l'informatique dans les bureaux a connu trois phases différentes, suivant en partie la disponibilité des technologies. Dans la première phase (1960-1970), on a assisté à l'introduction de systèmes informatiques centraux, qui impliquaient une centralisation du traitement de l'information et une forte rigidité du contrôle de l'information. Les tâches y étaient routinières, fortement standardisées et entraînaient pour la plupart une déqualification des employés. La deuxième phase, celle du milieu des années 80, correspond à l'introduction des micro-ordinateurs, souvent utilisés en substitution aux machines à écrire, mais qui permettaient une participation à la production directe de données et d'information. Cette phase se caractérise également par une certaine dépendance envers des experts pour obtenir un soutien technique. Ce n'est que vers la fin des années 80 qu'on introduit les systèmes de réseaux interactifs, d'abord internes puis externes. Il est difficile de déterminer les effets réels de ces technologies (voir à cet égard Saint-Pierre, 1992) dans la mesure où, précisément, on ne parle pas des mêmes technologies. Cependant, il y aurait eu, entre autres dans le domaine des assurances, une bifurcation des emplois: informatisation des tâches routinières et déqualification des emplois, d'une part, et recomposition des tâches à un deuxième niveau, accompagnée d'une requalification des emplois, d'autre part. On assiste, semble-t-il, à un processus similaire dans les banques : *back-office* de traitement de l'information (services de soutien) d'un côté et activités de service à la clientèle de l'autre.

Dans une étude publiée en 1985, Robert Howard a montré de façon convaincante comment les technologies ont été utilisées comme système de contrôle du travail des employés et comment l'introduction de l'informatisation dans les bureaux et de l'automatisation dans les usines a constitué un enjeu politique entre gestionnaires et travailleurs et entre employés et consultants de l'entreprise. Il illustre comment ces jeux de pouvoir se sont traduits par un affaiblissement de la productivité. On ne peut cependant s'appuyer sur une étude monographique comme celle-ci pour généraliser les effets de l'introduction de l'informatique.

Alain Pinsonneault (1992), dans une recherche relativement connue, a démontré que l'introduction des technologies avait des effets variés sur le nombre de cadres intermédiaires dans l'entreprise selon le degré de centralisation des décisions organisationnelles et le degré de centralisation des pouvoirs de décision sur le choix des technologies. Quand les grandes décisions en matière informatique et de nature organisationnelle reviennent aux cadres supérieurs, les cadres intermédiaires deviennent des exécutants et leur nombre diminue, au point qu'ils pourraient disparaître complètement, selon Pinsonneault. À l'autre pôle, quand les décisions en matière d'utilisation de l'informatique sont fortement décentralisées, les cadres intermédiaires sont en position de force, et leur nombre tendrait à augmenter, sinon à se maintenir. Dans les deux autres cas possibles, c'est-à-dire une décentralisation partielle ou une centralisation partielle, l'interdépendance des relations entre les cadres supérieurs et intermédiaires se traduit par une absence d'effet sur leur nombre.

Ces quelques illustrations rappellent que les mutations du travail engendrées par l'introduction des NTIC sont beaucoup plus complexes et variées que ne le rapportent les études effectuées sur le sujet et qu'on ne peut s'appuyer sur des monographies concernant quelques secteurs industriels pour tirer des conclusions.

LE MYTHE DE LA FIN DU TRAVAIL

L'évolution technologique provoquera-t-elle la fin du travail ? D'entrée, la réponse est non, tout simplement parce qu'il n'existe aucune relation directe et systématique entre l'implantation des NTIC dans une société et l'évolution de l'emploi dans une économie.

Le Bureau international du travail (BIT) a procédé à une recension de la littérature mondiale portant sur cette question. Il ressort que, pour mesurer adéquatement les répercussions des NTIC sur l'emploi, il faut en distinguer huit types, ou niveaux : les effets sur le plan des processus de travail, les effets à l'échelle de l'établissement, de l'entreprise, de l'industrie, du secteur économique, les effets à l'échelle régionale, à l'échelle nationale et les effets sur un plan plus global, à un «métaniveau» (considérant divers paradigmes d'interprétation). On a constaté que plus l'application d'une technologie touche concrètement les emplois, plus la main-d'œuvre diminue ou se déplace dans d'autres secteurs d'activité. À l'inverse, moins la technologie touche directement les emplois, moins on observe d'influence sur la main-d'œuvre.

Beaucoup d'autres études arrivent à des conclusions semblables : on observe un déplacement général de la main-d'œuvre qui se traduit par la perte d'emplois mais également par la création de nouveaux emplois. Cependant, la différence entre le nombre d'emplois perdus et le nombre d'emplois gagnés est difficile à évaluer ; en outre, le phénomène de la perte d'emplois ne peut être ramené à des considérations aussi simples. Par ailleurs, les études portant sur des pays déterminés donnent des résultats très contradictoires et fort variés. Un élément ressort, toutefois : l'introduction des nouvelles technologies accélérerait les tendances déjà présentes sur le marché de l'emploi.

La question de la fin hypothétique du travail s'avère en définitive très complexe, comme le montre la distinction établie par le BIT. Trop de variables interviennent dans le processus de création et de déstructuration des emplois : les choix sociaux des entreprises et des sociétés concernant l'introduction des technologies, les politiques d'immigration, les politiques familiales, la répartition du temps de travail dans les sociétés, le temps de travail au cours de la vie des individus, etc.

Peut-être traversons-nous tout simplement une période de transition, marquée par la résistance aux changements et la difficulté d'adaptation aux multiples conséquences que comporte l'évolution technologique.

CONCLUSION

Ce survol du lien entre nouvelles technologies et sociétés, entre nouvelles technologies et acteurs sociaux de l'entreprise avait pour objectif de faire ressortir un certain nombre d'éléments qu'il est nécessaire de considérer lorsqu'il est question des mutations technologiques et de leurs répercussions sur le plan social.

En premier lieu, il est essentiel de situer dans leur contexte l'émergence et les conséquences des nouvelles technologies, et ce, tant sur le plan social que sur le plan du travail et de l'emploi. En d'autres termes, il faut mettre les technologies à leur place, ce qui signifie d'abord se rappeler qu'elles ne sont pas nées dans un vide social et culturel et qu'elles ne se développeront pas dans un vide social et culturel. Il ne s'agit pas de nier la contribution d'individus créatifs et visionnaires et la part de rêves individuels et collectifs que les nouvelles technologies engendrent, mais bien de reconnaître qu'elles sont soumises à une dynamique sociale, dont celle des marchés. Les technologies, qu'elles soient nouvelles ou non, n'ont jamais déterminé quoi que ce soit ; ce sont les usages sociaux qui en ont été faits qui ont constitué le moteur des changements de société et d'organisation sociale. Il n'y a aucune raison pour qu'il en soit autrement encore aujourd'hui avec ce qu'on appelle les nouvelles technologies. Parler d'usages sociaux signifie donc d'entrée que les technologies, comme tout produit social, constituent des enjeux pour divers types d'acteurs sociaux : entre l'invention, sa mise au point, son adoption dans les entreprises et son exploitation interviennent un ensemble d'acteurs dont les intérêts ne sont pas *a priori* convergents. Il faut donc s'attendre à ce que les acteurs concernés défendent leurs intérêts. Dans cette perspective, rien ne nous assure que ce sont les meilleures technologies qui seront adoptées. L'histoire des technologies est là pour en attester. Par ailleurs, les obstacles à l'adoption de nouvelles technologies ne sont pas seulement d'ordre technologique (compatibilité des systèmes, performance des logiciels, etc.) mais également d'ordre humain et social. Par exemple, l'un des obstacles à l'extension du télétravail tient aux modes de gestion en cours dans les entreprises. Il est vrai que l'adoption d'une technologie implique des changements dans les modes de gestion. Toutefois, la rapidité des changements technologiques dépasse les capacités d'adaptation des gestionnaires, pour ne parler que de ces acteurs. L'immense capacité de production d'information permise par les technologies est soumise à la capacité des individus à traiter cette information. Au-delà de cette capacité, rappelons que l'information confère du pouvoir et que, à ce titre, le traitement de l'information comporte des répercussions politiques pour les acteurs sociaux de l'entreprise.

En deuxième lieu, il faut laisser aux technologies le temps de pénétrer le tissu social avant de tirer des conclusions quant à leurs conséquences. La popularité croissante de certaines technologies ne dit rien des usages sociaux qui en sont faits et de la part de la population totale concernée par leur introduction, ni non plus du pourcentage d'acteurs par rapport à un ensemble qui utilisent ces technologies. Plus simplement, une augmentation de 100 % du nombre d'utilisateurs ne signifiera toujours qu'il n'y a que deux fois plus d'individus dans cette population totale. Il ne faut donc pas se laisser impressionner par le nombre d'utilisateurs d'une technologie ; il faut toujours remettre ces pourcentages en perspective et examiner les usages sociaux qu'on fait de cette technologie.

En troisième lieu, la rapidité, la densité et la visibilité des changements technologiques ne dispensent pas de l'analyse. À cet égard, on assiste à un double phénomène : une surreprésentation du rôle des nouvelles technologies dans les entreprises et dans la société et une conception « anhistorique » de leur adoption. La place qu'on leur accorde est telle qu'elles en sont venues à signifier à peu près tout et rien. On a tendance à inclure dans ce terme un très grand nombre de phénomènes qui n'y sont pas nécessairement rattachés. Est-il nécessaire d'ajouter que lorsque la problématique est faussée au départ, les conclusions le sont tout autant ? On peut parler d'émergence d'une société informationnelle à condition de préciser qu'il s'agit bien de phénomènes en émergence et que, à ce titre, il est possible que la dynamique sociale infléchisse la trajectoire de ces phénomènes. Quant à la dimension anhistorique de l'adoption des technologies, elle s'exprime par exemple dans le processus de délocalisation des entreprises, qui a précédé l'adoption et l'extension de certaines technologies. Il ne faut donc pas attribuer aux technologies des vertus ou des défauts qu'elles n'ont pas. Lorsqu'on a recours à l'histoire pour prédire le type de société qui en émerge et les conséquences sociales qui s'ensuivent, dont la fin du travail, c'est une conception linéaire de l'histoire qui prédomine : l'histoire s'y répète…

Enfin, compte tenu du fait que les technologies sont précisément nouvelles non seulement quant à leur nature mais également quant à leur histoire, il nous paraît dangereux, d'un point de vue analytique, de les aborder dans une perspective macrosociale. Il serait donc plus utile, sur le plan sociologique, de les aborder selon une perspective microsociologique et d'en mesurer les effets selon le secteur industriel, le type d'entreprise et le type de profession en tenant compte des dynamiques qui leur sont propres. Il est clair que certaines technologies ont des conséquences sur l'emploi. La question est de déterminer quels types d'emplois et de travail sont touchés, et comment. Bref, il reste encore beaucoup à faire pour avoir une idée juste de toutes les répercussions qu'entraîne l'évolution technologique.

Bibliographie

ALLEMAND, S. (1996). « Nouvelles technologies, mythes et réalités », *Sciences humaines*, n° 59, mars, p. 14-19.

ALLEMAND, S. (1997). « Internet et ses usages en Amérique du Nord », *Sciences humaines*, Hors série, n° 16, mars-avril, p. 72.

CALLON, M. (1994). « L'innovation technologique et ses mythes », *Gérer et comprendre*, Annales des mines, mars, n° 34, p. 5-17.

CASTELLS, M. (1989). *Informational City : Information, Technology, Economic Restructuring, and the Urban-Regional Process*, Oxford, Blackwell, 402 p.

CASTELLS, M. (1997). *The Rise of the Network Society*, Cambridge (Mass.), Blackwell Publishers, 556 p.

CHANLAT, J.-F. (sous la dir. de) (1990). *L'individu dans l'organisation. Les dimensions cachées*, Québec et Ottawa, Presses de l'Université Laval et ESKA, 842 p.

DALLOZ, X., et PORTNOFF, A.-Y. (1994). « Les promesses de l'unimédia », *Futuribles*, n° 191, octobre, p. 11-36.

DI MARTINO, V., et WIRTH, L. (1990). « Le télétravail : un nouveau mode de travail et de vie », *Revue internationale du travail*, vol. 129, n° 5, p. 585-610.

FLICHY, P. (1997). « Utopies et innovations, le cas Internet », *Sciences humaines*, Hors série, n° 16, mars-avril, p. 64-67.

GRASLAND, L. (1997). « Internet, un réseau et des territoires », *Sciences humaines*, Hors série, n° 16, mars-avril, p. 76-78.

HOWARD, R. (1985). *Brave New Workplaces*, New York, Viking Press, 224 p.

HUFF, C., et FINHOLT, T. (1994). *Social Issues in Computing. Putting Computing in its Place*, New York, McGraw-Hill.

KAWASAKI, G. (1990). *The Macintosh Way*, New York, Harper Perennial, 209 p.

LAFARGUE, Y. (1989). «Technologies nouvelles, nouveaux exclus?», *Futuribles*, nº 136, octobre, p. 3-13.

LAFARGUE, Y. (1992). «Travail : vers plus de plaisir ou vers plus d'exclusion?», dans D. Linhart et J. Perriault (sous la dir. de), *Le travail en puces*, Paris, PUF, p. 14-32.

LALLEMENT, M. (1994). «Une nouvelle forme d'emploi : le télétravail», *Sciences humaines*, nº 30, juillet, p. 32-35.

LORENZI, J.-H. (1990). «Technique et emplois, des relations complexes», *Sciences humaines*, nº 59, mars, p. 26-28.

PINSONNEAULT, A. (1992). «Les technologies de l'information : les cadres intermédiaires sont-ils une espèce en voie de disparition?», *Gestion*, novembre, p. 15-21.

RIFKIN, J. (1996). *The End of Work. The Decline of the Global Labor Force and the Dawn of the Post-Market Era*, New York, G.P. Putnam's Sons, 350 p.

ROE SMITH, M., et MARX, L. (1994). *Does Technology Drive History?*, Cambridge (Mass.), MIT Press, 280 p.

SAINT-PIERRE, C. (1992). «Le tertiaire en mouvement. Bureautique et organisation du travail : itinéraire d'une recherche», dans D.-G. Tremblay et D. Villeneuve (sous la dir. de), *Travail et société. Une introduction à la sociologie du travail*, Montréal, Agence d'Arc et Télé-Université, p. 191-205.

SHERMAN, S. (1994). «When laws of physics meet law of the jungle», *Fortune*, p. 193-194.

TOFFLER, A. (1971). *Le choc du futur*, Paris, Denoël, 539 p.

WRIGHT, R. (1997). «The man who invented the web», *Time*, vol. 149, nº 44, 19 mai, p. 44-48.

Deuxième partie

Nouveaux acteurs sociaux, nouvelles dynamiques du travail

Chapitre 4

Femmes au travail, femmes gestionnaires et féminisation des organisations

Claudine Baudoux

L'accroissement sans précédent de la participation féminine au marché du travail est l'un des changements les plus importants du XXe siècle, au point où le taux d'activité des femmes égale à peu près celui des hommes. Mais cette extension de l'emploi féminin revêt des particularités moins intéressantes. En matière de démocratie et de justice sociale, il importe d'examiner la question des conditions discriminatoires faites aux femmes parce que ces conditions d'emploi dénotent l'existence et la légitimité des compétences selon le sexe telles que les voient les décideurs. Il s'agit non seulement de l'accès aux emplois, notamment à certaines catégories d'emploi, mais aussi des revenus d'emploi et des possibilités de carrière des femmes. Ces conditions signalent d'éventuels rapports sociaux de domination qui, bien que sous différentes formes et à divers degrés d'intensité, perdurent entre la catégorie sociale « hommes » et la catégorie sociale « femmes ».

L'ÉVOLUTION DU TRAVAIL FÉMININ

L'ÉVOLUTION DU TAUX D'ACTIVITÉ DES QUÉBÉCOISES

Les femmes constituent-elles à proprement parler une catégorie sociale parvenue récemment à s'insérer dans le marché du travail? Il convient de nuancer cette affirmation, car l'histoire nous enseigne que, de tout temps, la plupart des femmes, en plus de leurs responsabilités familiales, ont exercé une activité, rémunérée ou non (Collectif Clio, 1992). Elles ont été gestionnaires à l'occasion, lorsqu'elles n'étaient pas sous la tutelle légale d'un homme, mais elles ont surtout agi à titre de collaboratrices du père ou du mari dans des activités agricoles ou

TABLEAU 4.1   Taux d'activité de la population de 15 ans ou plus selon le sexe, Québec, 1911-1993

Année	Taux d'activité		Taux de la main-d'œuvre féminine %
	F %	H %	
1911	16,2	87,3	15,3
1921	18,7	86,9	17,7
1931	21,9	87,1	19,8
1941	22,9	85,4	21,1
1951	25,0	85,0	23,2
1961	27,9	76,7	27,1
1971	33,9	70,4	33,3
1981	47,5	75,8	39,7
1991	56,0	74,7	44,2
1993	53,7	71,1	44,4

Source : Statistique Canada, *Recensements canadiens* pour les années 1911 à 1991 et *Enquête sur la population active* pour 1993.

commerciales. Certaines sont domestiques, mais, au début du XXᵉ siècle, le salaire qu'elles reçoivent ne peut plus concurrencer celui qui est offert aux femmes dans les industries (même si ce salaire est de beaucoup inférieur à celui des hommes). On trouve dès lors de plus en plus de femmes ouvrières dans l'industrie du vêtement, du textile, du tabac, de la chaussure, dans le commerce de détail ou de l'alimentation. Plus de 16% des femmes en âge de travailler exercent en 1911 une activité rémunérée (voir le tableau 4.1), et ce, en dépit de lois paternalistes votées en temps de crise ou en temps d'abondance de la main-d'œuvre masculine (Morel, 1988). Sous des apparences de protection des personnes de sexe faible, ces lois visent l'exclusion des femmes de certains emplois (loi augmentant le salaire minimum des femmes[1]; loi excluant les femmes d'emplois supposés dangereux pour elles; loi restreignant la durée de leur travail).

La Première Guerre mondiale entraîne un changement dans l'éventail des emplois offerts aux femmes. Celles-ci travaillent à la construction et à la réparation de locomotives et de wagons, dans des manufactures de munitions ou aux chemins de fer. Si elles ont de l'instruction, elles sont secrétaires: le travail de bureau, jusque-là effectué par des hommes, devient un secteur féminin. Elles peuvent également gagner leur vie comme institutrices, infirmières ou s'occuper d'œuvres sociales. Quelques rares femmes sont gestionnaires lorsque les circonstances s'y prêtent.

1. Il fallait que les femmes présentent un avantage salarial pour que les employeurs surmontent leurs préjugés.

Quant aux professions, elles sont, avec la complicité des universités, jalousement réservées aux hommes jusqu'après la Deuxième Guerre mondiale. La période de la crise économique des années 30 voit également s'accroître, bien que plus lentement, le taux d'activité des femmes. Ce phénomène est d'autant plus remarquable qu'une loi vient limiter le travail des femmes en interdisant le travail de nuit.

Pendant la guerre de 1939-1945, le Canada fait de nouveau appel à la contribution de toutes les femmes, y compris pour exercer des métiers non traditionnels liés à l'armée et aux industries, comme la mécanique, l'électricité ou la soudure (Auger et Lamothe, 1981). Mais cet appel est plus pressant que lors de la Première Guerre mondiale, et plus de femmes vont y répondre. Des services de garderie leur sont même offerts. L'encadré 4.1 présente trois exemples d'entreprises (Molson, General Electric et Marconi) glorifiant dans leur publicité les «guerrières» de l'industrie.

ENCADRÉ 4.1   Le travail des femmes en temps de guerre

Nos soldats de l'industrie

[Photo en gros plan d'une femme travaillant dans une usine de guerre]

Il y a cinq ans, on aurait cru impossible que le Canada puisse prendre aussi rapidement une place de premier plan parmi les principaux pays industriels du monde. Pour les ouvriers et ouvrières du Canada, rien n'a été impossible. Grâce à leur ingéniosité, à leur courage, à leur persévérance, toute notre industrie s'est métamorphosée. Aujourd'hui, non seulement nous fabriquons des armes et des munitions de toutes sortes, mais nous livrons aussi aux armées alliées des produits innombrables, tous nécessaires à la guerre. Ainsi, dans la grande usine de St.-Jean (Québec) où travaille depuis 20 ans Mlle Rose Clark — dont nous reproduisons ci-dessus le portrait — on ne fabriquait autrefois que des bas de soie et autres tissus délicats dédiés à l'élégance de la Canadienne ; aujourd'hui, les machines filent toutes sortes de tissus nécessaires à la guerre : garnitures de parachutes, parements d'uniformes, pansements chirurgicaux, etc. En publiant ce portrait de Mlle Clark, nous voulons rendre hommage aux milliers de vaillantes ouvrières du Canada qui contribuent si magnifiquement au gigantesque effort de guerre de la nation.

Je suis l'ARMÉE de la PRODUCTION à la Canadian General Electric

[Photo en gros plan d'une jeune femme, accompagnée d'une autre photo d'un groupe de techniciennes au travail]

Comme clairon un sifflet d'usine — comme tenue de combat, des salopettes — comme poste d'action, une chaîne de montage — mais il ne faut pas s'y méprendre, elle est tout de même un rouage important de la machine de guerre. Tant de choses dépendent de son travail, comme celui de milliers d'employés CGE qui fabriquent de nombreux engins de guerre — canons, accessoires d'aviation et pièces essentielles, pour avions, tanks, navires, moteurs de marine, projecteurs, fournitures électriques pour le front industriel ; enfin, tout ce que le plus grand atelier d'outillage électrique du Canada a l'honneur de «produire pour la victoire».

Elle a aidé à bombarder l'Allemagne

[Photo d'une jeune femme travaillant à un appareil de radio.
De l'appareil part un pointillé vers une autre photo
représentant un avion bombardé par le pointillé]

Les appareils de radio Marconi qu'elle a aidé à fabriquer guident les bombardiers dans leurs raids sur les territoires ennemis. Les ouvriers et les ouvrières de Marconi contribuent à notre effort de guerre en travaillant à la production d'appareils de radio pour les avions, chars d'assaut, navires, armées de terre, aéroports, écoles de sans-filistes et détection.

Après la guerre de 1939-1945, les travailleuses, qui constituent, croit-on, une main-d'œuvre de réserve, doivent céder leurs emplois dès le retour des soldats, le travail féminin ne faisant pas l'unanimité dans le Québec traditionnel, y compris chez les syndicats. À preuve, cette chanson composée sur l'air de *Marianne s'en va-t-au moulin* parue dans un journal syndical de Beauceville, *Le mouvement ouvrier* (voir l'encadré 4.2).

Mais la théorie de la main-d'œuvre de réserve se trouve bientôt invalidée. Les femmes qui ont occupé un emploi pendant la guerre ne retourneront plus au foyer. Malgré la résistance de l'Église et des élites québécoises, l'activité rémunérée des femmes s'amplifie. Certes, l'idéologie de l'après-guerre met l'accent sur la mystique féminine et renvoie les femmes à des emplois plus conformes à ce qu'on définit comme relevant de la «nature féminine». Néanmoins, en dépit des discours sur l'illégitimité du travail des femmes, la présence des Québécoises sur le marché du travail connaît, avec un changement de valeurs dans la société québécoise, un accroissement continu jusqu'en 1991 qui est parallèle à deux phénomènes : une baisse importante du taux de natalité[2] et un accroissement du taux féminin de scolarité[3].

---

2. Il n'existe pas nécessairement de lien de cause à effet entre fécondité et activité rémunérée, surtout si le pays a un bon réseau de garderies. Il faut reconnaître que le fait d'avoir moins d'enfants facilite l'exercice d'un travail rémunéré et permet de trouver un certain équilibre entre la vie familiale et la vie professionnelle. Mais ce que démontrent à l'évidence les recherches (De Singly, 1988), c'est que les femmes qui ne vivent pas en couple exercent en plus grande proportion une activité rémunérée. Elles doivent davantage assurer leur autonomie financière d'une part, mais d'autre part elles peuvent se permettre de repousser les responsabilités et contraintes liées au mariage.

3. Une hausse de la scolarité s'accompagne d'un plus grand intérêt à exercer une activité rémunérée et à exploiter ses connaissances. De plus, les conditions de travail et de rémunération s'améliorent avec le degré de scolarité.

ENCADRÉ 4.2   Le dénigrement syndical du travail des femmes

Pour multiplier les canons, (bis)
Les chars d'assaut, les avions (bis)
On ne fait plus mystère
Que pour gagner la guerre
On veut intensifier dès demain
                          Le travail féminin.

Nous n'avons pas assez de CWACS * (bis)
Et de notre jeunesse en slacks. (bis)
Les mères, les épouses,
Ont maintenant la blouse,
Le «coke» , le «lunch» , la gomme et le teint
                          Du travail féminin.

Sens du devoir, santé, pudeur, (bis)
À l'atelier tout cela meurt (bis)
Ses bombes, ses torpilles
Font sauter sa famille ;
C'est la mort des foyers de demain
                          Le travail féminin.

[...]

---

* Division féminine de l'armée canadienne.

Le tableau 4.1 (p. 134) indique que le taux d'activité de la population féminine de 15 ans ou plus est passé de 16,2 %[4] en 1911 à 56 % en 1991 pour redescendre à 53,7 % en 1993[5]. Jusqu'en 1961, il a augmenté d'environ 4 % par décennie. La hausse s'est accélérée par la suite de 6 % à 13 % par décennie, faisant doubler le taux d'activité des femmes. Cette progression contraste avec la relative stabilité du taux d'activité des hommes depuis 30 ans : après avoir connu une tendance à la baisse, passant de 87,3 % en 1911 à 76,7 % en 1961, le taux d'activité des hommes tend à se stabiliser autour de 70 %. Les Canadiennes ont suivi une progression semblable à celle des Québécoises (Kempeneers, 1992) : leur taux d'activité est passé de 24 % (contre 25 %) en 1951 à 59 % (contre 56 %) en 1990.

Où se situent à ce chapitre le Québec et le Canada parmi les pays industrialisés d'Europe et d'Amérique du Nord ? En 1993[6], le Canada se trouve au

---

4. Ce pourcentage est en réalité plus élevé parce que les statistiques ne comptabilisent pas les religieuses.
5. Comme ce taux d'activité a également connu une baisse chez les hommes au cours de ces deux années, on peut conclure à une diminution globale de l'accès au marché du travail.
6. Voir ONU (1995, p. 30).

douzième rang avec 68%, derrière l'Islande (80%), la Lettonie (78%), la Suède et l'Estonie (77%), le Danemark (76%), l'Ukraine (72 %), le Royaume-Uni (71%), la Slovaquie, la Finlande et la République tchèque (70%) et les États-Unis (69%). Le Québec se situe quant à lui au vingt et unième rang, à égalité avec la Croatie et la Hongrie (54%), derrière la Pologne (66%), la Russie (64%), la Norvège (62%), la Roumanie (61%), la France et la Suisse (60%), l'Autriche (59%) et l'Allemagne (55%).

Ces chiffres, toutefois, ne revêtent une pleine signification que si on compare les taux d'activité des deux sexes. En effet, des conditions économiques difficiles dans un pays à une période donnée peuvent faire diminuer à la fois le taux d'activité des femmes et celui des hommes. C'est pourquoi il convient d'examiner la différence entre les taux d'activité des hommes et des femmes de ces mêmes pays en 1993[7]. Le Canada ne figure cette fois, abstraction faite des conditions économiques, qu'en dix-huitième place, derrière la Suède (4% d'écart entre les hommes et les femmes), la République tchèque et la Bulgarie (5%), la Finlande (6%), le Danemark (7 %), la Lettonie, l'Estonie et le Kazakhstan (8%), l'Islande et la Hongrie (9%), l'Ukraine et la Pologne (10%), la Russie et la Norvège (12%), à égalité avec le Royaume-Uni et la Slovaquie (14%). Quant au Québec, avec 17%, il comble un peu son écart par rapport au Canada en se situant au vingtième rang, derrière la Roumanie et la France (15%), à égalité avec les États-Unis et la Belgique. Ce sont donc surtout les conditions économiques qui expliquent l'écart entre le Québec et le Canada.

Le taux d'activité des femmes selon l'âge

Est-ce que cet accroissement du taux d'activité des femmes concerne toutes les catégories d'âge? Le tableau 4.2 indique que, depuis 1951, la participation des femmes au marché du travail augmente en effet chez toutes les femmes en âge de travailler. Cette augmentation est particulièrement remarquable dans la catégorie des femmes de 45-54 ans (de 19,1% à 65%). En 1911, les femmes qui exercent un travail rémunéré sont surtout regroupées dans la tranche d'âge de 15 à 24 ans. Ce phénomène s'explique entre autres par le fait que bon nombre d'emplois sont interdits aux femmes mariées (institutrice, employée de banque, hôtesse de l'air, etc.).

De nos jours, avec la persistance des femmes dans les études, l'accroissement ne caractérise plus seulement la catégorie des plus jeunes. Ce sont surtout les femmes de 25 à 44 ans qui connaissent le plus haut taux d'activité, et ce, en dépit du fait qu'il s'agit d'un âge où elles sont le plus susceptible de devenir mères.

---

7. Voir ONU (1995, p. 31).

TABLEAU 4.2   Taux d'activité des femmes selon l'âge, Québec, 1951-1993

Année	15-19 %	20-24 %	25-34 %	35-44 %	45-54 %	55-64 %	65 ou + %
1951	40,5	46,3	23,9	20,6	19,1	14,0	5,8
1961	37,9	51,3	27,0	24,8	26,7	20,3	7,3
1971	32,5	61,4	39,9	34,4	33,8	26,4	9,0
1981	36,6	76,6	61,8	57,4	47,2	29,0	5,8
1991	41,0	79,2	76,3	75,8	65,2	30,8	4,3
1993	42,4	69,3	73,4	75,5	65,0	29,3	2,0

Source: Statistique Canada, *Recensements canadiens* pour les années 1951 à 1991 et *Enquête sur la population active* pour 1993.

Le taux d'activité des femmes selon l'état matrimonial

On remarque que, contrairement à la situation qui prévalait autrefois, de plus en plus de femmes exercent une activité rémunérée même si elles sont mariées. En 1951, selon le tableau 4.3, les femmes qui travaillent sont la plupart du temps célibataires; 11,2 % sont cependant mariées et 19,3 % sont séparées ou veuves.

La proportion de travailleuses mariées ne cesse d'augmenter pour atteindre 59,9 % en 1991. Celle des travailleuses célibataires se maintient, mais celle des travailleuses divorcées ou séparées croît au point de connaître les plus hauts taux d'activité, soit 69 % et 65 % respectivement.

TABLEAU 4.3   Taux d'activité des femmes selon l'état matrimonial, Québec, 1951-1991

Année	Mariées %	Célibataires %	Divorcées %	Séparées %	Veuves %
1951	11,2	58,4	—	19,3*	—
1961	22,1	54,9	—	23,1*	—
1971	37,0	53,5	—	26,6*	—
1981	47,0	57,0	57,7	50,8	16,6
1991	59,9	60,5	69,0	65,0	14,2

* Taux d'activité des femmes divorcées, séparées ou veuves.

Source: Statistique Canada, *Recensements canadiens* pour les années 1951 à 1991.

Le taux d'activité des mères selon l'âge des enfants

Les femmes qui entrent sur le marché du travail ont tendance à y rester. Elles exercent une activité rémunérée même si elles ont des enfants, que ces derniers soient ou non en bas âge (voir le tableau 4.4).

Comme on le voit dans le tableau 4.4, le taux d'activité des mères ne cesse d'augmenter quel que soit l'âge des enfants. Pour les mères d'enfants de 6 à 15 ans, la proportion passe de 40,3 % à 72,7 %. Mais c'est chez les mères d'enfants de moins de trois ans que l'augmentation est la plus remarquable, passant de 28,5 % en 1976 à 62,2 % en 1993. Ce sont particulièrement ces mères de jeunes enfants qui contribuent à l'accroissement du taux d'activité des femmes du fait qu'il subsiste aujourd'hui moins de pressions sociales pour que ces dernières restent au foyer.

Comment expliquer cette augmentation constante de la présence féminine sur le marché du travail? Certes, elle résulte du désir d'autonomie financière des femmes dû aux transformations qui sont survenues dans la société québécoise et dans les rapports sociaux entre les hommes et les femmes, mais le phénomène de féminisation du travail salarié doit être relié à plusieurs transformations du marché de l'emploi. On est passé en effet de la primauté de la structure industrielle, qui réclame des qualités «masculines», à celle des services, où sont recrutées une majorité de femmes en vertu de leurs caractéristiques «féminines». Cette tertiarisation a commencé à la dernière guerre mondiale et s'est accélérée dans les années 60. Cependant, l'augmentation de la proportion de femmes amène de nos jours le développement de formes de plus en plus flexibles et précaires du travail salarié que les femmes, comme nous le verrons, sont souvent contraintes à accepter. Ces deux courants ont entraîné dans le monde du travail de nouvelles formes de ségrégation.

TABLEAU 4.4   Taux d'activité des mères selon l'âge des enfants, Québec, 1976, 1981, 1985 et 1993

Année	Ayant des enfants de moins de 3 ans %	Dont le plus jeune enfant est âgé de 3 à 5 ans %	Sans enfant de moins de 6 ans, mais ayant des enfants de 6 à 15 ans %
1976	28,5	32,2	40,3
1981	43,2	45,9	52,0
1985	53,1	55,2	56,6
1993	62,2	62,2	72,7

Source: Statistique Canada, *Enquête sur la population active*, 1994.

LA DIVISION SEXUELLE DU TRAVAIL

Un examen structurel des organisations montre en effet que les emplois sont compartimentés selon le sexe à partir de deux axes: un axe horizontal et un axe vertical. Les femmes sont très présentes dans les métiers qui s'apparentent au «maternage»: enseignement, soins infirmiers, secrétariat, assistance sociale, hébergement et restauration. Les postes reliés aux activités manufacturières sont principalement classés masculins, même si la part relative des femmes s'améliore dans ces domaines. Par ailleurs, les postes les plus élevés de la hiérarchie sont plutôt occupés par des hommes; plus les postes sont élevés hiérarchiquement, plus la proportion de femmes diminue.

Le travail féminin, contrairement au travail masculin, est considéré comme correspondant aux qualités et aux talents «naturels» des femmes et, en conséquence, comme ne nécessitant que peu de connaissances. Les qualités reliées à la masculinité sont davantage valorisées (symboliquement et matériellement) que celles reliées à la féminité. Ce n'est donc pas un hasard si les femmes sont en si grand nombre dans les emplois ou dans les organisations où les salaires sont les plus bas!

La ségrégation horizontale

L'examen des statistiques par secteur d'activité indique une forte ségrégation horizontale des emplois (voir le tableau 4.5, p. 142), les hommes et les femmes ne travaillant pour ainsi dire pas dans les mêmes emplois.

Alors que 81,2 % des femmes travaillent en 1991 dans les services, c'est le cas pour 57,5 % seulement des hommes. Cette concentration féminine dans les services pourrait être quelque peu modifiée par le développement des nouvelles technologies. Si ces dernières permettent une hausse de la qualité des services plutôt qu'une compression de personnel (travail de secrétariat), dans d'autres cas, comme celui des banques, la technologie amène une reconfiguration du personnel (du travail au guichet au conseil en placement). Plus inquiétante est la généralisation de la pratique énergique de rationalisation des effectifs introduite par des administrateurs dont la rétribution augmente selon l'importance des compressions de personnel qu'ils effectuent.

En ce qui a trait à l'industrie des biens, les femmes sont quasi absentes en agriculture, dans la construction, dans le transport et l'entreposage. Les hommes sont très présents dans les industries manufacturières (un homme sur cinq) et dans la construction (un homme sur dix). Toutefois, il faut signaler une faible augmentation du taux de présence féminine dans tous les secteurs reliés aux biens entre 1981 et 1991, ce qui indique une plus grande participation des femmes. Le tableau 4.5 révèle cependant qu'aucun secteur de l'industrie des biens n'est mixte (au moins 40% du taux de féminité) ni féminin.

TABLEAU 4.5   Main-d'œuvre selon le secteur économique et le sexe, et taux de féminité par secteur d'activité économique, Québec, 1981 et 1991

Secteur d'activité économique	Femmes 1981 Nombre	Femmes 1991 Nombre	1991-1981 Variation (%)	Femmes 1981 %	Femmes 1991 %	Hommes 1991 %	Taux de féminité 1981 %	Taux de féminité 1991 %
Industries des biens				21,6	18,1	42,5		
Agriculture	17 245	28 225	63,7	1,5	1,9	3,0	22,1	33,3
Autres activités du secteur primaire	3 940	6 290	59,6	0,3	0,4	2,4	6,6	11,8
Industries manufacturières	195 735	190 170	-2,8	16,8	12,5	21,8	29,5	31,2
Industries de la construction	13 275	25 280	90,4	1,1	1,7	9,5	8,6	12,1
Transport et entreposage	21 440	24 370	13,7	1,8	1,6	5,8	15,0	17,8
Industries des services				78,4	81,2	57,5		
Communications et autres services publics	32 245	40 085	24,3	2,8	2,6	4,0	32,5	34,6
Commerce de gros	36 565	45 280	23,8	3,1	3,0	5,4	27,1	30,6
Commerce de détail	154 025	214 590	39,3	13,2	14,1	12,4	43,7	47,4
Intermédiaires financiers et des assurances	70 560	101 545	43,9	6,1	6,7	2,5	65,1	67,5
Services immobiliers et agences d'assurances	19 290	19 075	-1,1	1,7	1,3	1,2	46,1	46,3
Services aux entreprises	42 445	80 470	89,6	3,6	5,3	5,3	39,1	44,1
Services gouvernementaux	78 515	106 310	35,4	6,7	7,0	7,7	35,3	41,7
Enseignement	121 660	140 880	15,8	10,4	9,3	4,8	57,3	60,3
Services de santé et services sociaux	173 655	246 030	41,7	14,9	16,2	4,3	72,0	74,7
Hébergement et restauration	91 500	124 480	36,0	7,9	8,2	4,7	55,1	57,9
Autres services	92 605	124 285	34,2	8,0	8,2	5,2	52,3	55,3
Total	1 164 700	1 517 365	30,3	100,0	100,0	100,0	39,3	44,1

Source : Statistique Canada, *Population, caractéristiques économiques*, Québec, catalogue 93-965, tableau 16, pour 1981, et *Industrie et catégorie de travailleurs*, catalogue 93-326, tableau 1, pour 1991.

Dans les services, les femmes se trouvent principalement en 1991 dans des secteurs qui leur sont traditionnellement destinés, comme la santé et les services sociaux (16,2 %), le commerce de détail (14,1 %), l'enseignement (9,3 %), l'hébergement et la restauration (8,2 %) ainsi que les services gouvernementaux (7 %). Le taux de féminité s'y est amélioré pour toutes les catégories, traduisant une augmentation du taux d'activité des femmes accompagnant la tertiarisation de l'économie. Les femmes sont présentes dans des secteurs représentant les deux tiers de l'ensemble de l'activité économique. Quant aux hommes, ils exercent un emploi dans le commerce de détail (12,4 %) et les services gouvernementaux (7,7 %). Dans les autres secteurs, ils représentent moins de 5 % des effectifs.

Il ressort du tableau 4.5 que certains secteurs de services sont nettement féminins : les services de santé et les services sociaux (74,7 %), le secteur des finances et des assurances (67,5 %) et le secteur de l'enseignement (60,3 %). D'autres secteurs sont mixtes : le commerce de détail (47,4 %), les services immobiliers et les agences d'assurances (46,3 %), les services aux entreprises (44,1 %) ainsi que les services gouvernementaux (41,7 %). Seuls les secteurs des communications (34,6 %) et le commerce de gros (30,6 %) sont masculins. Compte tenu du fait que les femmes se trouvent en majorité dans certains secteurs des services qui représentent de hauts taux d'activité économique, on en déduit qu'elles sont présentes dans un éventail très restreint d'activités économiques.

La ségrégation verticale

Qu'en est-il de la ségrégation verticale ? Même lorsque les femmes ne travaillent pas dans des secteurs traditionnels, on les trouve principalement dans des groupes professionnels traditionnels. Les femmes ont accès au marché du travail à des niveaux subalternes, dans des emplois routiniers, généralement des emplois de bureau, emplois qui sont moins bien rémunérés. Elles occupent, en 1991, 77,7 % des emplois de bureau. On les trouve également dans des emplois qui requièrent de la patience et une certaine aisance dans les relations interpersonnelles : les emplois reliés à la santé sont tenus par des femmes à 75,9 % et celles-ci constituent 61,6 % du personnel enseignant (voir le tableau 4.6, p. 144).

Les emplois plutôt mixtes sont reliés aux sciences sociales (55,9 %), aux travaux spécialisés dans les services (52,4 %), à la vente (42,6 %) et aux domaines artistique et littéraire (41,2 %). Les emplois masculins s'observent surtout dans la gestion, mais on constate une progression sensible des femmes dans des emplois de directrices, gérantes et administratrices (36,6 % contre 22,9 % en 1981). Viennent ensuite, comme emplois masculins, ceux qu'on trouve dans la fabrication, le montage et la réparation de produits (29,2 %), dans l'industrie de la transformation (26,1 %), dans la manutention (23 %), dans le travail ouvrier qualifié et la conduite de machines (22,9 %), en sciences naturelles, génie et mathématiques (22,1 %), dans les secteurs primaires (17,5 %), dans l'exploitation des transports (5,6 %), dans les travaux d'usine (4,5 %) ainsi que dans le bâtiment (2,4 %).

TABLEAU 4.6   Main-d'œuvre selon le groupe professionnel et le sexe, et taux de féminité par groupe professionnel, Québec, 1981 et 1991

Groupe professionnel	Femmes 1981 Nombre	Femmes 1991 Nombre	1991-1981 Variation (%)	Femmes 1981 %	Femmes 1991 %	Hommes 1991 %	Taux de féminité 1981 %	Taux de féminité 1991 %
Directeurs, gérants et administrateurs	60 565	160 045	164,3	5,2	10,5	14,4	22,9	36,6
Trav. en sciences naturelles, en génie et en mathématiques	14 305	31 775	122,1	1,2	2,1	5,8	15,6	22,1
Trav. en sciences sociales	28 865	43 120	49,4	2,5	2,8	1,8	49,1	55,9
Enseignants et personnel assimilé	84 590	94 315	11,5	7,3	6,2	3,1	59,4	61,6
Trav. en médecine et santé	106 370	143 660	35,1	9,1	9,5	2,4	73,6	75,9
Trav. dans des domaines artistique et littéraire	18 160	29 290	61,3	1,6	1,9	2,2	35,4	41,2
Employés de bureau	422 600	494 275	17,0	36,3	32,6	7,4	74,4	77,7
Trav. de la vente	92 400	130 080	40,8	7,9	8,6	9,1	36,0	42,6
Trav. spécialisés dans les services	165 635	227 280	37,2	14,2	15,0	10,7	46,9	52,4
Trav. des secteurs primaires	14 195	17 555	23,7	1,2	1,2	4,3	12,6	17,5
Trav. des industries de transformation	27 935	27 505	–1,5	2,4	1,8	5,2	18,9	21,6
Trav. d'usines et domaines connexes	3 205	3 025	–5,6	0,3	0,2	3,3	4,2	4,5
Trav. dans la fabrication, le montage et la réparation de produits	94 730	76 600	–19,1	8,1	5,0	9,6	32,2	29,2
Trav. du bâtiment	2 655	4 495	69,3	0,2	0,3	9,6	1,6	2,4
Personnel d'exploitation des transports	4 400	6 815	54,9	0,4	0,4	5,9	3,6	5,6
Manutentionnaires et assimilés	12 905	12 615	–2,2	1,1	0,8	2,2	24,8	23,0
Autres ouvriers qualifiés et conducteurs de machines	8 315	9 485	14,1	0,7	0,6	1,7	20,5	22,9
Non classés ailleurs	2 879	5 430	89,2	0,2	0,4	1,3	12,8	18,7
Total	1 164 700	1 517 365	30,3	100,0	100,0	100,0	39,3	44,1

Source: Statistique Canada, *Population, caractéristiques économiques*, Québec, pour 1981, et *Professions*, catalogue 93-327, tableau 1, pour 1991.

Le taux de féminité a augmenté dans tous les emplois entre 1981 et 1991 de par l'augmentation de l'activité féminine, sauf dans les emplois reliés à la manutention ou relatifs à la fabrication, au montage et à la réparation de produits, où leur proportion a diminué.

LA CONSTRUCTION DE LA SÉGRÉGATION DU MARCHÉ DU TRAVAIL

Comment s'opère le maintien, voire la transformation actuelle de la ségrégation sexuelle des emplois, en dépit des principes d'égalité des droits présents dans les chartes et les discours dominants? Certains (Jenson, 1989; Arestis et Palaginis, 1995) soutiennent que, désormais, la flexibilité ne peut s'obtenir qu'en alliant technologie et travail qualifié. Trois courants de pensée s'opposent au sujet des conséquences des nouvelles technologies sur le niveau de qualification. Certains pensent que ces dernières entraînent une déqualification, augmentant ainsi le contrôle sur les travailleurs (Noble, 1986). D'autres pensent le contraire, les nouvelles technologies éliminant le travail répétitif et rendant les tâches plus complexes, ce qui exige des habiletés en matière de raisonnement et d'esprit de décision (Piore et Sabel, 1984; Bernier et Teiger, 1990; Bernier et Filion, 1992). D'autres encore expriment une position intermédiaire selon laquelle des variables organisationnelles et sociales peuvent entraîner soit un processus de qualification, soit un processus de déqualification (Spenner, 1985; Zuboff, 1988; Milkman et Pullman, 1991). Ces études, comme c'est souvent le cas, négligent toutefois la dimension «sexe».

LES NOUVELLES TECHNOLOGIES ET LES QUALIFICATIONS SELON LE SEXE

Le stéréotype de l'incompatibilité entre la femme et la machine reste prégnant dans les esprits. Entre 1941 et 1961, les 10 principales professions occupées par des femmes n'incluent aucune profession «technique», et jusqu'en 1971, les femmes forment moins de 4% du total des ingénieurs (Armstrong et Armstrong, 1994). Si les secrétaires, couturières ou téléphonistes travaillent de toute évidence avec des machines, seul le travail de réparation de ces machines, le plus souvent masculin, est perçu et catégorisé comme technique.

La division sexuelle des machines

On constate l'établissement d'une distinction entre les types d'appareils. Certains, moins «sérieux», sont associés aux femmes, alors que les plus prestigieux sont réservés aux hommes. Ces derniers s'occupent de préférence de machines qui leur permettent de se déplacer, qui effectuent un grand nombre d'opérations et qui se prêtent à la commande humaine (Ormrod, 1994).

S'ils utilisent la même machine, les hommes et les femmes s'en serviront différemment (traitement de texte pour les femmes, autres fonctions pour les hommes). Parfois, certaines tâches sont réservées d'autorité aux hommes, entraînant pour eux de meilleures conditions de travail, comme l'illustre l'exemple de l'encadré 4.3.

ENCADRÉ 4.3   Le cas du *Clavier enchaîné*

Avec l'apparition et le développement de nouvelles technologies, la presse subit de profondes transformations en ce qui a trait aux métiers. Depuis l'introduction de la bureautique en 1969, on ne moule plus chaque ligne dans une barre de plomb qu'on assemble à d'autres dans un «marbre» format page (travail des «linos» et des «typos» , aidés des correcteurs). Au *Clavier enchaîné* par exemple (un journal français), les linos, les typos et les correcteurs ont l'habitude de travailler en collégialité et s'identifient fortement à la profession du livre. Ce collectif est masculin, les typos étant historiquement le symbole même de l'opposition du mouvement ouvrier français au travail des femmes. Ce changement a pour conséquence de faire voler en éclats l'organisation du travail, de modifier le contenu des postes, la définition des qualifications ainsi que les communautés de travail.

Pour la direction, l'enjeu consiste à moderniser et à rentabiliser l'entreprise en remettant en cause les acquis et privilèges de la famille du livre. Elle embauche au fil du temps de plus en plus de femmes (des clavistes) qui ne font pas partie de l'école du livre mais qui réalisent le même travail que les linotypistes, travail qui consiste à saisir les manuscrits. Les clavistes sont jeunes. Elles sont engagées en raison de leur dextérité et de leur vitesse de frappe. Elles revendiquent une professionnalité que les autres corps de métier leur nient. Les correcteurs sont des hommes de 40-50 ans, ex-linotypistes ou ex-typographes mutés à la correction. Leur tâche n'a plus rien à voir avec leur ancien métier. Ils subissent une déqualification relative du contenu de leur poste. Ce sont eux qui sont menacés. Un passé fait d'exclusion des femmes «étrangères à la profession» les solidarise. Les anciens correcteurs travaillent presque tous de nuit, recréant par là l'ambiance du passé. Les rapports hiérarchiques sont détendus, et ils peuvent quitter les lieux de travail dès que leur tâche est terminée. Il s'agit donc d'un privilège relié à l'ancienneté et au sexe. Les correctrices sont d'anciennes clavistes devenues correctrices après avoir passé des tests et reçu 15 jours de formation. Elles se revendiquent ex-clavistes et ne se mélangent pas aux correcteurs. Elles démystifient le travail des hommes, elles leur nient la conscience professionnelle, la qualification ou l'amour du métier.

En 1969, la différence entre le poste de travail sur clavier simple et celui sur clavier complexe vient du fait que seules les personnes qui travaillent sur le deuxième peuvent «justifier». Dès l'embauche de clavistes sur clavier complexe, les ouvriers se mettent en grève. Ce mouvement aboutit à un accord avec l'employeur: la garantie de l'emploi pour les ouvriers du livre et leur monopole

$\longrightarrow$

de la professionnalité (travail sur les claviers complexes). Les clavistes gagnent 65 % du salaire des ouvriers et sont reléguées dans un atelier à part. L'accord se renouvelle en 1973 : les ouvriers du livre obtiennent la garantie de l'emploi, du maintien des salaires ainsi que de la qualification professionnelle.

Quelle est la situation en 1983 ? Les correcteurs craignent la concurrence des femmes (des dactylos !) et la fin d'un métier réservé à une élite mâle. Les clavistes et les correcteurs sont même séparés par un rideau ! De leur côté, les clavistes prennent conscience des différences ayant trait aux salaires, aux horaires de travail et au contrôle hiérarchique. Elles déclarent la grève à la suite de deux événements. Tout d'abord, la direction engage des clavistes pour remplacer des correcteurs pendant l'été. Les clavistes se montrent plus efficaces que les jeunes professionnels issus de l'école du livre. Hommes et femmes prennent ainsi conscience de la vitesse comparative des clavistes. Deuxièmement, la direction décide de retirer le rideau et de faire travailler en modules trois clavistes et deux correcteurs. Les clavistes constatent par là même que les correcteurs travaillent moins qu'elles, qu'ils ont de meilleures conditions de travail et qu'elles peuvent accomplir le travail qu'ils font.

Elles font seules une grève pendant trois semaines sans que la parution du journal soit vraiment perturbée. L'accord obtenu après la grève prévoit que 12 nouveaux postes de saisie-correction seront ouverts aux clavistes après une formation complémentaire et apporte quelques menues améliorations aux conditions de travail des clavistes. Mais la ségrégation sexuelle persiste, les modules sont éliminés, et un rideau de verdure sépare encore les clavistes des correcteurs.

Source : Adapté de Maruani et Nicole (1989).

Un même travail, la saisie et la correction de textes, peut ainsi être circonscrit de façon plus qualifiée et plus prestigieuse pour les hommes. Notons au passage que les luttes syndicales des hommes aboutissent à leur avantage, alors que ce n'est pas le cas pour les femmes.

En fait, on ne peut réduire la technologie à ses aspects purement mécaniques. Elle est définie avec plus de pertinence comme l'ensemble des rapports sociaux qui encadrent la conception, le développement et l'utilisation des machines (Hacker, 1990). Les concepteurs des technologies sont essentiellement des hommes, et leur production est en général plus adaptée aux hommes qu'aux femmes (par exemple à des mains plus grosses, à une certaine taille, à une certaine force). Les technologies où les femmes se sentent compétentes ne sont pas jugées sérieuses, et la véritable technologie est réservée aux hommes. Si certains hommes éprouvent des difficultés avec la technologie, celles-ci sont présentées comme étant attribuables à des défaillances de fonctionnement de la technologie, alors que les mêmes difficultés sont jugées « naturelles » chez les femmes.

Ainsi, l'incompatibilité entre les femmes et la technologie constitue en réalité l'expression de rapports sociaux défavorables aux femmes.

La technologie et la déqualification

Le concept de qualification n'est pas très clairement défini. Par exemple, les qualifications «émotives» comme l'empathie ou le tact (Legault, 1991) sont traitées comme une caractéristique naturelle des femmes qui ne mérite pas de considération. Ces qualifications féminines deviennent également sous-utilisées quand la technologie diminue les occasions de les exploiter. Par exemple, l'infirmière qui prend le pouls d'un patient peut en profiter pour bavarder avec lui et lui remonter le moral, occasion qui est perdue si on utilise une nouvelle technologie qui réduit la durée de l'activité (Goodman et Perby, 1985).

Certains métiers réclament une gestion perpétuelle de ses sentiments, par exemple un sourire de commande, du calme dans une situation critique, et d'autres nécessitent une dextérité qui permet la vitesse des opérations. D'autres encore exigent une présentation de soi conforme aux objectifs des gestionnaires. Les femmes doivent apprendre à se maquiller et à se vêtir (ou à s'exposer plus ou moins) selon ce qui est requis. Le danger, c'est que si les chercheurs et les chercheuses ne reconnaissent pas certaines qualifications des travailleuses parce qu'elles sont jugées naturelles, on ne peut conclure à leur perte ou à leur transformation.

L'étude des conséquences de l'introduction de nouvelles technologies sur le travail des caissières de supermarché au Québec et au Brésil (Soares, 1996) est instructive à ce titre. Ces nouvelles technologies (lecteur optique, paiement direct) ont modifié les qualifications des caissières, entraînant sur bon nombre de points une déqualification. Les trois sources majeures de déqualification sont les suivantes:

1) une partie du savoir des caissières (le prix des produits, sauf provisoirement celui des légumes et des fruits) leur a été enlevé puisqu'il a été intégré à la caisse. Or, ce savoir était source de fierté pour elles (on reconnaît une bonne caissière à sa connaissance des prix; aider une collègue est source de solidarité et aider un client ou l'empêcher de frauder est signe de loyauté envers l'entreprise). Ce savoir disparaît comme pouvoir de négociation;

2) les caissières deviennent dépendantes de la machine (par exemple en cas de panne) et ont ainsi moins de maîtrise sur leur travail;

3) la surveillance électronique constitue un contrôle de la productivité des caissières (nombre d'articles par minute, nombre quotidien de clients, temps passé sans clientèle) pouvant entraîner de nouvelles réorganisations.

Les nouvelles technologies n'allègent pas nécessairement les tâches: l'introduction du lecteur optique fait que les caissières doivent manipuler des produits lourds, alors qu'auparavant elles enregistraient le prix de la marchandise sans devoir la manipuler. En outre, l'introduction de cette technologie nécessite plus de «travail émotif» de la part des caissières. Par exemple, les clients ne sont pas toujours en mesure de vérifier les prix et certains constatent à la caisse qu'ils ne disposent pas d'assez d'argent pour payer. Les caissières doivent dès lors faire preuve de diplomatie et de tact. Toutefois, toute technologie n'a pas que des effets négatifs. L'utilisation du paiement direct a pour sa part augmenté le savoir des caissières et étendu leur marge de manœuvre : elles n'ont plus besoin de recevoir l'autorisation du superviseur pour encaisser des chèques, ceux-ci n'étant presque plus utilisés.

Les nouvelles formes d'organisation et la division sexuelle du travail

Est-ce que l'introduction de nouvelles technologies va mettre fin à la division sexuelle du travail, comme le prétendent Kern et Schuman (1989) ? Est-ce que la flexibilité caractérisée par un certain décloisonnement des secteurs du travail, par la disparition de formes traditionnelles de contrôle du travail ainsi que par la polyvalence touche les individus sans égard à leur sexe ? Est-ce que l'usage des technologies informatiques pose de nouvelles exigences de qualification sans égard au sexe ? L'examen récent de 10 entreprises québécoises de la production industrielle et de services mène ses auteures (Tremblay et De Sève, 1996) aux constatations suivantes.

Si hommes et femmes doivent s'adapter aux changements technologiques et organisationnels, les tâches des hommes sont moins automatisées et répétitives que celles des femmes, et la qualification professionnelle s'accroît davantage chez les hommes. On constate, en effet, une polyvalence horizontale chez les femmes (en réalité une «plurivalence») résultant de l'introduction de tâches de même niveau qui s'ajoutent aux tâches initiales. Pour les hommes, il s'agit d'une polyvalence qualifiante, offrant de meilleures perspectives de mobilité interne et externe. Ainsi, les opérations de requalification et de polyvalence en cours d'emploi s'inscrivent le plus souvent dans le sillage de la division sexuelle du travail.

LE TRAVAIL À TEMPS PARTIEL OU LA FLEXIBILITÉ SELON LE SEXE

Les récessions, la tertiarisation et la mondialisation de l'économie entraînent de profondes transformations du marché du travail. Depuis la fin des années 70, on assiste à l'émergence de nouvelles formes de travail plus flexibles, voire plus précaires. Les entreprises, suivies de l'État, tentent de réduire leurs coûts de main-d'œuvre en diminuant les heures de travail, en modifiant les types de travail et les avantages sociaux ou en réduisant le plus possible les effectifs. Parmi les formes de flexibilité, le travail à temps partiel et les contrats à durée déterminée se sont accrus considérablement. Les avantages sociaux étant le plus souvent associés aux postes réguliers à temps plein, la réduction de ce type d'emploi permet une baisse importante de la participation des employeurs. La flexibilisation de la durée de l'emploi permet à ces derniers de n'utiliser une certaine main-d'œuvre qu'en cas de besoin et, la plupart du temps, les dispense de contribuer à sa protection sociale.

Cette flexibilité s'observe dans les conditions de travail à partir de divers éléments comme la période d'essai, le gel ou la réduction des salaires, la durée de préavis, les indemnités de licenciement, les contrats temporaires, le travail à temps partiel, le partage du temps de travail, le travail intérimaire, le chômage partiel, les congés et les interruptions de carrière, voire la retraite anticipée.

Il existe fondamentalement deux manières de répartir les heures de travail: réduire uniformément la durée pour tout le personnel ou établir une répartition qui tend à creuser l'écart entre des emplois dits normaux et les formes particulières d'emploi. Les femmes sont surreprésentées dans le travail à temps partiel, dans les différentes formes d'interruption de carrière et dans le partage des postes[8]. La flexibilité provoque en outre l'émergence de nouvelles formes de travail (petits travaux à domicile ou non), la plupart du temps effectué par des femmes, qui sont en réalité plus proches de l'inactivité que de l'emploi.

Tout se passe comme si le partage du travail se faisait principalement de nos jours au détriment des femmes, les hommes poursuivant encore très souvent une activité à temps plein sous contrat à durée indéterminée. C'est comme si la catégorie des femmes constituait un laboratoire social où seraient mises à l'essai diverses formules de précarisation du travail susceptibles d'être étendues à d'autres catégories (les jeunes), puis à l'ensemble des travailleurs. Toutes ces pratiques ont des effets ultérieurs sur la sécurité d'emploi, sur la protection en cas de licenciement, sur le montant de la rémunération dans des emplois futurs, sur le niveau des revenus de remplacement en cas de maladie, sur la possibilité d'accès aux prestations d'assurance-emploi et sur le montant de ces prestations, ainsi que sur l'accès aux systèmes de préretraite et sur le revenu de la retraite.

Est-ce que le taux de chômage varie selon le sexe? Globalement, celui des femmes est moins élevé en 1993 (12,1%) que celui des hommes (13,1%)[9]. Toutefois, il faut nuancer ces données à la lumière de certaines considérations: en premier lieu, la proportion des femmes chez les personnes non comptabilisées dans la main-d'œuvre se situe à 46,3% et celle des hommes à 8,9%[10]; en deuxième lieu, les femmes travaillent davantage à temps partiel.

---

8. En ce qui a trait aux emplois temporaires, le Canada ne dispose pas de statistiques. On peut émettre l'hypothèse que les femmes y sont surreprésentées, comme c'est le cas aux États-Unis.
9. Statistique Canada, *Moyennes annuelles de la population active*, catalogue 71-220, tableau 2, 1993.
10. Statistique Canada, *Moyennes annuelles de la population active*, catalogue 71-200, tableau 2, 1993.

TABLEAU 4.7   Répartition de la main-d'œuvre en emploi selon le type d'emploi et le sexe, Québec, 1976, 1981, 1986, 1991 et 1993

Année	Femmes		Hommes	
	Temps partiel %	Temps plein %	Temps partiel %	Temps plein %
1976	14,4	85,6	3,5	96,5
1981	20,0	80,0	5,5	94,5
1986	23,3	76,7	7,4	92,6
1991	22,9	77,1	8,5	91,5
1993	23,8	76,2	9,1	90,9

Source : Statistique Canada, *Moyennes annuelles de la population active*, catalogue 71-529, tableau 18, et catalogue 71-220, tableau 18.

La lecture du tableau 4.7 permet en effet de repérer plusieurs phénomènes. Ainsi, le travail à temps partiel a connu une augmentation constante au Québec depuis 1976. Formule mise à l'essai au départ exclusivement auprès des femmes, elle prend de plus en plus d'ampleur chez l'ensemble des travailleurs. Par ailleurs, les Québécoises ont toujours travaillé à temps partiel plus que les hommes. Enfin, près du quart des Québécoises exerçant un emploi rémunéré occupent en 1993 un emploi à temps partiel alors qu'environ 10 % des hommes sont dans cette situation. Parmi les personnes qui occupent un travail à temps partiel, 7 sur 10 sont des femmes[11]. Ces données s'apparentent à celles des pays européens, où le travail à temps partiel est effectué par près de 80 % de femmes (Maruani, 1994). Ce type de travail concerne le plus souvent un petit nombre d'emplois de service peu qualifiés, offrant des conditions de travail et de rémunération discriminantes.

Les emplois à temps partiel viennent souvent remplacer d'autres formes d'emploi présentes auparavant, tels les emplois de saisonniers, d'auxiliaires ou nécessitant des surnuméraires. Mais ils constituent également une facette de l'aménagement de l'emploi dans la mesure où ils sont un outil de sélection et d'instabilité de la main-d'œuvre. Non seulement le travail à temps partiel apparaît comme l'un des axes essentiels des nouvelles pratiques de gestion de personnel, mais il devient un «mode d'emploi» qui détermine le statut de la personne employée ainsi que les conditions d'évolution des carrières, les conditions de rémunération et les qualifications. En effet, le travail à temps partiel est associé à une forte instabilité et le passage à temps plein constitue fréquemment une promotion, comme le montrent les travaux de Maruani et Nicole (1989).

---

11. Statistique Canada, *Moyennes annuelles de la population active*, catalogue 71-529, tableau 18, et catalogue 71-220, tableau 18, 1993.

TABLEAU 4.8   Répartition des personnes en emploi à temps partiel
selon la raison donnée pour occuper ce genre d'emploi
et le sexe, Québec, 1976 et 1993

Raison du travail à temps partiel	Femmes		Hommes	
	1976 %	1993 %	1976 %	1993 %
Obligations personnelles ou familiales	21,3	7,3	0,0	0,1
Études	20,5	21,7	55,3	41,2
Manque de travail à temps plein	16,5	41,9	17,9	43,2
Refus de travailler à temps plein	37,8	29,1	17,9	12,8
Autres raisons	3,9	0,0	8,9	2,7
Total	100,0	100,0	100,0	100,0

Source : Statistique Canada, *Moyennes annuelles de la population active*, catalogue 71-529, tableau 19, et catalogue 71-220, tableau 19.

Quelles sont les raisons qui font que les femmes et les hommes occupent des emplois à temps partiel ? Les résultats de l'étude de Statistique Canada présentés dans le tableau 4.8 répartissent ces raisons selon le sexe.

Le manque de travail à temps plein est le motif le plus fréquemment cité par les hommes et les femmes. Le travail à temps partiel ne constitue donc pas le résultat d'un choix de l'ensemble des travailleurs et des travailleuses, mais il est vécu comme un chômage partiel. Viennent tout de suite après les études chez les hommes (41,2 %), raison moins souvent évoquée chez les femmes (21,7 %). Chez elles, le refus de travailler à temps plein est davantage évoqué (29,1 %) que chez les hommes (12,8 %). Mais ces statistiques signifient également que 70 % des femmes choisissent le travail à temps partiel faute de mieux. Si on ajoute à ce groupe les femmes qui occupent un emploi à temps partiel en raison de responsabilités familiales (7,3 %), on peut en déduire que deux femmes sur trois sont contraintes de ne travailler qu'à temps partiel. Ces chiffres viennent contredire le discours voulant que le travail à temps partiel a été instauré pour accommoder les femmes.

Si on observe la tendance depuis 1976, on constate que le refus de travailler à temps plein est un motif de moins en moins évoqué, le resserrement du marché du travail expliquant sans doute cette baisse. Seulement 7,3 % des femmes (contre 21,3 % en 1976) choisissent le travail à temps partiel en raison d'obligations personnelles ou familiales, obligations qui semblent encore reposer sur leurs seules épaules quand on constate que 0,1 % des hommes donnent cette raison en

1993. Aujourd'hui, la proportion des mères qui occupent un emploi à temps partiel est la même, qu'elles aient ou non des enfants de moins de 16 ans[12].

L'encadré 4.4 présente un cas qui illustre bien cette assignation du travail à temps partiel aux femmes.

ENCADRÉ 4.4 La grève à la multinationale Bekaert-Cockerill

L'usine de Fontaine-L'Évêque appartient à la multinationale belge Bekaert-Cockerill, qui est capitalisée pour la moitié au groupe privé Bekaert et pour l'autre moitié à Cockerill-Sambre, un groupe sidérurgique à capital d'État majoritaire. Le patron menace régulièrement de fermeture le personnel ouvrier de Fontaine-L'Évêque, ce qui place la partie syndicale dans un rapport de pouvoir difficile. Selon la loi belge, les appareils syndicaux doivent, en cours de convention collective, veiller au respect du contrat social et gérer les crises qui surviennent. C'est donc au syndicat que revient le soin de procéder à d'éventuels licenciements. L'usine comporte, au moment du déclenchement de la grève, 242 hommes et 31 femmes, regroupées dans le secteur encollage et emballage des clous.

La direction annonce la suppression de 75 emplois, sans apporter de garantie en ce qui a trait à la survie de l'entreprise. Une grève de neuf semaines s'ensuit, ponctuée de projets d'accord refusés à plus de 80 % des voix. Pendant que la grève se poursuit, le conseil d'entreprise décide de licencier 65 personnes, dont 59 hommes et 6 femmes. Étant donné que la rémunération des jours de grève, à la charge du syndicat, est d'autant plus élevée que le conflit se prolonge, une sorte d'alliance patron-syndicat se noue pour mettre un terme à la grève.

À la suite de diverses rencontres, le patronat se décharge sur le syndicat de la responsabilité du choix des modalités de licenciement : soit 13 licenciements, soit 36 heures sans compensation pour tout le personnel, soit le travail à mi-temps pour 31 femmes. En assemblée générale, le syndicat ne présente que la proposition du travail à temps partiel pour 31 femmes non chefs de famille. Cette proposition est illégale à plus d'un titre. D'abord, le conciliateur est un représentant du ministère du Travail, et cela pose la question de la responsabilité de l'État. Le fait de réduire à temps partiel le travail des femmes non chefs de famille contrevient à la loi belge : 1) le temps partiel ne peut être imposé ; 2) cette mesure est une infraction à la loi sur l'égalité de traitement entre hommes et femmes. Elle contrevient également aux directives européennes de 1976 sur l'égalité des hommes et des femmes. Est-ce que l'État actionnaire a utilisé l'entreprise comme laboratoire social dans un lieu propice à l'atteinte de ses objectifs ?

→

---

12. Statistique Canada, *Moyennes annuelles de la population active*, catalogue 71-220, tableau 8A, 1993.

La convention est signée, malgré les protestations des femmes qui perdent, de plus, les avantages sociaux reliés à l'ancienneté. Pour faire accepter l'entente, les délégués syndicaux font pression auprès d'elles, les culpabilisant de ne pas vouloir sauvegarder l'emploi de 13 femmes menacées. Lors du vote, toutes les femmes votent contre, mais une majorité appréciable d'hommes votent la fin de la grève.

Les femmes vont dès lors entrer dans une lutte autonome, sans l'appui syndical. Elles repartent en grève, conseillées en cela par les délégués syndicaux. Est-ce pour briser leur résistance par le pourrissement du conflit ou pour mettre en relief leur éloignement des ouvriers? Les femmes réclament un partage équitable du temps de travail. Abandonnées par leurs confrères, elles cherchent des appuis auprès d'autres femmes du mouvement féministe belge et international. Les relations se dégradent entre elles et les responsables syndicaux. Tardivement, les commissions représentant des femmes des syndicats cherchent à intervenir dans le conflit, mais se trouvent prises entre l'arbre et l'écorce.

Finalement, le travail à temps partiel est retiré et 13 femmes, les plus actives dans la lutte, sont licenciées en dépit de l'illégalité de cette décision: aucun employeur ne peut congédier pour le motif d'avoir fait respecter la loi sur l'égalité de traitement. Les femmes non congédiées reprennent le travail sous la pression sociale: l'usine fermera si elles ne reprennent pas le travail et, par ailleurs, les syndicats annoncent qu'ils ne subventionneront plus la grève. Les hommes contraints de travailler sur les postes libérés par les femmes garderont leur salaire antérieur.

Source: Adapté de Louis (1986).

Plusieurs questions à propos du cas de l'encadré 4.4 restent sans réponse. Pourquoi congédie-t-on des femmes, plus productives que les hommes (23 hommes devront être engagés pour remplacer les 13 femmes)? Pourquoi abandonner les femmes qui ont participé elles aussi à la grève générale? Pourquoi le syndicat sacrifie-t-il les femmes en tronquant la proposition patronale? Mais, surtout, pourquoi l'État renie-t-il ses lois? Est-ce que cette entreprise est choisie en guise d'exemple destiné à indiquer qu'on peut immoler les femmes sur l'autel de la nécessité économique? L'entreprise présente diverses caractéristiques susceptibles de faire réussir le plan de compression: un faible nombre de femmes, la connivence avec un syndicat exclusivement masculin, machiste, la menace crédible de fermer l'entreprise, un syndicat national qui veut améliorer l'image de la Wallonie, réputée pour sa combativité syndicale. Il faut néanmoins conclure à une solidarité patriarcale entre sphères pourtant antagoniques: patronat, syndicat, État et classe ouvrière.

Les formes d'emploi émergentes

Il n'y a pas que le travail à temps partiel qui occupe une majorité de femmes. Le télétravail est une formule qui prend de plus en plus d'ampleur. Siroonian (1993) évalue en 1991 le nombre de personnes ayant adopté le télétravail à 604 000, dont 56 % sont des femmes. Toutefois, le télétravail peut revêtir plusieurs formes, dont certaines sont aliénantes, et d'autres, à l'inverse, respectent largement le degré d'autonomie de la personne. Ce type de travail permet aux employeurs un meilleur contrôle des personnes les moins scolarisées et leur assure des gains de productivité. En revanche, il permet de concilier famille et travail, étant donné le manque de services de garde. Des études selon le sexe et le type d'activité seraient nécessaires avant de tirer quelque conclusion que ce soit.

La mutation rapide du marché du travail s'illustre par le progrès fulgurant de l'emploi autonome (SQDM, 1997). En 1991, les travailleurs et travailleuses autonomes constituent 8,9 % de la population active. En 1995, leur proportion passe à 14,4 %. Entre ces deux années, il s'est créé plus d'emplois autonomes que d'emplois salariés (55 % du total). Le travail autonome est très diversifié. Il peut prendre la forme du travail indépendant, du travail dépendant, lié à un fournisseur de travail tenté par la flexibilité (en sous-traitance), ou de l'exploitation d'une micro-entreprise. Les femmes constituent 25 % de l'ensemble de ces travailleurs. Elles occupent en majorité des postes de nature indépendante, préférant créer elles-mêmes leur emploi ou étant contraintes à ce choix ; 32 % travaillent de manière indépendante et 21 % ont créé une micro-entreprise. Le travail autonome conduit généralement à un accroissement du nombre d'heures par semaine pour un revenu de travail moyen moins élevé (24 740 $ pour 42 heures contre 25 820 $ pour 37 heures). De plus, ces personnes ne disposent pas des protections sociales adaptées à leurs besoins et à leur réalité. Elles ne sont pas protégées en cas de maladie ou de maternité et ne cotisent pas à un régime de rentes.

La discrimination salariale

Avant de décrire les mesures législatives prises par les gouvernements, comparons les revenus d'emploi des hommes et des femmes à partir de statistiques officielles. Le tableau 4.9 (p. 156) montre que, pour l'ensemble des travailleurs, le revenu d'emploi moyen des femmes est toujours beaucoup plus bas que celui des hommes, mais que l'écart tend à diminuer, en dépit de certaines fluctuations. Il passe de 52,3 % du revenu moyen d'emploi masculin en 1971 à 65,9 % en 1992. Cette situation serait due en partie à l'affaiblissement du secteur manufacturier, où les hommes sont plus nombreux. Ce secteur connaît des restructurations qui se traduisent par des pertes d'emploi, des mises à la retraite prématurée, une baisse des salaires ou une détérioration des conditions de travail.

TABLEAU 4.9   Revenu d'emploi moyen selon le sexe, Québec, 1971-1992

Année	Ensemble des travailleurs			Travailleurs à temps plein		
	Femmes $	Hommes $	Revenu F/ Revenu H %	Femmes $	Hommes $	Revenu F/ Revenu H %
1971	3 608	6 904	52,3	5 026	8 529	58,9
1981	9 866	17 232	57,3	14 527	21 735	66,8
1986	13 438	21 980	61,1	19 535	28 127	69,5
1987	13 392	23 572	59,1	20 504	30 702	66,8
1988	14 100	24 424	57,7	20 925	31 742	65,9
1989	15 266	26 883	56,8	21 206	33 981	62,4
1990	16 994	27 290	62,3	24 356	35 546	68,5
1991	17 517	28 289	61,9	25 740	36 710	70,1
1992	18 403	27 909	65,9	27 579	37 302	73,9

Source: Statistique Canada, *Gains des hommes et des femmes*, catalogue 13-577 hors série, tableau 2, et catalogue 13-217 annuel, tableau 2.

Comme les femmes travaillent davantage à temps partiel, il est utile de comparer dans un deuxième temps les salaires à temps plein seulement. Le revenu moyen d'emploi féminin passe de 58,9 % de celui des hommes en 1971 à 73,9 % en 1992. Si la différence diminue, elle reste encore bien présente. Selon les données des recensements canadiens[13], ce sont les femmes de 15 à 24 ans qui ont le revenu d'emploi le plus proche de celui des hommes (81,8 %), alors que c'est chez les femmes de 55 à 64 ans que le ratio est le plus faible. Ce phénomène peut s'expliquer par un degré de scolarité plus élevé, mais également par le fait que les femmes obtiennent moins de promotions que les hommes au cours de leur carrière.

Quelle est la situation des Québécoises comparativement aux travailleuses d'autres pays? Selon les données de la Commission européenne (Eurostat, 1992), les ouvrières perçoivent entre 67 % et 84,5 % du salaire des ouvriers, avec en tête le Danemark (84,5 %), suivi de la France (80,3 %), de l'Italie (79,3 %) et de la Grèce (79,2 %). Viennent ensuite les Pays-Bas (76,1 %), la Belgique (75,6 %), l'Allemagne (73,4 %), l'Espagne (72,2 %), le Portugal (70,8 %), l'Irlande (69,5 %),

---

13. Statistique Canada, *Population ayant travaillé en 1980. Revenu d'emploi selon certaines caractéristiques*, catalogue 92-931, tableau 1, 1980, et *Certaines caractéristiques du revenu*, catalogue 93-331, tableau 4, 1990.

le Luxembourg (67,9 %) et le Royaume-Uni (67,1 %). La différence s'accroît pour les non-ouvrières, qui reçoivent entre 55,2 % et 70,7 % du salaire des non-ouvriers. Ce sont les Portugaises qui connaissent la différence la moins grande (70,7 %), suivies des Grecques (68,5 %), des Françaises (67,2 %), des Allemandes (67,1 %), des Belges (65,2 %) et des Hollandaises (64,8 %). Viennent ensuite les Espagnoles (60,9 %), les Anglaises (58,3 %) et les Luxembourgeoises (55,2 %)[14]. Il faut certes souligner la difficulté que posent des comparaisons internationales : les catégories retenues dans les statistiques ne se recoupent pas parfaitement. Mais quelle que soit la méthode utilisée pour réduire la part inexpliquée des écarts entre les salaires des hommes et des femmes, ces écarts subsistent de manière irréductible.

Est-ce que ces salaires inférieurs sous-tendent encore l'idée que le salaire des femmes est un salaire d'appoint et que le salaire des hommes constitue le salaire familial[15] ? Ce phénomène est-il dû à un accès différent aux emplois ? à des pratiques organisationnelles discriminatoires, en particulier pour ce qui est de définir les postes et les emplois ? à moins de formation accordée aux femmes en cours d'emploi ? à leur moindre taux de syndicalisation ? Est-ce le résultat de la ségrégation socioprofessionnelle, de la non-mixité des emplois, tant horizontale que verticale ? Les réponses ne sont pas simples puisqu'en Australie[16], qui est l'un des pays où la ségrégation est la plus forte, l'écart des salaires entre les hommes et les femmes est parmi les plus faibles (83,4 %). Ce paradoxe s'expliquerait par le système centralisé de fixation des rémunérations, une forte syndicalisation, notamment pour les femmes, et un système de tribunaux spéciaux chargés de l'établissement du salaire minimum et des hausses de salaire. À l'opposé, l'absence de négociation salariale centralisée ainsi que la faible proportion de syndiqués renforcent la discrimination salariale, surtout si l'État n'intervient pas en fixant des minima.

« Toutes choses étant égales par ailleurs » (formation, expérience, catégorie professionnelle, âge, secteur d'activité), les femmes gagnent moins que les hommes dans tous les pays occidentaux. L'analyse économétrique des écarts de salaire entre les hommes et les femmes ne parvient jamais à réduire à néant le « pur effet de sexe » sur cette différence. Une part de la variation résiste toujours à l'explication par les autres variables, qui sont par ailleurs fortement corrélées entre elles.

---

14. Les données concernant le Danemark, l'Irlande et l'Italie sont manquantes.
15. Pendant plusieurs décennies, les syndicats affirment que le salaire des hommes doit être suffisant pour faire vivre une famille. Ils voient d'un mauvais œil le travail des femmes, en particulier celui des femmes mariées, parce que l'extension du travail féminin aurait pour conséquence une baisse générale des salaires.
16. Voir OCDE (1991, p. 3).

LA CULTURE ORGANISATIONNELLE ET LA SÉGRÉGATION SEXUELLE

Comment expliquer ces phénomènes de discrimination? Les gens ne font pas que travailler dans les organisations: ils les constituent. Les milieux de travail ne sont pas de simples structures ou systèmes, ils sont construits socialement par des individus. Étant donné qu'elles ont été, et sont encore, souvent exclues des postes de pouvoir et privées de la légitimité de la parole, les femmes ne peuvent jouer qu'un rôle limité dans cette construction, à tel point que Kanter (1977a) a pu parler de l'«éthique masculine» qui gouverne les organisations.

De plus en plus, cette culture organisationnelle de type masculin est considérée comme une source de discrimination envers les femmes. Certaines formes de discrimination ont une moindre portée dans la mesure où il ne s'agit pas d'un congédiement, d'un refus d'embauche ou d'une promotion. Mais le caractère récurrent de certaines vexations détériore les conditions de travail et mène à l'autodépréciation. La manifestation de cette discrimination «légère» se décèle particulièrement dans les variables reliées aux effets de la ségrégation, de la situation de minoritaire et de la symbolique organisationnelle.

La ségrégation des sexes

On a constaté fréquemment que les hommes, en situation de mixité, préfèrent rester entre eux. Plus fondamentalement, cette ségrégation se traduit dans les politiques de main-d'œuvre, qui sont basées sur l'acceptation de stéréotypes qui différencient les places respectives des hommes et des femmes. En guise d'exemple, les directrices d'école, en vertu de leurs prétendues qualités féminines, gèrent proportionnellement plus d'établissements recevant des clientèles difficiles et aux climats plus détériorés que les directeurs (Baudoux, 1994).

Les femmes cadres doivent gérer la ségrégation sexuelle et donc gérer leur propre dévaluation. Comme elles vivent souvent des situations où leur promotion ou leur maintien à un poste dépend des hommes, il n'est pas surprenant qu'elles se trouvent devant un dilemme: soit s'employer à des changements qui éliminent la discrimination, mais risquer ainsi l'exclusion ou tout au moins le plafonnement dans leur carrière, soit se soumettre aux politiques existantes. Il semble néanmoins qu'une majorité d'entre elles manifestent des comportements de solidarité, ouverts ou cachés.

Quant aux gestionnaires masculins, ils ne défient pas volontiers les hommes qui appuient la discrimination sexuelle et la dévaluation des femmes parce que ces pratiques les confortent dans leur masculinité. La remise en question du système de la part des hommes ou des femmes ne se produit donc que peu souvent, et cette absence de lutte contre la discrimination contribue à la perpétuation du *statu quo*. Ainsi, le sexe auquel appartiennent les individus a été et reste un facteur déterminant dans les organisations. Même si bon nombre d'hommes se montrent favorables aux droits des femmes, les politiques ou les pratiques d'égalité des chances se heurtent à une réaction inconsciente de la part de certains hommes, qui peuvent percevoir comme une menace cette concurrence féminine, en particulier dans les secteurs traditionnellement masculins.

La situation de minoritaire

Ce que font les gens, comment ils se sentent et se comportent reflète ce qu'ils sont en mesure de réaliser dans une situation donnée selon leur pouvoir et selon leur force numérique. En ce qui a trait plus particulièrement à ce dernier point, Kanter (1977b) a indiqué que la proportion de membres de sa catégorie sociale dans l'organisation est un facteur qui détermine en grande partie le comportement. Les membres des minorités sont plus visibles; le groupe dominant affermit sa culture en présence de minoritaires; les minoritaires sont tenus de s'assimiler aux dominants. Étant donné que les minoritaires possèdent des caractéristiques sociales différentes de celles de la majorité, ils accaparent l'attention: ils jouent sur une scène perpétuelle, leurs agissements sont manifestes et leurs erreurs sont publiques. Les minoritaires sont responsables de leurs échecs mais ne sont pas reconnus pour leurs réussites. De plus, ils assument la responsabilité de représenter leur catégorie sociale, ce qui engendre des pressions pour augmenter leur rendement.

Il existe également des pressions concernant la qualité de la production des minoritaires (de là le perfectionnisme reproché aux femmes). Toutefois, ce surplus quantitatif et qualitatif ne peut pas se manifester publiquement afin de ne pas humilier les dominants. Les minoritaires essaient donc de devenir socialement invisibles: ils se taisent dans les réunions, ils vantent moins bien leurs qualités en entrevue, ils travaillent chez eux, ils sont absents des événements publics ou des occasions où ils pourraient se faire valoir. La prétendue peur du succès souvent attribuée aux femmes serait donc une réaction réaliste par rapport à leur situation de minoritaires.

La présence de minoritaires amène les dominants à prendre une plus grande conscience de leurs propres caractéristiques. Les barrières se rehaussent entre les groupes, ce qui peut se traduire, par exemple, par des histoires osées, des histoires de conquêtes féminines, des blagues sexistes, des récits de chasse ou de pêche, des discussions à propos de sports réservés aux hommes ou l'exagération de traits attribués socialement aux hommes et aux femmes. Les femmes ne semblent pouvoir s'en sortir qu'en se préoccupant des centres d'intérêt masculins (l'inverse serait impensable) ou en acceptant elles-mêmes de prendre ces facéties à la légère et de ne pas manifester de comportements qui prennent ouvertement la défense des femmes.

Ce rehaussement des barrières a pour but de faire prendre conscience aux minoritaires de leur statut d'étrangers. Par exemple, que des hommes s'interrompent dans le déroulement d'une conversation pour demander la permission de raconter des blagues sur les femmes produit plusieurs effets simultanés. Étant donné que les femmes n'ont pas la force du nombre, elles ne peuvent qu'acquiescer. Elles devront reconnaître, permettre et même encourager les pratiques culturelles des hommes. Les hommes font ainsi comprendre que leur culture est différente et qu'elle leur appartient exclusivement. En même temps, parce qu'ils posent la question, on signale aux femmes que ce comportement ne leur sera pas permis, puisqu'il ne fait pas partie de leur culture. Les minoritaires apprennent ainsi qu'elles ne sont là que comme auditrices plutôt que comme participantes. Dans certains cas, le rehaussement des barrières se manifeste par d'autres pratiques : les secrets s'échangent entre dominants dans des lieux où les minorités n'ont pas accès.

Même si les femmes minoritaires sont exclues de certaines activités ou de la culture des dominants, ces derniers s'attendent à des manifestations de loyauté, faute de quoi elles seront encore plus isolées. Les femmes devront prouver continuellement leur loyauté. Elles devront ainsi ou accepter l'isolement, ou s'identifier aux dominants, se percevoir et se signaler comme des exceptions. Elles devront en outre permettre aux dominants de se moquer des femmes, prouvant par là même qu'elles ont une même définition de la situation que leurs collègues.

L'assimilation des minoritaires se réalise également par l'obligation de correspondre aux stéréotypes véhiculés à leur sujet. Les femmes minoritaires sont obligées de jouer des rôles caricaturaux, par exemple, si elles sont gestionnaires, celui de mère ou de Jeanne d'Arc (Huppert-Laufer, 1982), sinon elles devront déployer beaucoup d'efforts pour convaincre les dominants qu'elles ne correspondent pas à ces stéréotypes.

L'étude de Burke et McKeen (1996) montre que la proportion des sexes dans une organisation produit certains effets, même lorsque les facteurs personnels et organisationnels sont écartés. Les femmes cadres, gérant dans des organisations où les femmes se trouvent dans une proportion de 85 hommes pour 15 femmes ou de 65 hommes pour 35 femmes (plus d'hommes gestionnaires à tous les échelons et la plupart des hommes dans les postes supérieurs), sont moins satisfaites au travail et expriment de plus vives intentions de le quitter que les femmes qui travaillent dans des organisations comportant moins d'hommes dans les échelons supérieurs. Diverses explications sont possibles. Les femmes peuvent être exclues du réseau des hommes dans les organisations dominées par les hommes, avec pour résultat moins d'appui et moins d'attitudes et de résultats positifs. L'insensibilité des cadres supérieurs aux questions ne concernant que les femmes peut engendrer une moindre intégration, moins d'encouragements et un faible soutien. De plus, des effets négatifs comme la solitude et l'aliénation vont en augmentant.

L'absence de femmes mentors et de modèles peut diminuer la satisfaction personnelle en ce qui a trait à la carrière et même l'ampleur des aspirations.

La symbolique organisationnelle

Les institutions et le pouvoir sont matériellement représentés par des hommes. Cette représentation rejoint la conscience et la façonne sous forme de schèmes opposant le masculin et le féminin (mots péjoratifs pour désigner les femmes, diminutifs féminins, etc.), qui ont été créés à partir du point de vue de ceux qui affirment leur domination. Les dominants font apparaître ces catégories comme naturelles, forçant ainsi les dominées à s'évaluer elles-mêmes selon la logique du préjugé défavorable (Bourdieu, 1990). Dans les conversations quotidiennes, la séparation des rôles selon le sexe et la dévaluation des femmes sont communiquées de façon symbolique. Ainsi, le stéréotype de la ménagère est bien présent lorsqu'on demande à un membre féminin du personnel de s'occuper du café.

Le pouvoir des hommes comme catégorie sociale s'exprime à travers leur style de discours, leur titre, voire leur langage corporel. Les détenteurs du pouvoir peuvent manifester leur impatience, mais, s'ils le désirent, ils ont le loisir d'utiliser une rhétorique d'impartialité, de juste milieu et de décence. N'ayant rien à obtenir, ils évitent le ton agressif ou le discours polémique, apprécient la discrétion, affichent un certain respect de l'adversaire. Les minoritaires, dont les femmes, doivent pratiquer l'autocensure et intérioriser les règles de la bienséance officielle, car leur franc-parler est jugé scandaleux.

Par le langage et la symbolique, l'organisation véhicule l'imaginaire qui la sous-tend. Ce langage est plutôt rattaché à un univers culturellement masculin, de type militaire. Pensons à certains termes : stratégie, objectif, cible, cadre, chef, encadrement, compétition, trophée, lutte, voire « tueurs », etc. Ce langage de type guerrier reflète un imaginaire culturellement masculin et souligne l'assimilation de l'organisation à l'armée, institution essentiellement masculine. Dans cette culture héritée de l'armée, le bon gestionnaire doit contenir ses émotions. L'affectivité est méprisée ; elle doit être exprimée en termes mesurés, sinon être occultée.

Un autre handicap pour les femmes est la présence de tabous organisationnels. Par exemple, les responsabilités familiales ne doivent pas transparaître au travail, en particulier chez les femmes. C'est comme si le personnel était désincarné et qu'il ne devait se dévouer que pour l'organisation. Les demandes de congé en raison de maladie dans la famille sont mal vues et mal tolérées chez les femmes, alors qu'elles sont parfois plus légitimées chez les hommes.

Les mythes les plus prégnants dans les organisations, en particulier dans les organisations bureaucratiques, sont ceux de l'objectivité et de la méritocratie. Le recrutement se prétend objectif parce qu'il se fonde sur des critères impersonnels de compétence. Or, de nombreuses pratiques maintiennent la ségrégation, tant horizontale que verticale. Les politiques qui décident du sort des femmes sont entre les mains des hommes qui choisissent les quotas, implicites ou non, les règles et les critères. En réalité, la logique de reproduction sociale, qui entre en conflit avec la logique de qualification (qui ne tiendrait pas compte du sexe), s'avère la plus efficace des deux. L'idéologie occulte les rapports sociaux de sexe et fait de cette ségrégation des femmes un problème personnel qu'elles auront à résoudre individuellement.

Les femmes doivent subir davantage de «rites d'initiation». Alors que ces rites ne sont imposés aux gestionnaires masculins qu'au début de leur carrière, ils sont permanents pour leurs collègues féminines. En entrevue, les candidates se font à l'occasion poser des questions sur leur possibilité de concilier leur carrière et leur vie familiale ou des questions destinées à les désarçonner. On peut également retenir au moment de la sélection des critères qui ne sont pas pertinents pour le poste mais qui élimineront la majorité des candidates. Les ouvertures de poste ne sont souvent que des formalités: en réalité, on recrute fréquemment grâce à ses relations, et maintes décisions sont déjà prises avant que les postes soient ouverts. L'organisation semble exiger davantage des femmes: elles doivent attendre plus longtemps avant de poser leur candidature à des postes de gestion, travailler de façon plus approfondie et un nombre d'heures plus élevé ou se montrer «gentilles» en entrevue. Alors qu'une candidate doit jouer la comédie pour être engagée, les candidats sont parfois en mesure d'imposer leurs conditions.

C'est au cours de la période d'installation dans les nouvelles fonctions que se dessinent les relations futures. Les femmes qui percent dans des carrières dites masculines reçoivent peu de soutien et d'encouragements. Dès le départ, elles sont tenues de faire leurs preuves comme si elles ne détenaient pas la compétence «naturellement» accordée aux hommes. Après la sélection, il faudra qu'elles s'habituent à ne pas s'offusquer de certains comportements sexistes.

Certaines pratiques d'exclusion défavorisent les femmes. Avoir le droit d'être membre à part entière de l'organisation et l'être dans la réalité sont des choses différentes. D'ordinaire, l'organisation ne prend pas en considération la présence, la parole, les actes des femmes. Au cours des réunions, elles sont plus souvent interrompues que les hommes. Très souvent, les femmes sont traitées comme si elles étaient absentes: on ne les regarde pas dans les réunions, on ne tient pas compte de ce qu'elles disent, on accapare leurs idées, on se montre plus familier ou plus condescendant avec elles. Elles sont moins bien intégrées à l'organisation et sont moins sollicitées pour des séminaires ou des soirées. Ces attitudes peuvent les démoraliser à maints égards. Les femmes vivent de plus des exigences contradictoires. Ainsi, elles sont appelées à être séduisantes; toutefois, si elles cherchent à l'être, elles ne seront probablement pas prises au sérieux au travail et, si elles ne le font pas, on les accusera de ne pas être assez féminines.

Un autre type d'exclusion consiste à garder certaines choses secrètes. Il y a dans les organisations des secrets jalousement gardés. Les femmes reçoivent moins d'information, elles ont moins d'influence sur leurs pairs et sur les subordonnés et sont généralement plus isolées que leurs collègues masculins. Les pratiques d'exclusion peuvent revêtir des formes très subtiles. Des hommes, par exemple, chercheront à éviter aux femmes des situations difficiles, à les «protéger», perpétuant ainsi l'exclusion. Ainsi, les stéréotypes négatifs attribués aux femmes se trouvent renforcés par ce souci de protection.

LA DISCRIMINATION EN EMPLOI ET SES REMÈDES

LA LÉGISLATION RÉPARATRICE

Avec la signature d'accords internationaux sur l'égalité de traitement entre les sexes, avec l'introduction de chartes des droits et libertés de la personne et à la suite des pressions des groupes de femmes, les gouvernements ont adopté deux types de mesures destinées à redresser la situation de discrimination systémique vécue par les femmes: les programmes d'accès à l'égalité et les programmes d'équité salariale. La discrimination systémique est définie par Chicha-Pontbriand (1989, p. 85) comme «une situation d'inégalité cumulative et dynamique résultant de l'interaction de pratiques, de décisions ou de comportements, individuels ou institutionnels, ayant des effets préjudiciables, voulus ou non, sur les membres de groupes visés par l'article 10 de la Charte québécoise des droits de la personne».

Comment en est-on arrivé à utiliser le concept de discrimination systémique? Au cours des années 60, c'est le concept d'égalité des chances qui prévaut. On présume que si tout le monde se trouve sur la même ligne de départ, chacun a les mêmes chances de gagner la course. On ne tient pas compte de l'inégalité sociale de départ ni des embûches particulières qui se dressent sur le chemin des membres de certaines catégories sociales. La discrimination directe s'exprime par une volonté délibérée de discriminer (refuser un emploi à une femme parce que c'est une femme) alors que la discrimination indirecte n'est pas intentionnelle.

Devant l'inefficacité des politiques d'égalité des chances, les concepts d'égalité des résultats et de discrimination systémique sont apparus. La discrimination systémique résulte, selon la Commission des droits de la personne (1977):

1) de préjugés ou d'attitudes qui excluent certains individus en raison de leur appartenance à une catégorie sociale;

2) de certaines pratiques organisationnelles qui, neutres en apparence, ont pour effet d'exclure principalement certains groupes;

3) de traitements différents selon l'appartenance à un groupe.

Ce type de discrimination a donc trait à des groupes et non à des individus, elle a une origine historique et on ne la découvre qu'*a posteriori* à la lumière de statistiques. La politique d'égalité des résultats vise un taux de réussite comparable sur le marché du travail, indépendamment de la catégorisation[17] sociale à laquelle on appartient. On tient compte du désavantage dû à l'appartenance à un groupe donné : ces programmes comprendront donc nécessairement des mesures de redressement.

Ces mesures de redressement peuvent consister à permettre à certaines personnes d'acquérir la formation souhaitée. Mais elles consistent principalement à engager un nombre relativement plus élevé de membres de groupes cibles pour atteindre à un moment précis l'égalité des résultats et mettre ainsi fin aux phénomènes de reproduction de l'inégalité sociale[18]. Ces mesures de redressement sont parfois critiquées avec véhémence, sous le prétexte qu'on engage des personnes moins compétentes. En réalité, un programme d'accès à l'égalité produit plutôt l'effet contraire : il permet soit de faire acquérir la compétence par la formation, soit de la faire reconnaître au moment de la sélection.

Dans tous les cas de présumée discrimination, il s'avère nécessaire de recourir à la Commission des droits de la personne et, en cas d'impasse, au Tribunal des droits de la personne. Si la Commission des droits de la personne peut aider les plaignantes, celles-ci devront peut-être néanmoins porter plainte devant un tribunal. Cette expérience se révèle très stressante et épuisante, qu'on choisisse de rester dans un milieu de travail où l'ambiance se détériore ou qu'on démissionne, pour se retrouver dès lors dans la solitude et l'insécurité financière.

LE RECOURS AUX TRIBUNAUX

Les cas de discrimination directe ou indirecte

En matière de discrimination, l'intention de faire un acte discriminatoire n'est d'aucune pertinence devant un tribunal. Ce dernier n'établit donc pas de différence entre discrimination directe ou indirecte. C'est l'ensemble des circonstances qui entourent le geste accompli qui permet au tribunal, selon la prépondérance des probabilités, de tirer une conclusion plutôt qu'une autre. Les sections qui suivent présentent des exemples de discrimination directe ou indirecte vécue par les femmes : harcèlement sexuel, sexualisation des emplois, non-engagement ou congédiement en raison d'une grossesse, en raison de l'âge relié au sexe.

---

17. Nous préférons employer «catégorisation» plutôt que «catégorie» parce que le premier terme souligne le travail social de découpage, de séparation, alors que le deuxième risque de naturaliser les catégories.

18. Les décideurs ont en effet tendance à engager sans s'en rendre compte des personnes qui leur ressemblent (classe sociale, sexe, idéologie, expérience, etc.).

Le harcèlement sexuel

Depuis la création du Tribunal des droits de la personne au début des années 90, le harcèlement sexuel est le cas de discrimination le plus fréquemment traité. L'examen des jugements permet de constater que les victimes de cette discrimination sont presque exclusivement des femmes disposant de peu de pouvoir, des secrétaires, des caissières, des serveuses de bar, des femmes travaillant en général à temps partiel ou occupant un emploi précaire.

L'article 10.1 de la Charte interdit le harcèlement. Le harcèlement sexuel est défini comme «une conduite de nature sexuelle non sollicitée qui a un effet défavorable sur le milieu de travail ou qui a des conséquences préjudiciables en matière d'emploi pour les victimes de harcèlement [...]. Le harcèlement sexuel en milieu de travail est un abus de pouvoir tant économique que sexuel. Le harcèlement sexuel est une pratique dégradante, qui inflige un grave affront à la dignité des employés forcés de le subir[19]». Il existe deux types de harcèlement: celui où il y a menace de congédiement, de refus de promotion ou de toute autre mesure de rétorsion, et celui qui consiste essentiellement à empoisonner le climat de travail en portant atteinte à la dignité de la personne et en attaquant son droit à travailler dans un environnement sain et non dangereux.

Les cas de harcèlement sont difficiles à traiter, dans la mesure où il y a peu de témoins directs, c'est-à-dire oculaires ou auriculaires. Le jugement doit donc être établi à partir d'une preuve indirecte vraisemblable, très souvent des plaintes spontanées et nombreuses, faites à des témoins crédibles par la ou les plaignantes à des périodes contemporaines des événements. Même s'il y a apparence de collaboration avec le harceleur (par exemple l'envoi d'une carte de vœux), ce comportement n'invalide pas la possibilité de harcèlement. Le Tribunal souligne en effet que, dans la jurisprudence, les victimes de harcèlement acceptent souvent d'endurer du mieux qu'elles le peuvent une situation contraignante et dégradante. Cela se comprend facilement chez les employés qui vivent dans un contexte économique difficile, et c'est d'autant plus vrai dans le cadre d'un rapport hiérarchique. Parmi les jugements du Tribunal des droits de la personne, nous avons choisi en guise d'exemple non pas nécessairement le plus représentatif, mais celui qui rapporte les paroles et les gestes les moins vulgaires.

> Madame Mary G. travaille comme secrétaire à temps partiel non permanente à l'Université X depuis 1988, sous la direction d'un directeur de programme, le professeur D., qu'elle accuse de harcèlement sexuel.
>
> Selon Mary G., dès son entrée en fonction, monsieur D. insiste pour qu'elle porte des robes plutôt que des pantalons. Selon madame G., le comportement de monsieur D. est à connotation sexuelle lorsqu'il prononce ces

---

19. Jugement du juge Dickson, *Janzen c. Platy Entreprises Ltd.*, [1989] 1 RCS. 1252, 1284.

remarques. Elle s'en plaint à une collègue de travail. Au printemps 1989, il l'invite à l'accompagner lors d'un voyage à Paris, tout en lui demandant ses mensurations pour qu'il puisse lui acheter une robe. Elle refuse. Un lundi matin, voyant un feu sauvage sur les lèvres de madame G., il s'exclame : «je sais maintenant ce que vous faites au lit les fins de semaine». Par la suite, il lui offre d'acheter ensemble un condo en Floride. Elle refuse. À une occasion, monsieur D. lui caresse les cheveux. Huit ou neuf fois par année, il tente de l'embrasser, principalement lors des départs et des retours de voyages. Il ne réussit qu'à lui baiser les joues parce qu'elle détourne la tête. À une autre occasion, il tente de la prendre par la taille et il lui touche la poitrine avec ses deux mains, prétextant vouloir prendre sa pointure. En 1991, il l'invite à l'accompagner lors d'un voyage en Inde. Devant son refus, il lui demande avec insistance d'écrire le nombre de verges de soie qu'il doit acheter de même que les cadeaux qu'elle désirerait recevoir. Exaspérée et voulant en terminer au plus vite, elle lui écrit ce qu'il veut bien entendre. Madame G. se plaint à la professeure D.B. des agissements de monsieur D. Elle en parle également à madame D.H. et à madame S.S., responsable du Bureau des recours sur le harcèlement sexuel. Elle affirme que monsieur D. ajoute des menaces de congédiement. Il lui répète que puisqu'il l'a engagée, il peut la congédier et qu'il est le seul à pouvoir protéger son emploi. La relation entre eux est tendue. Monsieur D. a l'habitude de crier et de lui lancer des objets lorsqu'il est furieux.

Madame G. n'a jamais verbalisé son refus, mais elle affirme que son langage corporel est évident, puisqu'elle se détourne à chaque étreinte. Au fil des années, son stress l'amène à éprouver divers problèmes de santé. En février 1992, elle demande son transfert et elle démissionne de son emploi à la fin du mois, se sentant trop malade et trop effrayée pour continuer de travailler pour monsieur D. Peu avant son départ, monsieur D. lui demande d'écrire un mémo expliquant l'utilisation qu'elle fait du système postal de l'Université. Elle lui écrit qu'elle poste des bulletins grâce au service postal de l'Université et qu'elle en rembourse le coût par la suite. Plusieurs personnes sont au courant de cette utilisation qui est faite depuis plusieurs années et qui ne pose aucun problème. Madame G. ne reprend le travail à l'Université dans un autre poste qu'à l'automne suivant. Plusieurs témoins viennent confirmer les confidences que leur a faites madame G.

Monsieur D. nie tous les faits rapportés. Leurs relations étaient agréables jusqu'en 1992. Il a pris quelques lunchs avec elle, et il les qualifie de plaisants. Il lui apportait des cadeaux et elle les acceptait. C'est elle qui lui a parlé de sa vie privée et une rédaction de cette dernière constituerait, selon lui, un livre croustillant. Sa culture lui interdit des remarques à connotation sexuelle et il soutient ne pas connaître les us et coutumes du Québec bien qu'il l'habite depuis 25 ans. Lorsqu'il est allé à Paris, c'est elle qui l'aurait embrassé sur les lèvres en lui souhaitant bon voyage. Peu avant la dénonciation pour harcèlement sexuel, il a appris que cette dernière utilisait la poste de l'Université et, selon lui, c'est la découverte des envois postaux qui a poussé madame G. à inventer toutes ces plaintes. Il prétend que le vérificateur des comptes de l'Université qui a constaté que madame G. a remboursé les frais postaux a procédé à un camouflage. Le 8 février 1993, monsieur D. poursuit madame G. en diffamation et lui réclame des dommages de 55 000 dollars. En octobre 1993, après une grève de la faim, monsieur D. écrit que la plainte de madame G. n'est qu'une «lettre mensongère».

Le jugement

La crédibilité de Monsieur D. est amoindrie du fait qu'il a soutenu que leur relation pouvait être qualifiée de plaisante jusqu'en 1992, alors que la preuve note que des plaintes spontanées ont été faites de 1988 à 1992. De plus, l'utilisation du système postal existait depuis plusieurs années au vu et au su de tout le monde. Ce n'est donc pas un motif de vengeance qui anime la plaignante. Si la plaignante n'a pas verbalisé ses refus, le langage corporel est un mode de communication de ce refus. Enfin, l'effet continu de la conduite de Monsieur D. est manifeste, puisqu'il a duré sous plusieurs formes pendant plusieurs années.

Monsieur D. est condamné à payer la perte de revenu de 6 mois de la plaignante ainsi que des dommages moraux. (Tribunal des droits de la personne, 500-53-000013-951, 1995.)

Il s'agit ici du type de harcèlement sexuel qualifié de chantage au travail, qui est, selon la Cour suprême, une manifestation particulièrement flagrante et répugnante du harcèlement sexuel. Même si un comportement de nature sexuelle ne se manifeste pas chaque jour, dans la mesure où l'un des gestes a donné lieu, à la suite d'un refus explicite ou implicite, à des menaces ou à un comportement agressif, il s'installe un climat durable de harcèlement qui détériore de façon discriminatoire les conditions de travail.

La sexualisation des emplois

Il existe encore des cas où, en dépit des chartes, on recourt à la sexualisation des emplois au lieu de tenter de concilier des droits fondamentaux concurrents protégés par une charte. La cause suivante concerne un cas survenu dans un centre hospitalier.

Quatre infirmières auxiliaires se plaignent que le centre hospitalier où elles travaillent atteigne à leurs droits en établissant une nouvelle politique visant le troisième étage (soins prolongés de gériatrie). Ce centre réserve exclusivement à des hommes certains postes d'infirmiers auxiliaires, en s'appuyant sur l'article 20 de la charte pour prétendre que cette politique est réputée non discriminatoire. La charte prévoit en effet de sauvegarder les droits des personnes à leur intégrité, à la sauvegarde de leur dignité et au respect de leur vie privée.

Le travail d'infirmier(ère) auxiliaire consiste à passer les plateaux, à aider à manger, à donner le bain, à faire effectuer divers mouvements. Les patients sont regroupés par sexe dans une même chambre, mais au niveau du troisième étage, ils sont regroupés selon le diagnostic. Si le patient est difficile à déplacer, une équipe de deux intervient. La nuit, tout se fait par équipe de deux. La tradition veut qu'il y ait un homme au 3e étage, ce qui ne s'est pas produit pendant six mois, faute de personnel masculin.

Micheline D. affirme qu'elle est disponible à toute heure du jour pour travailler quatre jours. Le fait que ce poste soit réservé à un homme implique qu'elle ne sera rappelée que si aucun homme n'est disponible. Elle ne peut, de plus, appliquer sur un poste permanent, puisqu'il est réservé à un homme. Lyse D. a vu sa semaine de travail réduite de 5 à 3 jours par semaine. Par la sexualisation du poste et de son remplacement, elle a perdu un poste qu'elle aurait pu avoir. Un poste régulier permet de planifier son horaire, alors que sur appel, on est appelé le matin même. Madeleine R. travaille à temps partiel occasionnel avec une disponibilité complète, à toute heure, sept jours par semaine. Elle explique les difficultés de travailler sur appel, de ne pouvoir planifier les jours de congé et les conséquences qui s'ensuivent sur la vie familiale et sociale. Brigitte H. travaille à temps partiel occasionnel et est disponible elle aussi à toute heure sept jours par semaine. Elle ne s'est jamais blessée.

Le directeur du centre hospitalier, Jacques T., rappelle qu'il y a eu une pénurie d'infirmiers auxiliaires pendant six mois. Durant les six mois, il y a eu des plaintes des bénéficiaires, une recrudescence des accidents de travail et on a dû recourir aux services d'agents de sécurité. Une assistante hospitalière affirme quant à elle qu'il n'y a pas eu de plainte pendant les six mois précédant l'engagement d'un infirmier auxiliaire.

C'est suite à la consultation menée par le directeur du centre, et particulièrement suite à l'avis de la directrice des soins infirmiers Suzette T. que le directeur Jacques T. prend sa décision. La direction de l'hôpital prétend que cette politique a pour but de répondre aux besoins de sécurité des patients et au désir de respecter leur vie intime. Cette politique a pour effet de bouleverser la règle de l'ancienneté. L'exécutif du syndicat accepte cette décision de l'hôpital, mais après quelque temps, l'assemblée syndicale décide d'annuler l'acquiescement donné deux ans auparavant.

En matière de sécurité, Suzette T. donne l'exemple d'un patient atteint de sclérose en plaques qui s'est plaint de ne pas avoir été déplacé convenablement et que la famille a ramené chez lui en engageant un infirmier auxiliaire privé. Pour le Tribunal, il n'est pas clair que le patient a quitté l'hôpital parce qu'il n'y recevait pas les soins appropriés ou s'il a décidé de recevoir davantage de soins chez lui avec la présence d'un infirmier dévoué exclusivement à son service. De plus, Suzette T. reconnaît que l'infirmier auxiliaire nouvellement engagé n'a pas à répondre à des exigences précises en termes de poids, de force musculaire ou de force physique. Seule, la compétence est requise lors de l'engagement. Lorsque des patients sont trop agités ou trop difficiles à déplacer, on recourt à l'agent de sécurité. Certains équipements comme le lève-patient ou les ceintures peuvent être utilisés. Des programmes de formation pour augmenter la capacité de levage et pour diminuer le risque de blessures pour le personnel soignant sont offerts. La preuve met en relief que les blessures subies ne peuvent être reliées au fait qu'elles auraient été évitées en la présence d'un homme. Ces blessures atteignent des infirmiers auxiliaires qui manipulent les patients de façon non orthodoxe. De plus, des infirmières auxiliaires travaillent indifféremment avec une femme ou avec un homme sans se blesser. Les blessures que des plaignantes ont connues sont tout à fait accidentelles et auraient pu se produire avec un homme ou en équipe avec un homme.

En ce qui a trait à l'intimité des patients, Suzette T. soutient que des familles ont réprouvé le fait que leur père soit lavé par des femmes et qu'un certain G. T. lui a signalé qu'il attendrait le soir pour prendre son bain afin que celui-ci lui soit donné par l'infirmier, ainsi que pour demander l'urinoir. Elle rapporte que le souhait des patients est d'avoir un rasage préopératoire fait par un homme. Elle n'a jamais colligé le nombre de plaintes reçues sur cette question.

Jugement

La Charte québécoise prévoit dans son article 5 certaines exceptions à l'interdiction de discrimination. Le litige concerne l'exercice concomitant de différents droits protégés par la Charte : les droits des personnes à leur intégrité, à la sauvegarde de leur dignité et au respect de leur vie privée, d'une part, et les droits à l'égalité en emploi, d'autre part. En ce qui a trait aux exigences relatives à la force physique, celles-ci doivent être évaluées en tenant compte des techniques et des équipements fournis. Il faut établir si le moyen choisi par l'employeur pouvait être remplacé par un autre moyen raisonnable portant moins atteinte au droit à l'égalité. L'employeur doit démontrer qu'il ne dispose d'aucune alternative assurant l'exécution efficace du travail. Si l'employeur établit que la tâche comporte des exigences reliées à la force physique et à la sécurité, il doit établir que sa politique d'exclusion se justifie par l'impossibilité de procéder à l'évaluation individuelle des candidats, notamment par l'administration d'examens destinés à vérifier les forces et les limites de chacun par rapport aux exigences réelles de l'emploi. Il serait discriminatoire de réserver un emploi uniquement aux hommes en présumant simplement qu'en raison de leur sexe, ils sont les seuls à posséder cette force. En ce qui a trait à la sécurité à l'égard des patients comme à l'égard du personnel, si la force physique est une condition requise pour l'emploi, le fait d'être un homme n'est pas en soi suffisant. Il faudra que les hommes et les femmes répondent à des critères précis de force physique correspondant à des exigences précisément identifiées et mesurées. Ici, les hommes ont été choisis uniquement pour leur compétence. On n'a pas non plus établi que pendant les six mois, il y a eu des blessures qui auraient pu être évitées s'il y avait eu un homme au département. Le témoignage de l'assistante hospitalière va dans ce sens.

En ce qui concerne les demandes pour les soins intimes donnés par une personne de même sexe, elles doivent être satisfaites dans un cadre raisonnable. L'employeur doit prouver l'existence de tels désirs. Mais dans ce cas, la question est de savoir si la sexualisation constitue une mesure rationnelle et proportionnée ou s'il n'aurait pas été possible de trouver une alternative satisfaisante. Selon le tribunal, l'expression de simples préférences ne peut justifier une politique discriminatoire. Comment s'assurer s'il s'agit de l'expression de droits fondamentaux ou de préjugés de la part des parents ? Il faut que les préférences des hommes relèvent d'un droit fondamental. Seuls, les aînés bénéficient de ce droit. De plus, il pourrait y avoir des cas de préférences contraires. L'employeur ne se base donc pas sur des cas concrets, vécus et réels, mais sur la croyance qu'il serait préférable qu'il en soit ainsi. Le respect de l'intimité du patient concerne tout autant la manière dont les actes sont posés et le climat de confiance et l'intimité créés dans son environnement immédiat lors de l'administration de ces soins.

La politique de sexualisation doit donc être annulée et les quatre infirmières auxiliaires rétablies dans leurs droits. Elles doivent obtenir les postes permanents, les quatre hommes qui ont tous obtenu un poste permanent ayant moins d'ancienneté qu'elles. Elles obtiendront également des dommages moraux. En effet, elles ont perdu un nombre d'heures de travail précis et un horaire stable permettant un revenu garanti. Elles ont perdu l'accès à du perfectionnement, à la protection de divers régimes d'assurance vie, maladie ou salaire, les congés sociaux et l'ensemble des primes et des clauses de temps supplémentaire. La disponibilité considérable exigée de leur part est déterminante dans leur vie personnelle, familiale et sociale. Leur vie est assujettie aux besoins de l'employeur. Il y a donc préjudice important découlant du refus d'accorder un poste permanent en raison d'une politique de sexualisation de l'employeur. (Tribunal des droits de la personne, 240-53-000001-918, 1992.)

Il est intéressant de noter ici, en ce qui a trait aux soins intimes, que la plainte concerne la division sexuelle d'une profession où les femmes sont en majorité. Le centre hospitalier aurait-il mis sur pied une politique similaire dans le cas des médecins en réservant des postes de femmes médecins pour les patientes ? Poser la question, c'est malheureusement y répondre.

Le congédiement en raison de l'âge relié au sexe

Il peut sembler étonnant de présenter un cas de discrimination en raison de l'âge dans un chapitre traitant de la dimension sexuelle. La question qui nous pousse à le faire est celle-ci : un homme aurait-il été congédié ou non engagé à cause de l'apparence due à son âge ? On sait en effet que la société se montre plus dure envers le vieillissement féminin qu'envers le vieillissement masculin.

Deux serveuses (Aline V., 48 ans, et Jeannine S., 50 ans) sont congédiées presque en même temps du restaurant où elles travaillent. Le propriétaire et le gestionnaire prétendent que les congédiements se sont faits non en raison de l'âge, mais à l'occasion d'une réduction de personnel causée par une diminution des affaires au restaurant.

La preuve démontre toutefois que deux serveuses ont été engagées durant cette période, l'une de 20 ans et l'autre de 35 ans. Le 22 mars, le gérant dit à Jeannine S. que le propriétaire fait des rénovations et qu'il a l'intention d'avoir du personnel plus jeune. Il a déjà engagé une serveuse plus jeune. Le 9 avril, il l'informe qu'il n'y a plus de travail pour elle. Elle est congédiée. Aline V. est remerciée de ses services de façon similaire.

Quant au gestionnaire, il prétend qu'il subit des pressions de la part du propriétaire pour diminuer le personnel. Il nie les avoir congédiées en raison de leur âge, mais plutôt en raison d'une productivité moindre. Il admet avoir mis une annonce dans le journal, suite à un afflux de clientèle.

Le propriétaire nie avoir donné l'ordre de congédiement en raison de l'âge, mais il affirme que l'embauche et le congédiement relèvent de son gestionnaire. Il ne connaît pas les plaignantes. Il aurait demandé au gestionnaire de congédier les moins productives. Le gérant lui a téléphoné quelques jours après le congédiement des deux plaignantes pour lui signaler qu'il faudrait engager deux autres serveuses. L'année suivante, le restaurant a fait faillite. Le cuisinier vient témoigner que les plaignantes travaillent lentement.

Le jugement

Le juge rejette les motifs de la défense. Le rendement insatisfaisant au travail n'est pas démontré, puisqu'aucun reproche ne leur a été adressé alors qu'elles travaillaient pour le restaurant. De plus, en dépit de la faillite subséquente, la preuve démontre que deux serveuses plus jeunes ont été engagées pour assumer les mêmes fonctions. La parution d'une offre d'emploi dans un quotidien rend suspects les congédiements. C'est bel et bien à cause de leur âge que les serveuses ont été remerciées. Étant donné que la loi exige que les employeurs soient tenus responsables des actes discriminatoires de leurs employés lorsque ces actes sont reliés à leur emploi, le propriétaire est condamné à payer trois mois de salaire, des frais encourus auprès d'un naturopathe, ainsi que des dommages moraux. (Tribunal des droits de la personne, 500-53-000029-924 et 500-53-000030-922, 1993.)

Bien que le critère du sexe n'ait pas ici été formellement invoqué, le Tribunal ne peut s'empêcher de signaler sa préoccupation devant les effets particulièrement défavorables que le vieillissement entraîne pour les femmes occupant un emploi, en particulier lorsque celles-ci exercent leurs fonctions auprès du public. D'autres cas se sont produits, dont celui d'une journaliste de la télévision de Radio-Canada dans la cinquantaine qui fut remerciée de ses services à cause de son apparence, alors que les rides des journalistes masculins sont considérées comme une marque de sérieux et d'expérience. Il s'agit donc bien d'un double standard et d'une manifestation de discrimination basée sur le sexe.

Le congédiement en raison d'une grossesse

Le critère de grossesse constitue l'un des motifs illicites de la discrimination. Ce critère n'est cependant pas mentionné au moment de l'entrée en vigueur de la

Charte, le 28 juin 1978. Ce n'est qu'à l'occasion de la réforme générale de 1982 que le législateur québécois insère le critère de grossesse parmi la liste des motifs illicites de discrimination. À titre d'exemple, une université québécoise a, avant 1978, congédié une professeure sous le prétexte qu'elle est devenue mère trois fois en cinq ans. Le jugement a refusé de considérer la grossesse comme un motif de discrimination sexuelle, puisque l'article 10 n'interdit pas la discrimination entre personnes du même sexe. Le législateur québécois a donc dû ajouter certains critères à la suite de quelques décisions de ce type des tribunaux québécois sur la question de l'égalité entre les sexes. La cause suivante illustre un exemple de congédiement pour motif de grossesse.

> Marie-Ange D. est congédiée de son travail d'opératrice-couturière à la Lingerie R. par M. John A. Elle porte plainte. Lors de l'audience, elle témoigne que son médecin lui a remis un feuillet indiquant les dates auxquelles elle doit le consulter pour des examens prénataux, tôt le matin, entre 9 heures et 9 heures trente. Elle donne une copie de ce feuillet à Mme Claudette G., comptable de l'entreprise. Elle prévient le contremaître à chaque rendez-vous. La plaignante accumule six retards ou absences entre septembre et novembre : quatre rencontres avec le médecin, et deux examens à l'hôpital. Le contremaître n'accepte pas ses retards pour raisons médicales. Il lui demande de passer au bureau de madame D. pour signer une lettre lui reprochant ses trop nombreux retards et l'avisant qu'au prochain avis, elle serait congédiée. La plaignante refusant de signer la lettre, l'avis est transmis à son domicile. Le 10 novembre, la plaignante reçoit une lettre de l'hôpital l'avisant qu'elle devait se présenter d'urgence à la clinique prénatale afin d'y subir une échographie. Elle prévient madame D. qu'elle serait en retard au travail à cause de ce rendez-vous. Mme D. lui apprend qu'elle est congédiée «parce qu'il n'y a plus de travail». La plaignante relate que trois nouveaux employés ont été embauchés au début de septembre et que deux de ces personnes remplissent les mêmes tâches qu'elle.

Le jugement

> L'employeur est tenu en cas de grossesse de trouver un accommodement raisonnable afin de protéger la santé de la future mère. Selon la preuve présentée, Mme D. a été congédiée non parce qu'il n'y avait plus de travail, mais parce que l'employeur ne pouvait accepter les retards causés par les visites médicales. L'employeur aurait dû démontrer qu'il a présenté des moyens d'accommodement. Ce compromis doit être initié par l'employeur. La plaignante a donc droit à des dommages matériels pour perte de revenu, ainsi qu'à des dommages moraux. (Tribunal des droits de la personne, 500-53-000005-940, 1995.)

En ce qui a trait au concept d'accommodement dit raisonnable, l'obligation de l'employeur n'est pas absolue en ce sens que l'accommodement ne doit pas lui causer de contrainte excessive. Par ailleurs, la preuve de discrimination exige la réunion de plusieurs éléments : la personne plaignante doit appartenir à un groupe visé par l'interdiction de discrimination ; elle doit posséder les compétences requises pour l'emploi sollicité ; elle doit avoir subi un refus lié à ce critère protégé ; l'employeur doit avoir recherché des candidats possédant les mêmes qualifications.

Le non-engagement en raison d'une grossesse

La cause suivante concerne un autre cas relatif à la grossesse, mais il s'agit cette fois d'un cas de non-engagement où l'employeur n'a pas tenté (et n'aurait pas pu réussir en vertu des motifs indiqués par le Tribunal) de trouver un accommodement raisonnable.

> Mme Thérèse S. détient un baccalauréat d'enseignement en sciences religieuses depuis 1988. Elle obtient un contrat d'enseignement à temps partiel comme animatrice de pastorale à la polyvalente S. Comme elle accouche en juillet 1989, elle ne peut se présenter au concours pour le poste ouvert l'année suivante, ce qui fait qu'elle n'enseigne pas en 1989-1990. En 1990-1991, elle a, dans la même école, un mi-temps en enseignement religieux de secondaire 1. On lui propose un supplément de contrat de 47% qu'elle refuse. Ce deuxième contrat est octroyé à Mme Colette B.-C. L'évaluation de l'enseignement de Mme Thérèse S. est très bonne. À partir de février 1991, à cause de complications de grossesse, Mme S. est en arrêt de travail complet. Le directeur par intérim de la polyvalente lui manifeste sa satisfaction en lui remettant son évaluation. Ce directeur affirme qu'il ne se souvient pas avoir rencontré Mme S.
>
> Durant l'été 1991, Mme Thérèse S. croise le directeur adjoint dans le stationnement. À une question qu'elle lui pose, il lui indique qu'il n'est pas évident qu'elle aura le poste de l'année précédente, pour une raison de « territoire ». Mme S. communique avec le directeur qui lui confirme que le poste a été confié pour 1991-1992 à Mme Colette B.-C. La commission scolaire confirme le fait. Suite à son accouchement, Mme S. communique avec le directeur adjoint qui lui indique que si elle n'a pas eu le contrat, c'est à cause de sa grossesse.
>
> Les versions de la partie patronale ne sont pas concordantes. Voici la version du directeur adjoint, Monsieur C. Au début d'août 1991, le directeur adjoint travaille à la désignation des derniers professeurs contractuels. Pour le demi-poste en enseignement religieux, il recommande Mme S., ce à quoi le directeur, Monsieur D., s'oppose. Il ne veut pas que les élèves changent de professeur dans l'année. Tout de suite après cette réunion, le directeur adjoint se dirige vers la salle informatique pour travailler avec Madame G.-S. Le directeur entre dans la salle et dit au directeur adjoint : « La raison pour laquelle je n'ai pas recommandé Thérèse, vous tenez cela mort ». Ce n'est qu'après cette réunion que le directeur communique avec la commission scolaire (Monsieur L.) pour connaître précisément les critères d'embauche.

La version du directeur, Monsieur D., est différente. Après avoir rencontré monsieur L., conseiller en gestion des ressources humaines de la commission scolaire, le directeur communique avec quatre commissaires, messieurs G.C. et B.L. ainsi que mesdames L.M. et F.D. afin de recevoir leur avis. Il n'envoie que le nom de Mme B.-C. à la commission scolaire. Le directeur refuse de recommander les deux noms parce que Mme Colette B.-C. correspond davantage aux critères de compétence, d'ancienneté et de lieu de résidence. Le directeur ne parle pas de la préférence de son directeur adjoint parce qu'il n'a pas à mêler les adjoints à la consultation auprès des commissaires. Lorsqu'il pénètre dans la salle informatique, le directeur adjoint est encore tout rouge de colère. Le directeur lui dit: «que tout ce qui se dit au bureau de la direction ne doit pas en sortir». Mme G.-S., technicienne en organisation scolaire, indique que le comportement du directeur adjoint à la salle informatique n'a rien de spécial alors que le directeur est un peu nerveux. Le directeur a dit à son adjoint: «Ce que je dis de S., on tient cela mort». Avant que le directeur entre dans la salle, il n'était pas question de Thérèse S.

Monsieur L. rapporte dans son témoignage qu'il a transmis au directeur des informations relatives au bassin de disponibilité où se trouvent les noms de Thérèse S. et de Colette B.-C. Par la suite, le directeur lui soulève que Mme S. est enceinte. Monsieur L. mentionne alors que la politique d'embauche doit s'interpréter à la lumière de la Charte des droits et que les critères d'embauche sont que la personne doit avoir une certaine polyvalence, et qu'à compétence égale, il faut prendre en considération l'ancienneté et le lieu de résidence. Il ne se souvient pas que le directeur lui ait déclaré qu'il ne prendrait pas Mme S. parce qu'elle était enceinte. M.L. rappelle qu'en 1991, il n'existait pas de liste de priorité pour l'embauche.

La commissaire F.D. indique qu'elle a préféré Mme Colette B.-C. parce qu'elle demeure dans le même lieu qu'elle et qu'elle ne connaît pas la formation de Madame Thérèse S. La commissaire M. signale que sa préférence est allée à Colette B.-C. parce que le directeur lui a mentionné que les deux candidates étaient de compétence égale, mais que Mme B.-C. avait plus d'ancienneté. Pour elle, la détention d'un bac spécialisé en enseignement religieux doit être privilégiée par rapport à l'expérience ou le lieu de résidence. Le commissaire L. signale que le directeur lui a affirmé que les deux personnes étaient de compétence égale, mais que Mme Colette B.-C. avait plus d'ancienneté. S'il avait su qu'une des deux personnes avait un bac en enseignement religieux, il l'aurait préférée.

Le directeur général et le directeur des ressources humaines admettent qu'ils doivent veiller à ce que l'engagement soit conforme à la politique de la commission. Le directeur des ressources humaines n'a pas perçu que son conseiller en gestion des ressources humaines, M.L., voyait un problème dans le fait que Thérèse S. soit enceinte. Le directeur général suit à peu près toujours la recommandation du directeur d'école quant à l'octroi des postes de professeurs.

Le jugement

La politique d'embauche de la C.S. prévoit qu'il faut engager «le candidat présentant la meilleure adéquation possible entre la personne et le poste». À compétence égale, il faut privilégier l'embauche du candidat résidant sur le territoire de la commission scolaire. Mme Thérèse S. avait un bac d'enseignement religieux alors que Colette B.-C. a un bac en adaptation scolaire et un certificat en pastorale. L'animation pastorale n'est pas un champ d'enseignement et est régie par une autre convention collective. Deux commissaires affirment que le diplôme en enseignement religieux est un élément de compétence supérieur à un bac en adaptation scolaire. De plus, Madame S. a été évaluée positivement. Le poste devait donc lui revenir.

Le tribunal a foi en la version du directeur adjoint. Celui-ci lui donne dans un premier temps la version officielle de la commission scolaire. Ce n'est que quelques mois plus tard qu'il dit clairement à Mme Thérèse S. qu'elle n'a pas été engagée en raison de sa grossesse. Ce témoignage va dans le même sens que celui du conseiller en gestion des ressources humaines qui signale que c'est le directeur qui a amené la question de la grossesse. Le témoignage du directeur adjoint, celui du conseiller en gestion des ressources humaines, l'incident dans la salle informatique, tout concorde pour démontrer l'importance de l'élément grossesse. La commission scolaire n'a pas tenté de convaincre le tribunal que l'embauche de cette candidate aurait occasionné une contrainte excessive. Mais cette preuve aurait été difficile à faire, puisque la convention collective prévoit que les enseignantes, même à temps partiel, ont droit aux congés parentaux.

La commission scolaire est condamnée à verser une somme correspondant à la somme perdue pour perte de revenus subie en raison du refus de lui octroyer le poste. Elle doit lui verser des dommages moraux. De plus, elle doit reconnaître à Mme Thérèse S. tous les droits et privilèges afférents aux contrats d'enseignement, aux postes auxquels elle aurait eu accès, y compris le droit d'être inscrite sur la liste de priorité prévue à la convention collective. (Tribunal des droits de la personne, 235-53-000001-942, 1995.)

Il est intéressant de souligner au passage la légèreté avec laquelle certaines décisions sont prises au conseil des commissaires, alors que la vie professionnelle d'une personne est en jeu. Ces derniers ne semblent pas vouloir prendre une connaissance précise des dossiers et se fient uniquement à la parole du directeur. Quand celui-ci les a consultés, ils n'ont pas pris soin de lui poser les bonnes questions. S'ils avaient eu tous ces renseignements, ils auraient pris une décision différente.

La discrimination systémique

Depuis deux décennies, on s'est rendu compte que la discrimination n'est pas, ou pas seulement, un acte isolé qui vise un individu ou quelques personnes, et que la répression au moyen de plaintes individuelles devant les tribunaux ne suffit pas à rétablir les droits collectifs de certains groupes discriminés et ne peut rien changer à la réalité statistique. C'est pourquoi des plaintes collectives pour discrimination systémique ont été déposées.

La cause qui suit traite d'un cas d'allégation de discrimination fondée sur le sexe faite par un groupe d'enseignantes qui ont travaillé dans une polyvalente à temps plein, à temps partiel ou à partir d'une liste de disponibilité[20]. Le syndicat local, tenu au courant des faits, n'a pas porté plainte contre le directeur. La Commission des droits de la personne a été chargée du dossier (le tribunal du même nom n'existait pas lors du dépôt de la plainte quelques années auparavant).

Le groupe d'enseignantes se plaint de divers comportements et attitudes discriminatoires vécus dans leur polyvalente. Les éléments suivants sont mis en preuve :

1) *Discrimination dans les procédures d'embauche. a*) La direction fait passer des entrevues aux femmes qui posent leur candidature, mais pas aux hommes ; *b*) il existe une politique officieuse de « rajeunir le personnel » qui empêche des enseignantes de reprendre leur activité après des années d'absence.

2) *Discrimination dans l'attribution des postes. a*) 80 % des emplois à temps partiel sont occupés par des femmes alors qu'elles constituent moins de 50 % du corps enseignant de l'école ; *b*) la direction ne respecte pas l'ancienneté dans l'attribution des postes, mais privilégie les enseignants. Une enseignante à temps partiel avec 12 ans d'expérience dans l'enseignement à temps plein est remplacée par un suppléant qui n'a enseigné à plein temps que pendant six mois sans que la compétence de l'enseignante soit remise en question. Le fait que le suppléant ait pu remplacer cette enseignante lui a permis d'accéder à un poste permanent ; *c*) les postes à combler au sein de la direction sont rarement affichés dans les journaux ou ailleurs, mais sont plutôt comblés par une procédure interne à laquelle les enseignantes ne sont pas admises à participer, et autres exemples de ce type…

3) *Discrimination contre les enseignantes dans l'attribution des groupes d'élèves et des tâches. a*) Une enseignante s'est vu attribuer une cinquantaine d'élèves dans une classe, ce qui dépasse la norme de 40 %. Le directeur n'envoie pas la liste à la commission scolaire, ce qui prive l'enseignante d'un complément de salaire ; *b*) les enseignantes travaillent plus de périodes que les enseignants de même niveau ; *c*) en général, on attribue les groupes les plus faibles aux enseignantes et les plus forts aux enseignants. On a même transféré à une enseignante un groupe faible attribué à un enseignant, et donné à cet enseignant le groupe moyen de l'enseignante ; *d*) les enseignantes doivent souvent faire plus de préparations de cours distinctes que les enseignants.

---

20. Nous avons eu l'occasion d'être témoin expert dans cette cause, de même que dans celle ayant trait aux professionnelles du gouvernement mentionnée dans la section « L'équité salariale », p. 179-181. Pour plus de détails, voir Baudoux (1991, p. 139-146).

Les tentatives d'égaliser le fardeau ont été refusées par le collègue et par la direction; *e*) néanmoins, le directeur reproche aux enseignantes d'avoir les moyennes de groupe les plus basses.

4) *Discrimination dans les mesures administratives et disciplinaires.* *a*) Il n'y a aucune femme chez le personnel de direction de la polyvalente; *b*) les enseignants ont le droit d'utiliser le temps de classe pour préparer des activités spéciales avec les élèves, alors que les enseignantes doivent utiliser leurs moments libres; *c*) les enseignants sont préférés dans l'octroi de locaux adéquats; *d*) les enseignants peuvent plus facilement obtenir un entretien avec le directeur; *e*) le directeur envoie un huissier réclamer un certificat médical en cas d'absence, ce qui n'est pas fait pour les enseignants; *f*) les sanctions disciplinaires imposées aux enseignantes sont plus sévères, à infraction égale.

5) *Discrimination dans le maintien et la fermeture des départements.* La direction procède à la fermeture de l'option couture et met en disponibilité l'enseignante qui la donne, sous le prétexte que le nombre d'élèves inscrits est insuffisant, et ce, malgré les représentations de la part des étudiantes et des parents. Par contre, l'option débosselage, tout en comptant moins d'élèves, est maintenue, grâce uniquement aux fonds reçus du gouvernement à titre de subvention destinée à l'option couture.

6) *Discrimination dans l'accès aux journées de congrès.* Le directeur privilégie les enseignants en les libérant de leurs cours pour assister à des congrès, tout en refusant de libérer les enseignantes pour les mêmes fins ou même pour remplir un mandat reçu du ministère de l'Éducation.

7) *Discrimination dans l'attribution des moyens de soutien matériel.* Le directeur donne suite plus rapidement aux besoins des enseignants.

8) *Harcèlement des enseignantes en raison de leur sexe.* Les directeurs ont envers les enseignantes des propos et des gestes dégradants. Exemples: «L'école, ce n'est pas la place d'une femme»; «Votre ménopause vous travaille»; «Vous devez être capable de faire le ménage ici»; «Vous n'êtes pas assez féminine»; «Vous devriez changer votre coiffure»; «Vous faites de l'argent pour pas grand-chose». Il y a aussi des plaisanteries douteuses. De plus, le directeur ne les salue pas dans les couloirs.

Jugement

La commission scolaire doit: 1) verser des dommages moraux aux enseignantes qui ont porté plainte; 2) implanter un programme d'accès à l'égalité à faire approuver par la Commission des droits de la personne; 3) s'assurer que les affichages, formulaires d'embauche et autres documents relatifs à l'embauche, la mutation et la promotion soient rédigés de façon à encourager les candidatures féminines. Elle devra publiciser dans tous les lieux de travail toutes les ouvertures de postes, y compris les postes temporaires; envoyer la publicité à domicile lorsque le personnel enseignant est absent de son travail pour quelque raison que ce soit ou s'il occupe des postes à statut précaire. Elle doit donner des renseignements complets, précis et objectifs sur les exigences réelles des emplois concernés. Elle doit favoriser le recrutement de femmes dans les catégories d'emploi traditionnellement occupés par des hommes et où elles sont sous-représentées. Elle doit assurer la formation des enseignantes et le recyclage des enseignantes occupant des postes à statut précaire notamment dans les catégories d'emploi occupés traditionnellement par des hommes. Elle doit établir des grilles de sélection, développer des méthodes d'entrevues et appliquer des critères de sélection validés et sans biais discriminatoires. 4) *En ce qui concerne les postes de direction et cadres*: elle devra indiquer que la CSI participe à un PAE et encourage les candidatures de femmes; fournir aux enseignantes la formation nécessaire et des occasions de nouveaux apprentissages leur permettant d'accéder à des postes de direction ou de gestion; embaucher de façon préférentielle des femmes à des postes de cadres et de direction; les objectifs doivent être établis selon les modalités d'un PAE; établir des grilles de sélection, développer des méthodes d'entrevues et appliquer des critères de sélection validés et sans biais discriminatoires; modifier sans délai les pratiques concernant la composition des comités de sélection afin d'augmenter la présence des femmes et assurer qu'elles représentent au moins 30% des membres de chaque comité; émettre des directives précises à l'endroit du personnel cadre et de direction à l'effet que le personnel féminin tout comme le personnel masculin doivent être traités avec respect et dignité et qu'aucun comportement discriminatoire ne sera accepté notamment dans l'attribution des tâches, groupes d'élèves, locaux et horaires, ou au niveau du soutien matériel et professionnel; prévoir une procédure de plainte efficace à cet égard. 5) *En ce qui concerne le personnel à statut précaire*: Pour les personnes âgées de plus de 38 ans, la CSI devra accepter de considérer, à titre d'accommodement raisonnable, comme équivalent au baccalauréat traditionnellement exigé, le fait de détenir un brevet d'enseignement; elle devra réduire le temps passé en suppléance par son personnel, et, à ces fins, les comités de sélection devront convoquer prioritairement les personnes qui font de la suppléance depuis plus longtemps; la CSI devra cesser d'appliquer à l'embauche de son personnel régulier l'exigence relative à la résidence sur le territoire de la Commission scolaire; elle devra cesser d'appliquer, directement ou indirectement, une politique de rajeunissement du personnel. 6) *En ce qui concerne la suppléance*: La CSI devra établir des règles d'attribution objectives eu égard à la suppléance en dressant une liste du personnel enseignant suppléant et en instaurant un mécanisme de rappel objectif; prévoir un mécanisme de recours en cas de non-respect; aviser par écrit chaque enseignante ou enseignant de tout rapport d'évaluation portant sur sa prestation au travail. (Commission des droits de la personne, Les enseignantes de la Commission scolaire de l'I., 1994.)

On constate à la lecture de ce cas que c'est toute la culture organisationnelle de la commission scolaire qui est remise en question. C'est pourquoi un programme d'accès à l'égalité y a été imposé, alors qu'il est facultatif dans les autres commissions scolaires et les cégeps.

Les programmes d'accès à l'égalité

Les programmes d'accès à l'égalité (PAE) ont été instaurés au milieu des années 80 par le gouvernement québécois[21] afin de contrer la discrimination systémique qui écarte les femmes et les minorités de divers avantages. Implanté selon la méthode utilisée dans les programmes de changement planifié ou de développement organisationnel, un PAE comprend quatre phases : le diagnostic, l'élaboration, l'implantation et l'évaluation. Quatre types d'analyses sont exigées pour le diagnostic :

1) l'analyse d'effectifs, qui fournit un portrait de la situation du groupe visé par rapport à l'ensemble du personnel ;

2) l'analyse de disponibilité, qui vise à déterminer chez le groupe victime de discrimination les personnes susceptibles d'occuper un emploi compte tenu de leurs compétences ;

3) l'analyse d'utilisation, qui représente la corrélation entre les résultats produits par l'analyse d'effectifs et l'analyse de disponibilité ;

4) l'analyse du système d'emploi, qui permet de déterminer quels règles, directives, politiques, contrats ou ententes ont un effet d'exclusion à l'égard des membres du groupe victime de discrimination.

Le rapport établit ensuite les objectifs (en termes numériques), les échéanciers, les mesures spéciales et les mécanismes de contrôle du programme. La spécification des mesures spéciales à prendre pour empêcher la discrimination systémique fait suite à l'examen de trois types de mesures : l'égalité des chances (égalité d'accès par rapport à un droit), le redressement (accorder temporairement aux membres compétents des groupes discriminés certaines préférences) et le soutien (régler certains problèmes d'emploi, par exemple prévoir des services de garde ou une certaine souplesse dans l'horaire pour les responsabilités familiales, etc.).

L'équité salariale

Afin de respecter le principe d'un salaire égal pour un travail équivalent et de contrer les effets de la discrimination systémique relatifs au salaire dans les catégories d'emploi à prédominance féminine, l'Assemblée nationale du Québec a adopté en 1996 le projet de loi 35 sur l'équité salariale, soutenu par les groupes de femmes et les syndicats, mais dénoncé vivement par le patronat.

---

21. Le programme de contrats fédéraux du gouvernement fédéral vise non seulement les organismes gouvernementaux du fédéral, mais également les entreprises privées d'au moins 100 employés qui désirent soumissionner des biens et services d'une valeur de 200 000 dollars et plus au gouvernement fédéral (loi sur l'équité en matière d'emploi). Quant aux entreprises du secteur privé qui ont des contrats de 100 000 dollars et plus avec le gouvernement québécois, elles sont dans l'obligation d'avoir de tels programmes.

Des plaintes se sont en effet accumulées devant les tribunaux relativement à des situations de discrimination salariale. En 1981, les professionnelles du gouvernement du Québec intentent une poursuite judiciaire devant la Commission des droits de la personne contre le gouvernement du Québec. Ce dernier verse des salaires moins élevés à six catégories de professions traditionnellement féminines (traduction, travail social, diététique, bibliothéconomie, agent d'information, agent culturel) comparativement à d'autres catégories professionnelles traditionnellement masculines qui réclament une formation universitaire et des responsabilités de même niveau.

En 1991, à l'occasion du renouvellement de la convention collective, le gouvernement interrompt le processus judiciaire, avec la collaboration du syndicat, en échange du redressement des échelles de salaire dans les catégories discriminées. Si la plainte s'est révélée utile dans la mesure où les échelles de salaire ont été révisées, le gouvernement ne reconnaît nullement la discrimination passée et ne rétablit pas les plaignantes dans leur droit. Les plaignantes doivent dès lors poursuivre seules leur lutte. Après la création du Tribunal des droits de la personne, la Commission lui transfère le dossier. Le gouvernement conteste sans succès ce transfert. En juin 1997, 16 ans plus tard, le Tribunal rend public un jugement favorable aux plaignantes, à l'exception des agentes d'information et des agentes culturelles. Le jugement établit de plus que le syndicat n'est pas coresponsable parce qu'il a signé la convention collective ; seul le gouvernement, à titre d'employeur, est responsable.

À l'occasion de l'implantation des programmes d'accès à l'égalité, on encourage fortement les femmes à trouver des emplois dans des domaines non traditionnels, plus valorisés symboliquement et matériellement que les emplois traditionnellement féminins. Mais on se rend compte des limites de cet exercice : la majorité des femmes ne se dirigeront pas vers des secteurs qui leur sont peu familiers de par leur socialisation et où leur venue est souvent considérée comme une intrusion. Par ailleurs, pourquoi dévaloriser les tâches requérant des caractéristiques en accord avec la socialisation des filles ? Pourquoi, sinon par tradition, valoriser la force plutôt que l'habileté dans les relations humaines ? Pourquoi, selon l'exemple devenu classique, un gardien de zoo gagne-t-il plus qu'une gardienne d'enfants ? Dans cette optique, les groupes de femmes et les syndicats demandent que soient évaluées systématiquement et selon leur valeur les qualités requises pour exercer un emploi, y compris les qualités « invisibles » nécessitées par les emplois féminins.

La nécessité d'une politique d'équité salariale s'impose également parce que l'inégalité des salaires entraîne de multiples conséquences négatives pour les femmes autres que celle d'une moindre autonomie financière. Il existe ainsi à l'intérieur de la famille une tendance à maximiser l'apport salarial : si la femme a un salaire moins élevé que son conjoint, celui-ci partagera moins facilement les tâches, et elle se verra probablement assigner la majorité des responsabilités parentales; la priorité de perfectionnement sera plutôt accordée à la personne qui gagne davantage, etc. (De Singly, 1988).

Le législateur distingue dans sa loi trois catégories d'employeurs, excluant ceux qui ont moins de 10 employés: ceux dont l'entreprise compte de 10 à 49 salariés, ceux dont l'effectif se situe entre 50 et 99 salariés et ceux dont l'entreprise compte 100 employés et plus. Les premiers doivent déterminer les ajustements salariaux nécessaires pour accorder, pour un travail équivalent, la même rémunération aux personnes qui occupent des catégories d'emploi à prédominance féminine qu'à celles qui occupent des catégories d'emploi à prédominance masculine. Les deuxièmes doivent établir un programme d'équité salariale. Ils doivent, sur la demande d'une association accréditée de salariés, établir un programme distinct applicable à ces salariés. La troisième catégorie d'employeurs doit non seulement formuler un programme, mais aussi faire participer les salariés à l'élaboration de ce programme en instituant un comité d'équité salariale où ces derniers sont représentés aux deux tiers. Les femmes doivent y être majoritaires.

Un programme d'équité salariale comporte quatre étapes qui doivent être accomplies en quatre ans:

1) la désignation des catégories d'emploi à prédominance féminine et masculine de l'organisation. Lorsqu'il n'existe pas dans l'entreprise de catégorie d'emploi à prédominance masculine, c'est le règlement de la Commission de l'équité salariale qui s'applique;

2) la description de la méthode et des outils d'évaluation de ces catégories d'emploi et l'élaboration d'une démarche d'évaluation;

3) l'évaluation de ces catégories, leur comparaison, l'estimation des écarts salariaux ainsi que le calcul des ajustements salariaux. L'évaluation doit tenir compte des qualifications requises, des responsabilités assumées, des efforts nécessaires et des conditions dans lesquelles le travail est effectué. Un comité sectoriel peut faciliter la tâche des comités d'équité salariale ou des employeurs, mais ses conseils sont soumis à l'approbation de la Commission de l'équité salariale;

4) les modalités de versement de ces ajustements. Les ajustements salariaux peuvent s'étendre sur une période de quatre ans. Cette mesure ne doit pas avoir pour effet de diminuer les salaires.

Par la suite, l'employeur est responsable du maintien de l'équité salariale, y compris à l'occasion de modifications aux emplois existants, de la création de nouveaux emplois ou de nouvelles catégories d'emploi. L'association accréditée doit s'assurer de ce maintien. La loi vise également le gouvernement, ses ministères, ses organismes et ceux qui en sont mandataires, les collèges et les commissions scolaires. Des recours peuvent être exercés devant la Commission de l'équité salariale et par la suite devant le Tribunal du travail, dont la décision est sans appel.

Même si on constate des résistances et des contre-stratégies devant l'implantation de ces programmes (FQPPU, 1997) ainsi que des failles dans certains jugements (Lamarche, 1990), il faut reconnaître que les PAE améliorent la situation des femmes sur le marché du travail. Quant à la récente politique d'équité salariale, il est, de toute évidence, trop tôt pour qu'on puisse en mesurer les effets.

LES FEMMES ET LA GESTION

LES STATISTIQUES

Le tableau 4.6 (p. 144) indique que la proportion de directrices, gérantes et administratrices, qui constituent 5,2 % des emplois féminins en 1981, augmente à 10,55 % en 1991 (contre 14,4 % pour les hommes). Le taux de féminité de cette catégorie professionnelle passe ainsi de 22,9 % en 1981 à 36,6 % en 1991. Mais l'amélioration est loin d'être la même en matière de salaires. Selon Statistique Canada, le revenu d'emploi des directrices, gérantes et administratrices s'établit en 1990 à 26 536 $ pour les femmes et à 43 033 $ pour les hommes. Le rapport entre le revenu de cette catégorie de femmes et celui de cette catégorie d'hommes n'a que très peu progressé en 10 ans : il est passé de 59,1 % en 1980 à 61,7 % en 1990, alors que, pour les Québécoises en général, cette proportion équivaut à 74 % selon les données de 1992.

Comment peut-on expliquer cet écart salarial, plus important que dans d'autres métiers et professions ? Est-ce dû à une mobilité ascendante plus problématique ? Les hommes occupent plus fréquemment les postes les plus élevés dans la hiérarchie ou ceux qui confèrent un certain pouvoir et offrent des occasions de progresser. La mobilité masculine tend à être verticale, à travers toute une série de postes d'autorité, alors que les femmes connaissent la mobilité à travers des postes conseils. Ce seraient ainsi les dispositifs structurels de l'organisation qui privent les femmes de légitimité lorsqu'elles se trouvent dans des positions de leadership. Est-ce que cette situation est due également à la différence de secteur du marché du travail, les secteurs féminins étant moins valorisés ? Est-ce que les femmes ont moins de pouvoir de négociation au moment de l'établissement de leur rémunération ? Il semble qu'il faille répondre par l'affirmative : la recherche de Paquerot (1986) indique que même les femmes sous-ministres ont un salaire inférieur à celui de leurs collègues masculins.

UNE GESTION AU FÉMININ ?

L'une des questions actuellement au cœur de la recherche dans le domaine de la gestion est celle-ci : les femmes gestionnaires adoptent-elles, à partir de valeurs particulières à leur sexe, des attitudes ou des comportements différents de ceux de leurs collègues masculins ? Les organisations auraient été en effet mises sur pied à partir de pratiques traduisant les valeurs masculines de compétition, de réussite, d'individualisme.

Selon la perspective d'une «gestion au féminin», les femmes gestionnaires agiraient de manière plus collégiale que les hommes. Elles préféreraient le pouvoir d'atteindre des finalités plutôt que le pouvoir sur les personnes. Elles seraient moins axées sur la réussite individuelle et valoriseraient davantage la performance collective. Moins enclines à respecter la ligne hiérarchique ou les structures, elles fonderaient essentiellement leur jugement sur la qualité du résultat. Elles envisageraient les problèmes et leurs solutions de façon plus pragmatique. Elles tiendraient davantage compte des dimensions humaines des problèmes qu'elles ont à traiter. Elles seraient plus habiles dans le travail d'équipe, sachant mieux écouter, tenir compte des divers points de vue, décoder le langage non verbal et utiliser des expressions qui désamorcent les conflits.

La plupart des chercheurs qui abordent cette problématique supposent que les différences proviennent non seulement des écarts de socialisation, mais également de l'apprentissage quotidien que font les femmes de la culture domestique et familiale (Harel-Giasson, 1992). Mais ces différences relèvent plutôt d'une question de degré dans les traits communs plutôt que de traits mutuellement exclusifs. Elles seraient bénéfiques dans la mesure où elles permettraient aux femmes de s'imposer comme sujets de changement dans les organisations. Étant donné leur arrivée récente aux postes de gestionnaires, elles sont moins bien intégrées et moins moulées à la culture traditionnelle des organisations. De plus, leur situation de minorité suscite des comportements particuliers, comme nous l'avons mentionné plus haut.

Certaines théories récentes avancent même que la proportion de femmes gestionnaires ne pourrait que croître, puisque les nouveaux modèles de gestion privilégient désormais de très nombreuses caractéristiques «féminines». Au lieu de contraindre les femmes à adhérer au modèle de succès en gestion établi par les hommes, qui met l'accent sur des qualités considérées comme masculines, les organisations doivent tirer parti des qualités féminines. On affirme même que la nouvelle culture organisationnelle se base sur des valeurs traditionnellement associées aux femmes. Les femmes, de par leurs qualités particulières, correspondraient davantage aux nouvelles tendances en gestion, plus démocratiques et plus participatives, alors que les gestionnaires masculins conserveraient trop souvent des pratiques autocratiques.

Dans les recherches menées selon une perspective féministe de type essentialiste, deux tendances contraires ressortent, empreintes de stéréotypes de sexe. Ou bien il est sous-entendu que le comportement féminin est meilleur que le comportement masculin et que les valeurs des femmes sont supérieures à celles des hommes; conséquemment, l'éloignement des femmes des postes de gestion aurait nui à la performance des organisations. Ou bien les habiletés des femmes sont jugées insuffisantes et on conclut à la nécessité de leur fournir un type de perfectionnement particulier.

Ces perspectives légitiment le recours aux stéréotypes de sexe. Diverses questions se posent dès lors. Les femmes gestionnaires correspondent-elles aux stéréotypes féminins? Cette vision stéréotypée ne risque-t-elle pas de cantonner les femmes dans des postes périphériques réclamant «leurs» habiletés humaines, qui, bien que revêtant un certain intérêt, ne conduisent pas au sommet? On va même jusqu'à proposer que les organisations établissent une distinction entre les femmes qui s'investissent principalement dans leur carrière et celles qui veulent garder un équilibre entre la famille et la carrière. Non seulement cette vision renforce-t-elle ainsi le préjugé selon lequel les femmes sont satisfaites de cette politique, voire que la progression dans la carrière ne leur convient pas, mais elle participe à leur marginalisation, puisqu'aucune option parentale n'est proposée aux hommes. Enfin, elle ne tient pas compte du fait que l'orientation de carrière peut changer.

Les recensions des recherches menées par Terborg (1977), Donnel et Hall (1980) ainsi que Powell (1990) au sujet des différences de sexe manifestées dans la gestion indiquent que, globalement, il n'y a pas de différence entre les hommes et les femmes gestionnaires. En revanche, il en existe une dans l'attitude des subordonnés. Cette constatation s'accorde avec bien d'autres recherches, qui montrent que les hommes et les femmes sont moins bien perçus s'ils s'écartent des stéréotypes de sexe. Chez les femmes, des comportements dominateurs ne sont pas appréciés, alors que l'est la gentillesse (Korabik, Baril et Watson, 1993). Cette étude de Korabik et ses collaborateurs révèle par ailleurs qu'il n'y a pas de différence selon le sexe dans l'appréciation que font les subordonnés des gestionnaires au chapitre de la gestion des conflits, plus particulièrement lorsqu'on tient compte de variables comme l'âge, le degré de scolarité et l'expérience. Il est vrai que les femmes gestionnaires constituent un groupe d'élite qui ne se conforme pas nécessairement aux stéréotypes féminins. Toutefois, parmi les gestionnaires qui n'ont pas d'expérience de gestion, les femmes s'estiment plus soucieuses d'intégration et plus enclines à la négociation que les hommes. Powell (1990) termine son analyse en concluant que les gestionnaires sont mieux jugés s'ils correspondent aux stéréotypes attribués à leur sexe, mais qu'une fois que les subordonnés ont travaillé pour des gestionnaires des deux sexes les effets dus aux stéréotypes disparaissent, les gestionnaires étant traités selon leur personnalité propre plutôt que comme représentatifs de leur sexe.

Ce qu'on sait toutefois, c'est que les femmes cadres adoptent des comportements de solidarité avec les autres femmes (Abbondanza, 1988; Andrew et autres, 1988). Elles jouent pour elles le rôle de mentor, leur fournissent des renseignements concernant les ouvertures de postes, leur donnent divers conseils, tentent d'agir sur les pratiques organisationnelles défavorables aux femmes, se concertent avec d'autres collègues pour défendre certains dossiers qui les concernent, etc.

Il reste que le débat au sujet d'une gestion au féminin peut être considéré comme teinté d'idéologie. Des recherches signalent une certaine similitude de valeurs chez les gestionnaires masculins et féminins (Powell et autres, 1984; Toulouse et LaTour, 1988), qui s'accroîtrait avec le nombre d'années passées dans un poste de gestionnaire (Gomez-Mejia, 1983). En effet, les femmes cadres possèdent beaucoup de caractéristiques semblables à celles des cadres masculins. Elles ne sont pas de pures étrangères dans l'univers organisationnel. Elles appartiennent souvent à la même ethnie, à la même classe sociale, et le conjoint de certaines est lui aussi gestionnaire. De plus, elles ont vécu la même socialisation homogénéisante que les cadres masculins (Harel-Giasson, 1992). Néanmoins l'image de la gestionnaire plus humaine persiste.

Les résultats des recherches concernant une gestion au féminin s'avèrent somme toute assez contradictoires et la question demeure entière. Comment expliquer ce phénomène? Soulignons tout d'abord une difficulté méthodologique: les différences éventuelles étant de type qualitatif, les méthodes de recherche quantitatives se révèlent quelque peu inappropriées, en particulier si elles ont été testées en milieu masculin. En revanche, si les méthodes qualitatives aident à mieux comprendre un phénomène, elles ne permettent pas de généraliser les résultats.

De plus, même si les chercheurs reconnaissent en général que les différences entre les hommes et les femmes sont issues de la socialisation (qu'elle remonte à l'enfance ou à la vie professionnelle), des postulats essentialistes sous-tendent la plupart du temps leur échafaudage théorique ou méthodologique. La masculinité et la féminité y sont en effet souvent considérées en filigrane comme des données de nature: on ne relie pas ces valeurs, attitudes et comportements à des époques diverses, à des secteurs d'activité variés, à des contraintes distinctes, à une situation de minoritaire ou de majoritaire dans certains échelons de l'organisation, à des statuts hiérarchiques différents ou à des positions inégales. Mais surtout, ces perspectives excluent tout examen des rapports sociaux de sexe existant dans l'organisation qui exercent un effet réel sur les comportements.

En effet, le type de gestion des uns et des autres n'est-il pas plutôt une conséquence des rapports sociaux inégalitaires qui prédominent dans les organisations? Est-il possible que les femmes gèrent comme des hommes alors que leur expérience organisationnelle est relativement différente, comme nous l'avons montré plus haut? Avec la question de la gestion au féminin, la recherche se concentre sur les gestionnaires. Mais ne convient-il pas d'examiner la question sous un angle opposé, mais complémentaire: la gestion des femmes ne serait-elle pas surtout tributaire des préférences, parfois stéréotypées, des pairs et des supérieurs?

C'est dans cet esprit que nous avons mené une recherche à la fois quantitative et qualitative concernant les directeurs et les directrices d'établissements scolaires au Québec (Baudoux, 1994). Ce terrain présente un avantage particulier: pour devenir directeur ou directrice, il faut avoir au moins cinq années d'expérience dans l'enseignement. Nous avons donc comparé, à partir d'échantillons représentatifs, les caractéristiques[22] des enseignantes admissibles à celles des directrices, celles des enseignants admissibles à celles des directeurs, puis celles des directrices à celles des directeurs.

Plusieurs constatations infirment l'hypothèse d'une gestion au féminin mais confirment l'émergence d'une «féminisation» des comportements dans les organisations:

1) il y a davantage de ressemblance entre les directeurs et les directrices des trois catégories construites qui prônent soit la masculinisation des femmes au travail, soit la féminité, soit le féminisme radical, qu'entre les directrices elles-mêmes et les directeurs eux-mêmes;

2) les directrices sont proportionnellement plus nombreuses à faire partie de la catégorie «féminine» que les enseignantes. Cette caractéristique se révèle donc un atout au moment de la sélection. Les résultats de la recherche indiquent également qu'une fois en poste elles sont tenues de se comporter au travail selon les exigences d'une prétendue nature féminine: on leur confie des écoles plus petites, avec des enfants plus jeunes, des élèves souffrant davantage de divers handicaps. Elles consacrent moins de temps à la fonction de contrôle, mais davantage au leadership pédagogique et à la réflexion;

3) on a recruté davantage de directeurs «féminins» au cours de la dernière décennie de préférence à des femmes, parce que les candidats masculins peuvent compter à la fois sur l'autorité que leur confère la masculinité et sur des comportements féminins pour être admis à un poste de direction.

Nous avons constaté également que les femmes se trouvent coincées dans un cercle vicieux: plus elles sont féminines, meilleures sont leurs chances d'être encouragées à poser leur candidature et d'être engagées comme directrices, mais, une fois en poste, elles doivent adopter les comportements masculins préconisés par la majorité de leurs collègues directeurs qui ne se montrent pas sensibles aux nouvelles valeurs organisationnelles plus proches de la féminité. En réalité, quelle que soit la stratégie comportementale choisie par les directrices, aucune ne leur garantit le succès, tant au moment de la sélection qu'à celui, une fois en poste, d'exercer la gestion quotidienne. C'est ce qui explique peut-être la diminution de leur proportion (30% en 30 ans). Nos résultats montrent qu'il existe des différences notables entre les directeurs généraux, les collègues, les directeurs, les

---

22. Caractéristiques socioprofessionnelles, valeurs, comportements, attitudes et choix des membres des comités de sélection ou de personnes cooptant du personnel de direction.

directrices et les autres membres du comité de sélection (parents et commissaires des deux sexes) au sujet du comportement attendu chez les directrices. Des comportements transcendant les rôles de sexe comme ceux des féministes radicales ne sont favorisés que dans 11 % des cas, en particulier lorsque les femmes sont en position égalitaire ou majoritaire au sein du comité de sélection.

Ces résultats montrent également que la concurrence qui s'est installée entre les directeurs et les directrices profite aux premiers parce qu'on encourage chez eux des comportements diversifiés, alors que les directrices sont engagées dans la mesure où elles sont féminines, c'est-à-dire dans la mesure où elles démontrent que leur éventail de comportements est plus restreint. En effet, au fil des ans, les directeurs ont dû adopter des comportements transcendant les rôles de sexe. Les directeurs favorables à la masculinisation des directrices, bien que les plus nombreux dans le système de l'éducation, sont de moins en moins engagés ces dernières années et constituent la catégorie la moins appréciée des autorités. Cela va de pair avec les attitudes préconisées par les théories de la gestion, qui ont pour effet de «féminiser» les aspirants. Ce sont les partisans du féminisme radical, c'est-à-dire des directeurs qui transcendent le plus les rôles de sexe traditionnels, qui sont désormais préférés aux adeptes de la masculinisation et à ceux de la féminité. Cette préférence pour les directeurs qui transcendent les rôles de sexe est relativement récente. Dans les années 70, on exige des comportements conformes aux rôles de sexe chez les directeurs et chez les directrices: comportements de genre masculin pour les directeurs et de genre féminin pour les directrices. Depuis lors, on maintient pour les postes de gestion l'exigence de féminité chez les candidates et on favorise cette caractéristique chez les candidats.

Ces résultats divergent en partie de ceux de certaines recherches menées dans le domaine de la gestion selon lesquels les nouveaux dirigeants d'organisations adopteraient certaines caractéristiques traditionnellement considérées comme le propre de l'autre sexe. La féminisation des organisations ne serait donc que le fait des seuls hommes gestionnaires. Assisterons-nous à l'émergence d'une gestion ambisexuée? Ce serait à la condition que les femmes gestionnaires recrutées ne soient pas choisies en fonction de caractéristiques féminines, comme dans le domaine de la gestion de l'éducation. Si tel était le cas, les personnes qui passent facilement d'une situation à une autre en adoptant des comportements appropriés ou en adaptant leurs sentiments, qui ne craignent pas de transgresser les normes relatives au sexe, qui ne sont pas déroutées par le pluralisme culturel, qui peuvent faire émerger des possibilités nouvelles ou des modèles alternatifs seraient les futurs gestionnaires. Il est en effet possible de dépasser la conformité aux rôles de sexe, qui n'est qu'une étape dans un stade de développement. À l'âge adulte, l'identité et les rôles conventionnels peuvent être délaissés au profit de l'intégration des aspects «féminins» et «masculins» dans une définition individuelle des rôles de sexe.

Ces nouveaux comportements repérés chez les cadres masculins sont influencés sans nul doute par l'évolution sociale et en particulier par le mouvement des femmes. Mais ne sont-ils pas dus également à la diffusion efficace de théories de la gestion qui, comme toutes les connaissances, s'inscrivent dans une époque et dans un espace donnés, qui ont mis en relief l'inefficacité de la gestion autoritaire ou paternaliste et ont favorisé l'introduction d'un nouveau type de rapports dans l'organisation? Il semble en tout cas que la préférence accordée à un comportement Y par rapport à un comportement X a entraîné chez les cadres masculins, dans les années 70, une féminisation des valeurs et des comportements qui s'est traduite par plus de souplesse, d'empathie, de recherche d'un consensus, de participation, de valorisation du plaisir par rapport au travail, etc. C'est à ce courant Y qu'appartiendraient les partisans du féminisme et de la féminité chez les directrices, les partisans de la masculinisation des directrices conservant des comportements et des valeurs de type X.

Par la suite, avec l'avènement d'organisations hyper ou postmodernes où les structures pyramidales et hiérarchiques font place à des structures plus éclatées, le rôle du leader devient prépondérant. Tous constatent que les formes les plus nouvelles d'organisations ont mis fin au pouvoir des chefs. C'est le pouvoir de la séduction qui est primordial. Ce leader, de type Z, doit «séduire», c'est-à-dire faire en sorte que les employés adhèrent aux règles, les intériorisent et les interprètent dans des rapports de négociation et de coopération.

Dans ce nouveau cadre, le sort des femmes ne va pas nécessairement s'améliorer, comme l'indiquent pourtant plusieurs magazines. Il est vrai que la présence grandissante des étudiantes dans les écoles et facultés de gestion (au point où elles sont désormais en majorité) ainsi que la féminisation des comportements dans les organisations pourraient faire croire à un mouvement irréversible. Il est vrai aussi que les statistiques (voir le tableau 4.6, p. 144) justifient un optimisme modéré. Ce point de vue semble toutefois quelque peu simple parce qu'il relève de la pensée magique et fait abstraction des rapports sociaux de sexe qui évoluent et se transforment au fil du temps. À nos yeux, la concurrence pour les postes de gestionnaires trouve, comme semblent l'indiquer nos résultats, un nouveau lieu où se développer: celui du sexe social ou du genre[23]. Ceci est particulièrement vrai vu l'ambiguïté des rapports que les femmes entretiennent avec la séduction. Les femmes devront développer des stratégies particulières, garder un regard critique sur les pratiques organisationnelles et se faire des alliés chez les hommes et les femmes qui leur manifestent leur soutien. Il importera donc de vérifier, au cours des prochaines années, dans quelle mesure et à quel rythme la proportion et la place des femmes s'améliorent dans la gestion des organisations. Mais plus

---

23. À la suite d'un processus de construction sociale, d'adhésion à certaines valeurs, de manifestation de certaines attitudes et d'adoption de certains comportements.

fondamentalement encore, il importera d'apprécier l'influence de ces nouvelles venues sur la culture des organisations.

Bibliographie

ABBONDANZA, M. (1988). «Identités et solidarités des femmes cadres», dans F. Harel-Giasson et J. Robichaud (sous la dir. de), *Tout savoir sur les femmes cadres d'ici*, Montréal, HEC, p. 55-64.

ANDREW, C., CODERRE, C., DAVIAU, A., et DENIS, A. (1988). «Entre la liberté et les contraintes. Essai sur les trajectoires des gestionnaires», dans F. Harel-Giasson et J. Robichaud (sous la dir. de), *Tout savoir sur les femmes cadres d'ici*, Montréal, HEC, p. 13-51.

ARESTIS, P., et PALAGINIS, E. (1995). «Fordism, post-fordism and gender», *Économie appliquée*, vol. 48, nº 1, p. 89-108.

ARMSTRONG, P., et ARMSTRONG, H.A. (1994). *The Double Ghetto: Canadian Women and Their Segregated Work*, Toronto, McClelland and Stewart.

AUGER, G., et LAMOTHE, R. (1981). *De la poêle à frire à la ligne de feu*, Montréal, Boréal Express.

BAUDOUX, C. (1991). «L'experte sur la sellette. Réflexions à partir d'un témoignage à la Commission des droits de la personne», *Recherches féministes*, vol. 4, nº 2, p. 139-146.

BAUDOUX, C. (1994). *La gestion en éducation: une affaire d'hommes ou de femmes?* Québec, Presses Inter Universitaires.

BERNIER, C., et FILION, A. (1992). *À nouveau travail, formations nouvelles*, Ottawa, Agence d'Arc.

BERNIER, C., et TEIGER, C. (1990). *Le travail en mutation: nouvelles technologies, qualification et formation dans les emplois du secteur tertiaire au Québec*, Montréal, Saint-Martin.

BOURDIEU, P. (1990). «La domination masculine», *Actes de la recherche en sciences sociales*, nº 84, p. 2-31.

BURKE, R.J., et MCKEEN, C.A. (1996). «Do women at the top make a difference? Gender proportions and the experiences of managerial and professional women», *Human Relations*, vol. 49, nº 8, p. 1093-1104.

CHICHA-PONTBRIAND, M.-T. (1989). *Discrimination systémique. Fondement et méthodologie des programmes d'accès à l'égalité en emploi*, Québec, Commission des droits de la personne du Québec.

COLLECTIF CLIO (1992). *L'histoire des femmes au Québec depuis quatre siècles*, Montréal, Le Jour.

COMMISSION DES DROITS DE LA PERSONNE (1977). *Les programmes d'action positive et les pouvoirs de la commission des droits de la personne*, Montréal, CDP.

DONNEL, S.M., et HALL, J. (1980). «Men and women as managers: A significant case of no significant difference», *Organizational Dynamics*, nº 8, p. 60-76.

EUROSTAT (1992). *Bulletin sur les femmes et l'emploi dans l'UE*, Bruxelles, Commission européenne, nº 5.

FQPPU (1997). *L'embauche des femmes professeures dans les universités: résistances et stratégies*, N. Thivierge et L. Boucher (sous la dir. de), Montréal, FQPPU, Les Cahiers de la FQPPU.

GOMEZ-MEJIA, L.R. (1983). «Sex differences during occupational socialization», *Academy of Management Journal*, nº 26, p. 492-499.

GOODMAN, S., et PERBY, M-L. (1985). «Computerization and the skill in women's work», dans A. Olerup, L. Schneider et E. Monrod (sous la dir. de), *Women, Work and Computerization*, Amsterdam, Horth-Holland, p. 32-41.

HACKER, S.L. (1990). *Doing It the Hard Way*, Londres, Unwin Hyman.

HAREL-GIASSON, F. (1992). «Les traces de la culture féminine chez les femmes cadres», dans C. Baudoux et C. Zaidman (sous la dir. de), *Égalité entre les sexes. Mixité et démocratie*, Paris, L'Harmattan, p. 168-180.

HUPPERT-LAUFER, J. (1982). *La féminité neutralisée? Les femmes cadres dans l'entreprise*, Paris, Flammarion.

JENSON, J. (1989). «The talents of women, the skills of men: Flexible specialization and women», dans S. Wood (sous la dir. de), *The Transformation of Work?*, Londres, Unwin Hyman, p. 141-155.

KANTER, R.M. (1977a). *Men and Women of the Corporation*, New York, Basic Books.

KANTER, R.M. (1977b). «Some effects of proportions on group life: Skewed ratios and responses to token women», *American Journal of Sociology*, vol. 82, n° 5, p. 965-980.

KEMPENEERS, M. (1992). *Le travail au féminin*, Montréal, Presses de l'Université de Montréal.

KERN, H., et SCHUMAN, M. (1989). *La fin de la division du travail? La rationalisation dans la production industrielle, l'état actuel, les tendances*, Paris, Sciences de l'Homme.

KORABIK, K., BARIL, G.L., et WATSON, C. (1993). «Managers' conflict management style and leadership effectiveness: The moderating effects of gender», *Sex Roles*, vol. 29, n°s 5-6, p. 405-420.

LAMARCHE, L. (1990). «L'égalité des femmes en matière d'emploi: rien n'est acquis», dans R. Bureau et P. Mackay (sous la dir. de), *Le droit dans tous ses états. La question du droit au Québec 1970-1987*, Montréal, Wilson et Lafleur, p. 163-196.

LEGAULT, G. (1991). *Repenser le travail. Quand les femmes accèdent à l'égalité*, Montréal, Liber.

LOUIS, M.-V. (1986). «Grèves de femmes et rapports de pouvoir», dans N. Aubert, E. Enriquez et V. de Gaulejac (sous la dir. de), *Le sexe du pouvoir*, Paris, Desclée de Brouwer, p. 57-78.

MARUANI, M. (1994). «Partage du travail, partage du chômage: le travail à temps

partiel en Europe», Communication présentée aux Journées du GEDISST, Rapports sociaux de sexe et partage du travail, Paris.

MARUANI, M., et NICOLE, C. (1989). *Au labeur des dames. Métiers masculins, emplois féminins*, Paris, Syros/Alternatives.

MILKMAN, R., et PULLMAN, C. (1991). «Technological change in an auto assembly plant: The impact on workers' tasks and skills», *Work and Occupations*, vol. 18, n° 2, p. 123-147.

MOREL, S. (1988). «Pénurie d'emploi et discrimination à l'endroit des femmes sur le marché du travail», *Interventions économiques*, n°s 20-21, p. 245-263.

NOBLE, D.F. (1986). *Forces of Production: A Social History of Industrial Automation*, New York, Oxford University Press.

OCDE — ORGANISATION DE COOPÉRATION ET DE DÉVELOPPEMENT ÉCONOMIQUES (1991). *Salaire égal pour un travail de valeur comparable.* Paris, OCDE, document HS , n° 6.

ONU (1995). *Women and Men in Europe and North America*, Genève, ONU.

ORMROD, S. (1994). «Let's nuke the dinner: discursive practices of gender in the creation of a new cooking process», dans C. Cockburn et R. Fürst Dilic (sous la dir. de), *Bringing Technology Home: Gender and Technology in a Changing Europe*, Buckingham, Open University Press, p. 42-56.

PAQUEROT, S. (1986). *Genre féminin et participation à la gestion de la société*, mémoire de maîtrise, Montréal, UQAM.

PIORE, M.J., et SABEL, C.F. (1984). *The Second Industrial Divide*, New York, Basic Books.

POWELL, G.N. (1990). «One more time: Do female and male managers differ?», *The Executive*, vol. IV, n° 3, p. 68-75.

POWELL, G.N., POSNER, B.G., et SCHMIDT, W.H. (1984). «Sex effects on managerial value systems», *Human Relations*, n° 37, p. 209-221.

SINGLY, F. de. (1988). *Fortune et infortune de la femme mariée*, Paris, PUF.

SIROONIAN, J. (1993). *Work Arrangements*, Ottawa, Statistique Canada, catalogue 71-535, n° 6, tableau 9.

SOARES, A. (1996). «Nouvelles technologies = nouvelles qualifications?», *Recherches féministes*, vol. 9, n° 1, p. 37-56.

SPENNER, K.I. (1985). «The upgrading and downgrading of occupations : Issues, evidence and implications for education», *Review of Educational Research*, vol. 55, n° 2, p. 122-154.

SQDM — SOCIÉTÉ QUÉBÉCOISE DE DÉVELOPPEMENT DE LA MAIN-D'ŒUVRE (1997). *Diagnostic sur le travail autonome*, Montréal, SQDM.

TERBORG, J.R. (1977). «Women in management : A research review», *Journal of Applied Psychology*, n° 62, p. 647-664.

TOULOUSE, J.-M., et LATOUR, R. (1988). «Valeurs, motivation au travail et satisfaction des femmes gestionnaires», dans F. Harel-Giasson et J. Robichaud (sous la dir. de), *Tout savoir sur les femmes cadres d'ici*, Montréal, HEC, p. 123-137.

TREMBLAY, D.-G., et DE SÈVE, M.K. (1996). «Formes persistantes et changeantes de la division sexuelle du travail dans un contexte de transformations technologiques et organisationnelles», *Recherches féministes*, vol. 9, n° 1, p. 81-104.

ZUBOFF, S. (1988). *In the Age of the Smart Machines*, New York, Basic Books.

Intégration des immigrants et conquête des marchés internationaux : le difficile apprentissage des différences culturelles

Jean-Pierre Dupuis

Dans ce chapitre, nous examinerons quelques aspects de la question de l'immigration qui revêtent une importance considérable dans les sociétés occidentales. Nous brosserons d'abord un portrait historique et sociologique du phénomène de l'immigration et des problèmes d'intégration, réels ou perçus, qui s'y rattachent. Ce survol nous amènera à constater que le phénomène de l'immigration est variable, tout comme le sont les politiques d'intégration des pays d'accueil. Nous nous pencherons ensuite plus précisément sur le cas de l'intégration des immigrants au marché du travail. Nous verrons que, de ce côté, la situation des immigrants s'est passablement détériorée à partir des années 80. Finalement, nous aborderons la question des conséquences sur les entreprises de la diversité ethnique et culturelle de la population et des contacts interculturels qui accompagnent l'internationalisation des échanges économiques. Nous constaterons que les entreprises doivent de plus en plus adapter leurs pratiques de gestion de façon à tenir compte de cette nouvelle réalité culturelle (main-d'œuvre et clientèle diversifiées, négociation avec des étrangers, etc.). Nous verrons également que cette population immigrante crée aussi sa part d'entreprises.

L'IMMIGRATION COMME PHÉNOMÈNE HISTORIQUE ET SOCIOLOGIQUE

Dans cette première section, nous tracerons un portrait de l'évolution de l'immigration dans le monde occidental et au Québec en particulier. Nous verrons que les raisons d'émigrer ainsi que les raisons d'accueillir les immigrants ont changé au fil du temps et des conjonctures, et que le phénomène de l'immigration place les sociétés industrielles devant divers problèmes et enjeux.

L'IMMIGRATION EN OCCIDENT : L'ANCIEN ET LE NOUVEAU

Dans l'histoire récente de l'Occident, il faut parler d'abord de l'immigration massive d'Européens vers le Nouveau Monde, c'est-à-dire dans les Amériques. On estime à 60 millions le nombre d'immigrants européens venus s'y établir du XVIᵉ siècle à aujourd'hui. Le plus gros de ce contingent, soit 51 millions, est cependant arrivé entre 1846 et 1939, à une époque où l'immigration n'était pas encore très réglementée. En effet, jusqu'à la Première Guerre mondiale, il était facile de se déplacer d'un pays à l'autre et les tracasseries administratives n'existaient pas. Dans bien des cas même, le passeport n'était pas requis. Comme l'explique Peter Stalker (1995, p. 16), cette émigration de masse trouve souvent son origine dans « les changements intervenus dans l'agriculture. Beaucoup de gens furent forcés de quitter la terre avant que les industries des villes ne soient suffisamment développées pour pouvoir les absorber ». Les Amériques abondent en terres fertiles offertes à bas prix. Jusqu'en 1870, ce sont donc surtout comme agriculteurs que s'établissent ces émigrants. Après cette date, les nouveaux arrivants occuperont en majorité des postes d'ouvriers dans les chemins de fer ou dans les usines. Les Américains sont les premiers à réglementer l'immigration dans les années 1920 en adoptant une loi qui limite le nombre d'immigrants qui peuvent entrer au pays à 162 000 par année. Cette restriction détournera vers les pays d'Amérique latine une partie de l'immigration, notamment celle, très abondante, en provenance de l'Europe du Sud (Italie, Espagne, Portugal).

À cette immigration volontaire il faut ajouter la déportation de 15 millions d'Africains arrachés de leur terre et embarqués pour l'Amérique pour être vendus comme esclaves, pratique qui a cours entre 1550 et 1865. Ils n'arrivent toutefois pas tous à bon port, puisque, selon les estimations, 10 % d'entre eux mouraient durant la traversée. On évalue à 40 millions la population de descendance africaine vivant dans les Amériques et les Caraïbes aujourd'hui. Il faut aussi parler de ces dizaines de millions d'Asiatiques (Chinois, Indiens, Japonais, etc.) venus travailler sous contrat après l'abolition de l'esclavage, mais qui vivaient pour la plupart dans des conditions proches de l'esclavage. Cela explique qu'un certain nombre d'entre eux sont morts avant la fin de leur contrat (de cinq ans en général) et que plusieurs se sont établis en permanence, incapables très souvent de payer le transport de retour (Stalker, 1995, p. 11-15).

Les Français furent les premiers Européens à s'installer dans ce qui est aujourd'hui le Canada. Entre 1608, année de la fondation du premier établissement permanent à Tadoussac, et 1760, année de la conquête de la Nouvelle-France par les Anglais, près de 10 000 colons sont venus peupler la Nouvelle-France. Par la suite, et pendant plus d'un siècle, l'immigration viendra principalement de Grande-Bretagne (Écossais et Irlandais surtout) et des États-Unis (les loyalistes qui fuient la guerre de l'Indépendance). À la fin du XIXe siècle et au début du XXe, une forte vague d'immigration déferle sur le Canada, comme ailleurs en Amérique. En effet, de 1860 à 1939, plus de six millions d'immigrants, essentiellement en provenance d'Europe, entrent au Canada (notre calcul d'après les données de Citoyenneté et Immigration Canada, 1996, p. 3). Ils s'établissent majoritairement en Ontario, dans l'Ouest canadien et au Québec. Il faut souligner que, durant cette même période, le Canada perd près de deux millions de personnes qui, à la recherche d'un emploi, quittent le pays pour les États-Unis. Au Québec, ce sont plus de 900 000 personnes qui, entre 1840 et 1930, prennent la route de la Nouvelle-Angleterre pour y travailler (femmes et enfants inclus) dans les usines de textile (Roby, 1990, p. 7). Un très grand nombre d'entre elles s'y sont installées en permanence, privant le Québec du tiers de sa population. La rareté des terres arables au Québec et l'absence d'industries capables d'absorber cette population expliquent en grande partie cet exode.

Après avoir connu un ralentissement durant les années 30, à cause de la Grande Dépression, et au début des années 40, à cause de la Deuxième Guerre mondiale, le mouvement migratoire vers les Amériques reprend de plus belle. La période 1946-1963 est un moment de forte immigration, et près de six millions d'immigrants viennent s'établir dans les Amériques. Le Canada en accueille plus de deux millions durant cette période. Au total, près de huit millions de personnes ont immigré au Canada de la fin de la Deuxième Guerre mondiale jusqu'à aujourd'hui. De ce nombre, environ un million et demi viendront au Québec, soit à peu près 20 %. C'est l'Ontario qui est la destination de prédilection des immigrants. Dans les années 80 par exemple, plus de la moitié d'entre eux s'établissent dans cette province (Dumont, 1991, p. 18; Citoyenneté et Immigration Canada, 1996, p. 6).

L'immigration dans les pays occidentaux a été marquée ces dernières décennies par la diversité des pays d'origine des immigrants, par l'établissement de nouvelles catégories d'immigrants, par le renversement du flux migratoire dans plusieurs pays européens et par la montée de la réglementation. Examinons rapidement ces phénomènes en accordant une attention particulière à la situation québécoise.

La diversité des pays d'origine des immigrants

Traditionnellement, l'immigration en Europe et en Amérique est le fait de populations européennes. Ce sont majoritairement des Européens qui émigrent en Amérique du début du siècle jusqu'aux années 70. De même, ce sont des Européens du Sud (Espagnols, Italiens, Portugais, Grecs, Yougoslaves) qui vont émigrer dans les pays du nord de l'Europe (France, Allemagne, Pays-Bas, etc.)

jusqu'à la Deuxième Guerre mondiale. Après cette guerre, l'émigration en provenance d'Afrique et d'Asie à destination de l'Europe a pris de plus en plus d'importance. Les anciennes colonies des pays européens commencent à voir leur population migrer vers ces derniers: Chinois et Indochinois en France, Indiens et Pakistanais en Angleterre, Indonésiens aux Pays-Bas. À partir des années 70, l'immigration asiatique sera plus forte, et ce, tant en Europe qu'en Amérique du Nord, notamment en raison des guerres et des conflits qui sévissent au Vietnam, au Cambodge et au Laos. En Amérique du Nord, cette immigration a dépassé l'immigration, plus traditionnelle, en provenance de l'Europe. Au Canada, par exemple, moins de 2% des immigrants venaient d'Asie avant 1961, autour de 6% pour la période 1961-1970, près de 22% entre 1971 et 1980 et plus de 30% entre 1981 et 1991 (Statistique Canada, 1997, tableau sur la population immigrante, selon la période d'immigration et le lieu de naissance). Aux États-Unis, depuis la fin des années 70, «les migrants d'origine asiatique représentent la composante principale des flux d'entrée, si l'on exclut l'enregistrement des Mexicains ayant bénéficié de la procédure de régularisation de 1986» (OCDE, 1995, p. 56). En Europe occidentale aussi, l'immigration asiatique occupe une place importante, mais l'immigration récente en provenance de l'Europe de l'Est a maintenu un flux important d'arrivants d'origine européenne.

Le Québec n'échappe pas au mouvement. Il a d'abord surtout accueilli des immigrants venant d'Europe. Notons cependant une différence entre le Québec et le reste du Canada quant à l'origine des immigrants. Le Québec a reçu, de la Deuxième Guerre mondiale jusqu'au début des années 70, une plus grande proportion de Français, de Grecs, d'Italiens, d'Antillais et d'Africains francophones, alors que le reste du Canada, et surtout l'Ontario, accueillait une proportion plus grande d'Américains, d'Anglais, d'Asiatiques, d'Européens de l'Est. À partir des années 70, le Québec voit son immigration se diversifier. Dans la décennie 1970-1980, Haïti est au premier rang et le Vietnam au quatrième rang des pays de provenance de l'immigration. Curieusement, les États-Unis se classent au deuxième rang, suivis de la France. Dans la décennie suivante, Haïti occupe toujours le premier rang, suivi du Liban et du Vietnam. La colonie britannique de Hong Kong se classe au sixième rang. Depuis le début des années 90, de nouveaux pays d'Asie prennent le relais, notamment la Chine, le Sri Lanka et l'Inde, puis, en 1995, des pays de l'ex-URSS et de l'ex-Yougoslavie (voir les tableaux 5.1 et 5.2).

Le résultat de ces différentes vagues d'immigration est une population de plus en plus diversifiée. Plus d'une centaine de communautés sont présentes au Québec, certaines importantes en nombre comme les communautés italienne et juive, d'autres de taille intermédiaire comme celles d'Haïti, du Portugal et de Grèce, et des petites comme celles du Cambodge, du Sri Lanka et du Salvador. En 1997, près de 9% de la population québécoise est née à l'extérieur du Québec. La proportion est de 16% au Canada, de 22% en Australie et de 8% aux États-Unis (en 1991 pour ces deux derniers cas; OCDE, 1995, p. 27), deux pays qui,

TABLEAU 5.1   Immigrants admis au Québec, selon les principaux pays d'origine pour la période 1991-1995

Pays de naissance	Nombre	%
Liban	15 699	7,9
France	12 908	6,5
Hong Kong	12 341	6,2
Haïti	11 675	5,9
Chine	10 456	5,3
Sri Lanka	6 045	3,1
Roumanie	5 993	3,0
Inde	5 418	2,7
Philippines	5 269	2,7
El Salvador	4 993	2,5
Autres pays	107 106	54,1
Total	197 903	100,0

Source : Ministère des Relations avec les citoyens et Immigration (1997, tableau 5).

TABLEAU 5.2   Immigrants admis au Québec, selon les principaux pays d'origine pour l'année 1995

Pays de naissance	Nombre	%
France	2 674	10,4
Ex-Yougoslavie	1 933	7,5
Haïti	1 765	6,8
Chine	1 327	5,1
Ex-URSS	1 159	4,5
Roumanie	963	3,7
Inde	877	3,4
Liban	856	3,3
Maroc	842	3,3
Hong Kong	812	3,1
Autres pays	12 572	48,7
Total	25 790	100,0

Source : Ministère des Relations avec les citoyens et Immigration (1997, tableau 5).

comme le Canada, sont considérés comme très ouverts à l'immigration. En Europe, le pourcentage de la population étrangère varie d'un pays à l'autre, mais il dépasse rarement 10 % de la population, à l'exception du Luxembourg et de la Suisse. En Allemagne et en France, cette proportion s'élève respectivement à 8,5 % et 6,3 % en 1993, alors que dans des pays scandinaves comme le Danemark et la Norvège elle n'est que de 3,5 % approximativement (*ibid.*).

Par contre, si on tient compte de l'origine ethnique des citoyens, selon les déclarations lors des recensements canadiens, plus de 20 % de la population québécoise serait, en 1991, d'une origine autre que française ou britannique. Ainsi, en 1991, 74,6 % des personnes recensées déclaraient une origine française et 4,2 %, une origine britannique (Barrette, Gaudet et Lemay, 1993, p. 93). Il s'agit d'une progression rapide puisque, en 1981, seulement 12 % de la population du Québec était d'origine autre que française ou britannique — considérant que 80,2 % se disait d'origine française et 7,7 %, d'origine britannique (*ibid.*, p. 92). Le faible taux de natalité de la population francophone explique en grande partie cette hausse, puisqu'il n'y a pas eu d'augmentation marquée de l'immigration durant cette période. En effet, le Québec enregistre un taux de fécondité inférieur au taux nécessaire pour assurer le renouvellement des générations, taux fixé à 2,1 enfants par femme en âge de procréer. Or il s'est maintenu autour de 1,5 entre 1981 et 1991. Par ailleurs, les immigrantes de première génération ont, de manière générale, plus d'enfants que les femmes des pays d'accueil, bien qu'elles en aient moins que leurs compatriotes restées dans leur pays d'origine. (Autrement dit, dès la première génération, les femmes immigrantes ont moins d'enfants qu'elles en auraient probablement eu si elles étaient restées dans leur pays [sur cette question, voir OCDE, 1995, p. 25-26].) Précisons que, dans plusieurs pays occidentaux, l'immigration doit servir en partie à compenser ce manque de naissances.

Les nouveaux critères de sélection des immigrants

Un autre caractère saillant de l'immigration réside dans les raisons justifiant l'accueil des immigrants, lesquelles donnent lieu à l'établissement de catégories d'immigrants. Traditionnellement, l'immigration a essentiellement servi en Europe à combler des besoins de main-d'œuvre, et, en Amérique et en Australie, à peupler ces continents d'une population blanche. Des motifs humanitaires inciteront la plupart des pays occidentaux à élargir le champ des justifications. Les situations de guerre civile dans différentes régions du monde, mais surtout l'existence de régimes dictatoriaux communistes, ont amené les pays à modifier la convention de Genève de 1951 «qui ne s'appliquait à l'origine qu'aux personnes réfugiées en Europe» (Stalker, 1995, p. 162) et à l'étendre progressivement au reste du monde, offrant ainsi une protection, et par la même occasion une chance d'émigrer, aux populations concernées. Ce sont les populations originaires des pays communistes qui ont le plus bénéficié de cette ouverture. En 1956, environ 200 000 Hongrois ont quitté leur pays, puis, en 1961, plus de trois millions d'Allemands fuyaient l'Allemagne de l'Est. Comme le note Stalker (*ibid.*), «depuis

1946, les plus gros flux de réfugiés sont en fait venus de pays communistes, à savoir de Cuba (473 000) et du Viêt-nam (411 000) ». Le mouvement s'est accentué dans les années 80, où plus de trois millions de personnes ont fait une demande d'asile en Europe, en Amérique du Nord et en Australie. C'est pourquoi, dans les années 90, il y aura, dans la plupart des pays occidentaux, un ressac contre ce type d'immigration et des mesures seront prises pour contrôler davantage le flux des réfugiés et en réduire le nombre.

Le Canada a été et reste l'un des pays les plus généreux en matière d'accueil des réfugiés. Ainsi, en 1993, il acceptait 61 % des demandes d'asile, ce qui était de beaucoup supérieur à ce qu'acceptaient de nombreux autres pays. La Belgique, par exemple, n'en acceptait qu'un sur 10 (Stalker, 1995, p. 163). Pour la période 1992-1994, les réfugiés représentaient 8,3 % des immigrants admis au Canada (Citoyenneté et Immigration Canada, 1996, p. 5); pour la même période, ils représentaient 15 % de l'immigration aux États-Unis et en Australie et près de 5 % en Suisse et au Royaume-Uni (OCDE, 1995, p. 14). Le Québec a reçu sa large part de réfugiés entre 1980 et 1995. De 1991 à 1995, par exemple, 21,6 % des immigrants venus s'installer au Québec entraient dans cette catégorie (Ministère des Relations avec les citoyens et Immigration [MRCI], 1997, tableau 2). Soulignons que la politique d'immigration favorable à cette nouvelle catégorie d'immigrants a fortement encouragé l'entrée au Québec de certaines communautés (du Vietnam, du Cambodge, du Laos, du Salvador, du Liban, etc.) et qu'en ce sens elle a contribué à la diversification de sa population. Il faut noter par contre qu'ici comme ailleurs les gouvernements ont cherché ces dernières années à contrôler et à restreindre ce type d'immigration.

Une autre raison justifiant l'accueil des immigrants est la réunification des familles. C'est là la voie principale de l'immigration actuellement dans la plupart des pays occidentaux, loin devant l'accueil des réfugiés politiques et des indépendants (main-d'œuvre qualifiée et non qualifiée; investisseurs). Il s'agit de permettre à des membres d'une même famille (conjoints, parents et enfants) de se retrouver après des migrations plus ou moins forcées (pour gagner sa vie et celle de sa famille; pour fuir des guerres civiles et des régimes politiques oppresseurs) les ayant séparés. Une telle orientation s'inscrit dans la foulée des mesures relatives aux réfugiés et aux immigrants indépendants en ce sens que, toujours pour des raisons humanitaires, elle vise à réduire les effets négatifs de ces mesures. De plus, comme on a largement restreint l'accueil des réfugiés et des indépendants, la réunification familiale devient le principal motif d'émigration. Dans de nombreux pays européens, plus de la moitié de l'immigration est le fait de personnes qui viennent rejoindre des membres de leur famille (OCDE, 1995, p. 14-16). Au Canada, la proportion est de plus de 42 % durant la période 1992-1994 (Citoyenneté et Immigration Canada, 1996, p. 5). Au Québec, pour la période 1991-1995, la proportion n'est que de 32 % comparativement à 46 % d'indépendants (MRCI, 1997, tableau 2). Il ressort de tout cela que l'immigration au Québec se partage plus également qu'au Canada, et encore plus qu'en Europe, entre les différentes catégories d'immigrants.

Le renversement des flux migratoires

Le troisième phénomène important est le renversement des flux migratoires dans les pays d'Europe du Sud comme l'Espagne, l'Italie et la Grèce. Pendant plus d'un siècle, ces pays ont vu des milliers de leurs habitants migrer vers le nord de l'Europe, l'Amérique du Nord et l'Amérique latine. Or, depuis maintenant une vingtaine d'années, non seulement ces pays perdent-ils moins de leurs citoyens, mais ils sont devenus une terre d'accueil pour un nombre croissant d'émigrants d'autres pays. Ainsi, en 1993, on trouve un peu plus de 1 % de population étrangère sur leur territoire (OCDE, 1995, p. 27). Conséquemment, ces pays fournissent de moins en moins d'immigrants en Amérique du Nord. Par ce renversement des flux migratoires, ils contribuent à la diversification des populations américaine, canadienne et québécoise en obligeant ces dernières à se tourner vers d'autres pays pour continuer d'alimenter le flux d'immigrants dans leurs pays.

Le resserrement de la réglementation et la limitation de l'immigration

Le quatrième phénomène à se produire ces dernières décennies a trait au resserrement de la réglementation relative à l'immigration et à la limitation de cette dernière. Beaucoup de pays occidentaux ont cherché, particulièrement durant la dernière décennie, à contrôler davantage l'immigration et à réduire le nombre d'immigrants admis sur leur territoire chaque année. En fait, à peu près tous les pays industriels sont intervenus en ce sens. Ce resserrement a commencé au milieu des années 70 et a de plus en plus limité, en Europe du moins, l'immigration aux membres de la famille et aux réfugiés politiques. Aux États-Unis et au Canada, on est resté plus ouvert, ce qui fait que le nombre d'immigrants admis n'a globalement pas subi de baisses significatives. Par contre, l'afflux de réfugiés politiques a pris de telles proportions dans les années 80 qu'il a obligé ces deux pays, comme les pays européens et l'Australie, à imposer des procédures de demande d'asile plus strictes. Le résultat est un processus plus long et plus coûteux qui entraîne une baisse des demandes d'asile.

De plus, la crise économique qui perdure dans les années 90, accompagnée d'un taux de chômage assez élevé, a incité, à tort ou à raison, les gouvernements de nombreux pays à intensifier le contrôle sur l'immigration. En Europe, constate Stalker (1995, p. 159), la réaction «a surtout consisté à cesser d'embaucher de la main-d'œuvre étrangère et à limiter les droits des résidents des territoires d'outre-mer». Aux États-Unis, on a surtout cherché à freiner l'entrée massive de Mexicains au pays. Pour ce faire, on a modifié la loi sur l'immigration. L'action des patrouilleurs à la frontière et des agents dans les aéroports s'en trouve facilitée, puisqu'ils peuvent désormais expulser sur-le-champ toute personne dont les papiers ne sont pas en règle. En outre, l'accès aux services gouvernementaux est restreint : «Il faudra dorénavant dix ans de résidence pour pouvoir envoyer ses enfants à l'école et profiter de l'aide sociale aux États-Unis.» (Morissette, 1997, p. B4.) Au Canada, la situation économique a entraîné un ralentissement de la croissance du nombre d'immigrants admis alors que le gouvernement fédéral avait plutôt envisagé d'accroître substantiellement l'immigration au cours des années 90. Ainsi, si le nombre moyen d'immigrants admis était de 125 000 dans les années 80, il a augmenté rapidement au début des années 90 (214 230 en 1990, 230 781 en 1991 et un sommet de 252 842 en 1992), puis a reculé, se chiffrant à 200 000 et 225 000 en 1993 et 1995 (Citoyenneté et Immigration Canada, 1997, tableau des admissions annuelles). Le Parti libéral du Canada, qui avait annoncé son intention en 1993 d'augmenter le nombre d'immigrants s'il était élu, a renoncé à ses objectifs peu après avoir accédé au pouvoir en 1994 (Gauthier, 1994, p. B1). Il maintiendra un objectif de 200 000 immigrants par année (Gauthier, 1996, p. B6).

Au Québec, le nombre d'immigrants admis avait aussi grimpé, au début des années 90, pour atteindre plus de 40 000 par année, mais il a chuté à quelque 25 000 en 1995 (MRCI, 1997, tableau 2). Le gouvernement québécois avait annoncé en 1994 qu'il renonçait à accroître ce nombre au cours des prochaines années même si, en vertu d'une entente conclue en 1991 avec le gouvernement fédéral, il aurait pu recevoir jusqu'à 60 000 immigrants par année. Le gouvernement du Québec invoque deux raisons principales : «la mauvaise conjoncture économique qui ne permet pas d'offrir suffisamment d'emplois aux nouveaux arrivants» et la capacité d'intégration de la société québécoise qui semble avoir atteint sa limite, notamment dans les écoles où les frictions se multiplient (Berger, 1995, p. A1).

L'INTÉGRATION DES IMMIGRANTS : ENJEUX ET DÉFIS

L'une des raisons de restreindre l'immigration est probablement la difficulté, perçue ou réelle, peu importe, d'intégration des immigrants dans les sociétés d'accueil. Nous allons traiter cette difficile question dans les pages qui suivent. Nous considérerons les approches dominantes en matière d'intégration en Occident, les obstacles réels ou perçus qui rendraient difficile l'intégration et les diverses stratégies des immigrants pour s'intégrer. Encore une fois, le cas du Québec recevra une attention particulière.

Il y a, grosso modo, deux approches en matière d'intégration des immigrants en Occident : l'assimilation et le multiculturalisme. Stalker définit ainsi ces deux approches :

> L'assimilation des immigrés signifie qu'ils sont dispersés dans toute la communauté pour y être peu à peu absorbés, de telle sorte qu'ils finissent par ne

plus se distinguer d'une communauté d'accueil homogène. Le multiculturalisme signifie que l'on tolère, voire que l'on encourage, les différences ethniques et autres, de telle sorte que des groupes distinctement reconnaissables
coexistent et interagissent pour donner une société plus hétérogène mais
stable. (Stalker, 1995, p. 82.)

La France est un exemple de l'approche assimilationniste et la Grande-
Bretagne, un exemple de l'approche multiculturaliste. Il est clair cependant que
la France a de plus en plus de difficulté à assimiler les immigrants, notamment à
cause des différences culturelles plus grandes entre les populations immigrantes
d'aujourd'hui (africaines et arabes) et la population française comparativement à
celles d'hier (italiennes, polonaises, espagnoles, etc.[1]). En Grande-Bretagne, une
partie des immigrants s'assimilent, et ce, malgré sa politique de multiculturalisme.

Selon les contextes et les époques, il arrive que ces deux approches se com-
binent ou se succèdent. Ainsi, les Américains ont pendant longtemps opté pour
l'assimilation, à l'exception des gens de couleur, mais depuis une vingtaine
d'années l'idée du multiculturalisme est de plus en plus admise. Comme le souligne Stalker (1995, p. 83), l'image qui s'impose aujourd'hui aux États-Unis «est
moins celle du "creuset" que celle de la "salade de fruits", dans laquelle tous les
ingrédients font un seul mets tout en conservant leur identité propre». Le
Canada a aussi adopté une politique de multiculturalisme (en 1971), en grande
partie pour neutraliser les revendications des Québécois francophones qu'on
voulait réduire au rang de communautés immigrantes (Rogel, 1989, p. 100-103).

Le Québec a adopté une position intermédiaire, appelée interculturalisme,
qui mise sur le dialogue entre les cultures et sur la convergence culturelle. Il s'agit
de respecter les cultures d'origine tout en faisant la promotion d'une culture
publique commune ayant le français comme force d'intégration. Cette politique
ressemble étrangement à la politique du multiculturalisme canadien. Elle a été
adoptée à la fin des années 70 et a connu un plus ou moins grand succès. Nous y
reviendrons. Soulignons ici, d'entrée de jeu, que la possibilité pour les immigrants
de s'intégrer soit à la communauté francophone, soit à la communauté anglophone est l'une des particularités de la situation québécoise, ce qui ne vient en
rien simplifier l'épineuse question de l'intégration.

Mais peu importe la politique d'intégration, il semble qu'il faille trois générations pour que les immigrants soient bien intégrés à une communauté d'accueil,
ou du moins pour qu'il y ait une assimilation linguistique. La première génération,
c'est-à-dire les immigrants nouvellement arrivés, s'intègre rarement pleinement à
la société d'accueil. En fait, les obstacles sont nombreux: différence culturelle,
ignorance de la langue, etc. La deuxième génération, composée des enfants nés

---

1. Notons que, dans une étude publiée dans la revue *Sciences humaines*, Laurent Mucchielli (1997)
soutient que, en France, les immigrants s'intègrent toujours assez bien.

dans le pays d'accueil ou arrivés très jeunes, est à cheval sur deux cultures. Ces personnes parlent généralement très bien la langue du pays d'accueil qu'elles ont apprise dans la rue, puis à l'école. Leur langue maternelle reste cependant celle de leurs parents et c'est cette dernière qu'elles utilisent très souvent dans leurs relations avec eux. Cette deuxième génération a tendance à élever ses enfants dans la langue du pays d'accueil, si bien que la troisième génération ne parle généralement pas la langue des grands-parents immigrants et que les personnes appartenant à cette génération travaillent et se marient de plus en plus à l'extérieur de leur communauté d'origine.

Il semble qu'aujourd'hui les problèmes liés à l'intégration soient plus importants que jamais et qu'en conséquence la capacité d'intégrer des communautés en Occident soit plus faible. Certains doutent même qu'il soit possible d'intégrer les nouvelles populations immigrantes. Par exemple, le flux important d'immigrants latins aux États-Unis, qui sont en voie de dépasser en nombre les Noirs américains, fait craindre à certains l'hispanisation des États-Unis. Pourtant, comme le rapporte Stalker (1995, p. 95), «une étude consacrée en 1973 aux couples d'origine mexicaine vivant à Los Angeles a révélé qu'à la troisième génération seulement 4 % des femmes parlaient espagnol à la maison, que 12 % employaient l'anglais et l'espagnol et que 84 % ne parlaient qu'anglais». Il est possible que les dernières vagues résistent davantage, mais il faudra attendre une vingtaine d'années avant de porter un jugement. Ce que nous savons cependant, c'est que, malgré les craintes qu'inspire aux Américains chaque vague d'immigration, qu'elle soit allemande, irlandaise ou italienne, ces derniers ont toujours réussi à intégrer ces populations (notons qu'en 1990 23,3 % des Américains disaient être d'origine allemande, 15 %, d'origine irlandaise et 6 %, d'origine italienne [Stalker, 1995, p. 195]).

Ce qui a changé, et qui est susceptible de faire obstacle à l'intégration selon certains, c'est justement la culture d'origine des immigrants. Issus en plus grand nombre de cultures éloignées des cultures occidentales (de tradition judéo-chrétienne), ces immigrants feraient surgir de nouveaux défis pour les pays occidentaux. De plus, le désir exprimé par ces nouveaux immigrants, et de plus en plus par les anciens, de conserver leur culture d'origine dans le pays d'accueil compliquerait les choses. Les politiques de multiculturalisme adoptées par plusieurs pays cherchent en partie à réconcilier ce désir de conserver sa culture avec la nécessité de s'intégrer à la communauté d'accueil. Pourtant, des pays comme les États-Unis et les Pays-Bas remettent peu à peu en question cette stratégie adoptée il y a plusieurs années. Les gouvernements de ces pays ne sont plus aussi sûrs d'avoir fait le bon choix et tendent à revenir à des politiques visant l'assimilation (Stalker, 1995, p. 85). Au Québec aussi, on doute de plus en plus de la pertinence de l'interculturalisme (Lafrance, 1993, p. B1). Il reste qu'encore ici il est difficile de porter un jugement définitif sur l'intégration des nouvelles populations immigrantes, car il faut, en règle générale, trois générations pour qu'un immigrant s'incorpore véritablement à la société d'accueil, et ces populations n'en sont qu'à leur première ou deuxième génération.

Parmi les éléments qui semblent jouer contre l'intégration des immigrants, il y a le phénomène de leur concentration dans les grandes villes ou dans certaines régions des pays d'accueil. Aux États-Unis, plus de 40% des immigrants s'établissent dans les États de New York et de Californie, alors que ces deux États ne représentent que 18% de la population américaine totale (Dumont, 1991, p. 16) ; quant aux autres, ils s'installent dans des grandes villes comme Chicago, Miami, etc. Plusieurs pays d'Europe connaissent une situation semblable. Par exemple, en Belgique, 30% des immigrants vivent à Bruxelles, et en Suède, près de 49% habitent les environs de Stockholm, de Göteborg et de Malmö (Dumont, 1991, p. 25). Au Canada, la très grande majorité des immigrants s'installent en Ontario, principalement à Toronto et dans les autres villes importantes, puis à Vancouver et à Montréal (Citoyenneté et Immigration Canada, 1995, p. 6). Au Québec, 88% de la population immigrante se retrouvait à Montréal en 1988 (Dumont, 1991, p. 41). C'est pourquoi plusieurs pays ont tenté de disperser la population immigrante sur leur territoire. Les tentatives improvisées et peu encadrées en ce sens n'ont rien donné. L'exemple des réfugiés d'Indochine (Vietnam, Cambodge, Laos) aux États-Unis est une belle illustration de ces essais infructueux, comme le fait observer Stalker : «Les 130 000 réfugiés arrivés aux États-Unis en 1975 ont été dispersés à travers tous les États-Unis, mais, en 1980, 40% d'entre eux avaient déménagé en Californie et le processus de concentration continue.» (Stalker, 1995, p. 102.)

En revanche, les programmes d'établissement d'immigrants dans des sites soigneusement choisis et faisant l'objet d'une planification rigoureuse ont eu plus de succès. Les États-Unis, la Suède, la Belgique et quelques autres pays ont privilégié cette voie après l'échec des premières tentatives de dispersion. Le Cambodian Cluster Project est l'une de ces expériences tentées par les Américains, que résume Johanne Dumont :

> Entre 1975 et 1980, les Cambodgiens se sont fortement concentrés dans la ville de Long Beach en Californie (plus de 7 000 y sont en effet installés). Lorsque le gouvernement américain annonça sa décision d'admettre 20 000 réfugiés cambodgiens en 1981, il était clair aux yeux des autorités qu'ils ne pourraient être dirigés vers cette ville, ni même dans le sud de la Californie où les emplois étaient rares, le logement inadéquat et les tensions sociales exacerbées.
>
> Le gouvernement, de concert avec les ONG et les MAA, explora alors des modes d'établissement des réfugiés en dehors des grands centres urbains. L'Association cambodgienne d'Amérique (The Cambodian Association of America), maître d'œuvre du projet, se fixa comme objectif d'établir 10 000 arrivants dans des régions non surpeuplées; dans des communautés où des emplois étaient disponibles et l'accueil chaleureux; et enfin, où une association d'aide aux réfugiés pouvait offrir un éventail de services.

À partir de ces critères, douze villes américaines ont été choisies pour recevoir les arrivants. Trois ans plus tard, une évaluation du projet a démontré que le taux de rétention en région avait été de 90,8%; que parmi les migrants secondaires, 23% se sont déplacés pour des raisons familiales ou parce qu'ils n'avaient pas de parents dans le site de regroupement; et que 47% des réfugiés étaient financièrement indépendants. Ces chiffres dépassaient largement la moyenne de l'époque. (Dumont, 1991, p. 52.)

Il ne faut donc pas s'étonner si les efforts déployés au Québec pour régionaliser l'immigration n'ont pas donné de bons résultats, puisque rien de semblable n'y a été tenté. Cela reste une voie à explorer, mais moyennant certaines conditions qu'ont respectées ces pays, notamment l'accès au marché du travail local, l'existence de services aux immigrants, un accueil favorable de la population locale, la possibilité de constituer une communauté ethnique (Dumont, 1991, p. 61-62). Le principe clé de cette intégration est certainement la possibilité de fonder une communauté locale. Cela rejoint l'idée de la grande ville cosmopolite qui offre généralement cette possibilité.

En effet, de nombreuses études ont montré que le regroupement des immigrants d'une même communauté dans un quartier, en particulier dans les grandes villes cosmopolites, loin de nuire à leur intégration, la favorise parce qu'est ainsi créée une zone de transition où ils peuvent à la fois continuer à vivre selon leur culture d'origine et apprendre les bases de la culture d'accueil par le biais des contacts avec des membres de la communauté installés depuis plus longtemps. Ces derniers les initient au fonctionnement de la société d'accueil, les guident dans les services gouvernementaux, leur apprennent les manières d'entrer en relation avec les gens du cru, les aident à se trouver un emploi, etc. Autrement dit, la vie dans une communauté d'accueil de même origine, souvent appelée ghetto, permet aux nouveaux arrivants de mieux surmonter le choc culturel lié à un exil souvent involontaire.

Cette notion d'exil involontaire nous amène à distinguer, d'une part, l'émigration volontaire — on quitte son pays par goût de l'aventure, de la découverte culturelle, comme les Américains qui vont vivre en Europe ou les Français qui s'installent en Amérique (sur les Français au Québec, voir Saire, 1994) — et, d'autre part, l'émigration forcée — on quitte son pays pour des raisons politiques ou économiques. Dans le premier cas, on parle d'une émigration individuelle, liée à l'histoire personnelle des individus, alors que, dans le deuxième cas, on parle d'émigration collective, liée à l'histoire d'un pays ou d'une région. S'agissant d'intégration, cette distinction est d'importance. Ce sont surtout les immigrants dans la deuxième situation qui vont créer des petites communautés ethniques dans les pays d'accueil. On pourra difficilement trouver un quartier, ou un ghetto, américain ou français à Montréal, même si ces groupes comptent respectivement plus de 35 000 et de 70 000 membres au Québec (données sur la communauté américaine: Tasso, 1992, p. B1; sur la communauté française: Saire, 1994, p. 71).

En fait, il convient sans doute mieux, pour comprendre les difficultés d'intégration, de se référer aux thèses plus classiques qui lient l'intégration des immigrants aux conditions économiques des pays d'accueil. Quand ces pays sont en pleine croissance économique, que le taux de chômage est bas et que les immigrants se trouvent facilement du travail, on parle moins alors de difficulté d'intégration. Par contre, quand sévissent une crise économique, un taux de chômage élevé, et que les immigrants, comme de nombreux autochtones, ont des difficultés à se trouver du travail, les problèmes d'intégration refont alors surface. Les immigrants sont pointés du doigt, accusés de voler leurs emplois aux autochtones, de vivre aux dépens de la société d'accueil, et de bien d'autres méfaits encore, et leurs difficultés d'intégration prennent une ampleur considérable. Pourtant, toutes les études indiquent que les immigrants occupent très souvent des emplois que ne désirent pas les autochtones, qu'ils sont les premiers à être licenciés advenant un ralentissement ou une crise économique, qu'ils ne dépendent pas plus que les autres citoyens des programmes de sécurité du revenu, etc. (Stalker, 1995, p. 47-67, 107-128). Or ce que nous constatons par rapport aux sociétés d'accueil, c'est justement, depuis le milieu des années 70, une détérioration des conditions économiques. La crise des années 90, qui a duré plusieurs années et qui s'est résorbée dans plusieurs pays sans qu'il y ait une baisse significative du chômage, a fourni les conditions propices à la recherche d'un bouc émissaire. Et, comme d'habitude, ce sont les immigrants qui ont été désignés par certains groupes de la population, certains partis politiques (qu'on pense au parti de Le Pen en France) et même par certains gouvernements.

Au Québec, la situation n'est pas tellement différente, mais elle se double d'un problème particulier lié à son histoire, soit l'existence sur son territoire de deux communautés, francophone et anglophone, en concurrence pour intégrer les immigrants, la communauté francophone ayant par ailleurs une forte composante indépendantiste qui souhaite que le Québec réalise sa souveraineté. Traditionnellement, c'est la puissante communauté anglophone de Montréal qui intégrait la majorité des immigrants. Il y a bien eu au XIXe siècle et au début du XXe l'intégration à la communauté francophone d'une partie des immigrants, surtout d'Irlandais et d'Italiens, mais, durant une grande partie du XXe siècle, c'est surtout la communauté anglophone qui va les intégrer. La communauté francophone a voulu renverser cette situation dans les années 60 et 70. L'adoption, en 1974, du projet de loi 22, qui proclame le français langue officielle du Québec, et surtout l'adoption, en 1977, de la Charte de la langue française (dite projet de loi 101), qui faisait du français la seule langue d'affichage commercial et qui obligeait les immigrants à inscrire leurs enfants à l'école française, visaient en grande partie à mieux intégrer les immigrants à la communauté francophone. Mais la contestation devant les tribunaux de la Charte par des groupes anglophones a abouti à l'invalidation d'importantes dispositions (on a permis l'affichage bilingue, notamment), ce qui a réduit la portée de cette action. L'intégration des immigrants au

Québec, à Montréal surtout, donne ainsi lieu à des batailles fréquentes entre les deux communautés. Pour les anglophones, l'intégration des immigrants reste souvent le seul moyen de conserver leurs nombreuses institutions à Montréal, puisque la population d'origine britannique, qui représente moins de 5% de la population du Québec en 1991 comme nous l'avons vu précédemment, ne suffirait pas. Pour les francophones, l'adoption du français comme langue d'usage dans la vie publique par les immigrants constitue l'un des moyens de préserver le caractère français de la métropole du Québec (Montréal), compte tenu de la forte présence anglophone, de l'exode massif des francophones vers les banlieues et du faible taux de natalité dans sa population.

Cette concurrence entre les communautés francophone et anglophone ralentit l'intégration des immigrants et leur permet en fait de conserver plus longtemps leur culture d'origine. De plus, elle transforme certaines stratégies d'intégration, comme la constitution de communautés de transition et d'associations ethniques, en stratégies de revendications permanentes. Comme le soulignent Micheline Labelle et Joseph Lévy :

> La lutte entre les deux peuples fondateurs a ouvert un espace pour les minorités et a encouragé le maintien de l'ethnicité qui s'exprime dans les revendications linguistiques, scolaires et culturelles aux dépens d'une culture commune et publique, selon certains, d'une intégration nationale axée sur l'idée de citoyenneté commune, selon d'autres. (Labelle et Lévy, 1995, p. 152.)

Les différents sondages faits auprès de la population allophone révèlent d'ailleurs que les immigrants et leurs descendants s'identifient d'abord et surtout à leur groupe ethnique, dans une moindre mesure au Canada ou à Montréal et plus rarement au Québec (Labelle et Lévy, 1995 p. 272 et suiv.). Il reste que l'adoption des lois linguistiques a donné certains résultats. Ainsi, de plus en plus d'allophones parlent français au Québec, l'obligation faite aux immigrants d'envoyer leurs enfants à l'école française y étant pour beaucoup. Par contre, l'anglais reste très souvent la langue de travail d'une grande partie d'entre eux et, à ce compte, les efforts pour promouvoir le français, faits par l'école notamment, sont freinés, voire annihilés, par cette réalité du monde du travail montréalais. Une étude récente du ministère des Relations avec les citoyens et Immigration sur les besoins relatifs à l'apprentissage du français par les immigrants arrivés au Québec depuis 1992 révèle que «57% des répondants utilisent surtout l'anglais dans leurs relations avec des collègues, leurs supérieurs ou pour consulter de la documentation» (rapporté dans Venne, 1997, p. A1). La perception des leaders des communautés culturelles fait écho à cette situation. Ces derniers acceptent de plus en plus l'idée du français comme langue officielle au Québec, tout en soutenant que la connaissance de l'anglais est nécessaire pour s'intégrer au marché du travail et à l'économie nord-américaine (Labelle et Lévy, 1995, p. 194-195). Ils reconnaissent par ailleurs que l'apprentissage de la langue maternelle ralentit l'apprentissage du français et de l'anglais et constitue, à ce titre, une entrave à l'intégration (*ibid.*).

Ainsi, au Québec, c'est non seulement la situation économique défavorable qui complique actuellement l'intégration des immigrants, mais aussi la situation politique opposant francophones et anglophones, opposition qui se répercute concrètement sur le marché du travail montréalais, celui-là même où se retrouve la très grande majorité des immigrants. L'examen de la question de l'intégration au marché du travail dans la prochaine section permettra de mieux comprendre cette situation. Il faut, pour l'instant, conclure qu'au Québec, en partie à cause de son histoire et des tensions politiques avec le Canada, l'intégration des immigrants est lente, partielle et conflictuelle, d'autant plus que les leaders des communautés culturelles se rallient généralement aux politiques fédérales dans le débat opposant Québec et Ottawa (Labelle et Lévy, 1995, p. 270).

L'INTÉGRATION AU MARCHÉ DU TRAVAIL

Nous l'avons déjà dit, l'Europe et les Amériques se distinguaient traditionnellement quant aux raisons justifiant l'immigration. Pour les Amériques, cette dernière était le pivot central d'une politique de peuplement, tandis que, pour l'Europe industrialisée, les migrations visaient essentiellement à combler temporairement des besoins de main-d'œuvre. À la longue, toutefois, un nombre croissant de travailleurs immigrés s'installèrent en permanence en Europe du Nord. Si bien qu'aujourd'hui ces deux régions ont une politique semblable qui privilégie la réunification familiale comme motif d'entrée dans le pays et se préoccupent de l'intégration des immigrants sur le marché du travail. Nous examinerons ici cette dernière question.

Il faut noter d'entrée de jeu les écarts en ce qui concerne la proportion et la répartition de la main-d'œuvre étrangère ou immigrante dans les pays européens et nord-américains. Par exemple, en 1992, quelque 36% des travailleurs du Luxembourg sont d'origine étrangère. Le Canada fait aussi partie de ces pays où une bonne proportion (20%) des emplois sont occupés par des étrangers ou des immigrants. Des pays comme la Belgique, les États-Unis et l'Allemagne, où cette proportion tourne autour de 10%, sont dans une situation intermédiaire. Dans d'autres pays, comme le Royaume-Uni, les Pays-Bas et le Danemark, moins de 5% de la main-d'œuvre est étrangère ou immigrante (OCDE, 1995, p. 41).

Les secteurs d'activité dans lesquels ces travailleurs se trouvent en plus grand nombre varient aussi d'un pays à l'autre. Selon l'Organisation de coopération et de développement économique (OCDE) :

> L'activité économique dans laquelle le pourcentage d'étrangers ou d'immigrés est le plus élevé [...] [est] l'agriculture aux États-Unis ; l'extraction et la transformation des métaux en Belgique et aux Pays-Bas ; les industries

manufacturières au Danemark, en Allemagne, en Australie et au Canada; le bâtiment et le génie civil au Luxembourg et en France; et, enfin, les services (hors administration publique) au Royaume-Uni. (OCDE, 1995, p. 42.)

Cette concentration dans certains secteurs s'explique bien sûr par les besoins propres à chacun de ces pays, mais aussi par la logique des réseaux d'embauche des immigrants. Il suffit parfois que quelques immigrants pénètrent un secteur pour qu'ensuite ces derniers aident leurs compatriotes à venir au pays et à y travailler. Au fil des ans et des générations, certains pays, et à l'intérieur de ceux-ci certains secteurs d'activité, sont marqués par la présence d'une communauté immigrante particulière. Ce phénomène semble universel, comme le laisse entrevoir l'expérience de cet habitant thaïlandais du village de Chiang Wae qui alla, dans les années 70, travailler en Arabie saoudite pour une durée de huit ans:

> Lorsqu'il s'en revint finalement chez lui, il était un des hommes les plus riches du village: il se fit construire une maison, acheta un verger et une rizière, envoya un de ses enfants à l'université et devint prêteur d'argent. Devant sa réussite, d'autres villageois se décidèrent à franchir le pays et il y eut bientôt un flux régulier de migrants de Chiang Wae vers l'Arabie saoudite. Un groupe de migrants encourageait l'autre, ceux qui étaient déjà partis aidant les nouveaux arrivants à s'installer; certains des travailleurs, de retour au village, se mirent à servir d'agents recruteurs... (Stalker, 1995, p. 40.)

Les exemples de ce type pourraient être multipliés à l'infini. Que ce soit les ouvriers turcs en Allemagne, les travailleurs agricoles mexicains aux États-Unis ou les domestiques en provenance des Philippines au Canada, la plupart ont pénétré le pays et le marché du travail par le biais de réseaux de parents et d'amis qui les ont informés de la possibilité d'obtenir un emploi, recommandés à leurs employeurs et aidés à s'installer au pays (Chapdelaine, 1991, p. B7; Stalker, 1995, p. 41).

Ces emplois sont la plupart du temps ceux que ne veulent pas occuper les travailleurs autochtones, parce qu'ils comportent les tâches qu'ils jugent les plus épuisantes et les plus désagréables. Il s'agit souvent d'emplois exigeant peu de compétence, mal rémunérés et où les possibilités de formation et d'avancement sont rares. De plus, les travailleurs immigrés sont généralement les premiers à être licenciés en cas de ralentissement de la production. Pendant la crise économique des années 90, ce sont eux qui ont fait les frais d'une grande partie des mises à pied. En France, par exemple, le tiers des pertes d'emploi s'est appliqué aux travailleurs étrangers. «Dans certains secteurs comme la construction automobile, les ouvriers spécialisés immigrés ont représenté à eux seuls 42% des licenciements, et même 51,5% pour le bâtiment et travaux publics.» (Mucchielli, 1997, p. 13.) C'est énorme quand on sait que les travailleurs immigrés ne représentent que 6,3% de la population active française en 1993 (OCDE, 1995, p. 32).

On comprend mieux que, dans ce contexte difficile qui est le leur, le taux de chômage parmi les travailleurs immigrés soit systématiquement plus élevé que parmi les nationaux, comme l'indique le tableau 5.3. En effet, étant donné que leurs réseaux ne se rattachent souvent qu'à un seul secteur d'activité économique, qu'ils y occupent les emplois les moins prestigieux, qu'ils sont les premiers congédiés en cas de licenciements, qu'ils travaillent très souvent dans des entreprises ou des secteurs en déclin (où il n'y a pas eu de modernisation des équipements, par exemple) et qu'ils n'ont accès à aucune formation professionnelle, comment pourrait-il en être autrement?

Même lorsqu'ils sont qualifiés, leur situation reste difficile puisqu'ils ont beaucoup de difficulté à faire reconnaître leurs diplômes et à se faire embaucher sur la base de leurs compétences professionnelles dans les entreprises. Ici, le réseau d'amis et de parents ne peut en règle générale rien pour les aider à pénétrer d'autres secteurs d'activité économique, même qu'il leur nuit à long terme en les intégrant et en les confinant à un secteur concurrentiel (manufactures non modernes comme le textile et la confection, par exemple) où leur expertise première n'a pas été mise en valeur et où la possibilité d'apprendre la langue du pays d'accueil a été moindre puisqu'ils y travaillaient souvent dans leur langue maternelle (Ledoyen, 1992, p. 151). C'est là la limite des réseaux informels, et c'est pourquoi les groupes sont vite conscients de la nécessité de s'organiser et d'exercer des pressions sur les gouvernements pour faire ouvrir d'autres secteurs d'emploi, comme l'administration publique, à leurs compatriotes. Certains décident carrément de se lancer en affaires et ouvrent un restaurant ou un commerce qui ne nécessite pas une forte capitalisation de départ. C'est le cas, par exemple, de nombreux Coréens aux États-Unis qui, bien que très qualifiés, n'ont pu se trouver de travail, notamment à cause de la barrière linguistique. Ils ont acheté des petits magasins dans les secteurs pauvres des villes américaines et ont réussi à s'en sortir. Comme le rapporte Stalker:

> En mettant toute la famille au travail dix-huit heures par jour sept jours sur sept, ils prirent l'avantage sur la population autochtone, qui refusait de travailler à ce rythme. Cette tactique s'est révélée remarquablement payante. À Washington DC, par exemple, les Coréens ou Coréens-Américains possèdent aujourd'hui presque la moitié des magasins de spiritueux, occupent le tiers des emplois de vendeurs de rue et dirigent 700 pressings. À New York, ils possèdent plus de 85 % des épiceries. (Stalker, 1995, p. 126.)

Il y a bien sûr des exceptions, mais elles touchent surtout une minorité d'immigrants disposant de ressources ou de compétences particulièrement recherchées. Nous pensons ici aux immigrants investisseurs ou encore à ceux qui sont engagés dans la recherche de pointe. Dans le cas des premiers, leur intégration au marché du travail ne pose pas de problème puisqu'ils créent, la plupart du temps, leur propre entreprise. Nous aborderons plus longuement cette question plus loin. Dans le cas des seconds, leurs qualifications plus rares en font des individus recherchés dans la plupart des pays occidentaux. Les Américains gagnent

TABLEAU 5.3   Taux de chômage parmi les nationaux et les étrangers
               dans quelques pays de l'OCDE, 1993

Pays	Nationaux	Étrangers
Belgique	7,1	19,4
Danemark	10,5	28,2
France	10,8	20,7
Pays-Bas	5,8	19,7
Royaume-Uni	10,1	16,0
Canada (1991)	12,4	13,0
Australie	10,4	12,8

Source: OCDE (1995, p. 32-34).

depuis longtemps cette bataille en attirant un nombre considérable de scientifiques. À ce propos, Stalker (1995, p. 133) signale que, «entre 1972 et 1985, les quatre principaux pays exportateurs de main-d'œuvre [hautement qualifiée] — Inde, Philippines, Chine et République de Corée — ont laissé partir vers les États-Unis plus de 145 000 travailleurs ayant une formation scientifique».

Nous l'avons souligné, plusieurs immigrants qualifiés n'arrivent pas à se trouver un emploi, mais il n'empêche qu'un certain nombre, ceux qui possèdent les qualifications les plus recherchées et les plus rares (un ingénieur de l'aérospatiale plutôt qu'un ingénieur civil, par exemple), se trouvent de bons emplois. En pratiquant l'ouverture, les Américains se dotent ainsi d'un formidable réservoir de main-d'œuvre qualifiée leur permettant d'assurer le développement de leurs industries.

En fait, les travailleurs immigrés servent de main-d'œuvre tampon, compressible ou extensible rapidement selon les besoins, apportant aux industries des pays occidentaux la flexibilité nécessaire pour s'adapter aux cycles de l'économie. Quand l'économie roule à fond, les dirigeants de ces pays et des entreprises font appel à eux pour combler rapidement les postes tant inférieurs que supérieurs. À l'opposé, quand l'économie ralentit, ce sont eux qui absorbent le gros du choc. Dans cette dernière situation, comme le dit Mucchielli (1997, p. 13), les travailleurs immigrés jouent très souvent «un rôle d'amortisseur de la crise». Malgré tout, les immigrants parviennent, à force d'efforts et de travail, à se tailler une place dans la société d'accueil, à sortir progressivement des ghettos d'emplois qu'on leur réserve, pour se trouver finalement proches de la situation de la population autochtone. Comme le décrit Mucchielli pour le cas de la France:

> La structure de la population active étrangère se rapproche lentement mais sûrement de la population active française. Elle se féminise, se renouvelle et

se diversifie en direction des services. Depuis quinze ans, on observe ainsi le développement des professions intermédiaires, des artisans-commerçants, des employés et même des cadres et professions libérales. Pour toutes ces catégories, l'évolution des actifs d'origines sud-européenne et maghrébine est très largement comparable. (Mucchielli, 1997, p. 13.)

LA SITUATION DU QUÉBEC

Le cas du Québec sera l'occasion d'approfondir cette problématique de l'intégration au marché du travail. Nous verrons que la situation des travailleurs immigrés peut varier selon les époques et selon les groupes. Ainsi, au Québec, leur situation s'est détériorée à partir du milieu des années 80; elle est, par conséquent, beaucoup moins favorable pour les dernières vagues d'immigration. Dans ce contexte nouveau, la question de leur intégration au marché du travail se pose avec plus d'acuité que jamais, d'où l'importance d'examiner plus attentivement les obstacles ainsi que les facteurs favorables à cette intégration. Nous verrons donc que la situation générale décrite plus haut ne s'applique pas intégralement à la situation du Québec et que sa spécificité repose en partie sur la présence de deux communautés linguistiques de travail assez étanches à Montréal, sa métropole économique.

Contrairement à la situation qui existe en Europe depuis plusieurs années, où les populations immigrées présentent des taux de chômage élevés et des revenus plus faibles que les populations nationales, les populations immigrées canadienne et québécoise avaient jusqu'à récemment «sur le marché du travail une performance supérieure à celle des natifs, tant en termes de taux de chômage que de niveau de revenus» (Dumont et Santos, 1996, p. 7). Par exemple, alors que les populations étrangères ou immigrées affichaient un taux de chômage deux fois plus élevé que celui de la population nationale dans la plupart des pays d'Europe au début des années 80 (OCDE, 1995, p. 32-33), les populations immigrées canadienne et québécoise enregistraient à la même époque un taux de chômage inférieur à celui des nationaux. Leur situation s'est passablement dégradée dans les années 80, particulièrement au Québec, si bien qu'en 1991 la situation s'était inversée (voir le tableau 5.4). Que s'est-il passé?

Il semble que les immigrants arrivés dans les années 60 et 70 ont profité d'un contexte économique favorable qui a facilité leur intégration au marché du travail, ce qui n'est pas le cas des dernières vagues d'immigration. En fait, ce sont surtout ces populations immigrées récentes qui ont vu le marché du travail se contracter à leurs dépens. Les immigrants arrivés au Québec entre 1981 et 1991 présentent un taux de chômage de 23% pour la période, «comparativement à 11,6% pour la population d'accueil, soit un écart de plus de 11 points de pourcentage comparativement à des écarts de 6 points et de 0,9 point de pourcentage pour les cohortes ayant une durée de séjour équivalente lors des recensements de 1986 et de 1981» (Dumont et Santos, 1996, p. 15). De toute évidence, c'est la

TABLEAU 5.4   Taux de chômage au Canada et au Québec
selon le lieu de naissance

	1981	1986	1991
Population immigrée canadienne	7,0	9,7	13,0
Population née au Canada	10,9	12,6	12,4
Population immigrée québécoise	7,9	12,4	15,2
Population née au Québec	11,2	13,1	11,6

Sources: Pour le Canada, OCDE (1995, p. 34); pour le Québec, Dumont et Santos (1996, p. 14).

situation des immigrants récents qui s'est détériorée. Voici le portrait que brossent Dumont et Santos à la lumière des résultats de recensement de 1991:

> Parmi les immigrants d'arrivée plus récente (cohorte de 1986 à 1991), ceux qui sont originaires du continent africain et des Caraïbes et Bermudes connaissent les taux les plus élevés (29,7% et 29,1% respectivement). Les immigrants originaires d'Amérique du Sud et centrale (26,5%) et d'Asie (26%) suivent de près avec des taux de chômage également supérieurs à celui de l'ensemble des immigrants (25,3%). Même si les immigrants venus d'Europe affichent le plus faible taux de chômage (20%), on retrouve des écarts importants entre les divers pays d'origine. Les taux de chômage les plus élevés sont enregistrés par les immigrants originaires de certains pays d'Europe de l'Est et d'Europe centrale, principalement la Roumanie, l'URSS et la Pologne. (Dumont et Santos, 1996, p. 20.)

La crise économique du début des années 80 les aurait fortement touchés et celle, plus récente, du début des années 90 n'aurait en rien aidé. Le déclin des secteurs où ils se trouvaient en très grand nombre, comme certaines industries manufacturières, notamment celle du vêtement — dans ce dernier secteur, les travailleurs immigrés représentaient la moitié des effectifs (Manègre, 1993, p. 42) —, y est pour beaucoup. De plus, «les nouveaux emplois se créent dans les industries à haute valeur ajoutée et intensives en technologie comme par exemple celles de l'équipement de transport ou des produits chimiques» (Dumont et Santos, 1996, p. 18) et exigent des compétences que n'ont pas la plupart des travailleurs immigrés, particulièrement ceux qui sont admis à titre de réfugiés, fort nombreux au Québec comme nous l'avons vu plus haut.

Cela ne veut pas dire que les immigrants ne se trouvent pas d'emploi à leur arrivée au Québec, car, faut-il le rappeler, pour être qualifié de chômeur il faut avoir occupé un emploi salarié pendant un nombre minimal de semaines; cela signifie plutôt qu'ils ne le conservent pas toujours très longtemps. Une équipe de sociologues de l'Université de Montréal qui a suivi un groupe de 1000 nouveaux immigrants pendant un an, et plus de 500 de ces 1000 pendant trois ans, a noté que 50% d'entre eux se trouvaient un emploi dans les 20 premières semaines suivant leur arrivée au Québec et que, au bout d'un an, 90% en avaient eu au moins un (Renaud, Desrosiers et Carpentier, 1993, p. 21-22). Par contre, tout au long de l'année, jamais plus de 59% des immigrants avaient eu en même temps un emploi, ce qui montre bien que les emplois occupés ne l'étaient pas souvent pour de longues périodes. En fait, en prenant en considération la période de trois ans, les chercheurs ont constaté que «la durée médiane des épisodes d'emploi est approximativement de 44 semaines, et que 29% des emplois ont une durée d'au moins 140 semaines» (*ibid.*, p. 22). Ils ont de plus dégagé des trajectoires types de cette main-d'œuvre durant les trois années de l'enquête: «Les trois principaux itinéraires professionnels sont la stabilité dans le premier emploi (19%), le passage d'un emploi à non-emploi à emploi à non-emploi à emploi (15%) et la stabilité dans l'épisode sans emploi suivant le premier emploi (11%)» (*ibid.*, p. 31). Nous voyons bien ainsi la précarité des emplois qu'occupent un très grand nombre d'entre eux.

Ces emplois précaires qui sont le lot de nombreux immigrants sont fournis — et cela dans une plus grande proportion que pour la population nationale — par les petites (10 employés et moins) et moyennes (entre 11 et 100 employés) entreprises (à raison de 47,7% dans le premier cas et de 43,4% dans le second [Renaud, Desrosiers et Carpentier, 1993, p. 37]) dans des secteurs d'activité considérés comme des ghettos réservés aux immigrants (hommes et femmes). C'est ainsi qu'on trouve un grand nombre de ces travailleurs dans des emplois manuels dans l'industrie du vêtement et du textile ou dans les services comme l'entretien ménager et le travail domestique (Labelle et Lévy, 1995, p. 79). Les salaires y sont relativement bas (le salaire médian par semaine était, en 1989, de 250$ à la 10e semaine et de 360$ à la 140e semaine), et seulement 14% de ces travailleurs sont syndiqués (par rapport à 40% des travailleurs salariés au Québec) (Renaud, Desrosiers et Carpentier, 1993, p. 38, 48). De plus, ce travail est perçu comme inférieur à celui qu'ils occupaient dans leur pays d'origine dans 50% des cas. Il est à noter cependant qu'à peu près 20% des sujets de la recherche disent occuper un travail exigeant plus de compétences que celui qu'ils détenaient dans leur pays d'origine (*ibid.*, p. 50).

L'intégration des immigrants est donc plus problématique que jamais. Un examen des principaux obstacles et des principaux facteurs favorables à leur intégration au marché du travail permet d'apprécier davantage leur situation (le tableau 5.5 les résume). Depuis le milieu des années 80, on note plus d'obstacles que de facteurs favorables. Nous avons déjà parlé du contexte économique défavorable, qui est responsable de la diminution du nombre d'entrées au pays de nouveaux immigrants. Il y a aussi les caractéristiques socioprofessionnelles des immigrants, particulièrement des réfugiés, qui limitent leur accès au marché du travail: nous parlons d'immigrants peu qualifiés sur le plan professionnel et peu scolarisés, et qui ont très souvent une faible connaissance du français et de l'anglais (Dumont et Santos, 1996, p. 21). Toutes les enquêtes indiquent que plus

TABLEAU 5.5   Obstacles et facteurs favorables à l'intégration au marché du travail des personnes immigrantes

Obstacles liés	
• à la personne immigrante	– méconnaissance du français et de l'anglais
	– méconnaissance du fonctionnement du marché du travail et des pratiques qui y ont cours
	– adaptation nécessaire de ses connaissances et de ses compétences
	– adaptation nécessaire à une nouvelle culture du travail
• aux employeurs	– culture institutionnelle
	– processus de recrutement et de sélection du personnel
	– exigences en matière de maîtrise de la langue et d'expérience de travail
• à la société	– discrimination
	– méthodes québécoises de reconnaissance des acquis
	– exigences du système professionnel
	– quasi-absence de formation d'appoint et de recyclage professionnel
	– critères d'admissibilité aux différents programmes de développement de l'employabilité et aux services de soutien à l'entrepreneuriat et au travail autonome
• au contexte économique	– rareté de l'emploi
	– création d'emplois par les PME
	– hausse des exigences en matière de qualification professionnelle
Facteurs favorables sur le plan	
• individuel	– caractéristiques socioprofessionnelles : bonne scolarité, âge, catégorie d'immigration, etc.
	– valeurs : motivation, désir de réussite, volonté de s'adapter
	– esprit d'entreprise
	– réseaux de soutien
• économique	– reprise économique
	– soutien à l'entrepreneuriat et au travail autonome

Source : Adapté de Dumont et Santos (1996, p. 8).

les immigrants sont scolarisés et qualifiés, moins ils ont de difficulté à s'insérer dans le marché du travail (voir notamment l'étude de Renaud, Desrosiers et Carpentier, 1993). De plus, la méconnaissance du français et, dans une moindre mesure, de l'anglais limite tout autant l'accès à de nombreux emplois ; les immigrants doivent alors se rabattre sur des emplois dans des enclaves ethniques. Il est en effet difficile d'obtenir un bon emploi au Québec si on ne maîtrise pas le français. Or, pour la période 1991-1995, à peine 35 % des immigrants avaient une connaissance du français à leur arrivée (Ministère des Relations avec les citoyens et Immigration, 1997, tableau 3).

Pour éliminer ces obstacles liés aux contextes économique (crise économique, chômage élevé) et politique (choix d'accueillir de nombreux réfugiés politiques plutôt que des immigrants ayant une qualification professionnelle), il faudrait réussir à contourner ou à faire disparaître un certain nombre de contraintes institutionnelles qui perdurent. Nous pensons ici à la difficulté de faire reconnaître son diplôme ou sa compétence, aux exigences bureaucratiques du système professionnel québécois et à l'accès difficile aux différents programmes d'employabilité. De ce côté, en effet, les choses bougent lentement. Pour les gens qualifiés, c'est l'accès au marché du travail qui leur est ainsi limité, comme le soulignent Dumont et Santos :

> En définitive, l'adaptation des connaissances et des compétences constitue sans aucun doute l'obstacle le plus difficile à surmonter pour un nouvel immigrant qui souhaite s'intégrer dans le marché du travail sur la base de ses acquis et ce, dans un délai raisonnable.

> Adapter ses connaissances suppose d'abord faire reconnaître certains acquis. Or, les méthodes actuelles de reconnaissance des acquis ont de sérieuses limites lorsqu'appliquées [sic] aux personnes formées à l'étranger. Même lorsque les éléments de formation manquants sont clairement identifiés, l'accès à la formation d'appoint n'est pas pour autant résolu.

> En fait, au Québec, il est très difficile actuellement d'acquérir seulement les éléments de formation qui manquent, que ce soit au niveau post-secondaire, dans les universités ou dans les programmes de formation professionnelle du collégial. La collaboration à établir entre les différents intervenants dans le dossier de la formation de même que la disponibilité de financement constituent ici les obstacles les plus sérieux. (Dumont et Santos, 1996, p. 35.)

De plus, même lorsque certains immigrants qualifiés se retrouvent prestataires de l'aide sociale, l'accès aux programmes d'employabilité du ministère de la Sécurité du revenu leur est difficile car ceux-ci proposent rarement des cours qui leur conviennent. Ces programmes s'adressent davantage aux gens moins scolarisés. Pourtant, ceux-là, comme les réfugiés politiques de plus en plus nombreux à l'aide sociale, n'y recourent pas pour un ensemble de raisons allant d'une connaissance insuffisante du français à une charge familiale trop lourde (c'est le cas de nombreuses femmes chefs de famille monoparentale) en passant par l'absence d'acquis scolaires nécessaires pour accéder à la formation (Dumont et Santos, 1996, p. 40).

Notons cependant que des efforts ont été faits en matière d'enseignement du français et pour mieux informer les travailleurs immigrés sur le fonctionnement du marché du travail québécois et sur les pratiques qui y ont cours. Ces deux mesures sont très populaires, mais elles ne peuvent pas à elles seules changer la situation actuelle. Ainsi, tous les immigrants ne s'inscrivent pas au cours de français: pour la période 1992-1995, 40 % de ceux qui ne connaissaient pas le français au moment de leur arrivée, et qui résidaient dans la région de Montréal, n'ont jamais suivi de cours de français (Nguyen et Plourde, 1997, p. 5, 9). Sont dans cette situation surtout des immigrants originaires de l'Asie de l'Est, principalement de la Chine, de Hong Kong, de Taiwan et du Vietnam, des immigrants originaires de l'Asie du Sud et du Sud-Est, principalement de l'Inde, du Pakistan, du Bangladesh, du Sri Lanka et des Philippines, ainsi que ceux en provenance des Antilles non anglophones, d'Haïti, de Cuba et de la République dominicaine (*ibid.*, p. 11). Seulement près de la moitié des Haïtiens, des Cubains et des Dominicains ont suivi au moins un cours de français (*ibid.*, p. 11-12). Nous pourrions penser que leur connaissance de l'anglais a été un facteur déterminant dans leur décision de ne pas suivre au moins un cours de français, l'anglais leur permettant de vivre et de travailler dans la région montréalaise. Or, dans le cas des immigrants de l'Asie de l'Est, à peine 25 % connaissent l'anglais et cela peut difficilement expliquer leur décision; c'est la même chose pour ceux qui sont originaires des Antilles non anglophones, dont seulement 4 % avaient une connaissance de l'anglais; par contre, pour les autres, la connaissance de l'anglais était beaucoup plus forte, soit 73 %, ce qui explique sûrement en partie leur réticence à suivre un cours de français. En fait, l'occupation d'un emploi, dans un milieu anglophone en particulier, est souvent un frein à l'apprentissage du français, comme le soulignent Nguyen et Plourde (*ibid.*, p. 14) à propos de ces populations immigrées.

Ce portrait d'ensemble concerne surtout les immigrants récents, plus particulièrement ceux qui sont entrés au pays comme réfugiés politiques ou en vertu de la politique visant la réunification familiale. Si nous considérons les vagues plus anciennes d'immigration, le portrait est sensiblement différent. Ces immigrants se sont bien intégrés au marché du travail et sont souvent présents dans la plupart des secteurs d'activité économique, comme les membres des communautés italiennes et juives, les deux plus importantes minorités culturelles du Québec. Les membres de la communauté italienne sont en force dans les industries manufacturières, dans le commerce de détail et dans l'industrie de la construction. Ils occupent principalement des emplois manuels, des emplois de bureau et d'employés de commerce. Les membres de la communauté juive se trouvent aussi dans les industries manufacturières et le commerce de détail, surtout dans les services liés aux entreprises, en plus de l'enseignement, des services médicaux et sociaux. Ils occupent en très grand nombre des postes de cadres, d'administrateurs et d'employés dans la vente (Labelle et Lévy, 1995, p. 85-90).

Étant donné la situation de ces deux communautés, nous pourrions penser que les communautés plus récentes pourront voir un jour leur population obtenir le même succès. Les Italiens qui ont immigré ici n'avaient pas de plus hautes qualifications que de nombreux immigrants arrivés récemment, et c'est à force d'acharnement et de travail qu'ils ont réussi à s'intégrer au marché du travail et à faire leur place au soleil. Il faut reconnaître, par contre, que le contexte a changé, les emplois exigeant de plus en plus de compétences et d'études, compliquant, nous l'avons vu, largement la tâche de ces immigrants, surtout s'ils n'ont pas accès à des programmes de formation et de perfectionnement (et d'autant plus s'ils ne maîtrisent pas le français), et ce semble être le cas pour toutes sortes de raisons liées tant à l'histoire de ces immigrants qu'aux déficiences du système de formation et aux politiques d'intégration du Québec. Nous devons espérer que la redéfinition en cours de la politique de formation de la main-d'œuvre permettra de mieux intégrer ces nouveaux arrivants au marché du travail.

IMMIGRATION, COMMUNAUTÉS CULTURELLES ET ENTREPRISES

Nous allons examiner dans cette section non seulement les conséquences de l'immigration pour l'entreprise, mais aussi celles, plus larges, qui découlent des différences culturelles qu'amènent la coexistence de plusieurs communautés culturelles au sein d'un même pays ou la présence d'entreprises nationales dans des pays étrangers. Nous nous intéresserons donc plus à la question de la rencontre des cultures dans les entreprises ou entre les entreprises et leur clientèle qu'à la question de l'immigration comme telle. Il faut en fait voir cette dernière comme l'élément déclencheur de cette rencontre par le brassage de populations auquel elle donne lieu.

Dans un premier temps, nous examinerons les répercussions sur la dynamique interne de l'entreprise de la présence de personnes de diverses origines. Nous verrons que, très souvent, la communauté culturelle d'appartenance sert de fondement au regroupement des travailleurs dans l'entreprise et conditionne les relations que les uns entretiennent avec les autres. Dans un deuxième temps, nous verrons comment les entreprises tiennent compte de l'existence d'une clientèle multiethnique, réalité qui conduit souvent à adapter les pratiques dans le domaine des relations publiques et du marketing. Nous constaterons également que l'entrepreneuriat ethnique occupe une place de plus en plus importante dans les sociétés occidentales, y compris au Québec. Nous examinerons aussi le cas des entreprises multinationales et des PME dites exportatrices qui sont plongées constamment dans des univers culturels différents. Cette situation permet de poser la question de l'universalité des modes de gestion et du fonctionnement des équipes de direction et de travail. Une réflexion sur les équipes interculturelles de travail termine cette section.

LA DYNAMIQUE INTERNE DES ENTREPRISES MULTICULTURELLES

Nous abordons ici le cas des entreprises regroupant des employés issus de plus d'une communauté culturelle. Comme nous le verrons au chapitre 7, les entreprises sont des réalités sociales complexes reposant sur l'existence de groupes d'individus qui soit coopèrent, soit s'ignorent, ou s'affrontent à propos de questions importantes (les salaires) ou accessoires (la grandeur des bureaux). La communauté d'appartenance est le principal pôle autour duquel s'organisent les groupes. Ce pôle est à la fois source de coopération, d'ignorance et de conflit. Il arrive très souvent en effet que les individus se regroupent spontanément entre membres d'une même communauté pour partager leur expérience de travail, s'entraider et faire face ensemble à certaines situations. Le regroupement sur la base d'affinités culturelles crée des clivages entre groupes d'appartenance, lesquels peuvent alors faire l'objet de remarques désobligeantes, de manifestations d'hostilité et être victimes de préjugés, de discrimination, voire de racisme. Il faut préciser cependant que le regroupement sur une base culturelle n'est pas la seule source de coopération ou de tensions dans une entreprise. Il y a d'autres sources, comme le métier ou la spécialisation des travailleurs, ou l'attitude des patrons, par exemple. De plus, certains individus transcendent ces différences culturelles et cherchent à créer des ponts sur d'autres bases (syndicale, par exemple, pour défendre leurs conditions objectives dans l'entreprise: avoir de meilleures conditions de travail, de meilleurs salaires, etc.).

Prenons le cas d'une usine de vêtements, à Montréal, documenté par l'anthropologue Greg Teal (1986), pour illustrer concrètement cette dynamique ethnique à l'œuvre dans l'entreprise. L'usine, appelée FORMFIT par l'auteur, produit des sous-vêtements pour femmes et embauche entre 150 et 200 personnes selon la conjoncture économique et l'état du marché. Cette usine est de propriété libanaise et emploie des hommes et des femmes de différentes communautés culturelles: Québécois francophones, Italiens, Haïtiens, Vietnamiens, Libanais, Portugais, Jamaïcains. Les postes de directeurs et de cadres sont occupés par des hommes qui ont un personnel de bureau exclusivement féminin pour les soutenir. Le service de la coupe est majoritairement masculin, alors que l'atelier de couture est exclusivement féminin. Précisons tout de suite que le travail de coupe est moins difficile et moins exigeant que le travail de couture, où il s'agit d'assembler les vêtements le plus rapidement possible (les femmes sont payées à la pièce). Ce sont des femmes et un homme qui sont responsables de l'inspection dans l'atelier de couture. Les responsables d'atelier sont surtout italiennes, mais il y a aussi une Jamaïcaine et une Portugaise à ce poste. Aucune Québécoise francophone ni aucune Haïtienne n'occupent les postes clés de responsables d'atelier ou de l'inspection. Les opératrices italiennes sont les plus anciennes de l'atelier et elles font parfois la vie dure aux autres. En fait, elles monopolisent très souvent le bon travail (le plus payant) en s'appuyant sur les responsables de leur communauté qui ferment les yeux sur certaines pratiques qui ne respectent pas toujours la politique de l'entreprise. Voici un exemple de ces pratiques que décrit Teal, qui s'est fait embaucher comme opérateur dans cette entreprise et qui avait pour tâche d'acheminer, par tapis roulant, les piles de tissu aux couturières, de manière que chacune reçoive, à tour de rôle, des pièces faciles et difficiles à assembler.

[À un moment donné,] j'ai découvert que chaque fois que j'avais expédié une pile de bas-culottes de grande taille à la troisième opératrice, elle la gardait pendant un certain temps avant de me la renvoyer sans avoir travaillé dessus. Voyant qu'elle avait besoin de travail, et lui ayant déjà envoyé une pile de bas de grande taille, je lui faisais parvenir cette fois-ci du tissu pour petite taille, afin justement d'assurer une distribution égale en termes de tailles entre les trois opératrices. Du moins, c'est ce que je pensais. (Teal, 1986, p. 48.)

Par ce stratagème, cette travailleuse évitait le travail moins payant.

Un autre exemple de stratégie fondée sur l'appartenance ethnique est l'exclusion des travailleurs libanais à l'occasion d'une tentative de syndicalisation faite dans cette entreprise. Parce qu'ils étaient, comme le propriétaire, d'origine libanaise, ces ouvriers n'ont jamais été mis au courant des discussions et des réunions qu'ont tenues des ouvriers désireux de se syndiquer. Ceux-ci craignaient que les premiers n'avertissent le propriétaire de leur tentative d'introduire un syndicat. C'est donc l'appartenance ethnique qui a déterminé leur comportement à l'égard de ce groupe de travailleurs. Un autre exemple, provenant de la même entreprise: pour discréditer une travailleuse haïtienne aux yeux de l'employeur, une responsable d'atelier va l'induire en erreur sur le travail à effectuer. En effet, cette employée haïtienne s'informe auprès de la responsable sur sa façon d'assembler un nouveau style de vêtement. La responsable, qui est italienne, lui dit que son travail est bien fait même si elle le sait fait de façon incorrecte. Le lendemain, l'inspecteur a fait refaire tout le travail à la couturière qui a eu beau protester de toutes ses forces. Plus encore, il l'a humiliée «en disant à haute voix qu'elle était nulle comme opératrice et qu'à l'avenir on ne lui fournirait plus jamais de nouveaux styles à faire» (Teal, 1986, p. 50).

Ces stratégies que sous-tend l'appartenance ethnique ne déterminent pas toute la dynamique de cette entreprise cependant. Par exemple, les employées de bureau, elles-mêmes issues des communautés culturelles non francophone ou anglophone, cultivent leur différence «au moyen de symboles ou d'indicateurs sociaux, tels de beaux vêtements, et en maintenant une barrière sociale stricte et rigoureuse» (Teal, 1986, p. 45). L'objectif qui motive ce comportement est d'obtenir de leurs patrons des promotions et de meilleures conditions de travail. Il y a donc d'autres stratégies et d'autres intérêts à l'œuvre dans l'entreprise, mais les stratégies favorisant son groupe d'appartenance culturelle reste souvent une clé pour comprendre les comportements des uns et des autres dans ce type d'entreprise.

L'identification à son groupe ethnique conditionne certains comportements généralement plus favorables aux membres de son groupe qu'aux autres. Cette attitude fréquente repose sur les liens de solidarité avec son groupe, mais aussi sur des préjugés envers les autres groupes perçus comme paresseux, ou geignards, ou sans ambition, etc. Ces préjugés sont souvent à l'origine de malentendus culturels importants, tant dans la société que dans les entreprises. Pour les neutraliser, il faut établir une communication interculturelle, c'est-à-dire faire prendre conscience aux individus de leurs préjugés, particulièrement en décodant autrement — du point de vue des acteurs victimes de ces préjugés — les comportements des autres, et suggérer des modes de communication différents (voir l'encadré 5.1 sur « Les malentendus culturels et la communication interculturelle »).

ENCADRÉ 5.1   Les malentendus culturels et la communication interculturelle

Qu'est-ce qu'un malentendu culturel ? Disons simplement qu'il s'agit d'un malentendu qui repose sur l'ignorance de la culture de l'autre, c'est-à-dire qui fait en sorte qu'une personne interprète le comportement d'une autre d'après sa culture à elle et non pas en fonction de celle de l'autre. Le problème avec les malentendus culturels, c'est qu'ils ne sont pas nécessairement perçus comme tels. La personne attribue dans ce cas le problème vécu (malentendu culturel) à des manques de politesse et de savoir-vivre ou à des manifestations de mépris de l'autre. Comme le souligne cependant l'anthropologue française Raymonde Carroll (1987), la majorité des êtres humains reconnaissent de plus en plus qu'il existe des différences importantes entre des peuples culturellement éloignés, comme entre les Américains et les Chinois par exemple, et que, en conséquence, ces différences se traduisent souvent par de l'incompréhension mutuelle. Ce qui est moins évident, soutient-elle, c'est que ces différences sont aussi importantes entre les cultures proches mais que la plupart des gens ne s'en rendent pas compte d'entrée de jeu. Si bien qu'ils sont souvent la source de malentendus culturels plus profonds encore que ceux qu'ils connaissent avec des cultures éloignées dont les membres étaient mieux préparés à les rencontrer. De plus, comme elle le dit, c'est « dans les rapports interpersonnels, là où l'on se sent le plus en sécurité, le moins sur ses gardes, entre amis, entre copains, entre amants, entre collègues, entre proches, etc., que le malentendu culturel a le plus de chances de surgir. Parce que nous supposons à tort que, dans ce domaine, nous sommes, au fond, tous les mêmes [...] tous des êtres universels » (Carroll, 1987, p. 28).

Raymonde Carroll développe longuement dans son livre l'exemple des relations entre Américains et Français, deux peuples républicains que devraient rapprocher l'origine — judéo-chrétienne — et l'histoire — révolutions inspirées des idéaux du Siècle des lumières, indépendance américaine soutenue par les Français, libération de la France par les Américains lors de la Deuxième Guerre mondiale. Pourtant, note-t-elle, il existe des différences appréciables dans les manières de vivre des deux peuples. Elle explore particulièrement celles qui ont trait à la façon d'habiter une maison, de faire la conversation, d'élever les enfants, de vivre en couple, de se faire des amis, etc. Elle montre que ces différences sont à la source de nombreux préjugés et malentendus entre les deux peuples. Prenons l'exemple de la conversation, au sens de faire la conversation (à distinguer de la discussion sérieuse).

Selon Carroll (1987, p. 54), comme tous les peuples, «les Américains et les Français ne donnent pas le même sens à l'échange verbal, mais le supposent identique». Comme Français, «la conversation m'engage à l'autre, est un commentaire sur notre relation, une des façons à ma disposition de faire la différence entre ceux avec lesquels j'ai, j'affirme, je confirme ou je veux créer des liens, et tous les autres dont je nie, par ce refus [d'avoir avec eux une conversation], l'importance sociale dans ma vie…» (*ibid.*, p. 56). Par contre, comme Américain, «je ne me sens pas engagé par la conversation, je peux la faire à peu près n'importe où et avec n'importe qui. Bien plus, ce n'est pas la conversation qui révèle ma relation avec l'autre, mais l'espace que je permets entre nous. Plus les relations seront proches, moins il y aura d'espace» (*ibid.*).

Les situations dans lesquelles la conversation est source de malentendus culturels sont alors nombreuses, comme celle-ci: «Un Français et un Américain placés par la circonstance dans un espace restreint, par exemple à une table de wagon-restaurant dans un train. Le Français recréerait la distance par le silence, l'Américain par la conversation.» (Carroll, 1987, p. 57.) Ainsi, pour prendre un autre exemple, celui d'un métro bondé aux heures d'affluence, les efforts d'un Américain «pour rétablir la distance par la parole correspondent, pour un Français, à une invite […]. Et les accusations de promiscuité volent dans les deux sens» (*ibid.*, p. 58-59), les Américains disant des Français qu'ils touchent à n'importe qui et les Français des Américains qu'ils parlent à n'importe qui. En effet, puisque c'est par le silence que les Français établissent la distance, ils peuvent donc se toucher dans un métro bondé sans qu'il y ait de conséquences. Pour les Américains, l'interprétation est tout autre et justifie le commentaire sur les Français. De la même façon, les Américains établissent la distance par la parole en ayant avec des étrangers dans des lieux publics des conversations amicales, ce qui est interprété différemment par les Français. C'est d'ailleurs pourquoi les Français croient souvent que les Américaines tentent de les séduire!

De même, des différences existent dans l'art de faire une conversation, ce qui est la cause d'autres préjugés. Par exemple, les Français aiment interrompre fréquemment leur interlocuteur parce qu'ils ont ainsi le sentiment de participer à la construction de la conversation. Par contre, pour les Américains, il s'agit d'un geste très impoli. Ces derniers n'aiment pas en effet être interrompus avant d'avoir fini d'exposer leurs idées. Ainsi, préjugés et malentendus apparaissent de nouveau: si les Américains trouvent impoli le comportement des Français, ces derniers trouvent ennuyeuse la conversation américaine!

En fait, conclut Carroll (1987, p. 59), pour les Américains, «la conversation n'est pas un commentaire sur notre relation, mais plutôt une exploration [connaître]. La conversation américaine ressemble plus à une randonnée à deux ou plusieurs en terrain inconnu qu'à un jeu en terrain familier», alors que pour les Français elle l'est. Ainsi, à son avis (*ibid.*, p. 64), «la conversation américaine idéale ne cherche pas à évoquer un feu d'artifice, comme cela peut être

→

le cas pour la conversation française, mais ressemble plutôt [...] à une séance de jazz, et même à une *jam session*...».

De telles situations, qui touchent différents aspects de la vie quotidienne, sont très fréquentes et sources de nombreux malentendus. Prenons un exemple qui peut facilement être transposé dans le monde du travail, celui de l'entraide entre amis. Un Français doit attendre l'offre d'un service souhaité par un ami. Il n'est pas question de solliciter directement cette aide, c'est à l'ami de prendre conscience de la situation et d'offrir son aide. Aux États-Unis, au contraire, c'est à la personne ayant besoin d'un service à le demander d'abord. L'ami ne doit pas l'offrir, car alors il risque d'embarrasser l'autre (parce qu'il empiète sur son autonomie). On peut voir aisément le potentiel de malentendu dans ce comportement transposé au monde du travail. Un Français et un Américain réunis dans une même équipe de travail et qui se lient progressivement d'amitié attendront de l'autre un comportement qui ne viendra pas (le Français attendra en vain une offre) ou qui ne sera pas bienvenu (l'Américain recevra une offre qu'il ne veut pas). C'est de situations semblables que naissent des commentaires comme : les X ne sont pas serviables, on ne peut pas compter sur eux quand on en a besoin, etc. Ajoutez à cela que le Français attend d'un ami qu'il lui secoue les puces à l'occasion alors que l'Américain attend de son ami un appui indéfectible, qu'importent les circonstances, et vous avez les éléments pour fabriquer un beau gros malentendu culturel.

Pour prévenir et éviter ce genre de malentendus, mais aussi pour les corriger rapidement lorsqu'ils se font jour, les spécialistes proposent la communication interculturelle. La communication interculturelle repose sur la prise de conscience de l'existence de l'autre comme être culturel. Il s'agit de prendre conscience que l'autre est susceptible de ne pas réagir comme nous par rapport aux diverses situations. Comment arriver à cette prise de conscience ? En cherchant constamment à prendre nos distances par rapport à nos schèmes habituels de pensée, en nous décentrant par rapport à nous-même et à notre culture. Ainsi, chaque fois qu'un individu réagira fortement à une situation, il faudra d'abord qu'il se demande s'il y a un élément culturel dans sa réaction. Une fois cette prise de conscience faite, et la situation bien évaluée culturellement, il pourra alors, s'il s'agit d'une question de malentendu culturel, établir un dialogue avec l'autre, trouver une forme de compromis. Prenons l'exemple de l'entraide entre Français et Américains. Si un Français se sent offusqué de ne pas recevoir de l'aide d'un Américain lorsqu'il en a exprimé, à sa façon, le besoin, il pourrait, au lieu de dire que les Américains ne sont pas serviables et de se replier sur son groupe, prendre du recul face à la situation, y réfléchir dans une perspective culturelle et exposer par la suite son problème à l'Américain. Ensemble, ils trouveront une façon, bien à eux, d'exprimer leur besoin d'aide. Et ainsi une situation de malentendu culturel pourra être résolue positivement, et ses conséquences négatives (dénigrement de l'autre, repli sur son groupe) seront évitées.

LES MEMBRES DES COMMUNAUTÉS CULTURELLES COMME CLIENTS

La diversification ethnique de la société et la croissance de la population d'origine étrangère au Québec ont amené les entreprises de services à adapter leurs pratiques et à tenir compte des risques de malentendus culturels entre leur clientèle et leurs employés. C'est ainsi que plusieurs services publics gouvernementaux (hôpitaux, services de police, etc.), les entreprises privées de services, comme les grandes banques, les caisses populaires, les entreprises de téléphonie et beaucoup d'autres ont adopté des plans de marketing et de relations publiques visant à atteindre cette clientèle et des plans de formation du personnel ayant pour but de sensibiliser leurs employés à cette nouvelle réalité. Plusieurs de ces entreprises ont aussi cherché à diversifier leur main-d'œuvre en embauchant des employés issus des minorités ethniques pour mieux être en mesure de servir cette clientèle.

C'est le cas, par exemple, d'Hydro-Québec, qui a demandé à la maison de sondage CROP de mesurer le degré de satisfaction de sa clientèle multiculturelle en juin 1994. Ce sondage a révélé qu'elle était moins satisfaite à l'endroit de l'entreprise que les nationaux francophones et anglophones (voir le tableau 5.6).

Pour remédier à la situation, l'entreprise a adopté un plan d'action spécifique. Son objectif est d'obtenir, d'ici «l'an 2000, un taux de satisfaction de la clientèle des communautés culturelles égal au taux de satisfaction de la clientèle [francophone et anglophone] d'Hydro-Québec sur le territoire de Montréal» (tiré du plan d'action, cité dans Fortier et autres, 1995, p. 2). La première étape pour atteindre cet objectif a été de tracer un profil socioéconomique de sa clientèle dans la région métropolitaine. En connaissant l'importance numérique et

TABLEAU 5.6   Degré de satisfaction générale (sur une échelle de 0 à 10) à l'endroit d'Hydro-Québec parmi six minorités culturelles de la région de Montréal

Groupe ethnique	Degré de satisfaction (moyenne)
Arabes	6,8
Italiens	6,2
Latino-Américains	5,6
Portugais	5,5
Grecs	5,4
Haïtiens	4,7
Ensemble des six groupes	6,1
Groupe de comparaison (nationaux francophones et anglophones)	7,2

Source : Adapté de Fortier et autres (1995, p. 3).

l'emplacement de cette population, Hydro-Québec pourra fournir un premier instrument de sensibilisation à ses cadres et à ses employés.

Pour permettre de brosser un portrait fin de la situation montréalaise, plusieurs profils sous-régionaux ont été produits. De plus, chaque sous-région a été découpée en zones plus petites encore qui permettent de connaître parfaitement la composition ethnique des moindres coins de la région montréalaise (voir un exemple dans l'encadré 5.2, p. 226). Ainsi, pour chaque sous-région, on a un portrait de l'évolution ethnique de la population, des renseignements sur la langue parlée à la maison, sur les revenus des familles, sur la proportion d'immigrants, sur le taux de chômage, le pourcentage de personnes vivant sous le seuil de la pauvreté, sur le pourcentage de personnes habitant un logement dont le coût est supérieur à 30 % du revenu. Toutes ces données sont en général présentées pour la population québécoise dans son ensemble, pour la région, le secteur et les communautés culturelles du secteur.

Ces données permettent de mieux comprendre la situation objective des individus issus des communautés culturelles et les difficultés qui, éventuellement, en découlent (retard dans le paiement de leur compte notamment). En effet, on note, par exemple, dans le profil du secteur sud de la région de Montréal, qui correspond grosso modo au centre-ville et à sa périphérie est et ouest, un revenu moyen par ménage pour les ménages issus des communautés culturelles largement inférieur à la moyenne québécoise (32 823 $ comparativement à 40 826 $ en 1991) et à la moyenne du secteur (36 801 $) et un pourcentage élevé de personnes vivant sous le seuil de pauvreté (39 % par rapport à une moyenne provinciale de 19 % en 1991) (Fortier et autres, 1995, p.14-15). Dans ce contexte, on comprendra que les relations avec les employés puissent être tendues, surtout si ces derniers stigmatisent cette clientèle en lui attribuant l'intention de ne pas vouloir payer, en soutenant que les immigrants ne respectent pas nos façons de faire et qu'ils profitent de notre générosité. Il faut alors sensibiliser les employés et les amener à des pratiques différentes. Comme le soulignent les auteurs de l'analyse socioéconomique réalisée pour le compte d'Hydro-Québec, «plusieurs d'entre eux [les immigrants] ont peu de connaissances des modes de fonctionnement des entreprises de service public comme Hydro-Québec» (*ibid.*, p. 16). Il faut donc que les employés les initient à ces modes de fonctionnement, et ne pas simplement attendre qu'ils se comportent comme les citoyens nés au Québec.

Il ne s'agit pas uniquement ici de donner un service jugé plus satisfaisant par la clientèle multiethnique, et ainsi d'améliorer son image publique. Il s'agit aussi et surtout pour les entreprises de livrer les services de façon plus efficace et, donc, de façon moins coûteuse. Si Hydro-Québec, ou la police de Montréal, ou les hôpitaux ont des relations tendues avec la clientèle multiethnique, il en résulte une multiplication des interventions et plus de ressources sont nécessaires pour fournir les services. Au contraire, si les employés et les cadres sont sensibilisés aux différentes réalités vécues par les membres des diverses communautés culturelles,

ENCADRÉ 5.2   Un exemple de découpage d'une sous-région de Montréal

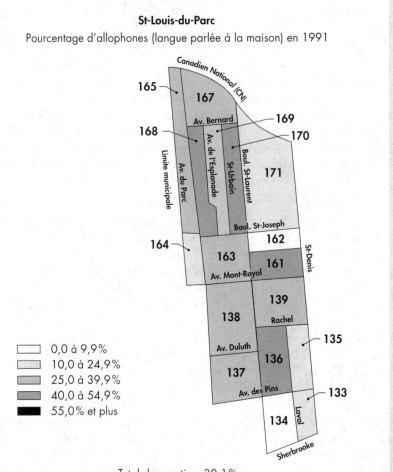

St-Louis-du-Parc

Pourcentage d'allophones (langue parlée à la maison) en 1991

Légende:
- 0,0 à 9,9%
- 10,0 à 24,9%
- 25,0 à 39,9%
- 40,0 à 54,9%
- 55,0% et plus

Total du quartier: 30,1%

Statistique Canada, recensement 1991 • Bureau d'études sociographiques inc.

Zone 133	16,4%	Zone 135	18,6%
Portugais	6,8%	Portugais	12,7%
Chinois	1,9%	Chinois	1,2%
Polonais	1,9%	Espagnol	0,9%
Zone 134	**5,3%**	**Zone 136**	**46,2%**
Arabe	2,0%	Portugais.........................	30,1%
Portugais	1,3%	Grec	5,1%
Hongrois	1,3%	Espagnol	3,6%

Zone 137	**32,6%**		**Zone 165**	**37,6%**
Portugais	9,3%		Grec	9,6%
Espagnol	8,5%		Chinois	4,6%
Polonais	3,4%		Italien	2,3%
Zone 138	**27,8%**		**Zone 167**	**35,1%**
Portugais	14,8%		Grec	9,2%
Chinois	7,5%		Espagnol	4,8%
Grec	1,8%		Vietnamien	4,2%
Zone 139	**36,9%**		**Zone 168**	**41,7%**
Portugais	24,5%		Grec	9,5%
Chinois	2,5%		Italien	4,4%
Espagnol	2,5%		Portugais	3,3%
Zone 161	**40,1%**		**Zone 169**	**29,6%**
Portugais	23,4%		Portugais	9,5%
Espagnol	10,2%		Italien	6,1%
Vietnamien	2,9%		Grec	5,3%
Zone 162	**8,9%**		**Zone 170**	**41,8%**
Portugais	4,4%		Portugais	13,8%
Espagnol	2,2%		Espagnol	8,4%
Chinois	1,5%		Italien	6,7%
Zone 163	**30,7%**		**Zone 171**	**14,4%**
Grec	11,3%		Espagnol	5,1%
Portugais	9,4%		Portugais	2,5%
Chinois	4,0%		Langues créoles	1,2%
Zone 164	**21,3%**			
Grec	9,0%			
Chinois	3,6%			
Portugais	3,2%			

Source : Fortier et autres (1995, p. 20). Reproduit avec la permission d'Hydro-Québec.

ils seront en mesure d'intervenir plus efficacement la première fois, et les coûts ainsi que les ressources affectées à résoudre des situations de crise perpétuelle seront réduits. Par exemple, si les médecins ne sont pas sensibilisés au fait que les symptômes d'une même maladie peuvent varier selon les cultures, au point de rendre parfois très difficile le diagnostic, les patients risquent d'être renvoyés constamment d'un médecin à l'autre, d'un spécialiste à l'autre, d'un service à l'autre, ce qui peut être extrêmement coûteux pour le système de santé québécois. Il ne s'agit donc pas ici principalement d'établir de bonnes relations publiques ni d'être politiquement correct, bien que ces éléments jouent certainement un rôle dans les décisions d'adapter culturellement les services, il s'agit surtout d'une question d'efficacité dans une perspective organisationnelle.

Il y a bien sûr des cas où c'est la logique de l'intérêt de l'entreprise qui prime, particulièrement lorsqu'elle convoite une communauté culturelle mieux nantie financièrement. C'est le cas, par exemple, de la communauté asiatique, en particulier des immigrants en provenance de Hong Kong, qui suscite la convoitise des entreprises. Les banques rivalisent d'imagination pour attirer cette riche clientèle (à ce propos, voir l'encadré 5.3).

ENCADRÉ 5.3   Un exemple de stratégie visant à attirer la clientèle multiethnique

Les banques flairent le filon asiatique

Peu de communautés culturelles reçoivent des banques un accueil aussi empressé que les Asiatiques. Six grosses institutions financières canadiennes — la Banque Royale, la Banque Nationale, la CIBC, la Toronto Dominion, la Banque de Montréal et la Fédération des caisses populaires — se disputent maintenant férocement cette lucrative clientèle par l'entremise de «centres bancaires asiatiques» où il est possible, à Montréal comme à Toronto ou Vancouver, de faire affaire entièrement en mandarin ou en cantonnais.

La Banque Royale a été la première à flairer le filon. Il y a quatre ans et demi déjà, elle ouvrait le premier centre bancaire asiatique au Québec, dans le centre Portobello, à Brossard, cette quasi-terre promise pour quantité d'immigrants venus d'Orient. Aujourd'hui, la Banque Royale et la Banque Nationale se disputent côte à côte le territoire stratégique du Quartier chinois depuis le Complexe Desjardins. Dans toutes ces succursales, les employés ont les yeux bridés, les clients aussi. La Banque Royale dispose même d'un guichet automatique non plus bilingue, mais trilingue, d'où il est possible de faire toutes ses transactions en chinois.

À son ouverture, le Centre bancaire asiatique de la Banque Royale à Brossard comptait un peu plus de 700 clients. Aujourd'hui, selon son directeur Bin Lao, ils sont quelque 2 400 à venir se faire parler de fonds mutuels et de REER dans leur langue. «La clientèle est composée à 70 % de Chinois de Taïwan, de 20 % de Vietnamiens et de 10 % environ de Japonais, de Philippins et d'autres Asiatiques.»

Pourquoi les Orientaux préfèrent-ils se rendre là plutôt qu'ailleurs? À cause de la langue, bien sûr (M. Lao estime à 90 % la proportion de ses clients qui sont de nouveaux arrivants, incapables ou à peu près de s'exprimer en français ou en anglais), mais aussi pour faciliter «la transition culturelle». «Les façons de faire en Asie sont différentes. Là-bas, de génération en génération, on fréquente les mêmes banques et la confiance au client est totale. Quand ils arrivent ici et que les gérants vérifient leur crédit, ils y voient là une méfiance inutile.»

Bien sûr, le but ultime des banques n'est pas de faire œuvre sociale mais bien de s'approprier une grande part de cette clientèle asiatique, des plus intéressantes parce que nombreuse et riche.

Selon des données du ministère des Relations avec les citoyens et de l'immigration [sic], 47% de tous les nouveaux venus au Québec, entre 1991 et 1995, provenaient d'Asie, soit plus de 93 000 personnes. De plus en plus, ces immigrants arrivent au pays en tant que gens d'affaires investisseurs. Si l'on en tient compte, parmi les gens venus de Chine, de Hong Kong et de Taïwan, ils sont 14 287, entre 1991 et 1995, à avoir répondu aux conditions de ce statut d'investisseurs. Et quelles sont-elles, ces conditions? Disposer d'un capital net d'au moins 500 000 $CAN (ou d'un avoir net minimum de 700 000 $CAN) et prouver leur intention d'investir ici plus de 350 000 $CAN.

Vous comprendrez que pour une clientèle aussi intéressante, on ne ménage aucun effort. Au Centre bancaire asiatique de la Banque Nationale du Complexe Desjardins, chaque employé parle un minimum de quatre langues.

Le discours du service personnalisé que l'on vous sert dans les banques régulières est sans commune mesure avec celui-là. «Les clients ne viennent pas seulement ici faire leurs transactions bancaires. Ils viennent nous consulter quand ils cherchent un emploi, quand ils veulent se faire conseiller un notaire ou à leur arrivée, simplement pour savoir quoi faire avec les comptes d'Hydro-Québec qui leur parviennent», précise le directeur Winston Chin. «Les Chinois ne veulent pas d'un banquier qui leur parlerait tout de suite argent. Ils veulent qu'on prenne le temps de comprendre d'où ils viennent, qu'on les interroge sur la santé de leur famille.»

Les employés de ces banques profitent bien sûr d'une clientèle plutôt riche, mais souvent sans grande compréhension du système bancaire nord-américain.

«Vous ne pouvez pas parler dès le départ de fiscalité, de retour sur les REER à des gens qui gardent encore leur argent dans leur chambre, soutient M. Chin. De plus en plus cependant, les clients en viennent à comprendre les différents véhicules financiers et ne se tournent plus vers les seules actions. Les fonds mutuels, par exemple, gagnent en popularité.»

Homme d'affaires bon chic bon genre, maître ès relations publiques, M. Chin se vante de son impressionnant réseau de contacts, de sa filiation à des organisations communautaires et de ses alliés de haut niveau. «Les trois paliers de gouvernement sont au courant de notre travail et s'en réjouissent. Mon but, c'est de convaincre mes clients de s'installer ici à demeure et non pas de fuir à Toronto et Vancouver à la première occasion, comme c'est souvent le cas.»

Né à Montréal d'une mère chinoise et d'un père de Hong Kong, M. Chin jure que le but visé ici n'est pas du tout de créer un ghetto. «On croit à l'intégration dans la communauté mais il faut comprendre que tout le monde a besoin d'une attention particulière à son arrivée. Et chez nous, le service se fait, plutôt qu'en file, confortablement assis...»

Justement, pour le Québécois de souche qui déteste les files d'attente, pour qui les affaires bancaires ressemblent à du chinois, et qui souhaite se faire expliquer tout ça en toute convivialité, ne serait-il pas possible…

«Nous ne refusons aucun client. Tous nos employés parlent anglais et français. Mais le plus souvent, quand nous avons affaire à des Québécois de souche, c'est qu'ils veulent se faire adresser par nous à nos clients asiatiques, établir un contact avec la communauté par notre entremise», conclut Winston Chin.

Source : L. Leduc, «Les banques flairent le filon asiatique», *Le Devoir*, 7 avril 1997, p. B1. Reproduit avec permission.

L'ENTREPRENEURIAT PARMI LES MINORITÉS ETHNIQUES

L'exemple de la communauté asiatique nous amène tout naturellement au phénomène des immigrants investisseurs et de l'entrepreneuriat des immigrants et des communautés culturelles. Prenons le cas des Chinois de Hong Kong qui ont été les investisseurs étrangers les plus convoités par les différents pays occidentaux. Ils ont choisi d'émigrer, à un rythme de 1 000 par mois au début des années 90, se dirigeant principalement vers le Canada, les États-Unis et l'Australie. Ils ont investi surtout, au départ, dans des secteurs sûrs comme l'immobilier, mais «ils sont à présent en train de diversifier leurs placements en investissant dans l'habillement, l'électronique et les boissons non alcoolisées» (Stalker, 1995, p. 125). Au Canada, ils ont surtout investi à Vancouver, mais aussi à Toronto et à Montréal. Outre les investisseurs, le Canada, comme le Québec, a admis un bon nombre de travailleurs autonomes et d'entrepreneurs. Ensemble, travailleurs autonomes, entrepreneurs et investisseurs composent la catégorie des gens d'affaires dont on a largement encouragé la venue au Québec, depuis 1985, sous le statut d'indépendants. Ce qui distingue les trois groupes est le degré d'engagement dans l'entreprise, l'expérience passée de chacun et les ressources financières dont ils disposent. On peut les définir de la façon suivante :

Le travailleur autonome est un immigrant qui arrive au pays avec l'intention de créer ou d'acquérir une entreprise, et qui possède une expérience d'au moins deux ans dans le secteur visé. L'entrepreneur est celui qui a au moins trois années d'expérience d'une entreprise rentable et qui a l'intention de créer une entreprise ou d'être associé à une entreprise qu'il gérera lui-même ; l'investisseur est celui qui vient au pays avec un capital relativement important (500 000 $ et plus) qu'il investira et qui a une expérience d'au moins trois ans. (Juteau et Paré, 1996, p. 23.)

Le Québec a reçu plus que sa part de gens d'affaires (travailleurs autonomes, entrepreneurs et investisseurs) depuis l'ouverture manifestée par les gouvernements fédéral et provincial, comme l'indiquent les chiffres suivants :

De 1988 à 1993, le Québec a admis […] 30 % des gens d'affaires (10 086) ayant immigré au Canada. Il a également reçu le plus important contingent d'entrepreneurs par rapport à l'ensemble canadien, soit 7 468 sur 19 978. Ces personnes se sont établies à Montréal dans 96 % des cas. Elles provenaient essentiellement de Hong Kong, de Taiwan, de la Corée du Sud, des Émirats arabes unis, du Liban, du Koweït, de l'Arabie saoudite, de France, de Syrie et d'Égypte. (Juteau et Paré, 1996, p. 23.)

Il semble toutefois que ces chiffres soient quelque peu trompeurs. En effet, plusieurs de ces gens d'affaires quitteraient le Québec peu après leur arrivée pour aller en Ontario ou en Colombie-Britannique, ainsi que le signale un récent compte rendu :

> Des 1 097 entrepreneurs arrivés au Québec en 1993 et dont Ottawa a retrouvé la trace, seulement 639 (58,2 %) habitent toujours ici, 232 (21,1 %) résident en Ontario, et 196 (17,9 %) en Colombie-Britannique. [Ils quittent] pour quatre raisons : les difficultés d'intégration en raison de la langue, les inquiétudes suscitées par le débat sur l'avenir du Québec, la situation économique difficile et... les rigueurs de l'hiver québécois. (Pratte, 1996, p. A1.)

Il ne faudrait pas penser non plus que la majorité des entrepreneurs des minorités ethniques soient fortunés et qu'ils créent de grandes entreprises. En fait, ce n'est pas le cas. Ici comme ailleurs, la plupart s'établissent dans les secteurs mous de l'économie (commerce de détail, restauration, etc.), où ils finissent par créer de petites entreprises. Parfois, ils se trouvent une niche particulière, abandonnée très souvent par la population nationale (Stalker, 1995, p. 125). C'est le cas des Coréens qui ont le monopole des petites épiceries, à New York, comme nous l'avons vu plus haut. À Montréal, de nombreux Coréens sont devenus propriétaires de dépanneurs, comme le signalait un reportage diffusé à l'émission *Le Point* en 1996.

L'étude menée par les sociologues Danielle Juteau et Sylvie Paré (1996) auprès d'une quarantaine d'entrepreneurs d'origine étrangère dans deux secteurs multiethniques de Montréal, soit les secteurs Snowdon et De la Savanne dans le quartier Côte-des-Neiges, confirme les conclusions des études américaines et internationales. La plupart des entreprises créées sont de petite taille dans les secteurs du commerce de détail, de la restauration, etc. Elles comptent principalement sur une main-d'œuvre familiale et liée au réseau ethnique, souvent sous-payée ou bénévole, et leur clientèle et leurs fournisseurs sont issus de ce même réseau. Ces entrepreneurs étaient pour la moitié originaires de l'Asie (Sri Lankais, Vietnamiens, etc.), reflétant bien ainsi la récente immigration en provenance de cette région du monde au Québec.

Il y a, évidemment, des différences entre les entrepreneurs en fonction de leur origine, selon qu'ils sont eux-mêmes immigrants ou descendants d'immigrants, de même que des différences selon les époques à l'intérieur d'une même communauté. Par exemple, les entrepreneurs italiens, issus d'une communauté qui s'est constituée au fil des vagues successives d'immigration depuis la fin du

XIXe siècle, « après s'être longtemps limité[s] à la construction ou à l'alimentation, [...] commencer[aient] à déborder dans tous les secteurs économiques de la société québécoise : banques, hôpitaux, services sociaux, entreprises de consultants, études d'avocats, compagnies de finance » (Labelle et Lévy, 1995, p. 140).

Les entrepreneurs libanais, d'arrivée plus récente, se sont concentrés dans l'industrie textile où ils possèdent plusieurs entreprises. Ils sont cependant de plus en plus présents dans d'autres secteurs, tant dans les PME que dans les grandes entreprises, tant dans le commerce que dans l'immobilier, reprenant en cela les activités qui les caractérisent dans leur région d'origine. En effet, les Libanais, un peu comme les Chinois du Sud-Est asiatique ou les Juifs d'Europe, se perçoivent comme un peuple d'entrepreneurs dans leur partie du monde. La position stratégique du Liban y serait pour beaucoup, selon un informateur libanais de Labelle et Lévy :

> Le Liban est toujours présenté comme un carrefour. C'est un intermédiaire économiquement, socialement et aussi culturellement. C'est un polyglotte, un commerçant, un intellectuel, un banquier, un entrepreneur. Les Libanais jouent ce rôle au Moyen-Orient et cela fait partie de leur personnalité. (Labelle et Lévy, 1995, p. 144.)

Contrairement au Liban, Haïti a la réputation d'être un pays où les entrepreneurs sont rares et la corruption élevée. Un informateur haïtien de Labelle et Lévy résume ainsi la situation de l'entrepreneuriat dans son pays :

> L'entrepreneuriat a toujours pratiquement appartenu à ceux qui sont venus d'ailleurs et dans ce sens-là, on est encore un pays colonisé, même si on a été indépendant depuis deux cents ans. L'entrepreneuriat n'est pas une chose qu'on a développée chez nous. On a plutôt développé des grands chenapans, voleurs, aux crochets de l'État. (Labelle et Lévy, 1995, p. 138.)

Malgré une histoire peu favorable à l'épanouissement de l'entrepreneuriat haïtien, celui-ci existe au Québec. Il est d'abord apparu dans les secteurs liés aux besoins du groupe lui-même : taxi, garages, épiceries, salons de coiffure, agences de voyages, etc. Il a cependant de plus en plus tendance à s'élargir et à rejoindre les marchés québécois et canadien.

Ainsi l'entrepreneuriat issu des minorités ethniques, qui prend des formes variées selon les communautés, est en expansion au Québec et au Canada. En fait, ce phénomène touche de plus en plus de personnes au Québec, puisqu'on y compte en 1997 plus de 14 % des travailleurs qui ont le statut de travailleur autonome, selon une étude récente de la Société québécoise du développement de la main-d'œuvre, pourcentage qui n'était que de 8,9 % en 1991 (Normand, 1997, p. B1). Il y a donc eu une progression rapide de cette catégorie de travailleurs dans les années 90. Sans doute les immigrants y sont-ils pour beaucoup dans cet essor, puisque, comme des études passées l'ont montré (Helly et Ledoyen, 1994, p. 15-17), ils ont toujours enregistré une plus grande proportion de travailleurs autonomes que les nationaux. De toute évidence, les difficultés de plus en plus grandes qu'éprouvent les immigrants à entrer sur le marché du travail (chômage élevé, difficultés à faire reconnaître leur formation, etc.) constituent un facteur qui favorise le développement de l'entrepreneuriat.

LES ENTREPRISES MULTINATIONALES

La présence de longue date des grandes entreprises nationales dans différents pays, qui leur vaut leur nom de «multinationales», n'a pas soulevé de questionnements importants au chapitre de la culture avant les années 60. Il semble que ces entreprises s'implantaient à l'époque dans les différentes régions du monde en important avec elles leurs modes de gestion sans que cela soulève, en Occident du moins, d'objections majeures. Depuis une trentaine d'années, la question culturelle a fait surface. Elle surgit à peu près au moment où le mode de gestion universaliste à l'américaine commence à être remis en question. Le succès des entreprises japonaises qui adoptaient un autre mode de gestion a accentué ce questionnement. Si bien qu'aujourd'hui il n'est plus raisonnable de négliger la dimension culturelle quand on examine les pratiques de gestion d'une entreprise multinationale. Il est en effet de plus en plus admis que la gestion subit fortement l'influence de la culture du pays où l'entreprise se trouve. En outre, les équipes de gestionnaires tendent à se diversifier sur le plan ethnique, les multinationales perdant ainsi le caractère homogène et national de leurs équipes de direction. Pour examiner cette question, nous nous référerons aux travaux de Daniel Bollinger et Geert Hofstede (1987) et de Philippe d'Iribarne (1989).

Longtemps les équipes dirigeantes des entreprises multinationales ont cru que, pour assurer leur réussite, la gestion de leurs filiales aux quatre coins du monde devait être identique à celle de l'entreprise mère. C'est pourquoi elles déplaçaient leurs meilleurs cadres, question de roder une entreprise nouvellement implantée à l'étranger, de mettre en place son mode de gestion ou de s'assurer du respect des pratiques de gestion de l'entreprise mère. Pourtant, à l'évidence, tout ne tournait pas rond au sein des entreprises multinationales qui multipliaient les points de production, de distribution ou de vente à l'étranger. Ainsi, dans les années 60, la multinationale IBM confiait à l'anthropologue hollandais Geert Hofstede le soin d'étudier des pratiques qui semblaient, à première vue, différentes d'un pays à l'autre, d'une région du monde à l'autre, malgré un mode de gestion qui se voulait identique. Après une première étude exploratoire qui confirma des différences importantes entre un certain nombre de filiales IBM, l'entreprise décida de confier à Hofstede une vaste étude couvrant plus de 50 pays où elle avait des activités. Les différences les plus significatives mises au jour par l'étude d'Hofstede touchaient l'exercice de l'autorité, la planification, la division des tâches et la prégnance des valeurs individuelles. Ainsi, dans certaines entreprises, l'autorité était centralisée et les décisions prises de façon autocratique, sans consultation ni participation des employés. Dans d'autres, au contraire, la consultation et la participation étaient grandes. De même, dans certaines entreprises, les gestionnaires accordaient une grande importance à la planification alors que dans d'autres ce n'était pas le cas. Dans des entreprises où les valeurs démocratiques étaient plus grandes, on trouvait des femmes en grand nombre dans les postes de gestion, contrairement aux entreprises plus autocratiques. Ainsi, la division des tâches entre hommes et femmes était moins conventionnelle. Finalement, certaines entreprises privilégiaient les valeurs communautaires plutôt qu'individuelles au travail, ce qui se traduisait concrètement «par un besoin de formation accrue, de bonnes conditions physiques de travail et une utilisation adéquate des capacités professionnelles» (Bollinger et Hofstede, 1987, p. 126).

Selon Hofstede, ces différences entre les filiales tiennent aux différences entre les cultures nationales dans lesquelles elles sont implantées. La gestion de ces filiales aurait été largement influencée par les valeurs propres à chacune des cultures nationales. Ainsi, certaines cultures nationales valorisent le respect de l'autorité et une forte distance hiérarchique entre les individus, comme en France et dans la plupart des pays latins, ce qui expliquerait la gestion plus centralisée et moins démocratique existant dans les filiales IBM établies dans ces pays. De même, dans certaines cultures, on manifesterait une grande tolérance devant l'incertitude, comme dans les pays anglo-saxons, alors que dans des pays comme la France, l'Italie, l'Allemagne, la tolérance est moindre, d'où la plus grande propension des entreprises s'y trouvant à planifier davantage pour tenter d'éliminer l'incertitude qui pèse sur elles.

Le chercheur français Philippe d'Iribarne a confirmé plusieurs des résultats d'Hofstede dans une enquête menée plus en profondeur dans une entreprise française et dans deux de ses filiales, l'une installée aux États-Unis, l'autre dans les Pays-Bas. Il constate, à l'instar d'Hofstede, une distance hiérarchique entre les individus plus grande en France qu'aux États-Unis et que dans les Pays-Bas. Par contre, il est allé beaucoup plus loin que ce dernier, d'une part, en montrant la logique d'ensemble de l'entreprise dans chaque pays, et non pas en faisant uniquement ressortir certaines caractéristiques, et, d'autre part, en essayant d'expliquer l'origine des différences entre les cultures nationales. Aux fins de notre propos, nous nous pencherons principalement sur la comparaison entre la situation de la filiale américaine et celle de l'entreprise mère en France.

Disons d'entrée de jeu que cette multinationale française s'est dotée d'un mode de gestion à l'américaine, comme de nombreuses multinationales l'ont fait au moment où plusieurs croyaient en la supériorité de la gestion américaine. Nous allons examiner ce premier mode de gestion à travers le cas de la filiale américaine, à partir donc du pays qui lui a donné naissance. Ce mode de gestion est centré sur le contrat, les règles et les objectifs écrits. Il obéit à une logique du contrat qui caractérisait les entreprises américaines. Cette logique est sous-tendue par deux impératifs : le *free* et le *fair*, que d'Iribarne explique ainsi :

Chacun doit avoir la possibilité d'agir librement, en engageant sa responsabilité personnelle dans des contrats dont il apprécie souverainement les termes [le *free*]. Et il convient simultanément d'être fidèle à un impératif moral de *fairness* qui demande que la juste pesée des mérites individuels s'associe au respect dû à tout homme [le *fair*]. (Iribarne, 1989, p. 159-160.)

La bonne marche de l'entreprise américaine reposerait sur une forte surveillance pour assurer le respect strict des règles «du contrat» tant par les cadres que par les employés. Qu'est-ce que cela veut dire concrètement? Donnons quelques exemples. Cela implique un respect scrupuleux de la structure hiérarchique. Il n'est pas question pour un employé ou un cadre de court-circuiter son supérieur immédiat pour aller demander conseil ou se plaindre à un cadre d'un autre niveau. Il doit passer absolument par son supérieur pour toutes ces questions. De plus, l'employé ou le cadre doit avoir des tâches et des objectifs clairement définis pour qu'il puisse accomplir son travail. Tout ce qui n'est pas explicitement mentionné n'est pas de son ressort. Il peut et doit cependant avertir son supérieur immédiat si un problème survient et qu'il n'est pas dans sa tâche de le résoudre. Ce dernier verra à prendre les dispositions appropriées, soit ajouter cette tâche, après discussions, négociations et modifications du «contrat», à celles de l'employé ou la confier à un autre employé (ou à un nouvel employé). L'évaluation des employés et des cadres sera faite en fonction d'objectifs quantifiés liés à la définition des objectifs de leurs tâches. C'est à cette seule condition (un grand contrôle) que chacun pourra librement remplir son contrat dans un esprit d'égalité et d'honnêteté.

Chacun doit ainsi s'en tenir à ses tâches, selon les termes du contrat qu'il a accepté implicitement en prenant le poste, et seul un contrôle très serré permet de s'assurer que chaque partie respecte les termes de son contrat et est donc par conséquent honnête. Pour ce, des objectifs clairs et précis sont nécessaires, auxquels chacun pourra se rapporter dans l'exercice de son travail. Un manquement à ces règles peut être fortement sanctionné et aller jusqu'au congédiement de l'employé, ce qui se produit très rarement en France par exemple.

En France, la bonne marche de l'entreprise ne reposerait pas du tout sur cette logique, même si celle-ci s'est donné un mode de gestion à l'américaine (règles et objectifs écrits), mais plutôt sur une logique de l'honneur. Chaque employé verrait son travail dans l'entreprise comme un ensemble de devoirs qu'il a à accomplir. Ce sont ces devoirs, plus que la définition écrite des tâches, qui lui serviraient de points de référence dans l'exécution de son travail. Qu'est-ce que cela veut dire concrètement? Cela signifie qu'il y aura une plus grande souplesse. Il se fera ainsi beaucoup plus d'ajustements informels dans l'entreprise, puisque l'employé réglera lui-même un très grand nombre de problèmes qui se posent à son niveau étant donné que c'est son devoir — il en fait une question d'honneur — de voir à l'accomplissement de son travail au-delà des règles et des règlements écrits qui régissent sa tâche. Cela signifie que, dans l'entreprise française, les objectifs sont moins précis et qu'ils sont tout autant d'ordre qualitatif que d'ordre quantitatif. Cela signifie également que la voie hiérarchique compte moins que l'autorité-compétence. Il n'est pas rare, en effet, qu'un employé ou un cadre aille voir un autre supérieur que le sien pour régler un problème, parce que celui-ci possède une plus grande compétence en la matière. Dans ce contexte, l'évaluation de l'employé ou du cadre est plus globale et plus qualitative, ne reposant pas sur des objectifs chiffrés.

En fait, les devoirs propres à chaque employé seraient des devoirs propres à chaque état dans l'entreprise. Autrement dit, il y aurait les devoirs propres aux gestionnaires, les devoirs propres aux employés d'entretien, aux opérateurs de machine, etc. L'entreprise serait ainsi, en réalité, organisée selon un système de castes des postes de travail auxquelles correspondent des devoirs particuliers.

Les règles du jeu des entreprises, de même que leurs stratégies, varient donc dans les deux entreprises selon les règles sociales propres à chaque culture. Comment expliquer ces différences? Par les manières de vivre et d'entrer en relation particulières à chacun des deux pays, répond d'Iribarne. La société américaine serait plus égalitaire (régie par le contrat entre citoyens), la société française, plus hiérarchisée (régie par les castes sociales). Aux États-Unis, cette manière de travailler ensemble proviendrait des premiers immigrants, les marchands pieux, qui sont venus fonder les États-Unis d'Amérique. Ces marchands pieux étaient issus des classes moyennes aisées, partageaient une grande égalité de conditions et étaient animés à la fois par des idéaux puritains et des valeurs marchandes d'honnêteté. La société américaine aurait été construite à l'image du mode de vie de ces marchands pieux, c'est-à-dire autour d'une logique marchande, contractuelle (l'échange honnête), et d'une vie communautaire à forte tonalité affective (communauté de fidèles devenue communauté de travail dans l'entreprise).

Concernant la France, d'Iribarne explique le système de castes au travail et la logique de l'honneur qui en régit le fonctionnement par une manière de vivre ensemble qui aurait ses racines dans la culture indo-européenne et dans la société de castes du Moyen Âge. La Révolution française (citoyens égaux devant la loi) n'aurait pas réussi à effacer le vieux fond culturel dans les rapports quotidiens des Français entre eux.

Les travaux d'Hofstede et d'Iribarne ont suscité un fort écho dans le monde de la gestion, et bon nombre d'anthropologues et de sociologues les ont largement critiqués et contestés. En fait, la constatation de l'existence de différences entre les cultures nationales et entre les entreprises n'est pas tellement contestée, c'est plutôt l'importance de ces différences et les explications sur leur origine qui sont beaucoup moins acceptées. Contentons-nous ici de signaler l'existence de ces critiques et réfléchissons plutôt sur les incidences, sans aucun doute importantes, de ces constatations pour le fonctionnement de l'entreprise multinationale même si, ce faisant, nous sommes conscient de donner une plus grande crédibilité à la thèse d'Hofstede et d'Iribarne qu'à celles de leurs détracteurs.

Prenons le cas de dirigeants qui sont envoyés dans un autre pays pour implanter une nouvelle entreprise et qui sont appelés à travailler avec du personnel local. Les risques de malentendus culturels, et donc de tensions et de dysfonctionnements, sont grands si ces dirigeants ne tiennent pas compte de la dimension culturelle. C'est ce qui est arrivé, par exemple, lorsque les dirigeants français de l'entreprise multinationale étudiée par Iribarne ont implanté une usine en Hollande. Habitués à être directifs et autoritaires, donc peu axés sur la consultation et la participation des employés, les dirigeants français se sont heurtés à un groupe d'employés et de cadres qui valorisaient au contraire ces principes. Les conflits ont surgi rapidement dans l'entreprise, et les dirigeants du siège social ont dû modifier leurs pratiques «pour adopter des manières de faire plus acceptables aux Pays-Bas» (Iribarne, 1989, p. 242).

La prise en considération de ces facteurs ne suffit cependant pas toujours. En effet, comme le montre bien J.P. Segal (présenté dans Chevrier, 1995, p. 30-31), les nombreuses précautions prises par les responsables français n'ont pas empêché les frictions entre les ingénieurs français et québécois dans le cas d'un transfert de technologie entre les deux pays. Ces précautions, qui consistaient en «un recrutement très sélectif des ingénieurs impliqués dans le projet, des pressions informelles pour obliger les expatriés français à surveiller leur langage et leurs comportements, la chasse aux exceptions et traitements de faveur fréquents en France et la mise en place d'une structure originale conférant la responsabilité hiérarchique de la main-d'œuvre aux homologues québécois» (*ibid.*), n'ont pas empêché non plus le repli sur soi des deux groupes, qui ont géré à leur façon les opérations dont ils avaient la responsabilité. Il n'y a donc pas eu une grande synergie entre les deux groupes de gestionnaires.

LES PME EXPORTATRICES

L'examen de la question des PME exportatrices est d'autant plus pertinent qu'un nombre grandissant de PME, pas seulement de grandes entreprises, se lancent à la conquête des marchés étrangers et sont, du coup, appelées à négocier avec des gouvernements, des partenaires, des fournisseurs, des distributeurs ou des clients étrangers. Ces entreprises doivent donc elles aussi s'adapter à des contextes culturels différents, sources de malentendus culturels, particulièrement aux étapes de la négociation des contrats de vente. En effet, chaque étape de la négociation — prise de contact, échange d'informations, persuasion et, enfin, concessions et entente (Adler, 1994, p. 213) — comporte des risques de malentendus culturels qui peuvent faire échouer la négociation. Examinons cela un peu plus en détail.

La prise de contact est plus ou moins longue selon les cultures. Les Américains, c'est connu, ont tendance à vouloir passer extrêmement rapidement à la deuxième étape pour discuter des divers aspects de l'objet de la négociation (étape de l'échange d'informations). En fait, ils veulent très souvent dès la première rencontre en arriver à cette étape. Dans certaines cultures, comme celles de l'Asie ou de l'Amérique du Sud, la prise de contact est beaucoup plus longue. Les négociateurs de ces cultures cherchent plutôt à établir de bonnes relations interpersonnelles avec leurs interlocuteurs étrangers avant d'entreprendre des discussions sérieuses sur l'objet de la négociation. Dans certains cas, cette période de prise de contact peut s'étaler sur des semaines ou des mois, à travers des rencontres régulières à saveur plus sociale qu'économique. À ce titre, soulignons, par exemple, que les Japonais consacrent 1,9 % de leur PIB à des dépenses de divertissement d'affaires à l'intention de leurs interlocuteurs (Adler, 1994, p. 206), dépenses jugées bien inutiles par les Américains. Ainsi, un Américain ou un interlocuteur insensible à cette dimension fondamentale pour les Asiatiques et les Latino-Américains court le risque, s'il insiste trop pour brûler les étapes, de voir les négociations s'arrêter là sans qu'il y ait de discussions plus sérieuses. C'est que, culturellement, les Américains ont l'habitude de se fixer dès le départ une limite de temps à consacrer aux négociations, contrairement à d'autres cultures qui ne s'en fixent pas. Constatons ici une différence fondamentale dans le rapport avec le temps entre les cultures[2].

À la deuxième étape, d'autres malentendus culturels menacent les négociateurs, la notion d'information variant aussi d'une culture à l'autre. Encore une fois, les différences entre les Nord-Américains et les Asiatiques sont importantes. Les Nord-Américains voudront avoir le plus de détails possible et le plus d'engagements précis et chiffrés pour se sentir à l'aise dans la négociation, alors que les Asiatiques se contenteront de grands objectifs sans fixer nécessairement de délais précis pour la réalisation du contrat ou de quantités exactes à produire.

La troisième étape, qui consiste pour un dirigeant d'entreprise à convaincre un partenaire ou un acheteur éventuels de faire affaire avec lui, comporte aussi son lot de pièges culturels. L'art de persuader variant selon les cultures, il faut mesurer les risques de malentendus qui pourraient faire échouer la négociation. Les Américains négocient sur la base des faits, ils font appel à la logique. Ils sont directs et très expressifs. Or, dans d'autres cultures, on fait davantage appel aux

---

2. C'est cette différence qu'a semblé comprendre le représentant québécois de la coopérative des producteurs de sirop d'érable La Citadelle à l'occasion de la dernière tournée d'Équipe Canada en Asie. À un journaliste qui l'interrogeait sur les connaissances qu'avait le distributeur asiatique de son produit, le représentant québécois répondit que, même s'ils avaient discuté longuement et que la négociation était prometteuse, ils n'avaient pas encore parlé du produit. L'interlocuteur asiatique ne savait pas ce qu'était le sirop d'érable ! Ils étaient tout simplement en train d'établir une relation interpersonnelle en vue de discussions futures.

sentiments et aux émotions, le soin et le temps qu'on met à établir de bonnes relations interpersonnelles dans les étapes précédentes trouvant là un écho. De plus, dans certaines cultures, comme au Japon, on est beaucoup moins direct et moins expressif. En fait, on manifeste très souvent son désaccord par des silences plutôt que par des prises de parole bien appuyées, comme chez les Américains. Il s'ensuit que les tactiques des uns peuvent profondément ennuyer ou blesser les interlocuteurs avec lesquels ils veulent conclure un accord.

Finalement, la quatrième étape, celle des concessions et de l'accord final, est aussi déterminée par des caractéristiques culturelles. Par exemple, les Américains favorisent une négociation faite de compromis réciproques tout au long du processus. Mais, pour les Russes ou pour les Iraniens, les compromis sont peu valorisés, étant vus comme des marques de faiblesse. Or les Américains se sentent vite frustrés et deviennent agressifs lorsqu'ils se rendent compte que leurs interlocuteurs ne font pas de concessions, attitude qui risque de compromettre tout le processus. D'autres cultures préfèrent avoir une vue d'ensemble des données et faire des concessions à la toute fin. Encore une fois, cela peut être totalement déroutant pour un négociateur nord-américain qui aura pris pour argent comptant les consentements exprimés jusque-là alors qu'en fait l'acquiescement de l'interlocuteur n'était qu'apparent et témoignait plutôt d'une extrême politesse et d'un grand respect à l'endroit de son vis-à-vis. Tout restait à négocier.

Nous le voyons, l'ouverture sur les marchés internationaux fait surgir de nouveaux défis, culturels ceux-là, que doivent relever les dirigeants d'entreprise. Faut-il alors, comme le dit l'adage, vivre à Rome comme les Romains ? Non, répond Nancy Adler (1994, p. 234), « que l'on soit à Rome, à Beijing ou à Osaka, il s'agit de se comporter en "étranger efficace" », c'est-à-dire agir en connaissant bien sa culture et celle de l'autre pour adapter ses façons de faire et ses stratégies. La communication interculturelle reste de ce côté un outil de premier plan.

LES ÉQUIPES INTERCULTURELLES DE TRAVAIL

L'existence d'entreprises occidentales comptant de plus en plus sur une main-d'œuvre diversifiée, d'entreprises multinationales aux directions culturellement plus hétérogènes que jamais et de PME traitant de plus en plus directement avec l'étranger multiplie les cas de mixité culturelle au travail. Dans ce contexte d'une augmentation des mouvements démographiques et économiques à l'échelle internationale, une réflexion sur les équipes interculturelles de travail s'impose. C'est ce que nous allons faire dans cette dernière section, en mettant l'accent sur leur fonctionnement et leur efficacité.

On pourrait facilement conclure, à la lumière des éléments étudiés dans ce chapitre, que les équipes de travail interculturelles sont plus dysfonctionnelles, étant donné le risque élevé de malentendus culturels et de conflits découlant de ces derniers, et donc qu'elles sont moins efficaces que les équipes plus homogènes sur le plan culturel. En fait, la situation est plus nuancée si on en croit les recherches publiées à ce propos, peu nombreuses il est vrai comme le rappelle Sylvie Chevrier (1995, p. 27-32). Nancy Adler (1994, p. 129-157), qui rend compte en partie de ces recherches, soutient en fait que les équipes interculturelles se trouvent plus souvent aux pôles extrêmes de l'efficacité, soit très peu efficaces ou très efficaces. Cela tiendrait tout autant à la nature du groupe qu'aux tâches qu'il a à accomplir. Examinons d'abord les avantages et les inconvénients de la diversité culturelle au sein d'un groupe.

Selon Adler (1994, p. 140), les avantages de l'équipe interculturelle de travail sont l'accroissement de la créativité et l'obligation de tenir compte de l'apport de chacun. En effet, la diversité culturelle au sein d'un groupe élargit l'éventail des points de vue, ce qui favorise l'éclosion d'idées originales et fécondes et freine la tendance au monolithisme. Chacun exprime ses idées, interprète différemment les situations et construit son argumentation autrement. Il en découle une définition plus précise des problèmes, l'examen d'un plus large éventail de solutions et de meilleurs choix et prises de décision. L'entreprise y gagne alors en efficacité et en productivité. Les inconvénients tournent quant à eux autour du manque de cohésion du groupe issu de la diversité culturelle. Ce manque de cohésion entraîne la méfiance dans le groupe (distance, stéréotypes, repli sur le groupe de même appartenance culturelle, etc.), des difficultés de communication (problèmes de langue, imprécisions), du stress et des tensions, et rend plus difficiles la validation des idées, l'obtention d'un consensus quand celui-ci est nécessaire, la concertation dans l'action. Ces inconvénients peuvent rendre le groupe moins efficace et moins productif.

Compte tenu de ces avantages et de ces inconvénients, on peut déduire que la diversité culturelle semble tout à fait convenir pour les tâches exigeant de l'innovation et beaucoup moins pour les tâches routinières. Cette affirmation découle de ce qu'on sait du travail en entreprise, comme le souligne Adler :

> Plus sont spécialisés les rôles imposés par la tâche, plus l'équipe a avantage à être diversifiée dans sa composition. (Les équipes-conseils, au sein de grandes entreprises, sont le plus efficaces quand elles regroupent des experts de plusieurs disciplines : finances, marketing, production, stratégie, etc.) Si, au contraire, tous les participants sont appelés à accomplir exactement la même tâche, mieux vaut qu'ils pensent et se comportent tous de la même façon [...]. (Ainsi, une équipe vouée à l'assemblage d'appareils radios [sic] gagnera en efficacité si tous ses membres ont le même degré de dextérité et de coordination manuelles.) [Adler, 1994, p. 147.]

Elle en conclut que la diversité culturelle au sein d'une équipe de travail est particulièrement intéressante pour les équipes de direction qui ont des tâches de conception, mais qu'elle l'est beaucoup moins pour les équipes de travail qui exécutent des tâches concrètes et routinières.

C'est pourquoi la diversité prend généralement toute sa valeur durant la planification et la mise au point d'un projet : c'est le stade de l'élaboration [...]. À l'opposé, la diversité perd de son utilité au fur et à mesure que progresse la mise en œuvre du projet : c'est le stade de l'action. (Adler, 1994, p. 148.)

Selon Adler, il revient donc au gestionnaire de former ses équipes en fonction des objectifs qu'il poursuit et des tâches à accomplir et d'attribuer les bonnes tâches aux groupes en fonction de leur composition culturelle. Il ne faut pas cependant perdre de vue que chaque situation est unique et que d'autres facteurs peuvent entrer en ligne de compte et jouer un rôle plus important encore, ou à tout le moins modérateur. Comme le montre Chevrier (1995, p. 182-187), le fait d'avoir en commun une même culture professionnelle peut mener à minimiser les différences de culture nationale et même à les transcender. C'est pourquoi il ne faut jamais appliquer de façon mécanique des connaissances somme toute encore embryonnaires et partielles. D'autant plus que le caractère imprévisible de l'action humaine ne permet jamais de dire avec exactitude quel comportement auront les hommes et les femmes qui composent ce monde.

*
* *

En définitive, malgré le ralentissement actuel de l'immigration dans les pays occidentaux, on peut penser que les questions ethniques et culturelles vont continuer de se poser, et se poser de plus en plus, aux entreprises, étant donné l'internationalisation non seulement de l'économie mais aussi des échanges culturels (par le biais des médias notamment, mais aussi par les échanges d'étudiants, le tourisme international, les contacts virtuels, etc.). La prise en considération de cette dimension occupera donc de plus en plus les gestionnaires dans les entreprises. La conception d'outils interculturels touchant la communication, le marketing, la négociation, etc. devient dans ce cadre un volet important du travail des gestionnaires et des spécialistes qui les soutiennent.

Bibliographie

ADLER, N.J. (1994). *Comportement organisationnel. Une approche multiculturelle*, Repentigny (Québec), Les Éditions Reynald Goulet, 324 p.

BARRETTE, C., GAUDET, E., et LEMAY, D. (1993). *Guide de la communication interculturelle*, Saint-Laurent (Québec), Éditions du Renouveau Pédagogique, 171 p.

BERGER, F. (1995). « Le Québec freine son immigration », *La Presse*, 3 novembre, p. A1.

BOLLINGER, D., et HOFSTEDE, G. (1987). *Les différences culturelles dans le management*, Paris, Éditions d'organisation, 268 p.

CARROLL, R. (1987). *Évidences invisibles. Américains et Français au quotidien*, Paris, Seuil, 214 p.

CHAPDELAINE, B. (1991). « Un faible pour les Philippines », *La Presse*, 18 mai, p. B7.

CHEVRIER, S. (1995). *Les équipes interculturelles de travail*, thèse de doctorat, Montréal, Université du Québec à Montréal, 292 p.

CITOYENNETÉ ET IMMIGRATION CANADA (1996). *Faits et chiffres. Aperçu de l'immigration, 1994*, Ottawa, Gouvernement du Canada, 69 p.

DASSETTO, F. (1990). « Pour une théorie des cycles migratoires », dans A. Bastenier et F. Dassetto (sous la dir. de), *Immigrations et nouveaux pluralismes. Une confrontation des sociétés*, Bruxelles, De Boeck-Wesmael, p. 11-39.

DUMONT, J. (1991). *Distribution spatiale de la population immigrante et régionalisation de l'immigration. Bilan des expériences étrangères*, Québec, Gouvernement du Québec, 81 p.

DUMONT, J., et SANTOS, P. (1996). *Contraintes et facteurs favorables à l'intégration des personnes immigrantes au marché du travail*, Québec, Gouvernement du Québec, coll. « Études et recherches », n° 14, 50 p.

FORTIER, M., FOURNIER, S., RICARD, P., et ROY, A. (1995). *Profil socio-économique des communautés culturelles. Secteur Sud-Région Saint-Laurent*, s.l., Hydro-Québec, Services à la clientèle, et Bureau d'études sociographiques inc., 28 p.

GAUTHIER, G. (1994). « Le Canada recevra moins d'immigrants en 95 », *La Presse*, 2 novembre, p. B1.

GAUTHIER, G. (1996). « Ottawa évite d'augmenter ses objectifs en matière d'immigration », *La Presse*, 30 octobre, p. B6.

HELLY, D., et LEDOYEN, A. (1994). *Immigrés et création d'entreprises. Montréal 1990*, Québec, Institut québécois de recherche sur la culture, 305 p.

IRIBARNE, P. D' (1989). *La logique de l'honneur. Gestion des entreprises et traditions nationales*, Paris, Seuil, 280 p.

JUTEAU, D., et PARÉ, S. (1996). « L'entrepreneurship ethnique », *Interface*, janvier-février, p. 18-28.

LABELLE, M., et LÉVY, J.J. (1995). *Ethnicité et enjeux sociaux. Le Québec vu par les leaders des groupes ethnoculturels*, Saint-Laurent (Québec), Liber, 380 p.

LAFRANCE, L. (1993). « La différence à l'école. Le concept d'interculturalisme est remis en question », *Le Devoir*, 7 décembre, p. B1.

LEDOYEN, A. (1992). *Montréal au pluriel. Huit communautés ethno-culturelles de la région montréalaise*, Québec, Institut québécois de recherche sur la culture, Documents de recherche n° 32, 329 p.

LEDUC, L. (1997). « Les banques flairent le filon asiatique », *Le Devoir*, 7 avril, p. B1.

MANÈGRE, J.-F. (1993). *L'immigration et le marché du travail. Un état de la question*, Québec, Conseil des communautés culturelles et de l'immigration, Gouvernement du Québec, 173 p.

MINISTÈRE DES RELATIONS AVEC LES CITOYENS ET IMMIGRATION — MRCI — (1997). *Renseignements statistiques*, Gouvernement du Québec, Site Internet, http://www.IMMQ.Gouv.Qc.Ca.

MORISSETTE, B. (1997). « L'immigration met le feu aux relations États-Unis–Mexique », *La Presse*, 12 avril, p. B4.

MUCCHIELLI, L. (1997). « La France intègre toujours ses immigrés », *Sciences humaines*, n° 69, février, p. 12-17.

NGUYEN, H., et PLOURDE, F. (1997). *Les besoins relatifs à l'apprentissage et à l'usage du français chez les immigrants adultes admis au Québec entre 1992 et 1995 et ne connaissant pas le français (région de Montréal)*, Québec, Gouvernement du Québec, coll. « Notes et documents » n° 7, 70 p.

NORMAND, F. (1997). « Un marché du travail en pleine mutation », *Le Devoir*, 28 mai, p. B1.

OCDE - ORGANISATION DE COOPÉRATION ET DE DÉVELOPPEMENT ÉCONOMIQUES - (1995). *Tendances des migrations internationales.* Rapport annuel 1994, Paris, OCDE, 253 p.

PRATTE, A. (1996). « Les immigrants d'affaires désertent le Québec », *La Presse*, 4 mars, p. A1.

RENAUD, J., DESROSIERS, S., et CARPENTIER, A. (1993). *Trois années d'établissement d'immigrants admis au Québec en 1989. Portraits d'un processus*, Montréal et Québec, Département de sociologie de l'Université de Montréal et Institut québécois de recherche sur la culture, 120 p.

ROBY, Y. (1990). *Les Franco-Américains de la Nouvelle-Angleterre, 1776-1930*, Sillery, Septentrion, 434 p.

ROGEL, J.-P. (1989). *Le défi de l'immigration*, Québec, Institut québécois de recherche sur la culture, coll. «Diagnostic», 123 p.

SAIRE, P.-O. (1994). «Essai sur la dynamique récente de l'expatriation des cadres français au Québec», mémoire de maîtrise, Montréal, École des HEC, 208 p.

STALKER, P. (1995). *Les travailleurs immigrés. Étude des migrations internationales de main-d'œuvre*, Genève, Organisation internationale du travail, 346 p.

STATISTIQUE CANADA (1997). *Origines ethniques sélectionnées, Canada, provinces et territoires, 1991*, Gouvernement du Canada, Site Internet, http://www.statcan.ca. (Publications n° 93-315 et n° 93-316 au catalogue.)

TASSO, L. (1992). «Un Fourth of July et l'autre: une présence ouverte aux différences», *La Presse*, 5 juillet, p. B1.

TEAL, G. (1986). «Organisation du travail et dimensions sexuelle et ethnique dans une usine de vêtements (Montréal)», *Anthropologie et sociétés*, vol. 10, n° 1, p. 33-57.

VENNE, M. (1997). «Si j'étais immigrant...» *Le Devoir*, 18 avril, p. A1.

Chapitre 6

Les jeunes et le travail : un terrain mouvant

Madeleine Gauthier

En 1982, le monde du travail prenait un tournant inusité pour les jeunes, avec un taux de chômage jamais atteint depuis la grande crise des années 30. Les économistes qualifiaient la situation de passagère, prévoyant qu'elle changerait rapidement avec la reprise économique qui s'annonçait pour le milieu de la décennie et avec les changements démographiques qui allaient bientôt faire de la jeunesse une main-d'œuvre recherchée (Fortin, 1986, p. 200), et ce, à cause de la grande sensibilité des jeunes à la conjoncture (*ibid.*, p. 193). Il est vrai que le taux de chômage allait baisser, mais l'intermittence en emploi qui était auparavant le lot de catégories sociales particulières allait devenir celui d'une majorité de jeunes. Quelque chose se passait dans le monde du travail, quelque chose de différent de ce qu'on avait connu pendant les périodes de prospérité d'après-guerre. Et la théorie des économistes à propos de l'«hypersensibilité des jeunes à la conjoncture» se vérifiait, mais dans des directions qui n'étaient pas prévisibles. Les jeunes allaient se situer à l'avant-garde des changements dans les formes et les secteurs d'emploi au cours des années qui suivront.

Mais de qui parle-t-on au juste lorsqu'il est question des jeunes? Selon les époques, ce mot n'a pas toujours englobé la même réalité. Toutefois, les auteurs s'entendent maintenant pour nommer «jeunesse» la période de la vie qui s'étend de la fin de l'adolescence à la vie autonome, où sont assumées la plupart des responsabilités qui caractérisent la vie adulte: autonomie financière, autonomie relative à l'habitation, formation du couple et de la famille. S'il fut un temps où ces différentes dimensions du passage à la vie adulte pouvaient coïncider, tel n'est pas le cas aujourd'hui. Quand commence-t-on à être jeune et quand cesse-t-on de l'être? L'allongement de la période des études, la lenteur de l'insertion professionnelle, la capacité pour les familles de soutenir leurs jeunes plus longtemps, une activité sexuelle précoce, les fluctuations de la vie de couple constituent autant de facteurs propres à brouiller les repères. À cela s'ajoute la représentation que les adultes se font de la jeunesse. Loin d'être synonyme de période d'attente, d'insouciance ou d'irresponsabilité, la jeunesse est plutôt devenue le prototype du modèle à suivre ou des valeurs à cultiver et à conserver : la beauté du corps, l'enthousiasme, le goût de l'expérimentation, et combien d'autres qui font le bonheur des marchands de rêve et contribuent à valoriser l'extension, même à d'autres âges, de cette étape de la vie[1].

Pourtant, dans une perspective démographique, la jeunesse n'occupe pas un espace plus important dans l'échelle des âges, en particulier à cause de l'allongement de l'espérance de vie. Comme le montre la figure 6.1, on assiste à une augmentation rapide du nombre de personnes qui dépassent 70 ans. Par contre, la proportion des 20-24 ans et des 25-29 ans diminue. Cette inversion de la pyramide des âges résulte de la forte baisse de la natalité qui s'est produite au cours de la décennie de 1965 à 1975, qui nous achemine progressivement vers une société de plus en plus vieille. Les personnes qui ont entre 30 et 54 ans, ce qui correspond à la période la plus stable de la vie active, occupent une place importante dans l'échelle des âges. Il devient dès lors facile d'imaginer la forme que prendra la courbe démographique d'ici 10 ou 20 ans et le poids que représenteront les personnes âgées pour celles qui seront en activité, à moins que chacun se prépare, dès maintenant, à assurer son autonomie financière par des régimes de retraite appropriés. Si les jeunes éprouvent aujourd'hui des difficultés d'insertion sur le marché du travail parce que leurs aînés y occupent beaucoup de place, les tendances démographiques montrent que d'autres défis les attendent avant que les personnes âgées entre 30 et 54 ans aient quitté la vie active et même après, lorsque ces dernières deviendront dépendantes des régimes de retraite et des services de santé.

Quand il est question des jeunes, il est difficile de passer outre à ces considérations sociodémographiques ; toutefois, cela dépasse le propos principal de ce chapitre. Nous nous contenterons d'examiner le rapport qu'entretiennent les jeunes avec le monde du travail à partir des enquêtes sur l'activité et sur la population active de Statistique Canada et des enquêtes sur les relations entre la formation et l'emploi réalisées par le ministère de l'Éducation et par le Bureau de la statistique du Québec. D'autres sources de renseignements permettront en outre d'effectuer quelques comparaisons de la situation des jeunes du Québec et du Canada avec, entre autres, celle des jeunes des pays de l'Organisation de coopération et de développement économiques (OCDE). Dans la dernière partie du chapitre, de façon à faire ressortir le point de vue des jeunes, nous présenterons

---

1. On peut consulter à ce sujet plusieurs travaux québécois, entre autres ceux de Gauthier (1994), Gauthier et Bernier (1997) ainsi que la revue *Sociologie et sociétés*, vol. XXVIII, n° 1, 1996, et F. Dumont (sous la dir. de), *Une société des jeunes?*, Québec, Institut québécois de recherche sur la culture, 1986.

FIGURE 6.1   Population selon l'âge, Québec, 1986, 1991 et 1995 (en milliers d'individus)

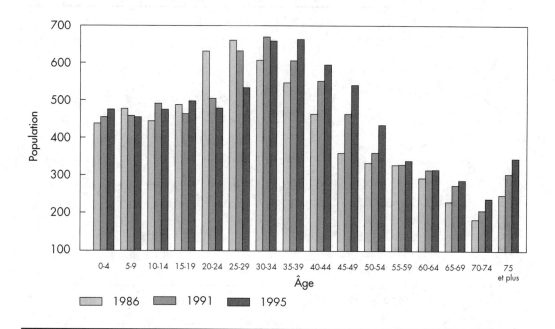

Source : Bureau de la statistique du Québec, *La situation démographique au Québec. Édition 1996*, Québec, Publications du Québec, coll. « Statistiques démographiques », 1996, p. 143.

quelques enquêtes de terrain, de type qualitatif, effectuées depuis 1985 au Québec et ailleurs dans le monde. Nous examinerons comment les jeunes (de 15 à 24 ans ou l'ensemble de ceux de moins de 30 ans en âge de travailler) se perçoivent sur le marché du travail, en d'autres termes, comment ils se représentent cet univers et la place qu'ils y occupent.

LA SITUATION DES JEUNES SUR LE MARCHÉ DE L'EMPLOI

Les difficultés liées à l'insertion professionnelle pourraient laisser croire que les jeunes sont éloignés du marché du travail, comme c'est le cas dans certains pays de l'OCDE — on le verra plus loin —, ou encore qu'ils sont si nombreux à travailler au noir ou dans des activités clandestines que leur taux d'activité en est faussé. Tel n'est pas le cas cependant. En dépit de la prolongation de la période des études, qui éloigne la perspective de l'emploi à temps plein, le taux d'activité des jeunes, même s'il connaît quelques fluctuations, suit une courbe ascendante constante. Entre 1991 et 1995, les jeunes femmes font toutefois exception (voir la figure 6.2, p.248). Leur forte représentation aux études, qui dépasse maintenant celle des hommes jusqu'aux études de doctorat, laisse supposer que la baisse

FIGURE 6.2 Taux d'activité des 15-24 ans, selon le sexe et la fréquentation scolaire, Québec, 1975-1995

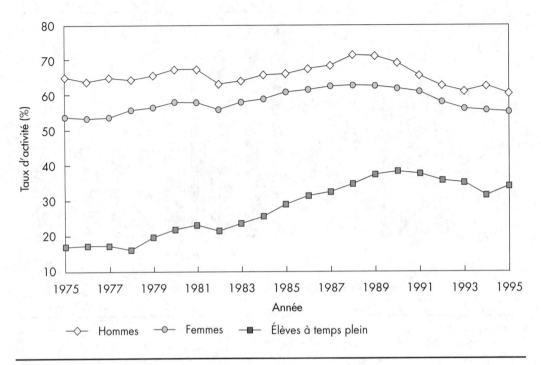

Source: Tiré de Gauthier et Mercier (1994, p. 107).

du taux d'activité, dans leur cas, pourrait correspondre à une plus grande présence aux études à temps plein, et ce, de manière exclusive. Les femmes ont en effet davantage tendance à se consacrer entièrement à leurs études à temps plein. La correspondance entre la baisse d'activité des femmes et la baisse d'activité des étudiants à temps plein trouverait là au moins une explication.

LE TRAVAIL ET LES ÉTUDES

L'expérience du marché du travail, contrairement à ce qu'on pourrait penser à cause de l'allongement de la période des études, commence presque aussi tôt qu'à l'époque précédant la scolarisation de masse. Mais cette fois, il s'agit du travail pendant les études: le soir, les fins de semaine et pendant l'été. Lorsqu'ils arrivent sur le marché du travail à la fin de leurs études en espérant un travail à temps plein, les jeunes ont déjà une connaissance des règles de cet univers et de leur capacité de s'y intégrer. Paul Osterman (1980) avait déjà décrit le marché du travail des jeunes au début de la décennie de 1980 alors que la combinaison des études et du travail était beaucoup plus ancienne aux États-Unis qu'ici, soit depuis la crise des années 30 (Greenberger et Steinberg, 1986). Le taux d'activité des étudiants québécois n'a pas cessé d'augmenter depuis le milieu des années 70 (voir la figure 6.2). On a étudié ce phénomène à travers de multiples enquêtes, menées en particulier auprès d'élèves du secondaire et du collégial (Roberge, 1997). Les jeunes de 15 à 19 ans occupent principalement des emplois dans le domaine du commerce et des services, en plus des emplois traditionnels de gardiennage et de distribution de journaux. Les emplois liés à la production figurent encore dans les statistiques, mais ils se font plus rares (*ibid.*).

LE RÉGIME D'EMPLOI

Pour l'ensemble des cohortes de jeunes, le régime d'emploi a quelque peu changé entre le début de la décennie de 1980 et le milieu de la décennie actuelle. Alors que le nombre d'emplois à temps plein occupés par les jeunes avait tendance à augmenter légèrement au cours de la dernière décennie, il ne cesse de décroître actuellement. Les jeunes sont-ils les champions du travail à temps partiel ? Le nombre de travailleurs à temps partiel n'a pas cessé d'augmenter depuis les années 80 (voir Gauthier et Mercier, 1994, p. 190). Le travail pendant les études explique sans doute une part de cette augmentation. Cependant, lorsqu'on mesure le nombre d'emplois à temps partiel chez les jeunes par rapport à la population totale des travailleurs de tous âges, on constate que la proportion s'est maintenue pour les 20-24 ans et les 25-29 ans, mais qu'elle a décru pour les 15-19 ans, passant de 51 % de l'ensemble des travailleurs en 1981 à 47 % en 1994 (Secrétariat à la jeunesse, 1996, p. 98). Cette baisse peut s'expliquer par la diminution du poids démographique des jeunes, par l'augmentation du nombre d'étudiants et par la baisse d'activité chez les 15-19 ans. Le nombre d'étudiants sur le marché du travail augmente, mais le nombre de jeunes de 15 à 19 ans qui ne sont plus aux études et qui ont gagné le marché du travail fluctue, ce groupe étant particulièrement sensible à la conjoncture. Ainsi, le taux d'activité des 15-19 ans (qui comprend aussi les étudiants actifs sur le marché du travail) est passé de 41,5 % en 1982 à 50,8 % en 1990, pour redescendre à 43,9 % en 1994 (*ibid.*, p. 84). Cette fluctuation se ressent aussi chez les 20-24 ans, mais dans une moindre mesure. Le maintien des jeunes femmes sur le marché du travail pourrait expliquer la montée importante du taux d'activité des 25-29 ans entre 1982 et 1990 : de 77,2 % à 85,1 % (*ibid.*, p. 84).

LE TAUX D'ACTIVITÉ SELON LE SEXE

Une analyse de différentes caractéristiques de la population active à 10 années d'intervalle, en tenant compte du sexe, montre des changements au cours de ces périodes, tant pour les hommes que pour les femmes (voir le tableau 6.1, p. 250). L'année 1982 a été exceptionnellement difficile pour les jeunes. Cette situation

TABLEAU 6.1   Caractéristiques de l'activité par sexe chez les 20-24 ans et les 30-34 ans, et ratio par rapport à la population totale du même sexe, Québec, 1982 et 1992

	Taux (%)				Ratio sur population totale*			
	20-24 ans		30-34 ans		20-24 ans		30-34 ans	
	1982	1992	1982	1992	1982	1992	1982	1992
Taux d'activité								
Hommes	80,7	77,4	92,9	89,7	1,08	1,08	1,25	1,25
Femmes	71,0	71,9	57,1	74,5	1,53	1,34	1,23	1,39
Total	75,8	74,7	75,2	82,1	1,26	1,20	1,25	1,31
Taux de chômage								
Hommes	22,6	19,8	11,9	13,0	1,65	1,48	0,87	0,97
Femmes	18,3	12,9	13,1	11,4	1,32	1,08	0,94	0,96
Total	20,6	16,5	12,4	12,3	1,49	1,29	0,90	0,96
Taux de travail à temps plein								
Hommes	88,7	78,8	98,3	96,4	0,95	0,86	1,05	1,05
Femmes	83,5	70,6	82,0	81,5	1,08	0,92	1,06	1,07
Total	85,9	74,7	92,1	89,5	0,99	0,88	1,06	1,05

* En ce qui concerne le ratio, l'unité représente l'ensemble de la population. Un nombre supérieur ou inférieur à un signifie que ce groupe a un poids relatif plus élevé ou moins élevé par rapport à la population totale.

Source : Gauthier (1996c, p. 139).

s'est-elle maintenue ? Il semble que les hommes et les femmes s'en soient sortis de manière différente. Ainsi, entre 1982 et 1992, le taux d'activité des hommes, qu'ils aient entre 20-24 ans ou entre 30-34 ans, a baissé alors que celui des femmes, en particulier entre 30-34 ans, a beaucoup augmenté. Le taux de chômage des femmes de 20-24 ans était beaucoup plus bas que celui des hommes en 1982, alors que celui des femmes de 30-34 ans était plus élevé la même année. En 1992, le taux de chômage des femmes de 20-24 ans était aussi plus bas que celui des hommes, mais il l'était également chez les 30-34 ans. Il s'agit donc d'un revirement de situation amorcé chez les femmes de 20-24 ans dès 1982. Le taux d'emploi à temps plein a beaucoup baissé à la fois chez les hommes et chez les femmes de 20-24 ans. Il s'est à peu près maintenu chez les 30-34 ans, affichant une légère baisse en 1992. L'écart entre les hommes et les femmes dans ce dernier cas est grand. Il peut s'expliquer par le fait qu'il s'agit de l'âge de la maternité. Si les mères d'enfants en bas âge demeurent maintenant majoritairement sur le marché du travail (Langlois et autres, 1990, p. 143), c'est peut-être, pour une portion d'entre elles, dans le cadre d'un emploi à temps partiel. La maternité continue d'avoir des répercussions sur le plan professionnel pour les femmes, même si des changements notables se sont produits depuis plus d'une décennie maintenant (Gauthier, 1996a).

Ces données permettent en même temps d'observer d'importants changements dans la situation des hommes sur le marché du travail. Les hommes de 20-24 ans en 1982 n'ont pas retrouvé en 1992 la situation que les 30-34 ans avaient connu 10 ans plus tôt. On observe ainsi un taux d'activité moindre, un taux de chômage plus élevé et un taux d'emploi à temps plein plus bas. Se pourrait-il qu'il y ait ici un effet de cohorte[2] qui aurait atteint de manière négative les jeunes hommes encore plus que les jeunes femmes ? Les jeunes hommes connaîtraient une mobilité sociale[3] descendante par rapport à la génération masculine précédente alors que les jeunes femmes connaîtraient une mobilité ascendante par rapport à la génération de leurs mères.

LES SECTEURS D'EMPLOI

Les secteurs d'emploi n'ont pas cessé de se modifier depuis les années 60. Le secteur tertiaire occupe maintenant un espace non négligeable dans l'activité des jeunes (Gauthier et Mercier, 1994, p. 93). En comparaison, le secteur primaire et le secteur secondaire combinés n'occupent plus que 26 % de la main-d'œuvre en 1992 par rapport à plus de 48 % en 1961. Perret et Roustang (1993, p. 79) rappellent que « dans une économie de service, l'emploi est favorisé par les inégalités salariales ». Par exemple, la personne qui voudrait s'offrir un service d'entretien ou un service de garde ne pourra le faire que si elle en a les moyens. Dans certains cas, il est possible que l'État comble la différence entre ce que l'utilisateur peut s'offrir et la rémunération que le dispensateur de services serait en droit d'attendre. Il en est ainsi pour les services de garde ou pour les soins à domicile des personnes âgées par exemple. Mais tout un secteur des services ne pourrait exister si les dispensateurs s'attendaient à recevoir le même taux de rémunération que les employés de l'État, pour prendre cet exemple. Il existe une inégalité salariale parce que le secteur des services recouvre une réalité multiple, et que les emplois

---

2. L'« effet de cohorte » se définit comme l'effet à long terme d'un événement ou de circonstances qui ont touché un groupe qui a l'âge en commun. Il faudrait suivre la trajectoire professionnelle des jeunes qui avaient 20-24 ans en 1982, au moment de la montée importante du chômage qui a particulièrement touché ce groupe d'âge, afin de voir si cet événement va influer longtemps sur eux. Voir sur cette question Gauthier (1996c).
3. « La mobilité sociale correspond à la possibilité qu'ont, dans un système social donné, les individus (ou même les groupes) de changer de statut, que ce soit le statut professionnel, le statut de prestige, le statut géographique ou surtout le statut économique. » (J. Cazeneuve et V. David, *La sociologie*, Paris, Centre d'étude et de promotion de la lecture, 1970, p. 313.)

créés dans ce secteur sont souvent précaires. Ce fut le cas au cours des années 80 selon le Conseil économique du Canada (1991, p. 63).

L'INTRODUCTION DE NOUVELLES TECHNOLOGIES

Les jeunes, encore plus que leurs aînés, travaillent dans les industries de services plutôt que dans les industries de biens. Alors que les 15-24 ans représentaient 35,8 % de la main-d'œuvre dans les industries de biens en 1976, ils n'étaient plus que 19,3 % dans ce secteur en 1991. Cela s'explique par la diminution de ce type d'entreprise, mais aussi par l'introduction de technologies qui remplacent la main-d'œuvre. Celle-ci tend à vieillir puisqu'on recrute de moins en moins de jeunes, sauf dans les entreprises de technologies nouvelles (l'informatique et les communications, entre autres). Daniel Mercure (1996) a produit une monographie fort instructive sur la manière dont se sont effectués les changements dans l'organisation du travail en prenant le cas des entreprises forestières au Québec à partir des années 60. La mécanisation du travail a permis d'accroître la productivité et de diminuer la main-d'œuvre (p. 66-72). Il faut ajouter à ce facteur le changement dans les sources d'approvisionnement en bois, ce qui a encore contribué à la baisse des effectifs au sein des entreprises. L'approvisionnement externe, à peu près inexistant en 1960, représente presque les deux tiers (62,7 %) de l'approvisionnement total en 1987 (*ibid.*, p. 94). L'auteur dira que « de telles orientations stratégiques ne découlent pas du seul contexte socioéconomique de production : récessions économiques, contraction de la demande, crises du marché du papier, innovations techniques, politiques étatiques. Comme l'étude le montre par la suite, les orientations se révèlent en grande partie tributaires des dynamiques propres au procès de travail, en particulier à celui des rapports sociaux de travail » (*ibid.*, p. 104). L'introduction de la flexibilité dans les relations entre les employeurs et les employés a contribué à diminuer le nombre d'employés syndiqués au profit des petits propriétaires, du travail à forfait et des sous-traitants. Cette dynamique, appliquée à l'ensemble plus vaste du monde du travail, explique, au moins pour une part, la progression importante du nombre de petites entreprises, mais aussi celle des emplois précaires.

LES SERVICES

Les deux tiers des jeunes de 15-24 ans travaillaient dans le secteur des industries de services en 1976, alors qu'on les trouve dans une proportion de 80,7 % en 1991 (voir le tableau 6.2). La proportion des 15-24 ans dans ce secteur d'activité était sensiblement la même que pour l'ensemble de la population active en 1976, alors qu'elle est de 8 % plus élevée en 1991. Ce qui revient à dire que les jeunes sont surreprésentés dans ce secteur d'emploi. Si on examine le nombre d'emplois en 1986 et en 1991 selon la classification des professions de 1980, on observe déjà

TABLEAU 6.2 Tendances de la répartition de l'emploi selon la branche d'activité
et l'âge, Québec, 1976-1991

	1976 %	1981 %	1986 %	1991 %
Industries de biens				
15 ans et plus	35,8	32,3	29,8	27,3
15-24 ans	33,9	29,8	24,8	19,3
Industries de services				
15 ans et plus	64,2	67,7	70,2	72,7
15-24 ans	66,1	70,2	75,2	80,7

Source : Tiré de Gauthier dans Chenard (1997, p. 30). Reproduit avec permission.

des changements même pendant ce court laps de temps. Pour l'ensemble de la population, incluant les jeunes, les professions suivantes ont subi une baisse d'effectifs : membres du clergé et assimilés, agriculteurs, horticulteurs et éleveurs, travailleurs forestiers et bûcherons, mineurs, carriers, foreurs de puits de pétrole et de gaz et travailleurs assimilés, travailleurs des industries de transformation, travailleurs spécialisés dans la fabrication, le montage et la réparation de produits, travailleurs non classés ailleurs (Secrétariat à la jeunesse, 1996, p. 96). On remarquera qu'il s'agit principalement des professions des secteurs primaires et secondaires. Si les jeunes sont particulièrement atteints par la diminution de la main-d'œuvre dans ces secteurs, ils ne sont toutefois pas les seuls.

DES PROFESSIONS MOINS ACCESSIBLES

Il existe cependant des professions où seuls les 15-24 ans ont été touchés par une baisse d'effectifs : travailleurs des sciences naturelles, du génie et des mathématiques, travailleurs spécialisés des sciences sociales et des domaines connexes, médecine et santé, professionnels des domaines artistique et littéraire et personnel assimilé, employés de bureau et travailleurs assimilés, usineurs et travailleurs des domaines connexes, personnel d'exploitation des transports, manutentionnaires et travailleurs assimilés (Secrétariat à la jeunesse, 1996, p. 96). Plusieurs de ces professions ne sont plus accessibles aux plus jeunes dans les mêmes proportions qu'il y a 25 ans. Ce sont, pour la plupart, des professions du secteur des services et du domaine public, mais encore aussi du secteur secondaire.

Une diminution d'effectifs se remarque aussi chez les 25-34 ans dans trois professions : enseignants et personnel assimilé, pêcheurs, trappeurs et travailleurs assimilés, et ouvriers qualifiés et conducteurs de machines (Secrétariat à la jeunesse, 1996, p. 96). On peut supposer que la moyenne d'âge dans ces professions est assez élevée, le personnel s'y maintenant après l'âge de 35 ans.

Il est plus facile de désigner les professions qui ont connu une hausse d'effectifs au cours de la même période. Les 15-24 ans, comme l'ensemble de la population active, ont vu augmenter leur taux d'emploi dans les professions suivantes : directeurs, gérants, administrateurs et personnel assimilé, travailleurs spécialisés dans la vente, travailleurs spécialisés dans les services (Secrétariat à la jeunesse, 1996, p. 96). L'augmentation de la présence des 25-34 ans se remarque dans les professions suivantes, ce qui a d'ailleurs contribué à augmenter le taux d'activité de l'ensemble de la population active dans ces domaines : travailleurs des sciences naturelles, du génie et des mathématiques, travailleurs spécialisés des sciences sociales et des domaines connexes, médecine et santé, professionnels des domaines artistique et littéraire et personnel assimilé, employés de bureau et travailleurs assimilés, usineurs et travailleurs des domaines connexes, personnel d'exploitation des transports, manutentionnaires et travailleurs assimilés (*ibid.*, p. 96). On trouve dans ces professions le personnel le plus scolarisé, mais également le moins scolarisé (les manutentionnaires par exemple).

DES FORMES D'EMPLOI EN PROGRESSION

Deux principaux types de travailleurs ont gagné en importance depuis les années 80 : les jeunes entrepreneurs et les travailleurs autonomes. La forte montée du chômage survenue au cours de cette décennie a contribué à la promotion de l'entrepreneuriat sous plusieurs formes. Dans les périodes de crise, où il devient difficile d'isoler les facteurs qui en sont la cause, il émerge une tendance à déléguer à l'individu la responsabilité de régler un problème qui le touche directement. Cela s'est vu au moment de la crise des années 30 et au cours de la période de montée du chômage qu'on a connue plus récemment. C'est d'abord dans le discours que se manifeste cette tendance. « Vous êtes chômeur ? Qu'attendez-vous pour créer votre emploi ? » résumaient les journaux de l'époque, traduisant l'opinion des politiciens mais aussi celle du Conseil du patronat et des détenteurs d'emploi permanent, qui n'ont pas hésité, dans certains cas, à blâmer les jeunes pour leur paresse et leur manque d'initiative[4]. Ce discours a donné des résultats : l'établissement de programmes gouvernementaux d'aide à la création d'entreprises, de programmes de développement de l'employabilité, la constitution de fonds de soutien, la création effective de petites entreprises, l'expansion du travail autonome. La figure 6.3 montre que les jeunes de moins de 25 ans sont

---

4. Pierre Hamelin a colligé les articles des quotidiens québécois traitant du chômage des jeunes. Ce discours de « responsabilisation » de la jeunesse pour son manque d'initiative revient régulièrement, même si ce n'est pas toujours de façon directe. La manière de rappeler l'inadéquation de la formation pour répondre à de nouveaux impératifs économiques revêt des accents normatifs. (Institut québécois de recherche sur la culture, « Les journaux et le chômage », rapport de recherche interne, 1985.)

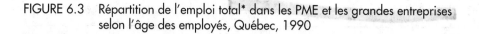

FIGURE 6.3   Répartition de l'emploi total* dans les PME et les grandes entreprises
selon l'âge des employés, Québec, 1990

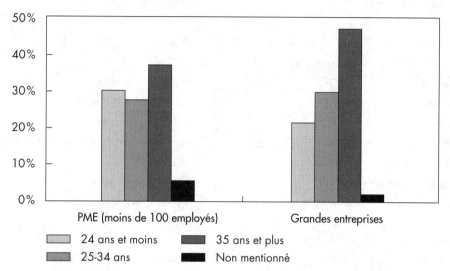

* Comprend les emplois de l'administration publique ainsi que les données non classées et confidentielles.

Source : Tiré de M. Alarie, D. Gagné et G. Lévesque, *Les PME au Québec, état de la situation*, 1996, Québec, Direction des communications, Ministère de l'Industrie, du Commerce, de la Science et de la Technologie, 1996, p. 33 et 108.

proportionnellement plus nombreux dans les petites entreprises que dans les grandes. En ce qui concerne les personnes de 35 ans et plus, même si elles sont les plus nombreuses dans les petites entreprises, elles sont en plus grand nombre également dans les grandes entreprises, et ce, dans une plus grande proportion. Or il est bien connu que les grandes entreprises sont davantage en mesure d'offrir une certaine stabilité d'emploi et des avantages sociaux qui incluent, entre autres, un régime de retraite.

Les jeunes entrepreneurs

Les jeunes entrepreneurs présentent un profil qui ressemble passablement à celui de leurs aînés. Il existe cependant quelques différences, notamment en ce qui concerne le capital de démarrage (40 000 $ en moyenne) et l'expérience de travail (5,5 années dans le secteur d'activité où ils se lancent en affaires). Ils sont plus scolarisés, en moyenne, que la population en général et possèdent souvent une formation technique ou professionnelle (Gasse et D'Amours, 1993). Ils présentent certaines particularités dans quelques domaines (voir le tableau 6.3, p. 256). Ainsi, ils comptent un entrepreneur parmi leurs proches dans au moins

TABLEAU 6.3 Caractéristiques des jeunes entrepreneurs

Proportion d'hommes	59 %
Proportion de femmes	41 %
Âge	27 ans en moyenne
Ont un conjoint	59 %
Comptent un entrepreneur parmi leurs proches	44 %
Scolarité	14 ans en moyenne
Formation la plus fréquente	technique et métier (44 %)
Expérience de travail	5,5 ans en moyenne
Idée d'exploiter une entreprise	provient de l'expérience de travail (57 %)
Planification et préparation du projet	18 mois
Capital de démarrage	40 000 $ en moyenne
Principale source de financement	programmes gouvernementaux (34 %) emprunts et prêts (31 %)
Secteur d'activité le plus fréquent	services (48 %)
Statut juridique le plus fréquent	propriétaire unique (50 %)
Nombre d'employés	aucun dans 68 % des cas
Revenu de l'entrepreneur	15 000 $ par année en moyenne
Durée de la semaine de travail	53 heures en moyenne

Source : Lorrain, J. (1989), adapté de Gasse et D'Amours (1993, p. 127-128). Reproduit avec permission.

44 % des cas. L'idée d'exploiter une entreprise leur est venue au cours de leur expérience de travail dans 57 % des cas. Ils sont propriétaires uniques dans 50 % des cas et n'ont, le plus souvent, aucun employé (dans 68 % des cas). Ils travaillent énormément (53 heures par semaine en moyenne) pour un revenu qui se situe sous le seuil de faible revenu (15 000 $ par année en moyenne). Comme on le voit, ce profil ne correspond guère à l'image de réussite véhiculée par les médias à propos des jeunes entreprises. La voie est parsemée d'embûches, à commencer par la trop grande quantité de formulaires à remplir, la difficulté de faire connaître leurs services ou leurs produits et de les vendre aux clients potentiels. À ces éléments s'ajoutent les difficultés de financement, bien qu'on observe une amélioration sur ce point : la création de programmes gouvernementaux, une plus grande ouverture des établissements financiers en matière de prêts, un accès plus facile aux fonds privés et aux fonds de solidarité. Cependant, « les jeunes qui créent leur entreprise le font bien plus souvent en raison des insatisfactions ressenties dans les emplois occupés ou en raison d'une occasion qui se présente (identification d'une idée d'affaires ou rencontre d'un associé), plutôt qu'en raison d'une perte d'emploi » (*ibid.*, p. 122).

Les travailleurs autonomes

Le nombre de travailleurs autonomes a lui aussi progressé depuis les années 80. Entre 1991 et 1995 seulement, la proportion de travailleurs autonomes est passée de 8,9 % de l'ensemble de la population active à 14,4 % (Société québécoise de développement de la main-d'œuvre [SQDM], citée dans Normand, 1997, p. B1). Pendant la même période, ces emplois représentaient 55 % des nouveaux emplois, soit une plus grande proportion que d'emplois salariés. Mais qu'est-ce qu'un travailleur autonome ? Ce travailleur n'a pas de lien d'emploi avec un employeur. Il peut être travailleur indépendant pour son propre compte, travailleur « dépendant » lié à un client-employeur ou encore exploiter une très petite entreprise. Le travailleur autonome est généralement moins bien rémunéré que le travailleur salarié et travaille davantage. Selon une étude récente de la SQDM (citée dans Normand, 1997, p. B1), il gagnerait en moyenne 24 740 $ par année pour une semaine de travail de 42 heures alors que le travailleur salarié gagne en moyenne 25 820 $ par année pour une semaine de travail de 37 heures.

Jusqu'à tout récemment, le travailleur autonome ne jouissait d'aucune protection sociale, les avantages sociaux étant garantis par les conventions collectives et par l'employeur dans certains cas. Depuis la réforme de l'assurance-emploi, le travailleur autonome a maintenant droit à des prestations lorsqu'il manque de contrats. À partir de 1997, il recevra une compensation du gouvernement du Québec pour un congé de paternité ou de maternité. Cependant, les seuls fonds de retraite auquel il peut contribuer sont les régimes enregistrés d'épargne-retraite ou ceux qu'il se crée lui-même. Comme son revenu est bas, il y a de fortes probabilités qu'il éprouve des difficultés à souscrire à un tel mode d'épargne. Les centrales syndicales ont de la difficulté à rassembler les travailleurs autonomes à cause de l'article 45 du Code du travail, qui définit le travailleur salarié comme travaillant exclusivement pour un employeur. Or les travailleurs autonomes ont plusieurs employeurs. Le gouvernement du Québec est actuellement en train de revoir le Code du travail à ce chapitre. Cette révision était en cours à Ottawa sous le titre de projet de loi C-66 au moment de la dissolution de la Chambre des communes, au printemps 1997.

Y a-t-il beaucoup de jeunes parmi les travailleurs autonomes ? Selon l'étude de la SQDM citée dans Normand (1997), dans 75 % des cas, le travailleur autonome est un homme âgé de plus de 35 ans. Il provient souvent des communautés culturelles. Il travaille principalement dans le commerce de détail (17 %), les industries de services (12 %), l'agriculture (12 %), les services aux entreprises (11 %) et la construction (11 %). La présence des femmes dans cette catégorie ne dépasse pas 25 %, bien que cette proportion tende à augmenter. Même si les jeunes ne représentent que 25 % des travailleurs autonomes, dont le nombre est demeuré stable chez les moins de 30 ans, leur proportion s'est cependant accrue à cause de leur diminution sur le plan démographique (Secrétariat à la jeunesse, 1996, p. 104).

LA SYNDICALISATION

Si les centrales syndicales ont de la difficulté à rassembler les travailleurs autonomes, réussissent-elles à joindre d'autres catégories de jeunes travailleurs ? En ce
qui concerne les travailleurs salariés, les jeunes de moins de 25 ans représentent
une infime portion des salariés syndiqués : 2,3 % chez les 15-19 ans et 8 % chez les
20-24 ans (voir le tableau 6.4). La proportion des syndiqués de 25-34 ans est par
contre plus importante, avec 29 % de l'ensemble des salariés syndiqués. Le taux
de syndicalisation pour les salariés de tous âges est de 41 % (Secrétariat à la jeunesse, 1996, p. 120). Ce taux s'apparente à celui de la fin des années 70 et du
milieu des années 80 : 34 % en 1984 (Linteau et autres, 1986, p. 525).

TABLEAU 6.4   Répartition des salariés uniquement couverts par la loi sur les normes du travail
et répartition du degré de syndicalisation selon le groupe d'âge, 1991

	Total au Québec	Groupes d'âge				
		15-19 %	20-24 %	25-34 %	15-24 %	15-34 %
Salariés couverts par la loi sur les normes du travail	100,0 %	8,3	12,6	31,4	20,9	52,3
Degré de syndicalisation*						
Syndiqués	1 040 200	2,3	8,0	29,0	10,3	39,2
Non syndiqués	1 492 200	8,3	12,6	31,4	21,0	52,3
Non déclarés	11 000	—	—	—	—	53,6
Total	2 543 400	5,6	10,6	30,3	16,6	47,0

* Compilations en pourcentage effectuées par l'INRS-Culture et société.

Source : Tiré de Secrétariat à la jeunesse (1996, p. 120).

LE TRAVAIL AU NOIR

Les périodes de chômage élevé sont réputées favorables au développement de
l'économie dite « souterraine ». Par définition, ce type d'économie est difficile à
mesurer. Quelques expériences d'évaluation du travail au noir permettent toutefois de douter de l'importance qu'on lui accorde. Celui-ci se distingue de l'économie clandestine, frauduleuse, qui consiste en des activités de blanchiment
d'argent. L'économie souterraine est principalement constituée de travaux occasionnels qui touchent souvent les métiers de la construction, mais aussi le travail

domestique. Selon des analyses économiques, le travail non déclaré ne représentait qu'une petite portion du produit intérieur brut (PIB) du Canada au début des années 80, c'est-à-dire moins de 1,4 % au Québec (Fortin, Fréchette et Noreau, 1987). D'après une enquête plus récente (Fréchette, 1993), il aurait pris des proportions plus grandes, représentant de 1,5 % à 2 % du PIB en 1993.

*
* *

Que faut-il retenir de ce portrait statistique de la présence des jeunes sur le marché du travail ? Contrairement à ce qu'on aurait pu penser jusque dans les années 80, les jeunes ne se sont pas désintéressés du marché du travail. L'allongement de la période d'études ne signifie pas pour autant un manque d'intérêt pour le travail rémunéré. Des changements importants s'observent dans les secteurs d'emploi et dans le champ des professions. Ainsi, la petite entreprise et le travail autonome gagnent progressivement du terrain, moins rapidement chez les plus jeunes que dans les autres groupes d'âge cependant.

La présence marquée des jeunes femmes contribue à la hausse ou au maintien du taux d'activité des jeunes même si cette présence demeure encore inférieure à celle des jeunes hommes. Diverses raisons expliquent ce fait, entre autres leur présence plus continue et plus assidue aux études, mais aussi la maternité, même si très peu de jeunes femmes ont des enfants avant la vingtaine[5]. Des différences entre les hommes et les femmes persistent encore à cet âge, mais elles ne sont pas toujours en défaveur des femmes.

LES DIFFICULTÉS D'INSERTION

Si le taux de chômage constitue le principal indicateur des difficultés d'insertion des jeunes sur le marché du travail, il n'est pas le seul. Il faut cependant se garder de penser que tous les jeunes éprouvent de grandes difficultés d'insertion. Ces difficultés varient selon les catégories sociales, comme nous le verrons plus loin (voir la section « La préparation des jeunes au marché du travail »). Il va sans dire que, par comparaison avec la période des Trente Glorieuses[6], la jeunesse contemporaine ne jouit pas des mêmes moyens pour faire son entrée sur le marché du travail. Même la prospérité — ce qui était le cas au milieu des années 80 — ne produit pas nécessairement de « bons » emplois, c'est-à-dire les emplois standard auxquels les jeunes pouvaient s'attendre durant la période de l'après-guerre.

---

5. L'âge moyen à la première maternité est passé de 25,38 ans en 1980 à 26,27 ans en 1994 (Duchesne, 1996, p. 212).
6. Appellation donnée à la période de prospérité de l'après-guerre, qui a favorisé l'entrée en emploi des « premiers-nés du *baby boom* » (Ricard, 1992).

L'emploi standard, ou «typique», le modèle durement gagné par le mouvement ouvrier depuis la révolution industrielle, se définit comme un emploi régulier, à temps plein, protégé par une convention collective de travail. Il comporte des avantages sociaux tels que l'assurance-salaire et un fonds de retraite. Il est suffisamment rémunéré pour procurer à l'individu et aux personnes qui sont à sa charge un niveau de vie acceptable selon son milieu. L'emploi standard est actuellement en décroissance, en particulier depuis le début de la décennie de 1980. Une nouvelle conception des conditions et des relations de travail s'est rapidement répandue dans les milieux de travail. Prétextant la concurrence locale et internationale, les employeurs n'hésitent pas à introduire, entre autres, la flexibilité[7] d'emploi dans les relations de travail. Ainsi, les contrats à durée déterminée, les sous-contrats, le travail à forfait, le travail occasionnel sans accumulation d'ancienneté et le travail à la pige font désormais partie des premières expériences de travail des jeunes. En outre, ces formes d'emploi ont tendance à se multiplier et à s'étendre aux autres catégories d'âge, au point qu'on se demande si le fait d'avoir connu l'une ou l'autre de ces formes de travail ne circonscrit pas une personne dans une «carrière» qui l'éloigne de l'emploi standard. C'est en cela que les jeunes se situent actuellement à l'avant-garde des changements dans le monde du travail.

Cette définition de l'emploi standard permet de mesurer l'écart qui existe entre ses caractéristiques et le type d'emploi que réussissent à obtenir — ou à se créer — les jeunes. Nous avons vu plus haut certaines de ces caractéristiques. Les sections qui suivent font ressortir les principaux obstacles que rencontrent les jeunes au cours de leur insertion[8] professionnelle, qui concernent la durée des emplois, les revenus, les changements relatifs à l'assurance-chômage (qui est devenue l'assurance-emploi) ainsi que les répercussions de ces changements sur le niveau de vie des jeunes.

LA DURÉE DES EMPLOIS

L'élément qui a le plus attiré l'attention sur la situation des jeunes relativement à l'emploi au cours des dernières décennies a été la forte montée du chômage. Si la

---

7. Diverses mesures, qu'on appelle «flexibilité», sont utilisées afin d'atteindre la compétitivité et la rentabilité de l'entreprise. Cette flexibilité ne s'applique pas seulement à la gestion de la main-d'œuvre mais à toutes les dimensions de l'organisation de l'entreprise. Ainsi, la flexibilité peut s'appliquer au produit et à la gamme de produits (par la diversification), à la gestion et au volume de la main-d'œuvre. Dans ce dernier cas, on la nommera «flexibilité fonctionnelle et numérique». On trouve enfin la flexibilité dans les relations de travail, qu'on appelle «flexibilité des modes d'encadrement» (Mercure, 1996, p. 18).

8. Il faut entendre par «insertion» le processus par lequel les jeunes passent d'un état à un autre, c'est-à-dire, ici, de la recherche d'emploi à l'obtention d'un emploi et à une installation relativement stable sur le marché du travail pour pouvoir envisager une vie sociale et économique autonome.

FIGURE 6.4 Taux de chômage par groupe d'âge, Québec, 1976-1993

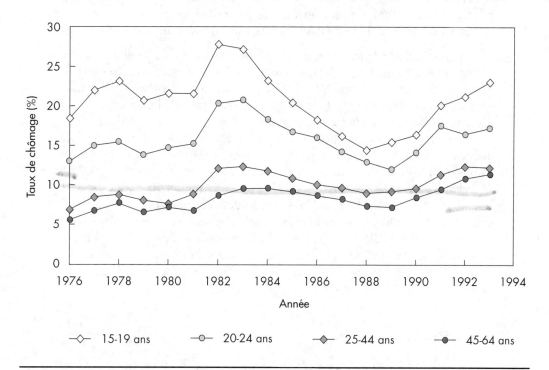

Source : Tiré de Gauthier (1994, p. 77).

hausse des taux de chômage touche tous les groupes d'âge depuis le début des années 80, les jeunes ont connu pour leur part des hausses qui dépassaient la tendance générale. Ce fut le cas au cours des récessions de 1982 et de 1992 (voir la figure 6.4).

À la fin des années 70, un auteur n'hésitait pas, à partir d'une enquête longitudinale de Statistique Canada, à décrire l'intermittence en emploi comme le fait d'une petite partie de la population active, toujours la même, les hommes d'âge moyen, peu scolarisés (Robertson, 1986). Or une étude des transitions[9] effectuée à peine une décennie plus tard désigne le groupe des jeunes comme le plus susceptible de connaître des variations sur le marché du travail (Gauthier, 1991).

---

9. La transition se définit comme le passage d'un état à un autre : des études à l'emploi ou à l'inactivité, de l'emploi au chômage, du chômage à l'emploi ou aux études, et ainsi de suite selon toutes les combinaisons possibles.

L'intermittence en emploi[10] serait devenue une caractéristique importante de la période d'insertion professionnelle des jeunes. Ainsi, on peut voir dans le tableau 6.5 (p. 264-265) qu'une majorité de jeunes âgés entre 20 et 24 ans connaissent au moins une, mais parfois plusieurs, transitions sur le marché du travail.

Sur une période de 54 semaines, 43,6 % des jeunes de 20-24 ans au Québec ont connu au moins deux transitions, plus de 20 % en ont vécu au moins quatre, et près de 10 % en ont même vécu cinq ou plus. Le va-et-vient en emploi caractérise ce groupe d'âge encore plus que la durée du chômage. Alors que 42,3 % ont déclaré au moins une semaine de chômage en 1988 et 1989, les taux de chômage — qui représentent la proportion d'individus en chômage pour une journée donnée — étaient respectivement de 12,9 % et de 11,9 %[11]. Le chômage des jeunes se différencie de celui des hommes de 45 ans et plus par sa durée. Les périodes de chômage sont plus fréquentes chez les jeunes, mais elles sont moins longues : une durée moyenne de 20,6 semaines pour chacune des années de 1988 et de 1989. Il est difficile de qualifier la situation actuelle parce qu'il n'existe pas d'enquête longitudinale aussi récente. Mais une amélioration serait étonnante puisque la situation décrite plus haut régnait avant la récession du début des années 90, alors que le chômage était à son plus bas, ce qui n'est pas le cas en ce moment.

LES REVENUS

Les emplois que les jeunes occupent, qu'ils aient été créés ou laissés vacants ces dernières années, constituent pour la moitié des emplois précaires (Gauthier et Mercier, 1994, p. 92) et appartiennent surtout au secteur tertiaire. La rémunération de ces emplois a évolué à la baisse, alors que celle des emplois occupés majoritairement par les aînés a plutôt eu tendance à augmenter (Myles, Picot et Wannell, 1988). Comme l'indique la figure 6.5, les revenus moyens des 20-24 ans par rapport à ceux des 45-54 ans n'ont pas cessé de diminuer depuis la fin de la décennie de 1970 et ont même connu des inflexions assez significatives certaines années. Les proportions que présente le graphique peuvent donner l'impression que la situation des jeunes femmes est nettement meilleure que celle des jeunes hommes. Elle l'est, mais seulement par rapport à leurs aînées qui, elles, ont des revenus moyens moindres que ceux des hommes du même âge.

---

10. Seule une enquête longitudinale permet d'effectuer ce type d'observation. L'enquête sur la population active donne le portrait d'un échantillon de la population au cours d'une journée. L'enquête longitudinale effectuée au cours de la deuxième moitié des années 80 par Statistique Canada donne une vision beaucoup plus précise de la situation parce qu'elle porte sur 52 semaines et même sur 104 semaines dans le cas de l'échantillon de 1988-1989. Il est donc possible de suivre, par ce moyen, l'évolution de la situation des individus sur une longue période.
11. Statistique Canada, 1988 et 1989, *Moyennes annuelles de la population active*.

FIGURE 6.5   Rapport entre les revenus moyens des 20-24 ans et des 45-54 ans travaillant à temps plein, selon le sexe, Canada, 1967-1991*

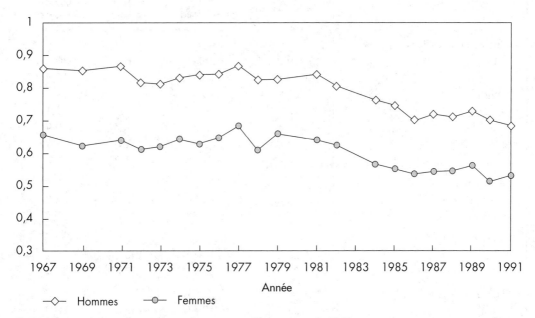

—◇— Hommes   —⊙— Femmes

*   La définition du travailleur à temps plein a été modifiée à partir de 1981 pour inclure ceux qui ont travaillé pendant 49 semaines au cours de l'année.

Source :   Tiré de Gauthier et Mercier (1994, p. 186-187).

Ce constat entraîne une autre considération, d'ordre sociologique cette fois. Les conditions des jeunes femmes se rapprochent de celles des jeunes hommes à plusieurs titres : en éducation, comme nous le verrons plus loin, et quant au taux d'activité et au taux de chômage, qui s'avère même inférieur. Ces améliorations placent les jeunes femmes en situation de gain par rapport à leurs aînées. Ce n'est pas le cas pour les jeunes hommes qui, eux, sont en situation de perte par rapport à la génération de leurs pères. Le sentiment de gain et le sentiment de perte qui en découlent n'auront pas les mêmes répercussions sur la perception du présent et les représentations de l'avenir, ce que nous examinerons plus loin.

LE NIVEAU DE VIE

Les revenus d'emploi des jeunes suffisent-ils à leur assurer un niveau de vie acceptable dans leur milieu ? Pour répondre à cette question, les sociétés ont établi des critères qu'elles cherchent à rendre le plus objectifs possible. Ces

TABLEAU 6.5   Caractéristiques de l'emploi des 20-24 ans selon la province, excluant les étudiants, Canada, 1988-1989

	Terre-Neuve	Île-du-Pince-Édouard	Nouvelle-Écosse	Nouveau-Brunswick
Nombre de transitions (%)				
0	19,8	36,1*	36,1	30,1
1	9,8*	10,9*	10,3	15,8
2	21,9	10,3*	25,0	19,7
3	13,1*	9,3*	8,9	9,1*
4	18,6	17,7*	9,7	10,9
5	5,0*	5,9*	2,8*	1,9*
6	11,7*	9,8*	7,2*	12,4
Régime de travail[a] (%)				
temps plein	84,4	74,2	78,6	82,8
temps partiel	15,6	25,8*	21,4	17,2
Protection[a] (%)				
oui	25,8	16,6*	20,2	18,6
non	74,2	83,4	79,8	81,4
Régime de retraite[a] (%)				
oui	21,6	18,6*	22,3	20,0
non	78,4	77,8	75,4	78,2
pas de réponse	–	3,6*	2,3*	1,8*
Chômage[b] (%)				
1988	50,0	45,1*	33,5	36,2
1989	40,9	46,8*	27,1	36,4
1988 et 1989	61,7	54,9*	43,3	49,5
Durée du chômage[c] (en semaines)				
1988	20,1	25,2*	16,5	21,7
1989	22,6	23,7*	18,4	19,4
1988 et 1989	30,9	40,3*	24,0	29,8
Population retenue				
En pourcentage	100,0	100,0	100,0	100,0
En milliers d'individus	29,5	7,3	42,0	36,9

*   N < 4 000.

a   Nous avons retenu, aux fins de cette analyse, le premier emploi enregistré pour chaque personne.

b   Cette catégorie comprend toute personne ayant connu au moins une semaine de chômage durant l'année.

c   Pour calculer la durée moyenne du chômage, nous n'avons retenu que la population des chômeurs, soit le pourcentage cité dans la section Chômage.

Source : Tiré de Gauthier (1994, p. 97).

Québec	Ontario	Manitoba	Saskatchewan	Alberta	Colombie-Britannique	Canada
40,8	46,1	49,3	46,6	44,0	32,6	41,7
15,6	17,4	13,2	12,8	11,2	21,7	15,9
16,9	16,3	16,1	15,9	22,4	16,9	17,6
6,0	6,5	6,1*	6,4*	8,2	11,5	7,4
11,7	6,4	7,3*	7,5*	5,5	8,6	8,7
3,6	3,1	2,6*	5,1*	2,7*	2,8*	3,3
5,4	4,1	5,4*	5,6*	6,0	5,9	5,5
81,2	85,7	85,1	75,7	73,3	68,8	80,7
18,8	14,3	14,9	24,3	26,7	31,2	19,3
31,2	24,6	30,1	26,8	33,6	26,2	27,4
68,8	75,4	69,9	73,2	66,4	73,8	72,6
18,5	30,9	32,6	25,2	23,9	19,8	24,7
80,2	66,6	64,8	69,6	71,8	76,5	72,8
1,3	2,5	2,7*	5,2*	4,3	3,7	2,5
32,2	20,0	25,4	27,4	27,7	36,0	28,0
25,3	19,4	19,6	23,6	17,7	29,9	23,5
42,3	31,9	32,8	36,0	34,5	47,7	38,5
15,4	12,2	14,2	14,5	12,1	16,6	15,0
15,3	14,2	14,1	16,8	13,5	17,0	15,8
20,6	16,1	19,2	21,7	16,6	22,9	20,3
100,0	100,0	100,0	100,0	100,0	100,0	100,0
313,9	419,4	48,1	42,2	115,8	116,5	1 171,6

critères ne sont jamais totalement satisfaisants parce qu'ils ne permettent pas de mesurer toutes les dimensions de la réalité économique des individus et encore moins de leur condition sociale. La pauvreté dans nos sociétés n'est pas seulement une privation qui s'évaluerait de manière «absolue» (par certains manques objectivement mesurables par exemple), mais elle est relative à la définition des besoins que se donne le milieu où vit l'individu. À la notion de manque, il faudrait ajouter celles d'inégalité et d'écart entre les revenus lorsqu'on tient compte de l'environnement social. Il faudrait aussi tenir compte de la durée de cette situation. Ainsi, le fait de vivre pendant un mois sous le seuil de faible revenu ne classe pas nécessairement un individu dans la catégorie des pauvres. Mais qu'en est-il de la personne qui dépend des prestations de la sécurité du revenu (aide sociale) pour assurer sa subsistance et celle de sa famille pendant des années ? Quelques cas illustrent de manière facilement compréhensible la difficulté qu'il y a à définir la pauvreté. L'étudiant, par exemple, peut connaître une pauvreté temporaire qu'il assumera comme une période d'investissement en vue d'un avenir meilleur. Pendant cette période de pauvreté, son niveau de vie pourra varier selon qu'il recevra le soutien de sa famille, d'un conjoint, d'un colocataire ou autre, ou selon qu'il devra assurer seul sa subsistance. Le jeune travailleur en situation d'emploi précaire n'évaluera pas sa situation de la même manière selon qu'il aura d'énormes dettes d'études ou qu'il n'en aura pas[12].

Une proportion considérable de jeunes vivent sous le seuil de faible revenu[13]. Depuis les années 80, le taux de personnes à faible revenu chez les moins de 25 ans (famille économique ou personne seule) n'a cessé d'augmenter et l'indice global de pauvreté est beaucoup plus important chez les moins de 30 ans que dans le reste de la population (voir le tableau 6.6). Pourquoi en est-il ainsi ? Y a-t-il une relation entre ce fait et l'univers du travail ? Le taux de chômage et le taux de pauvreté sont étroitement liés, selon une étude récente du ministère de la Sécurité du revenu (Lemieux et Lanctôt, 1995, p. 33). La précarité des emplois et la baisse des revenus qu'elle entraîne chez les jeunes de même que les restrictions imposées par suite de la réforme de l'assurance-chômage (un délai plus long avant l'obtention d'une première prestation, la réduction de la période de couverture, etc.) ont certes eu une influence sur l'accroissement de la pauvreté chez les jeunes. Certains observateurs n'hésitent pas à qualifier le marché du travail de marché en transition (Conseil national du bien-être social, 1995, p. 5) ou de marché fluctuant et particulièrement à risque pour les jeunes (Ministère de la

---

12. Le nombre d'emprunteurs étudiants qui devaient rembourser leur prêt était à peu près le même en 1987-1988 et en 1993-1994 : 44758 et 44775. Cependant, le prêt moyen à rembourser était de 4530$ pour les premiers et de 7905$ pour les seconds (Secrétariat à la jeunesse, 1996, p. 137).

13. Au Canada, on ne définit pas la pauvreté de façon explicite, mais on établit des seuils en deçà desquels on considère que le ménage n'a pas un revenu suffisant pour répondre à ses besoins définis comme essentiels.

TABLEAU 6.6   Indicateurs de la pauvreté selon le type de ménage et le groupe d'âge, Québec, 1990

Type de ménage	Nombre	Taux (%)	Ratio revenu/seuil	Indice global de pauvreté
Total Québec				
Personnes seules	370 510	40,4	0,69	18,59
Familles	217 905	12,2	0,71	5,33
• Couples sans enfants	48 291	8,5	0,74	3,49
• Biparentales	88 847	8,8	0,76	3,50
• Monoparentales	80 767	40,3	0,64	19,30
Moins de 30 ans				
Personnes seules	77 152	39,2	0,57	22,42
Familles	37 140	17,1	0,64	8,23
• Couples sans enfants	7 304	7,3	0,64	8,23
• Biparentales	12 307	12,9	0,71	5,79
• Monoparentales	17 529	83,9	0,59	45,67

Source :   Tiré de Secrétariat à la jeunesse (1996, p. 132).

Santé et des Services sociaux [MSSS], 1995, p. 185). Alors que, jusqu'à la fin des années 70, la pauvreté était principalement le lot des personnes âgées, d'autres catégories sociales sont touchées depuis, en particulier les jeunes, qui connaissent les plus grands écarts entre leurs revenus et les seuils établis.

La pauvreté atteint-elle indifféremment tous les jeunes ? En fait, les taux de pauvreté varient selon certaines caractéristiques, dont la profession. C'est dans le secteur des services qu'on trouve le plus de travailleurs pauvres ; à l'inverse, le secteur de la gestion compte le moins de pauvres (Conseil national du bien-être social, 1995, p. 37). En outre, la proportion de pauvres chez les personnes peu scolarisées est plus grande que chez celles qui ont un plus haut degré de scolarité. C'est chez les mères seules qu'on observe le plus haut niveau de pauvreté, mais aussi le plus bas degré de scolarité (*ibid.*, p. 40). Toutefois, on a assisté ces derniè-res années à une montée de la pauvreté chez les personnes les plus scolarisées. Dans son bulletin d'actualité *Le Point*, le Conseil canadien de développement social (1995, p. 1) titre justement : « Instruits mais pauvres ». Ces nouveaux pau-vres sont proportionnellement plus nombreux chez les moins de 25 ans (16 % par rapport à 10 % dans l'ensemble de la population), mais on en trouve dans tous les groupes d'âge. L'article souligne que « le diplôme post-secondaire ne peut garan-tir un emploi, encore moins un emploi avec un bon salaire » (p. 2).

Le nombre de prestataires de la sécurité du revenu a eu tendance à augmenter dans tous les groupes d'âge. Sont-ils plus nombreux chez les jeunes? Pendant deux périodes seulement, au cours des dernières décennies, on a enregistré davantage de demandes chez les jeunes, proportionnellement, que chez les 30-65 ans. Or il se trouve que ces deux périodes correspondent aux années 1983 à 1986 et 1992 à 1995, là où les taux de chômage ont été les plus élevés depuis la grande crise, et particulièrement chez les moins de 30 ans (MSSS, 1995, p. 82). Mais tous les jeunes pauvres ne s'inscrivent pas à la sécurité du revenu, loin de là. Bien que les taux de jeunes se situant sous le seuil de faible revenu soient très élevés, seulement 17 % des moins de 30 ans sont soit prestataires de l'assurance-chômage (43 % d'entre eux), soit prestataires de la sécurité du revenu (57 % des 17 %) (Lemieux et Lanctôt, 1995, p. 30). Ce que les analystes nomment le «taux de dépendance globale», c'est-à-dire l'addition des taux de dépendance à la sécurité du revenu et à l'assurance-chômage, montre un déplacement des prestataires de l'assurance-chômage vers la sécurité du revenu. Le resserrement des règles d'attribution de l'assurance-chômage pendant une période élevée de chômage (pour tous les âges, partout au Canada et plus particulièrement au Québec) explique l'augmentation du taux de prestataires de la sécurité du revenu (*ibid.*, p. 37).

Les difficultés rencontrées par les jeunes Québécois leur sont-elles propres? Il semble bien que tout l'Occident ait été touché par les changements survenus dans le monde du travail, certaines sociétés plus que d'autres cependant. Au Canada, la comparaison effectuée par Statistique Canada[14] place le Québec dans une situation médiane par rapport à l'ensemble des autres provinces, entre, d'une part, les provinces maritimes et la Colombie-Britannique et, d'autre part, l'Ontario et les provinces de l'Ouest quant au nombre de transitions sur le marché du travail, à la proportion d'individus ayant connu au moins une semaine de chômage pendant la période étudiée et à la durée du chômage (voir le tableau 6.5, p. 264-265). Pour ce qui est du régime de travail et des avantages sociaux rattachés à une convention collective, la situation est moins uniforme. Le Québec est en position avantageuse concernant les avantages sociaux, mais il figure en quatrième place pour ce qui est de la proportion de travailleurs à temps plein.

Dans un contexte international[15], le Québec se situe encore au centre. En ce qui concerne le taux de chômage, le Québec est de loin dépassé par la France et l'Espagne, mais se situe devant l'Allemagne et les États-Unis (voir le tableau 6.7). Pour ce qui est du taux d'activité, les jeunes Québécois de 15-24 ans ressemblent

---

14. Statistique Canada, 1988-1989, *Enquête longitudinale sur l'activité*.
15. Il s'agit ici de quelques pays de l'OCDE. Une étude comparative des inégalités sociales est en cours concernant ces sociétés au sein du Groupe international d'analyse comparative du changement social dans les pays industrialisés.

TABLEAU 6.7   Taux de chômage, taux d'activité et ratio emploi/population (15-24 ans)

		1979*	1983	1990	1993	1994
France	Taux de chômage (%)	13,5	19,7	19,1	24,6	27,5
	Taux d'activité (%)	48,4	45,7	36,4	32,2	30,7
	Ratio emploi/population	41,8	36,7	29,5	24,3	22,3
Allemagne	Taux de chômage (%)	4,0	11,0	5,6	8,2	
	Taux d'activité (%)	60,0	58,0	59,8	56,9	
	Ratio emploi/population	57,6	51,6	56,4	52,2	
Québec	Taux de chômage (%)	18,4	22,8	15,0	19,3	17,7
	Taux d'activité (%)	59,8	60,9	65,3	58,1	58,8
	Ratio emploi/population	48,8	47,0	55,6	46,9	48,4
Espagne	Taux de chômage (%)	19,4	37,6	32,3	43,2	42,8
	Taux d'activité (%)	60,5	57,6	51,2	46,1	49,1
	Ratio emploi/population	48,8	35,9	34,7	26,2	28,1
États-Unis	Taux de chômage (%)	11,8	17,2	11,1	13,3	12,5
	Taux d'activité (%)	68,6	67,1	67,3	66,1	66,4
	Ratio emploi/population	60,6	55,6	59,8	57,3	58,1

*   Pour le Québec, l'année est 1978.

Source :   OCDE, *Perspectives de l'emploi*, Paris, OCDE, 1995.

davantage aux jeunes Allemands et aux jeunes Américains qu'aux jeunes Espagnols et aux jeunes Français. La combinaison du travail et des études, de manière autonome dans le cas des États-Unis et du Québec et par les stages en milieu de travail en Allemagne, n'a pas encore pénétré la société espagnole et commence à peine à se faire en France, où elle tend à se généraliser rapidement, en particulier dans les ordres supérieurs d'enseignement.

Par le passé, seule une partie des jeunes auraient connu une insertion professionnelle facile, pendant une période très brève, et ce, dans la plupart des pays occidentaux. Mais les difficultés changent selon les époques. Il est évident aujourd'hui que les difficultés d'insertion professionnelle des jeunes ne se limitent pas à l'expérience du chômage. Les grands changements ont la particularité d'ébranler les structures là où l'on ne s'y attend pas. Ainsi, la scolarisation de masse pouvait laisser présager un avenir meilleur et assuré pour les jeunes (*Qui s'instruit s'enrichit*, dit le proverbe). Mais de nouvelles règles du jeu, parfois locales, parfois internationales, sont venues contrecarrer cette perspective optimiste. Une plus grande flexibilité dans les relations de travail et la précarité dans les conditions de travail n'ont pas encore trouvé leur contrepartie dans les mécanismes protecteurs qui ont eu une certaine efficacité antérieurement : les organisations collectives comme les syndicats, les régimes d'assurances, les fonds de solidarité, etc. Même l'État a affaibli son rôle protecteur en imposant des restrictions à l'occasion de la réforme de l'assurance-chômage, pourtant effectuée en pleine période de restructuration du monde du travail. Il tarde, de plus, à mettre à jour les normes minimales du travail et à promouvoir les mesures collectives de soutien aux travailleurs autonomes et aux petits entrepreneurs, dont la condition est fragile. Durant ces périodes de flottement ou d'apprivoisement des nouvelles règles du jeu, certaines catégories sociales souffrent plus que d'autres des changements en cours. La dernière période de changement aura vu l'augmentation du nombre de travailleurs occupant un emploi précaire et du nombre de pauvres chez les jeunes. On a tenté de faire reposer sur l'initiative individuelle la responsabilité de trouver des solutions. C'est dans cette perspective que l'entrepreneuriat a été encouragé et favorisé, et que la formation a été vue comme une panacée.

LA PRÉPARATION DES JEUNES AU MARCHÉ DU TRAVAIL

Dans ce contexte nouveau qu'est le marché du travail pour les jeunes, ceux-ci disposent tout de même de ressources, si minimes soient-elles, et d'une certaine marge de manœuvre, si étroite soit-elle, pour faire face aux nouvelles règles du jeu. La théorie de la structuration de la société insiste sur cette dialectique du contrôle dans les systèmes sociaux. Le pouvoir n'est pas seulement le propre des collectivités qui imposeraient leurs règles ni des acteurs dont les seules stratégies viendraient à bout des difficultés, mais de l'interaction entre les deux dans la régulation de l'autonomie et de la dépendance (Giddens, 1987, p. 63).

Les transformations récentes survenues dans le monde du travail ont entraîné l'apparition de nouveaux types de travailleurs, comme les travailleurs autonomes, les jeunes entrepreneurs et les travailleurs «flexibles». Il importe maintenant de s'interroger sur le succès de la «stratégie» de la formation en tant que préparation efficace des jeunes au monde du travail. Deux indicateurs sont en mesure d'apporter une certaine lumière : la relation entre la formation et l'emploi, et la relation entre la formation et la stabilité en emploi. Il importe aussi de se rappeler que la formation, même universitaire, remplit d'autres fonctions que celle, purement instrumentale, de préparer immédiatement au marché du travail. L'encadré 6.1 illustre cette tension entre «donner la science», « apprendre à l'acquérir au besoin» et «faire aimer la vérité par-dessus tout», comme le disait Jean-Jacques Rousseau dans *Émile*.

ENCADRÉ 6.1   Formation et emploi : témoignage d'un étudiant

«En préparant ce texte, je me suis remémoré mon parcours universitaire au baccalauréat, dont l'origine remonte en 1985 au Collège de Saint-Boniface, une petite institution universitaire francophone au Manitoba. Dans l'année que j'ai passée dans ce milieu, mes études ont consisté en des cours d'introduction en sciences économiques, en science politique, en biologie, en lettres françaises et en littérature anglaise. Cet éventail de cours s'est voulu large pour deux raisons principales : je cherchais à éclairer mes intérêts disciplinaires en fonction du monde du travail ; je voulais trouver ce qui me passionnait le plus dans les multiples voies du savoir qui s'offraient à moi. En bout de ligne, j'isolai la science politique, laissant de côté pour de bon ce monde des sciences dites "pures", vers lequel mes aînés (parents, professeurs au secondaire, orienteurs) m'avaient poussé au courant de mes études préuniversitaires et qui offrait, semblait-il, des possibilités de carrière prometteuse. Je m'inscrivis à l'Université d'Ottawa. Ce fut le début d'un cheminement qui, après cinq ans et demi, aboutit à l'obtention d'un baccalauréat en sciences sociales avec spécialisation en science politique. Entre-temps, et comme plusieurs de mes amis étudiants, j'avais voyagé, œuvré dans des regroupements étudiants, travaillé enfin dans des *jobines*, parfois pour "arriver", parfois pour me procurer de l'"expérience", et parfois — fort agréablement — les deux raisons se trouvaient réunies. Malgré tout, je ne sentais pas que nos cheminements nous plaçaient en marge de ces autres étudiants qui filaient plus rapidement vers leur diplôme. En fait, je pensais que même si tous les autres ne faisaient pas comme nous, du moins nos interrogations étaient-elles partagées. Au-delà des critiques amusantes et parfois acerbes sur tel professeur ou tel programme, nous cherchions tous à réconcilier notre intérêt pour le savoir véhiculé sur un mode universitaire, voire intellectuel, et nos ambitions et aspirations au regard du marché du travail qui, lui, semblait de plus en plus parsemé d'embûches. Ce travail quelque peu dialectique, nous l'abordions de diverses manières. Pour moi, un cheminement un peu plus long m'a permis d'entamer ce travail de réconciliation qui me préoccupe d'ailleurs toujours.»

Source : Molgat (1997, p. 55-56). Reproduit avec permission.

LE LIEN ENTRE LA FORMATION ET L'EMPLOI

Existe-t-il un lien réel entre la formation et le succès dans l'insertion professionnelle ? Le Conseil de la science et de la technologie a-t-il raison lorsqu'il qualifie l'économie actuelle d'économie fondée sur la connaissance (1994, p. 33) ? Il faut d'abord examiner la relation entre les études et le travail dans chacun des ordres d'enseignement. Le ministère de l'Éducation effectue un suivi auprès des diplômés deux ans après la fin de leurs études, afin d'évaluer la relation plus ou moins étroite qui existe entre le diplôme, le secteur de formation et le travail à temps plein. Nous ne présenterons pas toutes ces données ici ; seules les tendances principales seront soulignées. Rappelons que ces données ne concernent pas la formation générale sauf pour ce qui est des taux de chômage en relation avec le degré de scolarité, le suivi ne s'adressant pas aux jeunes susceptibles de poursuivre des études professionnelles, techniques ou universitaires après une formation générale.

Les diplômés du secteur secondaire professionnel n'ont qu'un succès relatif sur le marché du travail. Les emplois qu'ils trouvent ne correspondent pas néces- sairement à la formation qu'ils ont acquise. Ainsi, en 1992 par exemple, seule- ment 59,3 % des hommes possédant un diplôme de secondaire long déclaraient un lien entre leurs études et leur emploi. La situation des femmes est générale- ment meilleure de ce point de vue, sauf en 1995, où les hommes et les femmes sont presque à égalité (voir le tableau 6.8). La prédominance du secteur collégial

TABLEAU 6.8   Lien entre la formation et l'emploi à temps plein, selon le secteur et le sexe, Québec, 1983-1995*

Année	Secondaire professionnel				Collégial technique	
	Court		Long			
	Hommes %	Femmes %	Hommes %	Femmes %	Hommes %	Femmes %
1983	47,4	51,0	49,2	69,4	74,0	82,4
1984	39,5	52,0	51,0	66,0	75,0	82,0
1985	44,3	49,0	55,6	68,9	74,9	81,9
1986	49,9	50,0	55,0	70,0	76,9	83,0
1987	46,9	41,9	60,8	74,1	80,5	84,6
1988	—	—	68,0	71,1	82,4	86,0
1989	—	—	75,2	85,0	75,1	81,8
1990	—	—	75,2	82,0	82,8	84,3
1991	—	—	73,0	82,6	77,8	82,5
1992	—	—	59,3	76,1	73,4	80,7
1993	—	—	56,3	76,0	67,5	72,5
1994	—	—	58,5	68,9	71,1	71,2
1995	—	—	65,5	67,0	73,3	69,7

* Diplômés de 24 ans et moins.

Source : Ministère de l'Éducation, *La relance au secondaire en formation professionnelle*, Québec, Direction générale de la formation professionnelle et technique, 1996, p. 14 ; *La relance au collégial. Situa- tion au 31 mars 1995*, Direction générale de la recherche et du développement, 1996, p. 29 ; *La relance au collégial. Situation au 31 mars 1996*, Direction générale de la recherche et du dévelop- pement, 1997, p. 30.

sur le secondaire long s'est atténuée jusqu'à la fin des années 80, où le lien entre la formation et l'emploi devient à peu près le même. Pour avoir une meilleure compréhension de la relation entre la formation et l'emploi, il faudrait décomposer tous les programmes de formation. Il deviendrait ainsi évident que certains sont plus étroitement orientés vers le marché du travail que d'autres.

Pour ce qui est de la formation universitaire, elle assurait jusqu'à une époque plutôt récente (fin des années 80) un lien assez étroit avec le marché du travail. Les données les plus récentes montrent que cette réalité est en train de changer. Depuis 1990, le suivi du ministère de l'Éducation auprès des diplômés universitaires indique une baisse du taux de placement selon le domaine d'études principal au baccalauréat, mais pas à la maîtrise. On constate cependant une baisse du taux d'emploi à temps plein dans le domaine d'études principal à la fois après le baccalauréat et après la maîtrise. Pour ce qui est du taux de permanence de l'emploi, peu importe le diplôme, il a diminué depuis la faible remontée de 1989 (voir la figure 6.6, p. 274).

La figure 6.7 (p. 275) permet d'observer que, depuis la création des cégeps, les diplômés de cet ordre d'enseignement connaissent une meilleure situation que les diplômés du secondaire ou les personnes peu scolarisées. On remarque des variations importantes cependant. Les diplômés du secteur collégial se ressentent davantage que les diplômés universitaires des périodes de récession, comme c'était le cas en 1982 et en 1992 par exemple. À la fin de ces périodes, il n'existait presque plus de différence entre ceux qui avaient fait des études secondaires et ceux qui étaient légèrement plus scolarisés. Les études postsecondaires ne permettent cependant pas à tous d'éviter le chômage, et la probabilité de connaître cette situation augmente de façon constante depuis le début de la dernière décennie.

Les taux de chômage chez les travailleurs faiblement scolarisés (sans études secondaires ou avec des études secondaires partielles) montent de façon effarante, ce qui donne raison au Conseil de la science et de la technologie (1994) : il n'y a plus de place dans l'univers du travail pour ceux et celles qui n'ont pas de « connaissances ». Ils connaissent aussi les plus longues périodes de chômage et ils sont les plus nombreux à bénéficier de la sécurité du revenu. Ils sont fort heureusement les moins nombreux sur l'ensemble de la population. Dans un chapitre sur les élèves de fin de secondaire, Francine Bédard-Hô arrive au constat suivant après avoir examiné toutes les avenues possibles vers l'obtention d'un diplôme d'études secondaires et colligé diverses statistiques du ministère de l'Éducation :

> En 1992-1993, plus du tiers (35 %) des élèves quittent le secteur des jeunes sans avoir obtenu leur diplôme. Cette proportion alarmante mérite qu'on y apporte quelques nuances. On peut l'expliquer en partie par l'accroissement des exigences des régimes pédagogiques et par certaines mesures qui ont favorisé l'expansion du secteur des adultes. Mais il faut aussi tenir compte d'autres facteurs : certains jeunes obtiendront leur diplôme au secteur des

FIGURE 6.6   Évolution du taux de placement chez les diplômés universitaires,
             deux ans après la fin de leurs études, selon le type d'emploi, 1982-1994

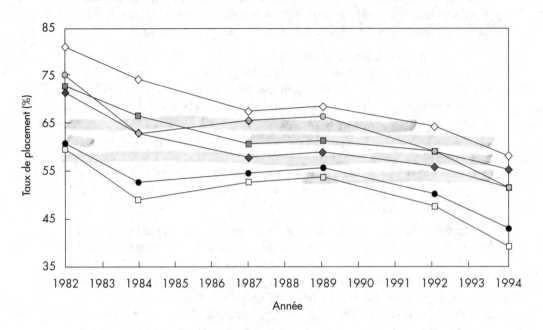

—⊙— Baccalauréat avec emploi à temps plein permanent

—●— Baccalauréat avec emploi lié au domaine d'études principal et permanent

—□— Baccalauréat avec emploi lié au domaine d'études principal, permanent et à temps plein

—◇— Maîtrise avec emploi à temps plein permanent

—◆— Maîtrise avec emploi lié au domaine d'études principal et permanent

—■— Maîtrise avec emploi lié au domaine d'études principal, permanent et à temps plein

Source : Tiré de Gauthier dans Chenard (1997, p. 29). Reproduit avec permission.

adultes, certains de ceux qui ont une déficience intellectuelle quittent l'école sans diplôme, d'autres, qui sont en cheminement particulier continu, pourront obtenir une sanction pour leurs études. Cette sanction n'est toutefois pas considérée comme un diplôme au sens strict. En considérant tous les âges, la probabilité de n'obtenir aucun diplôme n'est finalement que de 19,9%. (Bédard-Hô, 1997, p. 163.)

La relation entre la scolarisation et la montée des taux de chômage remet en question la valeur actuelle des diplômes. Dans une population de plus en plus

FIGURE 6.7   Taux de chômage selon la scolarité chez les 15-29 ans, Québec, 1976-1996

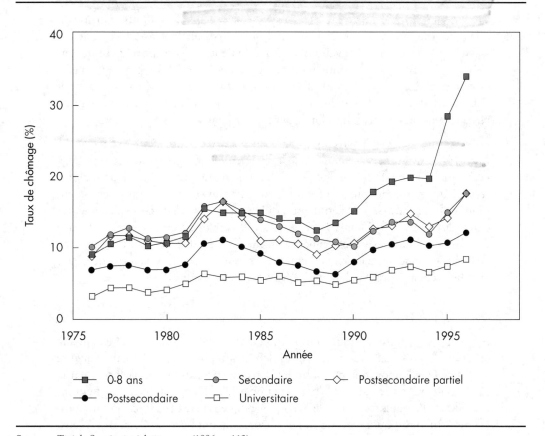

Source : Tiré de Secrétariat à la jeunesse (1996, p. 112).

scolarisée, les diplômes perdent de leur valeur[16], et la compétition pour obtenir un emploi s'exerce en conséquence sur d'autres plans. Une enquête par entrevues réalisée à la fin des années 80 (Gauthier, 1994, p. 218-252) indiquait que les jeunes acquéraient diverses aptitudes pour faire face à la concurrence. Parmi les plus efficaces figurait la polyvalence, c'est-à-dire la capacité d'adapter son profil d'«employabilité» à l'emploi offert. Les jeunes utilisaient aussi avec succès diverses manières de «vendre» leur force de travail ou de conserver leur emploi. La capacité de se construire un réseau de connaissances sur le marché de l'emploi,

---

16. Marc-André Deniger utilise une expression imagée pour illustrer cette dévaluation des diplômes. Il parle de «repli en cascade» pour décrire le repli à des niveaux inférieurs d'emploi jusqu'à ce que «les titres scolaires les plus dévalués [...] se retrouvent dans une impasse» (1996, p. 79).

de mobiliser les ressources de son entourage de même que l'acquisition de certaines habiletés dans la recherche d'emploi constituaient les atouts supplémentaires qui pouvaient faire la différence «à diplôme égal». Ces atouts contribuent à leur tour à creuser le fossé entre ceux qui réussissent à s'insérer de manière stable sur le marché du travail et ceux qui demeurent à l'écart à cause de certaines caractéristiques personnelles (handicap, santé mentale ou physique fragile, origine sociale peu stimulante), d'une socialisation déficiente (manque de connaissances utiles) ou de conditions de vie peu propices au travail (isolement de réseaux sociaux efficaces dans l'information sur l'emploi).

Ces fossés peuvent, dans une certaine mesure, être comblés. C'est là la fonction de l'éducation permanente dans nos sociétés. La poursuite des études à l'éducation des adultes par les personnes qui n'ont pas obtenu leur diplôme secondaire et le retour aux études collégiales ou universitaires sont devenus courants. Ainsi, la proportion d'étudiants adultes à l'université ne cesse d'augmenter depuis les années 90 (Doray, 1997, p. 123). La formation en entreprise retrouve dans une certaine mesure la popularité qu'elle avait perdue au cours de la réforme de l'éducation des années 60. Les employeurs soutiennent aussi la formation dans le milieu scolaire, principalement à l'université (*ibid.*, p. 123).

* *
* *

S'il est faux de prétendre que la formation constitue «la» solution magique à la question du chômage et aux difficultés d'insertion professionnelle, elle demeure tout de même le moyen le plus adéquat dans un contexte où ce n'est plus par la lignée ou par d'autres formes d'héritage ni par le seul capital que se gagnent les places dans l'organisation sociale. Chaque époque invente ses solutions aux problèmes structurels qui la secouent. Les sociétés qui ont misé sur l'éducation réussissent mieux que d'autres dans un contexte de concurrence. Mais l'éducation ne suffit pas et ne constitue pas une panacée. Elle ne remplace pas les efforts de revitalisation de l'emploi ni une répartition plus équitable de la richesse. Elle demeure cependant un outil indispensable parce qu'elle permet le recyclage, favorise l'adaptation à des situations nouvelles et ouvre l'esprit à l'innovation et au changement, autant de conditions pour réussir dans le monde actuel. Refuser l'éducation, ce serait entrer dans le jeu de ceux qui attribuent à la connaissance la seule fonction instrumentale de formation professionnelle. Comprendre ce qu'il fait et le pourquoi de ce qu'il croit, voilà encore les objectifs d'éducation que Jean-Jacques Rousseau assignait à *Émile*.

LES REPRÉSENTATIONS DU TRAVAIL
ET LES VALEURS QUI Y SONT RATTACHÉES

L'univers du travail déborde les variables économiques qui le caractérisent. L'histoire du travail montre comment il a constitué tantôt une punition au péché, tantôt un moyen de rédemption, ou un instrument d'épanouissement, ou un obstacle à la qualité de vie. Demander à un jeune de 16 ans pourquoi il travaille dans un supermarché toutes les fins de semaine pourrait susciter une réponse des plus surprenantes. Comme toutes les activités humaines, le travail prend les valeurs que les individus et les groupes sociaux veulent bien lui reconnaître à une époque donnée.

Les valeurs et les représentations ne sont pas directement mesurables. On y parvient le plus souvent par des méthodes de type qualitatif où on laisse à une personne le temps de décrire l'image mentale qu'elle se fait d'une réalité (représentation) et sur la place (valeur) qu'elle occupe dans sa vie. On dira d'une représentation qu'elle est sociale lorsqu'elle est partagée par un groupe ou qu'elle y est dominante. Il est possible que, dans une société donnée, les jeunes et leurs aînés n'attribuent pas la même valeur au travail, que sa représentation soit différente chez les hommes et chez les femmes ou qu'il présente plus ou moins d'attrait selon l'origine sociale ou la catégorie sociale. Malheureusement, on dispose de très peu de données qui permettraient de percevoir toutes ces nuances selon les groupes qui composent la société. Cette lacune tient au fait que l'univers du travail se trouve en transition et qu'il est difficile de suivre les oscillations d'une réalité en transformation. L'encadré 6.2 illustre bien cette différence de représentation entre deux générations.

ENCADRÉ 6.2 Représentation du travail : différence entre deux générations

« Il y a quelques années, j'ai présenté à deux responsables syndicalistes dans un établissement d'une multinationale de l'électronique un projet de recherche sociologique sur "Les orientations des jeunes par rapport au travail" ; au bout de quelques instants de discussion, le plus âgé d'entre eux a semblé avoir compris quel était le propos de ce projet. Il s'est écrié sur un ton rageur et plein d'amertume : "C'est comme ce qui s'est passé dernièrement avec mon fils et ses copains sur le terrain de camping — ils ont mis une demi-heure pour déplacer une pierre !"

« Aujourd'hui encore, il me semble entendre le reproche qui pointait dans sa voix. On aurait presque pu y entendre une phrase non dite, mais qu'il pensait vraisemblablement. "De notre temps, mes amis et moi, nous n'aurions même pas mis trente secondes à effectuer un travail aussi anodin."

« Qui ne comprendrait que cette remarque a trait à la polémique sur le changement de valeurs et qu'elle revient à affirmer que la jeunesse d'aujourd'hui est paresseuse et n'a pas envie de travailler ? Ceci semblait être également l'avis de mon interlocuteur. En tant que père et peut-être même comme responsable syndical, il avait sans doute des expériences qui le confortaient dans ce point de vue.

« Mais si nous revenons à cette anecdote : la pierre sur le terrain de camping, la première chose qui nous saute aux yeux est que, si cette pierre n'a pas été déplacée sur-le-champ mais au bout d'une demi-heure, elle a fini par l'être. Par conséquent, le fils et ses amis n'étaient pas paresseux au point de ne pas passer à l'acte. Qu'ont-ils fait au cours de la demi-heure en question — si toutefois c'en était une? À l'époque, quand j'ai entendu ce récit, j'ai pensé qu'ils avaient commencé par discuter de l'affaire; à présent, je "sais" que ma supposition était juste, car c'est une attitude caractéristique des pratiques quotidiennes du nouveau modèle culturel que de commencer par un processus de communication approfondie avant d'agir. Donc le fils de ce syndicaliste et ses amis ont sans doute d'abord discuté pour déterminer si le nouvel endroit où ils déposeraient cette pierre était le bon et quelle serait la meilleure manière de la transporter.»

Source: Zoll (1992, p. 13-14). Reproduit avec permission.

Les changements structurels ne sont pas, en effet, sans modifier les représentations. Celles-ci agissent en retour sur la société de manière dialectique. Ces modifications étaient déjà apparentes dans deux enquêtes effectuées à cinq années d'intervalle, la première auprès de jeunes chômeurs (Gauthier, 1988), la deuxième auprès de jeunes travailleurs (Gauthier, 1994), en situation d'emploi précaire pour la plupart. Il s'agissait de jeunes de moins de 25 ans en période d'insertion professionnelle. D'autres travaux effectués au Québec et à l'étranger fournissent aussi maintes illustrations des mutations en cours.

LES RAISONS DE TRAVAILLER

Une façon d'aborder l'univers des représentations et des valeurs serait de se demander pourquoi les élèves du secondaire travaillent pendant leurs études. À première vue, ce phénomène a de quoi étonner. Les nombreuses enquêtes menées sur cette question se résument dans cette remarque d'Andrée Roberge (1997, p. 98) : « […] le revenu d'emploi fournit un accès direct à la société de consommation et permet un certain degré d'autonomie personnelle et financière. L'occupation d'un emploi serait aussi motivée par le désir de participer au paiement des études en cours ou ultérieures. L'acquisition d'expérience dans le milieu du travail rémunéré est aussi fréquemment évoquée.» Ces motivations sont toutes trois reliées à une certaine culture des jeunes, à commencer par les besoins de consommation et d'autonomie. Elles répondent ensuite à des impératifs consécutifs à l'allongement de la période d'études. Finalement, elles correspondent à une certaine représentation que les jeunes se font de leur avenir par l'acquisition d'expérience, même si celle-ci n'a aucun rapport avec l'emploi qu'ils occuperont plus tard. Le type d'emploi le plus souvent offert aux élèves fait en effet partie d'un segment du marché du travail formé d'emplois temporaires et faiblement rémunérés qui ne répondraient pas aux exigences d'un emploi régulier.

Pourquoi alors cette expérience du travail sans lien avec la vie souhaitée ? Devant l'incertitude qui caractérise actuellement le monde du travail, les jeunes sentent qu'ils doivent mettre tous les atouts de leur côté pour mieux affronter la situation lorsque viendra le temps de se consacrer entièrement au travail. Ce choix repose sur une représentation de la relation entre les études et le travail, où les études apparaissent inadéquates comme moyen de préparation à l'emploi. Plus encore, les études ne sont plus, comme à une certaine époque, le moyen de promotion sociale qui méritait qu'on s'y consacre entièrement. Le travail serait devenu aussi important comme moyen d'expression de l'identité et d'affirmation de l'autonomie. Il n'y a rien d'étonnant dès lors que l'achat de vêtements et les sorties soient les principales dépenses des jeunes élèves et des étudiants qui travaillent pendant leurs études (Roberge, 1997, p. 98-99), car ils constituent autant d'attributs de la personnalité et de signes d'autonomie.

On peut se demander si la valeur du travail en a supplanté d'autres. Deux thèses s'opposent sur cette question, sans doute moins antagonistes qu'elles n'y paraissent de prime abord. La première prétend que l'intérêt des jeunes pour le travail est fonction de leur orientation vers la consommation. Les motivations exprimées par les élèves du secondaire et du collégial contribueraient à confirmer cette assertion. En effet, peu d'entre eux disent travailler pour assumer des besoins essentiels : 7,3 % des cégépiens et 5 % des élèves du secondaire en 1993 (Roberge, 1997, p. 99-100). Ces derniers appartiennent plus souvent à une famille monoparentale que biparentale. La seconde thèse prétend plutôt que c'est la crainte de l'avenir ou la rareté des emplois qui donneraient du poids à la réalité du travail. Le maintien du taux d'activité (sauf une baisse à peine perceptible chez les jeunes hommes ces dernières années) témoignerait de l'intérêt des jeunes pour le travail rémunéré.

Cette dernière thèse illustre la rapidité des changements récents dans les représentations du travail. Une tout autre représentation avait cours à la fin des années 70 et au début de la décennie suivante, où le travail était considéré comme aliénant. *Le chômage créateur*, titrait un volume écrit par Ivan Illich en 1977. C'était le temps libre qu'on prônait alors, et non le travail. Dans le contexte de cette conception du travail et du temps libre, la débrouillardise était devenue une vertu : il s'agissait de travailler le moins possible de manière à meubler son temps par des activités plus épanouissantes. Cette vision faisait miroiter la perspective d'une société des loisirs où l'individu trouverait son accomplissement. La forte montée du chômage chez les jeunes au début des années 80 aurait ramené le travail au centre des valeurs.

LE TRAVAIL ET LA FORMATION DE L'IDENTITÉ

Le travail constitue-t-il une valeur en soi ? En d'autres termes, occuper n'importe quel emploi vaut-il mieux que ne pas travailler du tout ? La dégradation des conditions de travail chez les jeunes leur ferait rechercher dans le travail autre chose que l'intérêt intrinsèque rattaché à l'activité elle-même. C'est ici que l'étude des valeurs et surtout de la valeur liée au travail prendrait toute sa pertinence. Des indices laissent deviner que, pour certains, le travail constituerait encore aujourd'hui le moyen par excellence de s'affirmer. Certains jeunes chômeurs voient dans la perte de leur emploi une perte d'identité. Ils rappellent non sans amertume qu'il n'y a rien de pire que de se faire demander «Qu'est-ce que tu fais?» ou encore «Qu'est-ce que tu deviens?» Le refus de se reconnaître comme chômeur peut aller jusqu'à se donner un statut de substitution. Le bénévolat, par exemple, constitue une porte de sortie à une situation dévalorisante (Gauthier, 1988, p. 142-143). Mona-Josée Gagnon (1996) explique les différences dans l'identification au travail par la formation professionnelle : «Un ouvrier non qualifié ou une vendeuse en chômage… est un sans-emploi. Un ingénieur en chômage… demeure dans son malheur un ingénieur. Il possède une identité qu'il lui plaît d'afficher, qui lui donne une reconnaissance aux yeux de la société» (p. 105).

Pour d'autres, le travail n'est pas perçu comme le meilleur instrument d'épanouissement personnel, mais il demeure indispensable à la réalisation de soi. Un jeune chômeur disait ainsi, à propos d'un emploi peu rémunéré qu'il avait eu : «Ça, c'est pas tellement grave, du moment que, au moins, on se fait du *fun* un peu dans ce qu'on fait ; un ben bon groupe de gars qui travaillent là.» (Gauthier, 1988, p. 85.) Le sociologue allemand Rainer Zoll (1992, p. 95) traduit bien ce besoin de communication qui trouve satisfaction dans le milieu de travail : «En fait, ils ne recherchent pas le plaisir "dans le travail", mais "au travail" […]. Ainsi, les jeunes veulent éprouver du plaisir au travail parce qu'ils n'en trouvent pas dans le travail lui-même, pas plus qu'ils n'y voient de possibilité d'identification.»

LA FAIBLE MOBILISATION DES JEUNES

Outre le plaisir recherché dans la communication, les jeunes entrevoient-ils des moyens collectifs de faire face à une conjoncture qui ne leur est pas favorable ? Les entrevues (Gauthier, 1988, 1994) tendent plutôt à démontrer que les jeunes ont assimilé l'idée qu'ils ne peuvent compter sur les autres pour régler leur problème d'emploi, sinon sur les réseaux informels d'information sur l'emploi et sur la solidarité entre amis ou dans la famille (voir l'encadré 6.3). Par ailleurs, certains programmes d'aide sociale permettent aux jeunes d'acquérir de l'expérience de travail et d'autres les encouragent à se lancer en affaires. Mais il ne semble pas, comme à d'autres époques, que la revendication de leur place sur le marché du travail vienne d'une mobilisation collective des jeunes. Toutes les tentatives faites en ce sens depuis les années 80 se sont avérées vaines. Faut-il y voir le résultat de l'extrême individualisation des rapports au travail ? Comment mobiliser des chômeurs, des travailleurs occasionnels ou à forfait ? L'interminable recherche d'emploi laisse-t-elle le temps à la mobilisation ? Plus encore, comment associer des jeunes qui sont souvent en concurrence ? Au cours d'entrevues réalisées au milieu des années 80 (Gauthier, 1988), des jeunes disaient cacher leur recherche d'emploi à leurs meilleurs amis de crainte de se trouver sur une même liste de candidats.

Le discours radical ne vient souvent pas des jeunes qui vivent eux-mêmes une situation aliénante. Comme le mouvement ouvrier, qui a été porteur des revendications de la classe ouvrière, y a-t-il encore aujourd'hui une force de mobilisation des travailleurs dans le besoin ? Les jeunes ne voient pas cette force dans le mouvement syndical, qu'ils perçoivent comme le défenseur du critère d'ancienneté qui leur est préjudiciable.

ENCADRÉ 6.3   Précarité du travail : témoignages

« Je ne me suis jamais fixé d'objectif à propos de la *job* de mes rêves. Là, actuellement, je prends ce qui passe… Je vis un mois à la fois. Je ne suis pas un alcoolique, loin de là, mais c'est une philosophie que je partage (celle des Alcooliques anonymes). À chaque jour suffit sa peine… Là, je suis quand même optimiste par rapport à mon futur pour la prochaine année. Parce que je sais qu'il y a tellement d'ouvrage à faire où je suis. »

Jeune travailleur occasionnel (1990)

« Je n'ai pas toujours été optimiste, mais maintenant je sais que j'ai le *guts* nécessaire pour trouver autre chose. Il y a des gens dans le milieu qui te stimulent, des amis qui t'encouragent. Des amis, c'est important. La plupart des gens qui me connaissent m'ont toujours supporté dans mes démarches, dans ce que je faisais. »

Jeune travailleur autonome (1990)

« À mon retour, maman m'a dit que j'avais reçu un coup de téléphone de l'endroit où j'avais été passer une entrevue. Devinez quoi ! J'arrive encore deuxième ! J'en ai marre. Ah ! bien sûr, j'ai encore une chance si la fille ne fait pas l'affaire durant les deux semaines d'essai. Mais est-ce que je dois me fier sur ça ? Non. Tout est encore à recommencer. Merde ! »

Jeune chômeuse (1984)

« Ça prend une maudite force de caractère pour passer au travers. Tu as des périodes où tu es *down*. Tu te remets en question. Tu dis : "Est-ce moi qui ne suis pas assez compétent ?" […] Tu aimerais ça, des fois, de te faire appeler. Il faut que ce soit toi qui cogne ! »

Jeune en recherche d'emploi (1990)

Sources : Gauthier (1988, 1994).

Le cheminement plutôt que la carrière

Les jeunes ont assimilé l'idée qu'ils ne connaîtraient peut-être jamais le travail « standard », « typique » ou permanent, ou seulement très tard dans leur vie. Selon le degré de scolarité atteint, ils ont intériorisé l'idée que la conjoncture ne les favorisait pas et qu'il était impératif pour eux d'intervenir. Déjà, au début des années 90, des jeunes n'hésitaient pas à dire en entrevue qu'ils ne prévoyaient pas occuper un poste à vie, bien qu'ils n'acceptaient pas davantage l'insécurité totale. Une manière nouvelle d'envisager la trajectoire professionnelle se caractérise dans ce qu'on pourrait nommer le cheminement plutôt que la carrière, cette dernière représentant l'idée de durée.

Le cheminement[17] constitue un mécanisme interne plutôt qu'externe, c'est-à-dire imposé de l'extérieur. Il correspond ainsi à l'extrême différenciation dans les parcours professionnels qu'impose la flexibilité d'emploi. Le cheminement implique que l'individu se fixe des objectifs à atteindre qui se modifient selon les ouvertures qui se présentent ou, plus exactement, qu'il recherche en se constituant un réseau d'information et d'informateurs concernant l'emploi. Au cours de son cheminement, l'individu accepte de revoir ses objectifs, d'adapter ses aspirations à la réalité, et cela va même jusqu'à la possibilité de se recycler, de se perfectionner, de se réorienter s'il le faut. L'une des caractéristiques du cheminement en emploi est la polyvalence, cette capacité d'entrevoir de multiples ouvertures acquise à la suite des expériences de travail intermittent ou de courte durée. La polyvalence devient un atout par rapport au modèle antérieur, qui se fondait seulement sur la spécialisation. La possibilité de recyclage ou de réorientation en est un corollaire. Le cheminement suppose une autre représentation du travail qui ne se définit plus par la stabilité d'emploi ou par un diplôme obtenu une fois pour toutes.

*   *
*

Cette brève incursion dans l'univers des représentations et des valeurs ne fait que rappeler la difficulté de saisir la culture en mouvement. La valeur accordée au travail chez les jeunes tient à la fois à sa rareté, mais aussi à l'importance qu'il revêt dans l'affirmation de l'identité et de l'autonomie dans un monde de consommation, mais aussi de communication. La seule perte de revenus n'explique pas le sens profond que prend la perte d'emploi pour l'individu et la crise actuelle du chômage pour la société. Le travail, dans nos sociétés, demeure le garant de

---

17. Nous avons développé cette notion de « cheminement » à la suite d'entrevues effectuées auprès de jeunes travailleurs au tournant de cette décennie. On en trouvera une explication plus approfondie dans Gauthier (1994, p. 259-264). Voir aussi M. Gauthier, « Choisir dans un contexte d'incertitude : éléments pour une problématique », dans Chenard (1997, p. 32-33).

l'autonomie et de la liberté, et se situe au cœur de nos relations avec les autres, en particulier depuis qu'il est devenu aussi important pour les femmes que pour les hommes. Il serait d'un grand intérêt de comparer les représentations du travail chez les jeunes hommes et chez les jeunes femmes, car ce qui se passe actuellement dans le monde du travail ne touche pas les hommes et les femmes de la même manière. Et surtout, il n'est pas impossible que les changements soient interprétés et vécus de manière différente, comme des gains ou comme des pertes, comme un recul ou comme un pas en avant. L'importance que les jeunes accordent au travail ne fait que confirmer sa place dans l'orientation globale de nos sociétés.

CONCLUSION

Parce qu'ils sont les derniers à faire leur place sur le marché du travail, il n'est pas étonnant que les jeunes soient particulièrement sensibles aux changements qui s'y produisent, dans leurs aspects tant positifs que négatifs. Il va de soi que les jeunes occuperont de nouveaux espaces, que ceux-ci leur soient favorables ou non. Depuis le début des années 80, ces nouveaux espaces ont favorisé certaines catégories de jeunes : les plus scolarisés, ceux qui se sont orientés vers les nouveaux secteurs d'emploi dits de pointe, ceux qui ont un bon réseau d'information sur l'emploi, ceux qui manifestent de l'initiative, de la polyvalence et une capacité de recyclage. En revanche, un nombre grandissant de jeunes ont subi les effets pervers de la précarisation des nouveaux emplois créés ou de ceux offerts. Il est encore difficile de mesurer l'effet que produira sur la cohorte des jeunes d'aujourd'hui une situation d'emploi présentant des perspectives d'avenir moins bonnes que pour la génération de leurs parents.

Les difficultés d'insertion professionnelle ne rendent pas pour autant les jeunes hostiles au monde du travail. La diminution croissante d'emplois standard pourrait même contribuer à accroître leur attrait pour le travail salarié. Celui-ci occupe une place peut-être encore plus grande qu'auparavant dans un contexte qui exige une forte autonomie de l'individu dans la prise en charge de ses besoins, comme le montre, par exemple, l'importance du double revenu pour la stabilité financière du couple. L'intérêt pour le travail salarié ne signifie pas pour autant que les jeunes trouvent leur plaisir dans le travail, pour paraphraser Rainer Zoll (1992). L'introduction de la flexibilité d'emploi pourrait être au cœur des changements dans les représentations de l'univers du travail et dans les valeurs qui s'y rattachent. Comment, en effet, trouver de l'intérêt dans une tâche qu'on sait de courte durée, temporaire et, souvent, hors de son champ de compétence ? Bien entendu, tous les emplois occupés par les jeunes ne comportent pas ces caractéristiques de la flexibilité, mais l'analyse des diverses dimensions de la réalité du travail chez les jeunes montre qu'il s'agit d'un phénomène en croissance. Cela contribue à remettre en question les liens que les jeunes entretiennent avec le milieu du travail. À la suite d'une étude menée auprès de jeunes recrues dans cinq entreprises de la région de Sherbrooke, Pierre Paillé (1994) s'interroge à la fois sur les conséquences sur l'entreprise d'une organisation du travail qui ne tiendrait pas compte des capacités d'investissement professionnel de ces jeunes et sur le sentiment d'appartenance des jeunes à l'entreprise dans un tel contexte (p. 234). On pourrait même observer des attitudes inverses selon que l'emploi est vraiment temporaire ou selon qu'il présente des possibilités d'inscrire le travailleur dans un cheminement à plus long terme ou de le préparer, par l'expérience qu'il procure, à un type de cheminement offrant des perspectives d'avenir. Les employeurs devront-ils s'étonner du peu d'attachement des jeunes à un emploi qu'ils savent temporaire et surtout à une entreprise où ils ne feront que passer?

Le changement de perspective et de valeurs qu'introduisent la flexibilité et la précarisation de l'emploi ne suscite pas des questions chez les seuls employeurs. Tous les groupes concernés par l'orientation du monde du travail, de la création d'emplois à la mise en place de conditions respectueuses du travailleur, doivent s'interroger sur les capacités actuelles des entreprises, de quelque nature qu'elles soient, à mobiliser et à maintenir l'intérêt des jeunes. Cette mobilisation ne touche pas seulement la valeur du travail et la nécessité de parfaire ses connaissances pour se rendre employable, mais aussi les avantages que procure l'emploi dans la réalisation de l'autonomie, dont les conditions ne sont pas moins exigeantes qu'hier. On commence à peine à mesurer les conséquences sociales et économiques de l'absence de sécurité d'emploi, conséquences sur la formation du couple et de la famille, sur l'achat d'une maison et d'autres produits de consommation à long terme, sur la façon d'assumer les périodes difficiles ou de préparer sa retraite. Par ailleurs, on n'arrive pas davantage à évaluer les répercussions des difficultés actuelles sur les possibilités d'innovation. Les jeunes en seront-ils les acteurs ou en profiteront-ils?

Bibliographie

Bédard-Hô, F. (1997). «Les élèves de fin de secondaire», dans M. Gauthier et L. Bernier (sous la dir. de), *Les 15-19 ans. Quel présent? Vers quel avenir?*, Sainte-Foy, Presses de l'Université Laval et Institut québécois de recherche sur la culture, p. 159-173.

Chenard, P. (sous la dir. de) (1997). *L'évolution de la population étudiante à l'université. Facteurs explicatifs et enjeux*, Sainte-Foy, Presses de l'Université du Québec, 155 p.

Conseil canadien de développement social (1995). *Le Point*, n° 2, juin, p. 1-2.

Conseil de la science et de la technologie (1994). *Miser sur le savoir. 2. Les nouvelles technologies de l'information*, Sainte-Foy, Conseil de la science et de la technologie.

Conseil économique du Canada (1991). *Tertiarisation et polarisation de l'emploi*, Ottawa, Conseil économique du Canada.

CONSEIL NATIONAL DU BIEN-ÊTRE SOCIAL (1995). *Profil de la pauvreté 1993 : rapport*, Ottawa, Conseil national du bien-être social.

DENIGER, M.-A. (1996). «Crise de la jeunesse et transformations des politiques sociales en contexte de mutation structurale», *Sociologie et sociétés*, vol. XXVIII, n° 1, p. 73-88.

DORAY, P. (1997). «La formation continue à l'université : quelques balises pour aujourd'hui et demain», dans P. Chenard (sous la dir. de), *L'évolution de la population étudiante à l'université. Facteurs explicatifs et enjeux*, Sainte-Foy, Presses de l'Université du Québec, p. 119-135.

DUCHESNE, L. (1996). *La situation démographique au Québec*, Québec, Bureau de la statistique du Québec.

FORTIN, P. (1986). «Conjoncture, démographie et politique : où va le chômage des jeunes au Québec ?», dans F. Dumont (sous la dir. de), *Une société des jeunes ?*, Québec, Institut québécois de recherche sur la culture, p. 191-207.

FORTIN, B., FRÉCHETTE, P., et NOREAU, J. (1987). *Premiers résultats de l'Enquête sur les incidences et les perceptions de la fiscalité dans la région de Québec : dimensions et caractéristiques des activités économiques non déclarées à l'impôt*, Cahiers d'aménagement du territoire et de développement régional, Québec, Université Laval, 12 p.

FRÉCHETTE, P. (1993). *Enquête sur les incidences et les perceptions de la fiscalité dans la région de Québec*, Sainte-Foy, Presses de l'Université Laval.

GAGNON, M.-J. (1996). *Le travail, une mutation en forme de paradoxes*, Sainte-Foy, Presses de l'Université Laval et Institut québécois de recherche sur la culture, 146 p.

GASSE, Y., et D'AMOURS, A. (1993). *Profession : entrepreneur. Avez-vous le profil de l'emploi ?*, Montréal et Charlesbourg, Éditions Transcontinental et Fondation de l'entrepreneurship.

GAUTHIER, M. (1988). *Les jeunes chômeurs*, Québec, Institut québécois de recherche sur la culture, 302 p.

GAUTHIER, M. (1991). *L'insertion de la jeunesse québécoise en emploi*, rapport de recherche, 2e édition, Québec, Institut québécois de recherche sur la culture.

GAUTHIER, M. (1994). *Une société sans les jeunes ?*, Québec, Institut québécois de recherche sur la culture, 390 p.

GAUTHIER, M. (1996a). «Femmes, mais jeunes aussi…», *Recherches féministes*, vol. 9, n° 2, p. 85-111.

GAUTHIER, M. (1996b). «Le marché du travail comme lieu de construction des marges chez les jeunes», *Cahiers de recherche sociologique*, n° 27, p. 17-30.

GAUTHIER, M. (1996c). «Précaires un jour ?… ou quelques questions à propos de l'avenir des jeunes contemporains», *Sociologie et sociétés*, vol. XXVIII, n° 1, p. 135-146.

GAUTHIER, M., et BERNIER, L. (sous la dir. de) (1997). *Les 15-19 ans. Quel présent ? Vers quel avenir ?*, Sainte-Foy, Presses de l'Université Laval et Institut québécois de recherche sur la culture, 252 p.

GAUTHIER, M., et MERCIER, L. (1994). *La pauvreté chez les jeunes. Précarité économique et fragilité sociale. Un bilan*, Québec, Institut québécois de recherche sur la culture, 190 p.

GIDDENS, A. (1987). *La constitution de la société*, Paris, PUF.

GREENBERGER, E., et STEINBERG, L. (1986). *When Teenagers Work*, New York, Basic Books.

LANGLOIS, S., BAILLARGEON, J.-P., CALDWELL, G., FRÉCHET, G., GAUTHIER, M., et SIMARD, J.-P. (1990). *La société québécoise en tendances. 1960-1990*, Québec, Institut québécois de recherche sur la culture, 667 p.

LEMELIN, C. (1986). «Les jeunes et le marché du travail», dans F. Dumont (sous la dir. de), *Une société des jeunes ?*, Québec, Institut québécois de recherche sur la culture, p. 237-256.

LEMIEUX, N., et LANCTÔT, P. (1995). *Commencer sa vie adulte à l'aide sociale*, Québec, Ministère de la Sécurité du revenu.

LINTEAU, P.-A., DUROCHER, R., ROBERT, J.-C., et RICARD, F. (1986). *Histoire du Québec contemporain. Le Québec depuis 1930*, Montréal, Boréal, 739 p.

LORRAIN, J. (1989). *Les jeunes entrepreneurs québécois*, étude réalisée en collaboration avec le ministère de l'Industrie, du Commerce et de la Technologie, Trois-Rivières, Université du Québec à Trois-Rivières.

MERCURE, D. (1996). *Le travail déraciné. L'impartition flexible dans la dynamique des entreprises forestières au Québec*, Montréal, Boréal, 232 p.

MINISTÈRE DE LA SANTÉ ET DES SERVICES SOCIAUX – MSSS (1995). *Le Québec comparé: indicateurs sanitaires, démographiques et socio-économiques*, Québec, Direction générale de la planification et de l'évaluation du ministère de la Santé et des Services sociaux.

MOLGAT, M. (1997). «Le parcours des jeunes universitaires: entre la réflexion et l'insertion professionnelle», dans P. Chenard (sous la dir. de), *L'évolution de la population étudiante à l'université. Facteurs explicatifs et enjeux*, Sainte-Foy, Presses de l'Université du Québec, p. 55-67.

MYLES, J., PICOT, G., et WANNELL, T. (1988). *Les salaires et les emplois au cours des années 1980: évolution des salaires des jeunes et déclin de la classe moyenne*, Ottawa, Statistique Canada (Études analytiques).

NORMAND, T. (1997). «Un marché du travail en pleine mutation. Depuis 1990, il s'est créé plus d'emplois autonomes que d'emplois salariés», *Le Devoir*, 28 mai, p. B1.

OSTERMAN, P. (1980). *Getting Started. The Youth Labor Market*, Cambridge et Londres, The MIT Press, 197 p.

PAILLÉ, P. (1994). «L'intégration des jeunes travailleurs dans des usines du secteur manufacturier», *Recherches sociographiques*, n° 2, p. 217-236.

PERRET, B., et ROUSTANG, G. (1993). *L'économie contre la société. Affronter la crise de l'intégration sociale et culturelle*, Paris, Seuil, 275 p.

RICARD, F. (1992). *La génération lyrique. Essai sur la vie et l'œuvre des premiers-nés du baby boom*, Montréal, Boréal, 282 p.

ROBERGE, A. (1997). «Le travail salarié pendant les études», dans M. Gauthier et L. Bernier (sous la dir. de), *Les 15-19 ans. Quel présent? Vers quel avenir?*, Sainte-Foy, Presses de l'Université Laval et Institut québécois de recherche sur la culture, p. 89-113.

ROBERTSON, M. (1986). «Long term unemployment in the canadian labor market: A longitudinal perspective», *American Journal of Enonomics and Sociology*, vol. 45, n° 3, p. 277-289.

SECRÉTARIAT À LA JEUNESSE (1996). *Indicateurs jeunesse. La jeunesse québécoise en chiffres (15-29 ans)*, Québec, Gouvernement du Québec, Ministère des relations avec les citoyens, 137 p.

ZOLL, R. (1992). *Nouvel individualisme et solidarité quotidienne. Essai sur les mutations socio-culturelles*, Paris, Kimé.

Troisième partie

L'ENTREPRISE, MILIEU DE VIE ET OUTIL DE DÉVELOPPEMENT

Chapitre 7

Une approche sociologique de la dynamique interne de l'entreprise

Jean-Pierre Dupuis

Dans ce chapitre, nous nous pencherons plus spécifiquement sur la dynamique interne de l'entreprise. Précisons d'entrée de jeu deux points importants. Le premier est que c'est la dimension sociale de cette dynamique interne qui nous intéresse. Il ne faut pas oublier que l'objet de cet ouvrage est de porter un regard sociologique sur l'économie, le travail et l'entreprise. En conséquence, le modèle d'analyse et d'interprétation que nous présentons est construit de façon à favoriser la compréhension de cette dynamique sociale[1]. Cette dynamique interne, et

---

1. Il faut savoir qu'il en existe d'autres qui mettent davantage l'accent sur l'économie ou sur le politique. Prenons, par exemple, le modèle d'analyse des économistes. Traditionnellement, les économistes, comme les sociologues d'ailleurs, avaient une vision assez pauvre de l'entreprise. Pour eux, l'entreprise était une boîte noire où entraient des intrants (capital, travail) et d'où sortaient des extrants (produits). Il n'y avait rien, ou si peu de chose, sur la dynamique interne de l'entreprise. Le marché était le concept central et l'entreprise n'était qu'une entité variant en fonction des aléas de celui-ci. Les économistes ont progressivement corrigé cette lacune et enrichi leur représentation de l'entreprise. Si bien qu'aujourd'hui certaines représentations de l'entreprise, celles des économistes de la convention notamment, sont très proches de celles qu'ont élaborées récemment les sociologues. Ces économistes, ainsi que le souligne Gomez (1996, p. 209), conçoivent davantage l'entreprise «comme une convention d'effort, c'est-à-dire, au sens strict, une procédure collective résolvant un problème d'incertitude sur l'effort à accomplir, qui s'exprime par des routines, les habitudes et les procédures stables». Il reste que, dans leur effort pour se représenter l'entreprise, les buts des sociologues et des économistes diffèrent. Pour les sociologues, il s'agit de mettre au jour les dynamiques sociales et d'en montrer les conséquences pour les hommes et les femmes qui travaillent dans l'entreprise, comme pour les sociétés dans leur ensemble, tandis que les économistes cherchent davantage à appréhender des phénomènes comme l'efficacité, la productivité, la compétitivité, etc. La poursuite d'objectifs différents fera toujours en sorte qu'économistes et sociologues pourront difficilement avoir une représentation identique de l'entreprise. Ce qui est tout à fait normal.

c'est là notre deuxième point, est autant le résultat de ce qui se passe dans la société que de ce qui se passe dans l'entreprise. Les deux premières parties de ce livre ont voulu mettre en place ce cadre plus large, sociétal, dans lequel évolue l'entreprise et qui interagit avec elle. Nous avons déjà dit que les pratiques dans les entreprises variaient selon les sociétés en fonction de l'histoire propre à chacune, des mouvements sociaux qui la traversent (comme ceux des femmes, des immigrants ou des jeunes), des institutions qui la régulent. Dans ce chapitre, nous nous attacherons à la mise en œuvre de ces éléments dans l'entreprise considérée «comme centre autonome gérant une organisation à buts économiques» (Touraine, 1969, cité dans Thuderoz, 1996, p. 17). Il n'y a pas ici de contradiction entre l'influence externe et l'autonomie interne puisque cette dernière, bien réelle, est contrainte mais jamais complètement annihilée par l'histoire, la culture, les mouvements sociaux, les institutions d'une société. Les entreprises conservent une marge de manœuvre qui leur permet de se distinguer les unes des autres. Ce sont ces dynamiques sociales que nous allons examiner dans ce chapitre.

L'entreprise est, pour la plupart des individus, plus qu'un simple lieu de travail : c'est un milieu de vie. Ils y passent une grande partie de leur temps, et souvent de leur vie. Ils y créent des liens, parfois très forts, qui marquent l'entreprise. Nous essaierons de comprendre cette vie dans l'entreprise, de voir comment se forment les alliances, les collaborations, les oppositions, les affrontements entre les individus et les groupes qui la composent. Nous constaterons que ces diverses stratégies des acteurs (collaboration, affrontement, etc.) s'articulent autour de buts et d'intérêts divers, d'accès aux ressources et d'enjeux différents. Nous verrons également que le type de contrôle qu'exerce l'entreprise et les règles qui la gouvernent influent sur les stratégies des individus et des groupes. Il résulte de ces jeux d'acteurs des identités de groupes et d'entreprises qui illustrent la richesse, la complexité et la variété de la vie en entreprise. En fait, les entreprises se distinguent les unes des autres parce que les individus et les groupes qui les composent sont différents : certaines comptent plus d'hommes, d'autres plus de femmes, elles sont plus ou moins homogènes culturellement, marquées par les métiers manuels ou intellectuels, certaines sont contrôlées par des étrangers, d'autres par des intérêts locaux, par de grands gestionnaires, ou par une famille, etc. Cette diversité des acteurs — comme de leurs buts, de leurs intérêts et de leurs stratégies — se répercute sur la dynamique interne de l'entreprise, l'oriente et lui donne finalement une couleur particulière.

Il importe de reconnaître cette variété des dynamiques de l'entreprise pour comprendre le fonctionnement d'entreprises particulières. En effet, penser que toutes les entreprises fonctionnent de la même façon et qu'elles peuvent être gérées selon des principes universels, ou encore que tous les travailleurs réagissent de la même façon envers l'employeur ou devant une situation donnée, c'est assurément se diriger dans la mauvaise direction, se rendre impuissant face à elles, et, finalement, s'empêcher d'y agir et d'y intervenir avec un minimum d'efficacité. Pour être efficace, le gestionnaire ou le travailleur doit bien comprendre son milieu avant d'agir, avant de prendre une décision. Il ne doit surtout pas agir mécaniquement en fonction de quelques recettes prétendument infaillibles. Mais il ne faut pas croire pour autant que l'approche que nous proposons permet de régler tous les problèmes, de trouver toujours la bonne solution. Loin de nous cette pensée puisque ce chapitre, en reconnaissant la complexité de la vie en entreprise, veut surtout combattre l'idée qu'il existe des solutions faciles, toutes faites, qu'il s'agit d'appliquer avec soin. Comprendre la complexité comme la variété des situations est un premier pas essentiel, certes, mais qui doit rendre le gestionnaire, comme tout intervenant, modeste. L'idée principale est davantage de renverser certaines certitudes simplistes que d'en proposer de nouvelles.

Pour bien comprendre l'entreprise, son fonctionnement, la vie qui s'y déroule, nous avons besoin de concepts qui la décomposent en différentes parties. Cette décomposition conceptuelle de l'entreprise permet de voir plus en détail ce qui s'y passe, de voir les individus et les groupes à l'œuvre, presque au jour le jour. Par cette opération abstraite de décomposition conceptuelle nous pouvons mieux voir la richesse, la complexité et la variété des situations. Cette opération de décomposition n'a pas pour objectif de réduire l'entreprise à un ensemble d'éléments disparates plus ou moins intégrés, bien au contraire. C'est en fait l'interdépendance de ces différents éléments de l'entreprise que nous pourrons ainsi mettre en lumière, en montrant qu'une action sur l'un peut finalement avoir des répercussions sur tous les autres. L'entreprise est constituée d'individus et de groupes, ainsi que de ressources, de règles, de stratégies et d'enjeux notamment, fortement interdépendants. Nous allons présenter ces concepts et essayer de voir en quoi ils nous éclairent sur la réalité sociale de l'entreprise.

Dans un premier temps, nous allons présenter les concepts de but, de ressource, de stratégie et d'enjeu qui permettent de comprendre les individus comme acteurs de l'entreprise. Nous examinerons ensuite les interactions des acteurs dans une perspective plus systémique. Le concept de régulation est au centre de cet examen. Il recouvre un ensemble construit de règles qui sert d'assise aux groupes, aux organisations, aux institutions ou aux sociétés. Pour terminer, nous nous pencherons sur les identités de groupes et d'entreprises qui découlent des actions des acteurs et de leurs interactions, et de la permanence du système de règles dans l'entreprise. Nous verrons que les identités sont variées et sujettes à se transformer sous l'effet des bouleversements économiques, politiques et culturels qui touchent actuellement les sociétés industrielles.

LES ACTEURS, LEURS BUTS, LEURS RESSOURCES, LEURS STRATÉGIES ET LES ENJEUX DE LEURS INTERACTIONS[2]

L'entreprise, c'est d'abord et avant tout des acteurs en interaction. Quels sont ces acteurs ? Quels sont leurs buts ? leurs ressources ? leurs stratégies ? Et quels sont les enjeux au centre de leurs interactions ? C'est ce que nous allons d'abord examiner dans cette section.

TROIS CATÉGORIES D'ACTEURS ET LES BUTS DES ACTEURS

Voyons d'abord ce que recouvrent les concepts d'acteurs et de buts. Les individus engagés dans l'entreprise sont le point de départ de toute analyse de celle-ci. On les appelle acteurs individuels s'ils sont seuls à accomplir des actions, ou acteurs collectifs s'ils sont regroupés. La chose la plus importante à dire à propos des individus-acteurs, et qui est à la base du modèle d'analyse de sociologues comme Michel Crozier et Erhard Friedberg, c'est que tout individu ou groupe jouit d'une marge de manœuvre, d'une marge de liberté qui lui permet d'agir, c'est-à-dire qu'il a un certain pouvoir, dans une entreprise particulière comme dans la société en général.

Cela signifie qu'il n'y a pas d'acteur sans marge de manœuvre. Et que cette dernière existe parce qu'il est impossible de prévoir et de contraindre totalement les comportements des individus. On ne peut pas en effet contraindre parfaitement un individu parce que le cours de l'action, le futur en fait, est impossible à prévoir. On aura beau essayer, il restera toujours des éléments imprévisibles qui surgiront. Les individus jouissent donc toujours d'une marge de liberté, si petite soit-elle, parce que la prévisibilité n'est jamais complète, qu'ils peuvent exploiter cette marge — cette imprévisibilité — dans leurs interactions avec les autres. Mais c'est aussi parce que l'individu ou le groupe a quelque chose à offrir qu'il a cette marge de manœuvre dans l'entreprise : il a des habiletés manuelles ou intellectuelles, si limitées soient-elles dans certains cas, nécessaires pour y accomplir une tâche, un travail. Il peut arrêter de faire son travail, ou mal le faire volontairement, ce qui lui confère un certain pouvoir. Cela signifie que tous les individus dans une entreprise peuvent être en relation de pouvoir, que tous peuvent gagner ou perdre quelque chose dans leurs interactions avec les autres, et que, finalement, le monde de l'entreprise peut être une scène d'action pour tous et chacun. Mais cette liberté des individus peut cependant être limitée par les contraintes structurelles propres à l'entreprise et à la société à l'intérieur desquelles ils évoluent, et elle varie beaucoup d'une personne à l'autre. Nous reviendrons sur ce point plus loin.

---

2. Cette partie s'inspire largement et librement des travaux de Friedberg (1972), de Crozier et Friedberg (1977) et de Friedberg (1993).

Pour comprendre la force et la fécondité de cette idée, prenons un cas extrême où il n'existerait, à première vue, aucune marge de liberté pour les individus : celui des prisonniers de camps de concentration (qui sont des organisations). Le psychologue Bruno Bettelheim (1972), qui a lui-même vécu dans un camp de concentration, nous fournit les matériaux nécessaires pour illustrer ce point. Il a observé, et cela est aussi confirmé par les nombreux témoignages qu'il a recueillis, que pour survivre dans un camp de concentration il fallait « se ménager une zone de liberté d'action et de liberté de pensée » (*ibid.*, p. 202) et l'utiliser pour s'adapter, pour résister, pour adopter « l'attitude appropriée dans n'importe quelle circonstance » (*ibid.*, p. 214). Cela pouvait vouloir dire collaborer avec les dirigeants des camps sans perdre sa dignité d'être humain, chercher à améliorer son sort et celui de ses semblables, etc. Ceux qui ne percevaient pas cette marge de liberté, et qui donc ne cherchaient pas à l'utiliser, ont, pour la plupart, péri dans les camps, dira Bettelheim. Il a même montré que les individus qui se regroupaient autour de cellules communistes et qui entreprenaient des actions de représailles contre leurs gardiens et tortionnaires (« vous nous tuez, nous vous tuons, même si le bilan est plus lourd pour nous ») ont survécu en plus grand nombre justement parce qu'ils exploitaient l'infime marge de manœuvre dont ils disposaient pour se faire davantage respecter. Autrement dit, une marge de liberté existe toujours et c'est aux individus de l'exploiter au maximum, en se transformant en acteurs, ne serait-ce que pour augmenter leurs chances de survie dans un camp de concentration. De toute façon, y a-t-il une autre attitude possible, sinon le fatalisme, grand inhibiteur de l'action ?

Il y aurait beaucoup à dire sur les buts tant ils sont liés aux actions des acteurs. En effet, derrière toute action il y a les buts que se sont fixés les acteurs. Ces buts peuvent être clairs, faciles à découvrir, ou inavoués, cachés en quelque sorte, jamais ouvertement formulés. L'intérêt d'une analyse consiste alors souvent à faire ressortir de tels buts cachés, inavoués, qui motivent les acteurs. La connaissance des buts cachés mène à une meilleure compréhension des relations qu'entretiennent les divers acteurs.

Prenons un exemple tiré de l'univers des organisations populaires au Québec. À Rimouski, à la fin des années 70, des groupes communautaires et des groupes culturels décident de se regrouper et de fonder une organisation, le Regroupement des organismes communautaires et culturels de Rimouski (ROCCR), dans le but de promouvoir leurs intérêts[3]. Rapidement cependant, un clivage se crée entre les groupes du ROCCR à propos des actions à entreprendre face à l'administration municipale qui ne veut pas reconnaître leur regroupement comme un acteur important dans le développement communautaire et culturel à

---

3. Cet exemple est tiré de Dupuis (1985).

Rimouski. Cette non-reconnaissance se traduit par un refus de la municipalité de participer au financement du ROCCR et de ses groupes membres.

Mais le clivage qui se produit témoigne des autres buts, plus ou moins explicites, qu'avaient les groupes au moment de la fondation du regroupement. Pour les uns, la création du ROCCR devenait un instrument politique et idéologique visant à transformer profondément leur milieu de vie; pour les autres, il s'agissait plutôt de se donner des services collectifs, comme un centre pour loger les groupes, en vue d'assurer leur survie et leur développement, indépendamment de considérations idéologiques ou politiques. Face à une administration municipale qui reste indifférente à ses appels, la fragile coalition réunissant les groupes des deux tendances éclate, entraînant la dissolution du regroupement au milieu des années 80. La méprise sur les buts véritables de chacun est donc la principale cause de l'échec de l'expérience rimouskoise.

Regardons maintenant la situation des entreprises. Il y a dans l'entreprise trois principales catégories d'acteurs: les propriétaires, les dirigeants et les employés. Les propriétaires sont des individus, ou des groupes d'individus, qui lancent une entreprise par un investisssement en temps et en capitaux ou qui s'associent à une entreprise déjà en place en lui apportant du financement. Ils cherchent par ce moyen à tirer un bénéfice financier ou d'une autre nature. Les dirigeants sont embauchés par les propriétaires ou par leurs représentants pour organiser les activités de production de l'entreprise. Ils veillent à l'organisation, à la coordination et à la réalisation du travail des employés ou des cadres placés sous leur responsabilité. De plus, ils participent souvent, en collaboration avec les propriétaires, à la définition de l'orientation de l'entreprise et à l'établissement de son mode de fonctionnement. Les employés quant à eux doivent accomplir le travail qui leur est assigné par les dirigeants. Ils ont plus ou moins d'autonomie dans l'exécution de ce travail. Ils le font, tout comme les dirigeants, pour obtenir un salaire qui leur permet de gagner leur vie. Les conditions salariales des deux catégories sont cependant très souvent fort différentes dans l'entreprise, les premiers ayant des salaires nettement supérieurs, particulièrement les dirigeants des plus grandes entreprises (voir l'encadré 7.1). En gros, nous pourrions dire que les propriétaires financent, contrôlent et orientent l'entreprise, que les dirigeants la gèrent et que les employés exécutent le travail. Chacun apporte ainsi sa contribution au «but» de l'entreprise: produire un bien ou un service.

Mais tout cela n'est pas si simple puisque, comme nous pouvons déjà le deviner, les acteurs des trois catégories poursuivent en fait des buts qui peuvent s'avérer difficilement conciliables. En effet, le profit du propriétaire ne sera-t-il pas d'autant plus élevé que les dépenses en main-d'œuvre, donc les salaires, seront faibles? Bien sûr, il existe beaucoup d'entreprises et d'industries requérant une main-d'œuvre qualifiée qui ont intérêt à offrir de très bons salaires pour obtenir ou conserver cette main-d'œuvre, mais, toutes choses étant égales par ailleurs, il y a là un potentiel de conflit qui est illustré par les négociations salariales difficiles

ENCADRÉ 7.1   Les conditions salariales des dirigeants d'entreprise

Les patrons québécois grassement rémunérés

Le traitement de base des chefs de grandes entreprises actives au Québec a augmenté de 10% encore l'an dernier. Avec l'accélération des augmentations des primes liées à la bonne performance générale de ces entreprises durant cette période, leur rémunération s'est en fait accrue de 16% tandis que le pouvoir d'achat de leurs employés se maintient tout juste.

C'est ce que révèle notamment la dernière compilation statistique annuelle effectuée par *La Presse* à partir des circulaires d'information de plus d'une trentaine des plus importants employeurs du Québec dont les titres sont inscrits ou colistés à la Bourse de Toronto.

Rappelons que l'Ontario exige depuis quatre ans la divulgation des traitements individuels des cinq principaux dirigeants des entreprises cotées à sa Bourse. Cette pratique est aussi en vigueur en Colombie-Britannique et aux États-Unis. Au Québec, les sociétés ouvertes sont encore tenues de divulguer seulement l'enveloppe globale allouée aux cinq dirigeants les mieux rémunérés. Mais en vertu d'une nouvelle loi adoptée récemment, elles devront aussi ouvrir leur livre de paie l'an prochain.

L'initiateur du projet de loi, le député Jean Garon, croit que ces outils faciliteront l'évaluation de la performance des patrons québécois. Du point de vue de l'opposition, cela risque plutôt d'exercer une pression à la hausse sur ces rémunérations. Force est de constater que les salaires des chefs d'entreprise, tels que recensés par *La Presse*, ont augmenté de 34% et la rémunération (bonis inclus) de 90% depuis que l'Ontario a promulgué la divulgation des salaires il y a quatre ans.

Le traitement moyen

Selon notre compilation, le salaire moyen des chefs de grandes entreprises québécoises dépasse maintenant 400 000$. À cela s'ajoutent des bonis de 300 000$ pour une rémunération totale moyenne de 700 000$. Plus de la moitié des dirigeants de notre échantillon ont touché au moins un demi-million l'an dernier.

Les primes annuelles ont bondi de 47% l'an dernier après avoir gagné 16% l'exercice précédent. Presque toutes les sociétés ont ainsi salué toute hausse d'actif, de profits ou du cours boursier, y compris le Canadien Pacifique, même si sa restructuration grève toujours actif et bénéfices.

Rare exception, le conglomérat BCE garde encore ses dirigeants au régime sec. Chez CAE, Dominion Textile, Domtar, Le Groupe Transcontinental GTC, Noranda et Tembec, les primes ont nettement baissé, ce qui reflète généralement une année difficile. Pour sa part, la Financière Power y va parcimonieusement avec des bonis de 125 000$ seulement à partager, malgré son succès sur tous les plans.

La plus forte prime, soit 4,6 millions, a été versée par la CIBC au président de sa filiale de courtage Wood Gundy, J.S. Hunkin. Sa rémunération s'est ainsi accrue de plus de 500%, un sommet.

Les gratifications comptent maintenant pour tout près du tiers de la rémunération annuelle des hauts dirigeants de sociétés ouvertes québécoises. Ceci confirme la tendance voulant que les récompenses supplantent éventuellement le traitement de base. Aux États-Unis, on est déjà rendu au point où le salaire ne constitue que la moitié de l'enveloppe.

À cela s'ajoutent encore les incitatifs à long terme, des options d'achat d'actions le plus souvent. Avec la forte hausse des cours boursiers, le magazine *Business Week* a établi que ces programmes visant à encourager la performance à long terme et à retenir les meilleurs dirigeants ont permis aux présidents de grandes sociétés américaines de doubler leur prestation de base. [...]

Les grandes sociétés ouvertes actives au Québec ont par ailleurs aussi dégagé de généreux profits pour leurs actionnaires. Parmi les entreprises étudiées, seulement 10% broient encore du rouge tandis que neuf titres boursiers sur dix sont en hausse (de 21% en moyenne).

Ces hausses paraissent aussi modestes comparées à l'enflure salariale qui se pratique aux États-Unis. Toujours selon le magazine *Business Week*, la rémunération moyenne d'un président d'entreprise a bondi de 39% l'an dernier et s'établit maintenant à 2,3 millions de dollars US. C'est trois fois plus que pour le PDG d'une grande entreprise québécoise, selon notre estimation.

Pour leur part, faut-il rappeler, les travailleurs canadiens se sont dans l'ensemble contentés d'une maigre augmentation de 2,1% et aspirent maintenant à une rémunération moyenne annuelle de 31 200 $ au Canada. C'est dire qu'il leur fraudrait près de 22 ans pour obtenir autant qu'un chef d'entreprise touche en un an seulement. Il faudra deux fois plus de temps, soit pratiquement une vie de travail, pour un Québécois recevant le salaire minimum (malgré l'augmentation récente de 1,2%).

Les banquiers en vedette

Cette année encore, les banques volent la vedette pour les généreux salaires et bonis versés à leurs présidents. Parmi les 28 chefs d'entreprises recensés qui touchent leur million, les deux tiers viennent du monde financier et ils tiennent le haut du pavé dans le club. Les cinq grandes banques canadiennes, fortes de profits records, dominent aussi la liste des meilleurs payeurs, salaires et primes confondus.

Dans ce groupe cossu, les dirigeants de la Banque Nationale font encore figure d'enfants pauvres. La BN a partagé moins de 3,3 millions en salaires et bonis entre ses cinq principaux dirigeants, ce qui la classe loin derrière le peloton de tête des plus généreux payeurs. La Banque Laurentienne a déboursé encore deux fois moins. C'est néanmoins relativement élevé considérant l'actif de ces institutions financières. Du côté du Mouvement des caisses Desjardins, Claude Béland a finalement dévoilé de son propre chef un salaire de quelque 572 000 $ plus une prime de 57 833 $.

Des sommets

Des industries talonnent toutefois les banquiers dans le club des millionnaires. Northern Telecom a fortement augmenté l'enveloppe destinée à ses principaux dirigeants en réservant un boni de 1,1 million pour services rendus à M. Jean-Claude Monty qui vient de prendre du galon chez BCE. M. Monty a transformé Nortel d'entreprise déficitaire en leader des télécommunications.

De même, Air Canada vole haut avec une enveloppe de 4,5 millions pour ses cinq principaux dirigeants, dont une prime spéciale de départ de 2,2 millions pour M. Hollis Harris. Il faut dire que la rentabilité du transporteur aérien a fait un bon sous sa présidence. Le titre a aussi réussi une belle envolée boursière.

Autre entreprise de transport: Bombardier convoite aussi les sommets. Le fabricant des célèbres bombardiers d'eau, motoneiges, motomarines et autres jets a lui aussi versé 4,5 millions dans les poches de ses principaux dirigeants, dont plus de la moitié à son PDG, Laurent Beaudoin. Les actionnaires sont aussi au ciel puisque le titre a augmenté de 35 % durant la période.

La plus forte augmentation de salaire, soit 250 %, revient au vice-président exécutif, stratégie d'entreprise, de BCE, P.J.M. Nicholson, qui touche ainsi 271 733 $. Comme les autres dirigeants de ce conglomérat, l'intéressé n'a toutefois pas eu droit à un boni cette année. Il avait touché 65 700 $ à ce titre lors de l'exercice précédent.

Ailleurs, le vice-président du conseil de la Banque de Montréal a profité d'une augmentation de salaire de 84 % et d'une prime de 2,5 millions, après reclassification de sa fonction dans les services bancaires d'investissement. Le vice-président général et chef de l'exploitation d'Air Canada, Robert Milton, a aussi profité d'une forte augmentation de salaire (65 %) en plus d'avoir décuplé sa prime après les années d'austérité imposées par le transporteur.

Un PDG d'entreprise ouverte gagne en moyenne près de 500 000 $ au Québec et presque deux fois plus en comptant les bonis. Un vice-président exécutif peut aspirer à un salaire de près de 300 000 $ ou 500 000 $ après gratifications.

Par ici la facture

Manifestement satisfaits des forts gains boursiers empochés sur leur placement, les actionnaires ont moins questionné les salaires versés à leurs mandataires cette année. Le débat a néanmoins été ravivé par les interventions de l'ex-diplomate Yves Michaud, dit Robin des banques, et son allié, M. Robert Verdun, propriétaire d'un journal d'Elmira, en Ontario, aux assemblées des banques Royale et Nationale.

Le petit actionnaire proposait de plafonner la rémunération totale du plus haut patron à un montant égal à 20 fois le salaire moyen des employés. La mesure est empruntée à J.P. Morgan, fondateur de l'institution financière du même nom et né en 1837. Un financier du siècle dernier, rétorquent les banquiers.

Par contre, il s'en est aussi trouvé pour en demander plus pour leurs administrateurs. À l'occasion de l'assemblée annuelle, à Montréal, un actionnaire comblé par les résultats de l'entreprise Maax, un fabricant d'accessoires de salle de bains, a demandé, en vain, de faire passer la rémunération du président et chef de la direction Placide Poulin de 90 000 $ à 500 000 $. «Je ne veux pas attendre qu'il soit mort avant de donner des fleurs à Placide Poulin», justifiait l'actionnaire, expliquant que ses actions valent cinq fois leur valeur initiale.

Les meilleurs payeurs			
(Salaires et bonis versés aux cinq principaux dirigeants, en millions $)			
Banques		Autres	
1. Banque CIBC	10,1	Northern Telecom	5,0
2. Banque de Montréal	9,1	Air Canada	4,5
3. Banque Scotia	6,9	Bombardier	4,5
4. Banque Royale	6,1	Canadien Pacifique	4,1
5. Banque Toronto-Dominion	5,9	Quebecor	3,9

Les mieux payés			
(Salaires et bonis obtenus, en millions $)			
Banques		Autres	
1. J.S. Hunkin Banque CIBC (Wood Gundy)	4,9	Laurent Beaudoin Bombardier	2,4
2. B.J. Steck Banque de Montréal	3,0	Hollis Harris Air Canada	2,2
3. A.L. Flood Banque CIBC	2,6	J.C. Monty Northern Telecom	1,9
4. W. Barrett Banque de Montréal	2,2	Robert Gratton Financière Power	1,7
5. R.M. Thomson Banque Toronto-Dominion	2,2	D.P. O'Brien Canadien Pacifique	1,5

Les plus fortes primes			
(Primes d'intéressement à long terme, en millions $)			
Banques		Autres	
1. J.S. Hunkin Banque CIBC (Wood Gundy)	4,6	Hollis Harris Air Canada	1,4
2. B.J. Steck Banque de Montréal	2,5	Laurent Beaudoin Bombardier	1,4
3. A.L. Flood Banque CIBC	1,7	J.C. Monty Northern Telecom	1,1
4. W. Barrett Banque de Montréal	1,3	D.P. O'Brien Canadien Pacifique	0,7
5. J.E. Cleghorn Banque Royale	1,2	Laurent Lemaire Cascades	0,5

Les plus fortes augmentations de salaire

Banques		Autres	
1. B.J. Steck Banque de Montréal	250 %	P.J.M. Nicholson BCE	250 %
2. A.C. Baillie Banque Toronto-Dominion	25 %	Robert Milton Air Canada	65 %
3. H. Kluge Banque CIBC	10 %	Lisa de Wilde Astral Communications	41 %
4. B.R. Birmingham Banque Scotia	10 %	R.W. Osborne BCE	36 %
5. R.P. Kelly Banque Toronto-Dominion	10 %	E.N. Santos Alcan Aluminium	33 %

Les plus fortes augmentations de rémunération
(Salaires et primes confondus)

Banques		Autres	
1. J.S. Hunkin Banque CIBC (Wood Gundy)	513 %	Robert Milton Air Canada	138 %
2. J.E. Bolduc Banque Royale	27 %	Hollis Harris Air Canada	117 %
3. B.C. Galloway Banque Royale	27 %	Stuart Hertley Compagnies Molson	101 %
4. R.J. Sutherland Banque Royale	27 %	P.J.M. Nicholson BCE	90 %
5. A.C. Baillie Banque Toronto-Dominion	22 %	Jean-Jacques Bourgeault Air Canada	87 %

Source : P. Durivage, «Les patrons québécois grassement rémunérés», *La Presse*, 12 juillet 1997, p. E1. Reproduit avec permission.

entre la direction et les employés. Nous pourrions aussi prendre l'exemple des dirigeants qui désirent également avoir de meilleurs salaires, qu'ils obtiennent d'ailleurs plus souvent parce qu'ils sont les représentants des propriétaires de l'entreprise. Or un écart salarial trop grand entre les dirigeants et les employés peut aussi donner lieu à des relations conflictuelles. Comment faire accepter des faibles salaires aux employés dans ce contexte ?

La situation se complique d'autant plus dans une grande entreprise où les grandes catégories d'acteurs peuvent s'organiser en sous-groupes poursuivant chacun des buts différents. Par exemple, la propriété d'une grande entreprise peut être entre les mains d'un actionnaire principal et de petits actionnaires. Il est clair que le poids et le rôle de ces deux types de propriétaires ne sont pas les mêmes, si bien qu'il importe d'en tenir compte dans l'analyse de l'entreprise. Il se peut que l'actionnaire principal veuille prendre des risques pour obtenir un fort profit à court terme et que les petits actionnaires, au contraire, soient plus prudents et veuillent un rendement sûr et régulier qui s'inscrit dans une perspective à plus long terme. La situation inverse est aussi possible, l'actionnaire principal voulant plus de sécurité à long terme et les petits actionnaires un meilleur rendement à court terme. Il y a là un conflit potentiel entre les propriétaires quant aux buts qui peut perturber toute l'entreprise.

De la même façon, nous pouvons facilement imaginer, par exemple, qu'un conflit puisse éclater entre des hauts dirigeants préoccupés par la croissance rapide de l'entreprise et des dirigeants d'unités plus opérationnelles qui souhaitent mettre de l'avant certains projets pour leur unité et qui acceptent mal les orientations définies par le siège social. Ces derniers pourraient travailler à minimiser les incidences de ces orientations dans leur unité pour maintenir de bonnes relations avec leurs employés et atteindre leur propre but, celui-ci n'étant pas de participer à tout prix à la croissance à court terme de l'entreprise mais plutôt, par exemple, de mettre au point de nouveaux procédés de production jugés non prioritaires par le siège social. Les dirigeants voient dans la mise au point de ces nouveaux procédés une occasion de donner plus d'importance à leur unité, et donc à eux-mêmes, au sein de l'entreprise. Ils peuvent même espérer à terme un redéploiement des activités de l'entreprise autour des projets de leur unité, et obtenir, par la même occasion, de nouvelles responsabilités (la direction du siège social peut-être).

Les désaccords et les conflits entre groupes d'employés peuvent être tout aussi nombreux et fréquents, en particulier dans les grandes entreprises qui comptent différents services, unités et filiales et où les dirigeants dressent les groupes les uns contre les autres. Les employés d'une filiale peuvent se diviser sur des questions comme les demandes patronales de réduction des salaires ou de modification des tâches de travail. Certains voudront conserver les acquis et seront prêts à se battre pour cela, d'autres se montreront plus conciliants et accepteront de faire des concessions. Leur désaccord entraînera la pagaille, voire un conflit profond, entre les différents groupes d'employés.

Nous sommes ainsi loin de la situation d'une petite entreprise où le propriétaire unique, ses deux ou trois dirigeants et sa trentaine d'employés peuvent aisément avoir des objectifs communs, mais encore là la situation peut se corser. En effet, même dans une entreprise de ce genre, une division en sous-groupes peut se produire parmi les employés. Par exemple, un conflit entre employés peut révéler l'existence de sous-groupes ayant des buts différents, certains se contentant d'un certain niveau de salaire, d'autres en revendiquant un meilleur, ou encore demandant une formation en vue de monter dans l'entreprise. Mais qu'importe qu'il s'agisse d'une petite ou d'une grande entreprise, nous trouvons toujours ces trois catégories d'acteurs dans l'entreprise — propriétaires, dirigeants et employés —, et c'est de là qu'il faut partir pour comprendre son fonctionnement. Il est certain que plus l'entreprise est grande et complexe — un grand nombre d'employés et d'unités de production et de services —, plus il y a d'acteurs et de buts potentiellement différents, ce qui complique forcément la compréhension de sa dynamique. Nous y reviendrons.

Nous pouvons admettre aussi que les acteurs au sein de l'entreprise poursuivent au moins deux grands buts divergents: les propriétaires recherchent le profit, tandis que les dirigeants et les travailleurs recherchent une rémunération. À côté de ces différences élémentaires et reconnues par tous, il peut y avoir une multitude de buts poursuivis dans l'organisation. Cela peut aller du but personnel d'un cadre ou d'un employé cherchant par tous les moyens à obtenir une promotion, quitte même à aller à l'encontre des intérêts de l'entreprise, à celui d'un groupe d'employés qui, désirant obtenir plus de respect de leurs dirigeants, créent un syndicat, à celui d'un propriétaire voulant léguer un patrimoine à ses enfants. Les buts ne sont donc pas uniquement de nature économique, ils peuvent être politiques (plus de pouvoir dans l'entreprise) ou symboliques (plus de respect des patrons). Les cas de figure sont infinis. En outre, les buts peuvent varier dans le temps, et ce qu'on désirait au départ ne correspond plus nécessairement à ce qu'on veut aujourd'hui.

De plus, il se peut que les buts des acteurs varient, en particulier pour les propriétaires, en fonction du type d'entreprise: privée, publique ou coopérative. L'entreprise coopérative et l'entreprise publique ont rarement le profit comme principale motivation. Ces deux types d'entreprises répondent, la plupart du temps, à des impératifs socioéconomiques. L'entreprise coopérative est en général fondée par des individus qui n'ont pas, ou très peu, de ressources financières mais qui veulent améliorer leur sort. Ces individus mettent ensemble leurs maigres ressources pour se donner un service ou un travail qu'ils pourraient difficilement s'offrir autrement: magasin d'alimentation, coopérative d'habitation, caisse populaire, coopérative de travail, etc. L'entreprise publique est créée par les gouvernements, au nom des citoyens qu'ils représentent, dans le but de fournir un service ou un produit qui n'existe pas de manière satisfaisante sur le marché, ou pour mettre en valeur les ressources naturelles du pays, ou encore pour changer le rapport de force économique entre les citoyens dans la société, etc. Pensons à Hydro-Québec qui, dès sa création en 1944, et après son expansion avec la nationalisation de l'électricité au début des années 60, poursuivait plusieurs buts de cette nature: mieux exploiter les ressources hydrauliques du Québec, offrir un service d'électricité de qualité aux citoyens de toutes les régions du Québec, favoriser l'émergence d'un entrepreneuriat et de grands dirigeants francophones, etc. Il est vrai que les entreprises publiques, comme les entreprises privées, peuvent changer de buts — et se donner une orientation plus écono-mique (générer surtout des profits) que politique (changer un rapport de force) par la suite —, mais ceux-ci restent définis par un acteur politique (le gouverne-ment) et font l'objet de larges débats démocratiques, souvent publics, ce qui n'est pas le cas des entreprises privées. Nous reviendrons plus en profondeur sur les dynamiques introduites par les types de propriété et de contrôle des entreprises un peu plus loin.

TROIS TYPES DE STRATÉGIES

Les relations entre les individus, comme entre les groupes et sous-groupes, sont de trois ordres: la collaboration, l'hostilité ou l'indifférence. Dans une entreprise, par définition, une coopération existe entre les individus et les groupes qui la composent pour atteindre l'objectif minimal qui réunit tous les acteurs: produire un bien ou un service. Par contre, étant donné les buts souvent variés des acteurs, il se peut que des mésententes se fassent jour et que la coopération ne soit plus ou pas possible: il y a alors hostilité entre certains individus, ou entre certains groupes, ou entre des individus et des groupes. Cette hostilité peut mener à des situations plus ou moins graves: sabotage, grève, lock-out, ferme-ture, démission, vente d'actions, congédiement, etc. L'indifférence découle de l'existence de grandes entreprises où des groupes ne sont pas en interaction directe les uns avec les autres; ils sont donc, objectivement du moins, en situa-tion d'indifférence les uns par rapport aux autres. La situation peut changer, bien sûr, et l'indifférence peut devenir une relation de collaboration ou d'hostilité.

Par stratégie, nous entendons le choix d'une action parmi un ensemble d'actions possibles pour entrer en relation avec les autres dans l'entreprise. Les individus et les groupes qui interagissent dans l'entreprise adoptent généralement trois grands types de stratégies les uns envers les autres: de collaboration, d'affrontement ou de négociation. Ici, à la lumière du concept de stratégie, la coopération n'est plus considérée comme naturelle et allant de soi, mais elle découle d'un choix des acteurs, ces derniers pouvant, pour toutes sortes de rai-sons qui leur sont propres, ne pas collaborer. Avec la stratégie d'affrontement, c'est l'hostilité qui s'affiche ouvertement, qui prend une forme concrète dans l'action, qui vise à changer les choses. Finalement, la stratégie de négociation est intermédiaire par rapport aux deux premières: on veut bien collaborer, mais à condition de négocier les aspects de la collaboration, pour que cette dernière ne se fasse pas à n'importe quel prix.

Il est possible, voire fréquent, de passer d'une stratégie à l'autre, mais il n'existe pas de règles ici. La collaboration peut se transformer en affrontement ou en négociation, l'affrontement en négociation ou en collaboration, mais un état stratégique peut tout aussi bien perdurer et avoir des effets néfastes pour l'un des acteurs. Par exemple, la stratégie d'affrontement entre un syndicat local et la direction d'une entreprise peut tout simplement mener à la fermeture de l'unité en question et au déménagement de ces activités dans un autre établissement de l'entreprise. Rien, en effet, ne garantit que l'affrontement s'adoucira et se transformera en négociation ou en collaboration. De même, la stratégie d'affrontement entre les dirigeants de deux divisions peut bien aboutir au congédiement de certains d'entre eux par la haute direction ou par les propriétaires. Les résultats des différentes stratégies des acteurs ne sont donc pas totalement prévisibles. Bref, la situation comporte des risques pour les acteurs, dont celui d'échouer avec les conséquences qui s'ensuivent. Cela soulève toute la question des enjeux sous-jacents aux stratégies, question que nous aborderons bientôt.

Par ailleurs, ces stratégies prennent toutes sortes de formes. Ainsi, la collaboration peut consister dans une alliance temporaire entre deux groupes par rapport à une question bien précise, ou dans un engagement à long terme scellé par un contrat, ou prendre la forme d'une convention collective qui lie tous les acteurs. Pourtant, dans un cas comme dans l'autre, rien, encore une fois, ne garantit la durée de la collaboration. Une alliance peut être rompue avant la fin de la période prévue, comme un contrat ou une convention collective peuvent, en raison d'interprétations différentes par les acteurs, provoquer des conflits. Les collaborations peuvent mettre en présence des acteurs extérieurs à l'entreprise, d'autres syndicats, d'autres entreprises, le gouvernement, des groupes de pression, etc. Par exemple, les dirigeants d'une entreprise peuvent s'allier avec un entrepreneur et donner une partie du travail de ses employés en sous-traitance, en guise de représailles ou pour servir une leçon à des employés qu'ils jugent trop exigeants. On peut aussi avoir recours à un arbitre de l'intérieur, en provenance d'un autre service ou établissement, ou de l'extérieur, nommé par le gouvernement par exemple, pour diriger une négociation difficile, résoudre un affrontement qui dure depuis trop longtemps. En ce sens, l'entreprise n'est pas un univers fermé, et des acteurs et des ressources de l'extérieur peuvent être fréquemment appelés à intervenir dans les rapports entre les différents individus et groupes qui la composent.

LES RESSOURCES INÉGALES DES ACTEURS

Cela nous amène à la question des ressources des acteurs. Pour mettre en œuvre des stratégies, et surtout pour qu'elles soient efficaces, il faut pouvoir s'appuyer sur des ressources. Or, en matière de ressources, les acteurs au sein de l'entreprise sont forcément inégaux, comme nous le montrerons. Définissons d'abord ce que sont les ressources.

Nous entendons par ressources ce sur quoi l'acteur exerce un contrôle et qui est susceptible de devenir un objet d'intérêt pour les autres. Il s'agit de tout ce qu'un acteur peut mobiliser, utiliser dans ses relations avec les autres, pour imposer son point de vue, ses choix, ses désirs, etc. Ces ressources peuvent être matérielles (de l'argent, des biens, des propriétés, des lois et des règlements, etc.) ou symboliques (du prestige, des relations, des compétences, des connaissances, de l'information, etc.). Un acteur peut être une ressource pour un autre. Les règles officielles de l'entreprise peuvent en être une également, les lois d'un pays, etc. L'utilité de ces ressources dépend des situations. Dans certains cas, elles peuvent être très utiles à un acteur, dans d'autres, pas du tout. Elles doivent donc être pertinentes par rapport à une situation donnée pour être mobilisables, efficaces.

Par exemple, dans nos sociétés modernes, l'opinion publique, qui s'exprime par le biais des médias, peut être une ressource importante pour un acteur collectif comme un syndicat, la direction d'une entreprise ou un gouvernement. Mais cette ressource symbolique peut parfois ne pas être mobilisable, ou même pire, se retourner contre l'acteur qui y fait appel. Ainsi, l'opinion publique peut appuyer un syndicat de la fonction publique quand elle trouve la cause juste, comme cela a été le cas des infirmières il y a quelques années, mais actuellement, par les temps durs de récession et de crise économique, l'opinion publique n'est guère favorable aux syndicats. La situation était toute différente dans les années 60 alors que, au Québec par exemple, l'appui aux syndicats était assez fort (sur l'image du pouvoir syndical au Québec, voir Rouillard, 1993). Les syndicats peuvent donc rarement y recourir de nos jours dans leur affrontement avec l'État ou avec les entreprises. On en a eu la preuve lors des dernières rondes de négociation (1993, 1995, 1997) dans la fonction publique québécoise.

Il est clair que, dans l'entreprise, ces ressources se distribuent très inégalement. Les propriétaires disposent en général d'un plus grand et d'un plus riche arsenal de ressources. Ils possèdent l'entreprise et ses installations, ils choisissent leurs dirigeants, ils ont un accès privilégié à l'information, ils ont des ressources financières, et très souvent un accès direct aux capitaux, ils ont des relations dans l'industrie, parfois dans les gouvernements, ils sont reconnus socialement, etc. Il est bien sûr que nous parlons ici des propriétaires qui contrôlent véritablement l'entreprise. Les petits actionnaires, minoritaires, éparpillés, sans contact les uns avec les autres, qui représentent souvent une partie importante des propriétaires des grandes entreprises, ne disposent pas de telles ressources. Les principaux dirigeants d'une entreprise jouissent sensiblement des mêmes ressources que les premiers, surtout s'ils en sont aussi les propriétaires comme c'est souvent le cas dans les petites et moyennes entreprises. Dans les grandes entreprises, seuls quelques dirigeants, étroitement associés aux propriétaires, sont dans cette situation. Les autres se contentent souvent d'un accès privilégié, mais la plupart du temps limité, à l'information et à certaines ressources matérielles et financières.

Pour leur part, les employés ont beaucoup moins de ressources, mais ici aussi les différences entre eux peuvent être très importantes. Un professionnel —

comptable, avocat, ingénieur, etc. — qui gère et manipule des informations essentielles pour l'entreprise a plus de ressources à mobiliser qu'un simple ouvrier non spécialisé travaillant sur une chaîne de montage. Ce dernier n'a que très peu de ressources, sinon la force de ses bras lui permettant d'exécuter le travail. C'est pourquoi de nombreuses catégories d'employés ont souvent cherché à se regrouper pour se donner plus de ressources, et donc de pouvoir, dans l'entreprise. L'action syndicale prend ici tout son sens. La reconnaissance formelle des syndicats et l'encadrement juridique de la pratique syndicale sont souvent les principales ressources des employés... syndiqués. Pour les autres, la protection juridique est, en Amérique du Nord, plus faible (voir l'encadré 7.2, p. 306). Ce n'est pas le cas dans beaucoup de pays d'Europe où, par exemple, les mises à pied peuvent être très réglementées et très coûteuses pour les entreprises. Par contre, la possibilité de se syndiquer constitue en soi une ressource qui peut être utilisée par les employés dans leurs relations avec les dirigeants.

Cette ressource d'ordre juridique permet à des employés de négocier à armes «plus égales» avec les employeurs. C'est d'ailleurs l'objectif de cette reconnaissance que d'équilibrer un rapport jugé au départ inégal entre employeurs et employés. Le droit de négocier un contrat de travail collectif, et de faire la grève en cas d'impasse dans les négociations, est une ressource importante pour les employés. Bien sûr, le droit de lock-out[4] accordé aux entreprises limite et contre-balance le droit de grève. En revanche, au Québec, la Loi «antiscabs» (antibriseurs de grève) adoptée en 1977, qui empêche les employeurs de remplacer les grévistes par des briseurs de grève, favorise les salariés syndiqués québécois par rapport aux autres salariés nord-américains. Il est à noter cependant que cette loi ne s'applique qu'aux entreprises formées en vertu de la Loi sur les compagnies de la province de Québec; les entreprises constituées en vertu de la Loi fédérale sur les sociétés par actions ne sont donc pas soumises à ces dispositions.

La question des ressources est primordiale parce qu'elle conditionne les stratégies que les acteurs choisissent dans leurs relations avec les autres. Cette ressource syndicale est cependant toute relative par rapport à celles de propriétaires d'entreprise qui disposent de plus d'un lieu de production. Ils peuvent par exemple menacer les employés d'une unité de production de déménager leurs activités ailleurs si ces derniers n'entendent pas raison lors d'une négociation ou d'un affrontement. Il est donc clair que les employés, même s'ils sont syndiqués, ont des ressources beaucoup moins importantes que la plupart des propriétaires d'entreprise, ce qui ne les cantonne pas pour autant dans l'inaction.

---

4. Le droit de lock-out est la possibilité pour l'employeur de fermer son entreprise temporairement en cas d'impasse dans les négociations, mais il doit le faire avant que les employés ne déclenchent eux-mêmes la grève puisqu'il s'agit de deux droits qui ne peuvent s'exercer simultanément. Seul celui qui agit le premier peut se prévaloir de son droit pendant un conflit de travail.

ENCADRÉ 7.2   Les éléments législatifs composant l'encadrement juridique
des relations de travail

Selon Mona-Josée Gagnon, trois grands éléments législatifs composent l'encadrement juridique des relations de travail :

- des lois universelles qui s'appliquent à tous les milieux de travail ou à
tous les salariés, selon leur objet ;
- des lois qui mettent en place des structures obligatoires ou facultatives
de représentation des salariés dans les milieux de travail ;
- des lois qui définissent le rôle et le fonctionnement des syndicats.

À partir de ces ingrédients de base, présents dans des mesures variables,
des encadrements juridiques différents se sont constitués, illustrant
d'autant des choix politiques. (Gagnon, 1994, p. 19-21.)

Au Québec, par exemple, la Loi sur les normes minimales de travail assure un
minimum de droits à tout employé et le Code du travail réglemente les relations
patronales-syndicales. Aucune loi ne prescrit, à proprement parler, la mise en
place de structures de représentation des salariés.

Cette question des ressources ne se pose pas seulement au regard des relations entre les propriétaires et les dirigeants d'une part et les employés d'une
autre. Elle se retrouve aussi dans les relations entre propriétaires, entre dirigeants, entre employés, ou encore entre propriétaires et dirigeants. Nous avons
déjà brièvement examiné la question des ressources inégales entre propriétaires
au sein de la grande entreprise. Nous avons vu que les petits actionnaires d'une
grande entreprise n'ont pas voix au chapitre, mais pourtant ils ne sont pas totalement démunis. Ils peuvent aussi s'en remettre aux tribunaux pour faire valoir ce
qu'ils considèrent comme leurs droits par rapport à des actionnaires principaux.
Il arrive de plus en plus fréquemment que les juges donnent raison à ces petits
actionnaires dans leurs affrontements avec les actionnaires principaux et certains
grands dirigeants (voir l'encadré 7.3), mais encore une fois, leurs ressources restent faibles par rapport aux autres et limitent grandement les stratégies qu'ils peuvent mettre en œuvre.

ENCADRÉ 7.3   Les ressources des petits actionnaires

Seul contre les banques

*Yves Michaud vient de prouver à la face de l'establishment financier qu'un simple
citoyen, un simple actionnaire qui n'est pas « one of the boys », peut avoir gain de
cause contre l'armada juridique des grandes banques canadiennes. La décision
rendue par la juge Pierrette Rayle de la Cour supérieure est « spectaculaire », « révo-
lutionnaire » même, selon les mots de quelques experts interrogés qui se spécialisent
dans le droit des sociétés. Les petits actionnaires pourront avoir leur mot à dire sur*

les avantages, pécuniaires ou autre, que des cénacles étanches octroient à la haute direction des banques.

Elle ne date pas d'hier la croisade que mène contre la direction des institutions financières, contre ce qu'il appelle «la coterie des copains d'abord», l'ancien député et diplomate, ce journaliste qui tient encore une chronique à CKVL et publie ses éditoriaux sur le site Internet de Planète Québec. Victime de la déconfiture de Trustco Général avec 2 000 autres petits porteurs de débentures, un placement en principe des plus pépères, Yves Michaud, qui ne mâche pas ses mots, est parti en guerre contre la «veulerie» des «roquets de la mafia des institutions financières», contre le propriétaire de Trustco Général, l'Industrielle-Alliance, et le prétendu sauveur, la Banque Nationale, et sa filiale de courtage Lévesque Beaubien Geoffrion. Depuis, ses démêlés avec le monde de la finance culminent tous les ans lors de l'assemblée annuelle de la Banque Nationale. Dans un style «vieille France» qui contraste avec la langue de bois lénifiante et comptable, la *lingua franca* de ces augustes rendez-vous d'actionnaires dociles, Yves Michaud y fustige la cupidité honteuse des dirigeants de banques et du copinage érigé en système qui la satisfait.

La juge Rayle ordonne à la Banque Nationale et à la Banque Royale, dont M. Michaud est actionnaire inscrit, d'inclure dans leur circulaire envoyée à tous les actionnaires, en prévision des prochaines assemblées annuelles, cinq propositions (quatre dans le cas de la Banque Royale) que M. Michaud veut soumettre au vote des actionnaires.

La première de ses propositions vise à limiter à 20 fois le salaire moyen des employés de la banque la rémunération globale, comprenant primes, bonis et gratifications, consentie à son président. Cette recommandation vient de J.P. Morgan de la banque d'affaires du même nom, rapporte M. Michaud. Il s'appuie en outre sur l'opinion du gestionnaire de fonds Stephen Jarislowsky qui dénonce les salaires «fréquemment trop élevés, les primes excessives, les options d'achats burlesques» consentis aux dirigeants de sociétés. Le président de la Banque Nationale, qui a touché une rémunération totale de 1,4 million de dollars, devrait se contenter de 900 000 dollars, selon le calcul de Michaud, et John Cleyhorn, le président du conseil de la Banque Royale, de 815 000 dollars, selon le *Globe and Mail*, au lieu des 2,28 millions qu'il a encaissés. Une misère quoi !

Yves Michaud a plaidé seul sa cause, affrontant l'artillerie du cabinet Desjardins Ducharme Stein Monast pour la Banque Nationale et d'Ogilvy Renault pour la Banque Royale. Il a dû subir des interrogatoires «épuisants», selon ses termes, menés par les avocats des banques sur sa triple carrière de journaliste, d'homme politique et de diplomate. Ces avocats ont épluché ses déclarations, ses articles et ses éditoriaux. «Le requérant ne s'attendait peut-être pas à ce que sa requête de 21 lignes provoque un front concerté aussi impressionnant», écrit la juge Rayle.

Les banques semblent avoir été prises de court. Elles n'ont guère le choix maintenant que de soumettre les propositions de M. Michaud au vote. À défaut de respecter cette ordonnance exécutoire, la Cour empêchera la tenue de leurs assemblées annuelles. Une requête pour en appeler du jugement n'y changera rien, selon les experts.

Yves Michaud ne se fait guère d'illusions sur le sort qui sera réservé à ses propositions. La direction des banques, aidées de surcroît par les filiales de courtage en valeurs mobilières, s'assurera de réunir suffisamment de titres pour repousser cette offensive. Aucun actionnaire ne peut contrôler une grande banque canadienne, le gouvernement interdisant qu'un seul actionnaire détienne plus de 10% de son capital-actions. Conséquence: les vrais patrons, ce sont les gestionnaires de la banque et les actionnaires peuvent difficilement se mobiliser contre une direction appelée à s'auto-évaluer, à s'auto-congratuler et, surtout, à s'auto-récompenser.

En revanche, le jugement crée un précédent important: les actionnaires peuvent se faire entendre, soumettre des propositions et susciter la discussion. C'est dans la loi, mais on arrivait mal à en appliquer les principes. Cette décision sonnera peut-être l'éveil des actionnaires face à leurs intouchables dirigeants.

Yves Michaud se demande aujourd'hui pourquoi il lui revient à lui de mener cette bataille, lui qui n'est pas un financier. «Pourquoi moi? Pourquoi un journaliste? Pourquoi pas les grands M.B.A.?» Ceux qui savent se taisent, pourrait-on lui répondre, et s'appesantit le silence des requins.

Source: R. Dutrisac, «Seul contre les banques», *Le Devoir*, 13 janvier 1997, p. A1. Reproduit avec permission.

TROIS TYPES D'ENJEUX

Les divers acteurs ont des buts, des ressources et des stratégies et ils agissent en fonction d'enjeux qui les concernent dans l'entreprise, soit comme individu, soit comme acteur collectif. La question des enjeux est centrale parce qu'elle permet de comprendre, au-delà des buts des acteurs et des tâches définies par l'entreprise, les actions et les stratégies des acteurs.

L'enjeu, c'est ce que l'acteur ou les acteurs peuvent gagner ou perdre dans les relations qu'ils ont avec les autres, en particulier par rapport aux stratégies qu'ils mettent de l'avant. Il peut y avoir plusieurs enjeux, certains peuvent être évidents, d'autres moins. L'un des objectifs de l'analyse est justement de mettre au jour les enjeux qui sont véritablement l'objet du rapport de force entre les acteurs. Les ressources peuvent être un enjeu dans la mesure où leur contrôle assure à un acteur un plus grand pouvoir sur les autres. De la même manière, les règles peuvent être des enjeux si elles avantagent certains acteurs au détriment des autres. Les acteurs ayant toujours intérêt à ce que les règles les favorisent, leur modification peut donc être un enjeu important.

Nous pouvons dégager trois principaux types d'enjeux: des enjeux économiques, politiques et symboliques. Jusqu'à maintenant, nous avons surtout parlé d'enjeux économiques. Les propriétaires cherchent à obtenir les meilleurs profits possible en optant soit, selon les entreprises et les contextes, pour une politique salariale généreuse ou peu généreuse ; les employés veulent les meilleurs salaires possible en collaborant avec les dirigeants, ou en les affrontant, etc. Ainsi, les stratégies de collaboration, de négociation ou d'affrontement visent souvent à orienter les actions des uns et des autres vers des conséquences positives pour chacun sur le plan économique. Elles peuvent aussi servir à assurer la survie de l'entreprise ou le maintien des emplois. Mais ce n'est pas tout ce qui motive les actions des acteurs. Certains groupes d'employés font la grève parce qu'un dirigeant ne les respecte pas et qu'ils ont l'impression de n'être pas bien traités, ou tout simplement pour avoir leur mot à dire dans l'organisation du travail. Un dirigeant travaillera à la croissance de l'entreprise pour obtenir une reconnaissance sociale, du prestige, ou adoptera des stratégies visant à éliminer un rival trop ambitieux qui veut prendre sa place. La notion d'enjeux politiques ou symboliques caractérise ces situations.

L'enjeu politique recouvre le désir d'exercer plus de pouvoir ou la peur de perdre du pouvoir dans l'entreprise. Les relations entre les acteurs sont constamment empreintes de ces rapports de pouvoir : le dirigeant d'une unité opérationnelle veut avoir plus de pouvoir par rapport au siège social pour atteindre ses objectifs de production, l'ouvrier veut plus de pouvoir pour voir à l'exécution de son travail, le propriétaire veut exercer le plus grand contrôle, etc. Cette recherche du pouvoir est en fait la recherche d'une plus grande autonomie dans la conduite de sa vie au travail. Ce désir d'autonomie est une caractéristique des individus dans nos sociétés modernes, et il s'accompagne souvent du désir de participer activement au fonctionnement de l'entreprise, d'où la nécessité d'une plus grande démocratie dans cette dernière. Exercer un plus grand pouvoir ou conserver le pouvoir, c'est, concrètement, obtenir de nouvelles ressources pour l'exercer, ou conserver celles qu'on contrôle déjà.

Ces ressources sont d'ordre matériel, décisionnel, informationnel, etc. En effet, pour un dirigeant, disposer d'un budget plus important pour mener à bien un projet est une ressource significative sur le chapitre du pouvoir, et d'autant plus si ces ressources financières sont convoitées par des dirigeants d'autres services ou unités de production. Cela veut dire que son projet l'a emporté, qu'il peut y faire travailler des personnes, et que d'autres projets vont être mis de côté. Il a gagné et d'autres ont perdu. Pour des employés, avoir de nouvelles ressources peut vouloir dire avoir le droit de prendre plus de décisions dans l'exercice de leur tâche, ce qui peut contribuer à enrichir leur travail et à les soustraire un peu de l'autorité de leur supérieur immédiat. Ils ont gagné une certaine autonomie, alors que ce dernier perd un peu de son pouvoir sur eux. Ce peut être aussi d'avoir accès aux informations financières en ayant un siège réservé au conseil d'administration, ce qui leur permettra de mieux faire valoir leurs points de vue, de négocier des conditions salariales et de travail en meilleure connaissance de cause et, donc, d'améliorer leur rapport avec l'employeur. L'enjeu encore ici est politique, soit un peu plus de pouvoir pour les uns, un peu moins pour les autres. En effet, dans ce dernier cas, les dirigeants ne pourraient plus invoquer indûment la situation économique difficile de l'entreprise au moment de la négociation d'un nouveau contrat de travail, comme ils le font souvent, parce que les employés auraient eu accès au bilan de l'entreprise.

Bien sûr, cette ressource, comme toute ressource, est relative. Peut-on l'utiliser? Et dans quelle mesure? Chaque situation est différente. Dans l'exemple d'un siège réservé aux employés au conseil d'administration, il faut voir plus précisément s'il existe un syndicat ou des mécanismes formels pour bien exploiter cette ressource. Il faut voir par exemple si l'entreprise donne aux employés la possibilité de suivre une formation dans le domaine de la gestion pour leur permettre de remplir pleinement leur rôle, et si oui voir qui est chargé de cette formation (les dirigeants ou des spécialistes venus de l'extérieur) et dans quel contexte (favorable ou non). Autant d'aspects qui conditionneront l'usage de cette ressource, son poids, sa portée pour les employés. L'enjeu, ce n'est donc pas exclusivement la reconnaissance d'un droit ou l'obtention d'une ressource, c'est aussi la mise en œuvre, les conditions d'usage de ce droit ou de cette ressource.

Cela nous conduit tout naturellement à l'enjeu symbolique. Avoir une reconnaissance dans l'entreprise, comme lorsque des employés sont admis au conseil d'administration (cas rare, faut-il le préciser), après une dure bataille ou une négociation de bonne foi, est d'abord un enjeu symbolique: être reconnu comme interlocuteur valable. Nous avons vu que cela ne suffit pas toujours, surtout si, une fois la bataille gagnée, cette reconnaissance ne se traduit pas par des effets réels, palpables. Mais il y a là un enjeu symbolique, souvent très important. En effet, les employés ont fréquemment l'impression de n'être que «des numéros interchangeables», que de simples instruments de travail facilement remplaçables. Plusieurs conflits dans l'entreprise ont pour cause principale un manque de respect des propriétaires et des dirigeants à leur égard. Pouvoir siéger au conseil d'administration change la dynamique à ce chapitre.

Régulièrement, voire quotidiennement, des enjeux symboliques se jouent dans l'entreprise: des dirigeants qui conservent les privilèges attachés à leurs fonctions tandis que sont réduits les salaires des employés; d'autres qui s'offrent de beaux et spacieux locaux alors que leurs employés de bureau sont entassés les uns sur les autres dans des aires ouvertes; d'autres encore qui se congratulent mutuellement — annonces de nominations dans les journaux, fêtes en l'honneur d'une promotion ou d'un bon coup de l'un d'entre eux, etc. — tandis que leurs employés ne reçoivent jamais de reconnaissance ni de félicitations; ou encore des employés ou des cadres qui ont des traitements de faveur, un plus grand bureau, de petites récompenses à l'occasion (billets de hockey ou invitation à dîner du grand patron). Ces petits riens peuvent finir par gâcher les relations de travail et être la source de conflits ou d'affrontements très durs.

La vie en entreprise, ce n'est donc pas que des enjeux économiques, autour des profits, des salaires, de la productivité, du rendement ; elle comporte aussi des enjeux politiques, liés à l'autonomie, aux responsabilités, au pouvoir, et des enjeux symboliques, liés à la reconnaissance formelle ou informelle (fêtes, cérémonies, distribution des bureaux, etc.) de son existence, de son identité. Cette dynamique touche autant les dirigeants entre eux, ou les employés entre eux, que les relations entre dirigeants et employés, propriétaires et dirigeants, propriétaires et employés. L'encadré 7.4 illustre une situation dans laquelle plusieurs enjeux s'entremêlent.

ENCADRÉ 7.4 Le choix d'un siège social : un enjeu économique, politique ou symbolique ?

Le cas du siège social de la nouvelle entreprise Abitibi-Consolidated

Au mois de février 1997, les compagnies papetières Abitibi-Price et Stone-Consolidated s'entendaient pour fusionner et former une nouvelle société, l'Abitibi-Consolidated. Celle-ci devenait le plus gros producteur canadien de produits forestiers et le plus important fabricant de papier journal du monde.

La nouvelle entreprise a une valeur de 4,1 milliards en bourse ; son chiffre d'affaires de départ est d'environ 4,9 milliards.

La nouvelle Abitibi-Consolidated possède 18 usines au Canada, trois aux États-Unis et une au Royaume-Uni, ce qui lui donne 18 % de la capacité nord-américaine et 7,5 % de la capacité mondiale de production de papier journal.

Au moment de l'annonce de la décision, il restait encore à décider où serait situé le siège social de la nouvelle entreprise, car le siège social d'Abitibi-Price était à Toronto et celui de Stone-Consolidated, à Montréal. Un compte rendu de l'agence Presse canadienne paru dans *Le Devoir* le 25 février 1997 (« La CSN et la FTQ font pression en faveur de Montréal ») fait état des pressions qui s'exercent sur la nouvelle entreprise :

Les pressions se sont intensifiées hier, avec le front commun FTQ-CSN. La fusion entre Abitibi-Price et Stone-Consolidated doit générer des économies de synergie annuelle de 100 millions, essentiellement sous la forme de l'élimination d'un siège social. C'est donc Toronto contre Montréal, et 400 employés dans l'expectative.

La FTQ et la CSN ont commencé à faire des pressions pour que le nouveau géant des pâtes et papiers Abitibi-Consolidated installe son siège social à Montréal.

La Fédération des travailleurs du papier et de la forêt (CSN) a écrit aux présidents d'Abibiti-Price et de Stone-Consolidated pour leur demander de choisir Montréal, alors que le président de la FTQ Clément Godbout a invité le premier ministre Lucien Bouchard à intervenir personnellement dans le dossier en faveur de Montréal.

[...]

Les deux entreprises ont des tailles semblables. Abitibi-Price a un chiffre d'affaires de 2,4 milliards. Elle compte 6 800 employés, dont environ 225 à son siège social de Toronto. Stone-Consolidated, avec un chiffre d'affaires de 2,3 milliards, compte 6 200 employés. Environ 175 employés travaillent à son siège social de Montréal.

La semaine dernière, le président du conseil de la nouvelle entreprise, Ronald Oberlander, a déclaré qu'un comité déciderait du lieu du nouveau siège social, après une consultation auprès des employés touchés. M. Oberlander a dit s'attendre à des pressions de part et d'autre.

Arguments

Reprenant les informations qui circulent, et dont *Le Devoir* a fait état dans son édition de vendredi, M. Godbout a fait valoir, dans un communiqué émis hier, que plus de la moitié des salariés des deux entreprises travaillaient au Québec, soit 6 500. Par comparaison, seulement 20 % des salariés impliqués travaillent en Ontario. Il a ajouté que 14 des 24 usines et scieries affectées par la transaction étaient situées au Québec.

« La nouvelle compagnie compte l'essentiel de son personnel, de ses usines, de sa forêt, de ses ressources hydrauliques, bref de sa masse critique ici, a-t-il déclaré. Il est donc normal que le centre de gravité d'Abitibi-Consolidated soit au Québec. »

Le président de la Fédération des travailleurs du papier et de la forêt, affiliée à la CSN, Sylvain Parent, a présenté ses arguments dans des lettres qu'il a envoyées vendredi à M. Oberlander, présentement président et chef de la direction d'Abitibi-Price, et à James Doughan, président et chef de la direction de Stone-Consolidated.

Comme M. Godbout, il indique que la majorité des papeteries, des scieries et des opérations forestières de la nouvelle société sont situées au Québec.

Puis, il soutient que Montréal est une ville qui répond aux besoins de l'entreprise. Il fait valoir que plusieurs entreprises d'importance de l'industrie y ont leur siège social, et que des sociétés d'experts-conseils, notamment dans l'ingénierie et les services administratifs, sont solidement implantées dans cette ville et dans d'autres centres importants du Québec.

Enfin, il rappelle que les deux sociétés qui vont fusionner ont de profondes racines au Québec. Il explique que les usines de Stone-Consolidated de la vallée du Saint-Maurice et que l'usine de Port-Alfred à Ville La Baie ont formé le tissu industriel de ces régions. Il ajoute que la compagnie Price, acquise par Abitibi-Price en 1974, avait marqué le développement industriel de plusieurs régions du Québec.

La FTQ, par l'entremise du Syndicat des communications, de l'énergie et du papier, représente la grande majorité des syndiqués de Stone-Consolidated et d'Abitibi-Price au Québec.

La CSN, de son côté, représente 1 000 syndiqués de la Stone-Consolidated et environ 900 syndiqués d'Abitibi-Price.

LES RÉGULATIONS À L'ŒUVRE

Contrairement aux jeux de société, les jeux de la vie n'ont pas de règles fixes, qui seraient établies une fois pour toutes. Les règles sociales sont construites et transformées par les interactions des acteurs, par le jeu de leurs relations. Ces règles sont à la fois des guides pour l'action et le résultat de l'action. Elles sont parfois évidentes, formelles, comme les lois et les règlements qui régissent nos activités en société, bien que ces lois soient appelées à changer avec le temps, de façon à tenir compte des nouvelles pratiques sociales. Elles sont aussi parfois moins évidentes, moins formelles, comme les codes culturels qui régissent les relations quotidiennes (comment se comporter en public, comment s'habiller pour travailler dans tel ou tel milieu, comment s'adresser au directeur de l'entreprise, etc.). Lorsque les règles contribuent à créer un ensemble social, parce que des individus l'ont voulu en instaurant des règles d'appartenance et d'exclusion, à contraindre les activités de cet ensemble, elles constituent ce que Jean-Daniel Reynaud (1989) appelle des régulations. La régulation, c'est donc à la fois « le processus de création, de transformation ou de suppression des règles » (*ibid.*, p. 31) et la gestion et le maintien de ces règles comme système (*ibid.*, p. 35-37), ce qui permet finalement l'action collective, celle d'un groupe (*ibid.*, p. 70).

La société et l'organisation, comme tout système social le moindrement complexe, comptent de nombreuses régulations. Et ces régulations sont souvent en concurrence entre elles ; il arrive même fréquemment qu'on tente d'imposer sa régulation à d'autres. Comme le résume Reynaud :

> Par définition, une règle exerce une contrainte. Mais cette contrainte n'est pas seulement exercée par une collectivité sur un individu. Elle peut s'exercer sur une autre collectivité qui a déjà ou qui essaie d'avoir ses propres règles. La contrainte qu'exerce une régulation en affronte alors une autre. Réciproquement, l'infraction est la chose la plus naturelle du monde : puisqu'il y a règle, c'est qu'il y a tentation d'agir autrement. Mais l'infraction ne se réduit pas à la déviance individuelle. Elle peut être celle d'un groupe ou d'un individu qui défend ou réclame une autre régulation. Elle peut provenir d'une divergence entre deux règles. (Reynaud, 1989, p. 93.)

Examinons les différentes régulations à l'œuvre dans l'entreprise.

LES RÈGLES ET LES RÉGULATIONS DANS L'ENTREPRISE

L'entreprise est aussi un univers de règles et de régulations. Ainsi, les interactions des acteurs autour d'enjeux, de buts, de stratégies et de ressources contribuent à la construction d'un mode de fonctionnement que cristallisent des règles et des régulations. D'une part, les règles délimitent le jeu des acteurs et de leurs relations dans l'entreprise. D'autre part, comme elles sont aussi le résultat des rapports de force entre les acteurs, elles sont continuellement négociées, voire transformées. Elles sont « la conclusion toujours provisoire, précaire et problématique d'une épreuve de force» (Friedberg, 1993, p. 171). En ce sens, elles sont des régulations, c'est-à-dire à la fois des règles stabilisées et contraignantes pour les individus et les groupes et des processus continus de création-transformation-suppression des règles des groupes.

Nous pouvons relever trois types de régulations, c'est-à-dire des ensembles de règles et de processus permettant l'action collective, à l'œuvre dans l'entreprise : la régulation de contrôle, la régulation autonome et la régulation conjointe (Reynaud, 1989). La régulation de contrôle est la plus connue ; c'est, par exemple, celle de la direction et de l'encadrement dans l'entreprise. Il s'agit des règles et de la structure mises en place pour diriger et surveiller l'exécution du travail par les employés. Elle est en quelque sorte extérieure aux individus et aux groupes sur qui elle s'exerce, au sens où les règles sont imposées par d'autres — propriétaires, dirigeants, cadres ou contremaîtres chargés de s'assurer que les employés accomplissent le travail tel qu'il a été préalablement défini. Les règles de cette régulation désignent explicitement les personnes en position d'autorité, la plupart du temps dans le cadre d'une structure hiérarchique où chacun a quelqu'un au-dessus de lui — d'où son caractère externe. Elles prescrivent de plus pour chacune des situations (même s'il est impossible de toutes les prévoir) auxquelles font face les différents acteurs la conduite à suivre et les mesures à prendre. Ces règles incluent généralement les procédures d'évaluation du personnel, les mesures disciplinaires en cas de manquements, les procédures de correction en cas de problèmes (techniques ou autres), etc. La régulation de contrôle s'appuie en fait sur une assez grande variété de mécanismes, car les éléments qui les composent peuvent s'agencer différemment : ligne hiérarchique longue ou courte, centralisation ou décentralisation des décisions, planification à court terme ou à long terme, etc.

La régulation autonome provient de ceux qui effectuent le travail au quotidien dans des univers plus restreints, plus circonscrits. Il s'agit des règles qu'élaborent progressivement, à travers des expériences partagées et régulières, un groupe d'acteurs. Ce sont, entre autres, les règles de métier que forgent les employés et qui leur permettent de s'approprier un peu plus leur travail tout en codifiant leurs relations interpersonnelles (initiation, intégration, entraide, etc.). Il ne s'agit pas d'une régulation commune et uniforme à la grandeur de l'entreprise. Au contraire, il peut y avoir autant de régulations autonomes qu'il y a de groupes et d'acteurs collectifs dans l'entreprise.

La régulation conjointe naît de la rencontre de la régulation de contrôle et de la régulation autonome, quand des groupes d'employés négocient avec les propriétaires ou les dirigeants les règles de l'entreprise et en arrivent à un arrangement institutionnel. C'est le cas des entreprises où existe un syndicat et où une grande partie des règles sont négociées par les parties syndicale et patronale. C'est le cas aussi dans des pays comme l'Allemagne où il y a une obligation légale de cogestion dans les grandes entreprises. La régulation conjointe n'élimine pas les régulations autonomes, mais elle s'en inspire en grande partie. Elle n'élimine pas non plus la régulation de contrôle, mais elle limite la portée de celle-ci. Encore ici, plusieurs cas de figure sont possibles, puisque les règles négociées, résultat d'une régulation conjointe, peuvent s'appliquer à quelques éléments (promotions et mises à pied, par exemple, en vertu du principe de l'ancienneté) ou à plusieurs (quotas de production, changements technologiques, formation, etc.) de la vie en entreprise.

Pour résumer simplement, la régulation de contrôle, ce sont les règles qu'un groupe impose à un autre, la régulation autonome, ce sont les règles qu'un groupe se donne pour assurer son existence et son fonctionnement, et la régulation conjointe, c'est la négociation des règles qu'un groupe impose à un autre en tenant compte des règles propres à ce groupe. Nous allons dans les prochaines pages donner des exemples concrets de ces trois formes de régulation.

LA RÉGULATION DE CONTRÔLE : LA LOGIQUE DES PROPRIÉTAIRES ET DES DIRIGEANTS

Dans cette section, nous examinerons les différentes formes que peut prendre la régulation de contrôle. Nous nous intéresserons d'abord au contrôle qu'exercent les propriétaires sur les dirigeants dans l'entreprise. Nous relèverons à ce propos des différences importantes non seulement entre l'entreprise privée, l'entreprise publique et l'entreprise coopérative, mais aussi à l'intérieur de chacun de ces types d'entreprises. Nous jetterons aussi un regard sur les conséquences de cette régulation sur le contrôle qu'exercent les dirigeants sur les employés, deuxième forme importante de la régulation de contrôle dans l'entreprise.

L'entreprise privée

Le premier cas de figure que nous considérerons est celui de la régulation de contrôle managériale-actionnariale, assez répandue dans les grandes entreprises américaines. Cette forme de régulation touche en effet plus de 40 % des entreprises américaines, selon une enquête comparative Canada – États-Unis (Rao et Lee-Sing, 1996, p. 7). Il s'agit d'entreprises qui sont la propriété d'actionnaires individuels et institutionnels (fonds de retraite, compagnies d'assurances, etc.) dont aucun ne possède plus de 10 % des actions. La direction de l'entreprise est alors entre les mains de grands managers qui travaillent en collaboration avec le conseil d'administration représentant les intérêts des actionnaires. La régulation de contrôle qui se met en place ici est celle du contrôle qu'exercent les actionnaires sur les dirigeants par le biais du conseil d'administration. En effet, il s'agit, pour les actionnaires, de s'assurer que les dirigeants travaillent bien pour leurs intérêts à eux. Or, selon de nombreux spécialistes, le conseil d'administration réussit rarement à bien jouer son rôle. Comme le soulignent Monks et Minow :

> Suivant [...] la définition juridique de leur rôle, les conseils [d'administra-
> tion] existent [...] parce qu'il leur revient de surveiller les gestionnaires,
> d'embaucher ceux qui effectueront le meilleur travail et de les congédier s'ils
> ne répondent pas aux attentes. La gestion devrait ainsi se faire selon le bon
> vouloir du conseil d'administration. Or la réalité est tout autre. Les adminis-
> trateurs sont en effet redevables aux gestionnaires de leur nomination, de
> leur rémunération et de l'information dont ils disposent. Qui plus est,
> nombre d'entre eux n'ont pas la capacité ou le désir soit de consacrer du
> temps ou de l'énergie à superviser le fonctionnement de l'entreprise, soit de
> s'engager financièrement afin de contribuer à son succès. (Monks et Minow,
> 1995, p. 184 ; traduction libre.)

En fait, c'est que le conseil d'administration doit faire face à des dirigeants
qui fabriquent et gèrent l'information pertinente, qui la distribuent selon leur
volonté. Dit autrement, le conseil d'administration fait face à des dirigeants qui
ont leur régulation autonome, c'est-à-dire leurs propres règles de fonctionnement
qu'ils modifient à leur gré ou presque. La situation peut cependant varier énormément d'une entreprise à l'autre, selon que le PDG de l'entreprise est ou non
président du conseil d'administration — il l'est dans 60 % des cas aux États-Unis
(Monks et Minow, 1995, p. 15) —, selon que les actionnaires sont des individus
ou des institutions (celles-ci exercent plus de pression sur les conseils d'administration et sur les dirigeants [voir l'encadré 7.5]), selon la provenance (de
l'extérieur ou de l'entreprise ? et dans quelle proportion ?) des membres du conseil
d'administration (aux États-Unis, par exemple, un conseil d'administration de
grande entreprise compte en moyenne 13 membres dont 3 viennent de l'entreprise [*ibid.*, p. 181]), etc.

ENCADRÉ 7.5   Un exemple de contrôle actionnarial

Le profit, les emplois ou les deux ?

*Grands investisseurs, les fonds de retraite exercent un pouvoir certain
et leur jeu n'est pas toujours apprécié*

Ils ont des milliards investis dans les banques, les compagnies minières et les
conglomérats.

Ils possèdent des centres commerciaux ainsi que de grandes quantités
d'obligations gouvernementales. Leur liste d'actions ressemble à celle des
principales compagnies inscrites à la Bourse de Toronto.

Le fonds de retraite des enseignants de l'Ontario, avec ses 42 milliards $,
joue un rôle de premier plan sur les marchés de capitaux du Canada et, par ses
interventions, parvient à changer la façon dont les compagnies font des
affaires.

Les fonds de retraite des compagnies se gonflent de plus en plus, la génération d'après-guerre cherchant à consolider ses avoirs en prévision de
la retraite imminente. Au Canada, les 100 principaux fonds de retraite

contrôlaient des actifs de 304 milliards $ l'année dernière, ce qui représente une hausse par rapport aux 260 milliards $ de 1994.

Mais est-ce que les fonds de retraite se servent de leur force au détriment des Canadiens en général ? Absolument pas, soutient Claude Lamoureux, le pdg du Fonds de retraite des enseignants de l'Ontario, le plus important des fonds de retraités privés au Canada.

« À long terme, nous ne pouvons faire de l'argent que si l'économie canadienne poursuit sa croissance », a affirmé M. Lamoureux au cours d'une interview.

Le fonds des enseignants est intéressé par les profits à long terme des compagnies dans lesquelles il investit, a ajouté M. Lamoureux. Et, en conséquence, le fonds aime voir le conseil d'administration d'une compagnie agir dans les meilleurs intérêts des actionnaires.

« Nous cherchons à nous assurer que les capitaux sont investis de façon intelligente. »

Cependant, d'autres experts sont d'avis que les fonds de retraite du Canada cherchent tellement à faire des bénéfices qu'ils feraient n'importe quoi pour un dollar de plus.

« Ce que ces gens-là essaient de faire, c'est d'accroître la valeur de leurs investissements de façon à afficher des profits », a fait valoir Stephen Jarislowsky, qui siège aux conseils d'administration de plusieurs compagnies canadiennes et qui dirige une firme de conseillers en investissement de Montréal.

« À court terme, ça peut très bien réussir mais, par contre, à long terme, ça risque de créer des difficultés. »

Les fonds importants n'hésitent pas à faire jouer leurs muscles et à exiger des changements à un conseil d'administration ou une nouvelle direction pour une compagnie, a-t-il fait remarquer.

Les directeurs des fonds subissent constamment des pressions intenses, a souligné Marcia Butler, directrice des relations avec les investisseurs chez MacMillan Bloedel de Vancouver.

« On porte beaucoup d'attention au rendement. »

Et la pression se fait sentir par leurs interventions fréquentes auprès de la grande compagnie forestière, a-t-elle noté.

À la dernière assemblée annuelle, par exemple, un groupe de fonds — qui ensemble contrôlent 60 pour cent de MacMillan Bloedel — ont exigé l'installation de deux nouveaux membres au conseil d'administration. Ils en ont obtenu un et les procédures ont été entamées pour le deuxième.

« Ils savent ce qu'ils veulent et ils le disent clairement », a ajouté Mme Butler.

Et si on ne donne pas suite à leurs exigences, ils risquent de retirer leurs fonds et d'aller les investir ailleurs.

Source : H. Scoffield (PC), « Le profit, les emplois ou les deux ? », *Le Devoir*, 18 juin 1996, p. B2.

Cette situation de contrôle managérial-actionnarial qui est dominante aux États-Unis est au contraire minoritaire au Canada, ne touchant que 23,1% des entreprises (Rao et Lee-Sing, 1996, p. 7). Ainsi, au Canada, on trouve plus d'entreprises contrôlées par un actionnaire ou un petit groupe d'actionnaires détenant plus de 50% des actions (55,5% des entreprises au Canada par rapport à seulement 24,7% aux États-Unis [*ibid.*]). De plus, le PDG est beaucoup moins fréquemment le président du conseil d'administration (34,5% des cas [*ibid.*, p. 15]) bien qu'il siège au conseil d'administration dans la plupart des cas. Dans ces circonstances, la régulation de contrôle des actionnaires sur les dirigeants est moindre, puique la plupart du temps l'actionnaire principal (ou chaque actionnaire du petit groupe d'actionnaires principaux) est l'un des dirigeants de l'entreprise. Il faut savoir de plus que la vaste majorité des entreprises au Canada, comme en Allemagne ou en France, et contrairement aux États-Unis ou à l'Angleterre, sont des sociétés privées (non cotées en bourse; pas d'états financiers publics) (*ibid.*, p. 48). La logique canadienne se distingue donc grandement de la situation américaine: les propriétaires exercent un contrôle plus direct sur l'entreprise et sa direction. Il s'agit très souvent d'un contrôle personnel ou familial.

Le cas de l'entreprise familiale constitue un cas de figure sur lequel il vaut la peine de dire quelques mots, ne serait-ce que parce qu'il s'agit probablement du genre d'entreprise le plus répandu dans le monde. Précisons que ce genre d'entreprise est souvent caractérisé par le désir de constituer un patrimoine familial qu'on entend léguer à ses enfants. Le processus est généralement le suivant: on lance une entreprise, on y intègre progressivement ses enfants, on leur délègue de plus en plus de responsabilités, et on leur cède finalement la direction de l'entreprise. Dans ce modèle, la croissance et les résultats financiers fracassants ne sont pas souvent les principaux objectifs. La régulation de contrôle dans l'entreprise — ses règles, son fonctionnement — est ici d'abord et avant tout marquée par des buts, des intérêts, des stratégies et des enjeux différents pour chacun des membres de la famille, au point que souvent la gestion et le développement de l'entreprise en souffrent. La question de la succession est particulièrement porteuse de conflits (voir l'encadré 7.6).

ENCADRÉ 7.6   Histoires de successions: McCain, Steinberg et autres

En 1956, les frères Wallace et Harrison McCain s'associent et ouvrent une usine de production de frites dans leur ville, Florenceville, au Nouveau-Brunswick. L'entreprise a des débuts modestes avec une trentaine d'employés. Rien n'annonce qu'elle sera, en 1993, un géant de l'industrie alimentaire au Canada et dans le monde avec ses 40 usines, ses 12 500 employés et un chiffre d'affaires de trois milliards de dollars. Depuis les tout débuts, les deux frères répartissent également entre eux les responsabilités de l'entreprise. En 1993, l'un est président de l'entreprise et l'autre, président du conseil d'administration, et ils se partagent le poste de chef de la direction, et leurs enfants et

⟶

neveux occupent des postes importants dans l'entreprise. Le problème qui se pose au début des années 90 est celui de leur succession à la tête de l'empire. En fait, les deux frères ne s'entendent pas sur le moment de leur retraite et sur le choix de leur successeur. Wallace veut poursuivre pendant une dizaine d'années encore et préparer peu à peu le successeur, tandis que Harrison préfère que les deux hommes cèdent leur place immédiatement et désigne un successeur. La situation s'est envenimée par la suite, surtout quand chacun a arrêté son choix pour prendre la tête de l'empire : Wallace voulait y placer son fils Michael, alors que Harrison lui préférait son neveu Andrew.

La bisbille éclate au grand jour entre les deux frères quand Wallace, 63 ans, intente une poursuite contre Harrison, 65 ans, concernant le successeur éventuel. À la suite de cette poursuite, la société de gestion McCain inc., qui détient au nom de la famille la totalité du capital-actions, retire la codirection du groupe à Wallace pour la mettre dans les seules mains de Harrison. Wallace est relégué au poste de vice-président du conseil d'administration de la compagnie en attendant la décision des tribunaux. Il faut préciser que la société de gestion McCain est contrôlée par sept personnes, dont les deux fils de Harrison, les deux fils de Wallace (dont Michael) et le fils de Robert (Andrew), frère décédé de Harrison et de Wallace. Or les fils de Wallace ont voté contre l'expulsion de leur père de la direction tandis que les cinq autres membres ont voté en faveur.

Wallace McCain quitte finalement l'entreprise tout en conservant ses actions. Il soumet une requête au juge responsable de la cause, lui demandant de déterminer une juste valeur marchande pour sa participation d'un tiers dans la compagnie. Il estime qu'il faudra envisager la vente de l'entreprise pour qu'il puisse percevoir sa part. Évidemment, les avocats de la compagnie demandent au juge de rejeter la requête de Wallace McCain, ce que le juge fait. Entretemps, Wallace McCain se porte acquéreur, avec des partenaires financiers, des Aliments Maple Leaf et part à la conquête du monde avec ses deux fils qui se sont joints à la nouvelle entreprise. Les deux frères feront la paix en 1995, concluant une entente à l'amiable — Wallace avait été débouté en cour et il avait interjeté appel au moment où a lieu ce règlement.

Parfois il arrive que les histoires d'entreprises familiales se terminent par le démantèlement de l'entreprise. C'est ce qui est arrivé à l'entreprise Steinberg à la suite d'une dispute entre les trois sœurs qui assuraient la succession de leur père, Sam, le fondateur de cette chaîne de marchés d'alimentation bien connue au Québec et au Canada. Deux des trois sœurs se sont brouillées à propos de la place de leurs enfants au sein de l'entreprise. L'une d'entre elles a convaincu la troisième qu'il valait mieux dans ce contexte vendre leurs parts, obligeant par le fait même l'autre, devenue minoritaire, à vendre également ses parts. C'est Michel Gaucher et son groupe qui achèteront les marchés d'alimentation, tandis que la Caisse de dépôt et placement du Québec s'emparera d'Ivanohe, le joyau de l'entreprise, qui possède un parc immobilier d'une grande valeur (dont des centres commerciaux). Les marchés feront faillite quelques années plus tard et seront rachetés par Provigo. C'est ainsi que souvent meurent des entreprises familiales.

La situation est tout autre dans des pays comme l'Allemagne et le Japon. Dans ces pays, les actionnaires ont encore moins à dire sur le fonctionnement de l'entreprise comparativement à ce qui est admis aux États-Unis et au Canada, c'est-à-dire que leur pouvoir sur les dirigeants est encore plus faible. En fait, les travailleurs y ont souvent un rôle tout aussi, sinon plus, important. En ce sens, la régulation de contrôle qu'on trouve dans les entreprises allemandes et japonaises est plus proche d'une situation de régulation conjointe. Il faut cependant rappeler, avec Reynaud (1989), que cette régulation conjointe, fruit d'une négociation entre direction et employés, en s'imposant à tous dans l'entreprise, revêt, à ce titre, une certaine dimension d'extériorité par rapport aux acteurs: «La négociation en forme [entre représentants de la direction et des employés] s'écarte aussi de la rencontre directe entre acteurs parce qu'elle est nécessairement plus centralisée.» (*Ibid.*, p. 113.) De plus, comme le dit Reynaud, «elle ne couvre pas tous les domaines de la vie de l'organisation avec la même efficacité et la même manière [...] et les domaines non couverts renaissent sans cesse...» (*ibid.*). Elle est donc en quelque sorte une forme plus douce, plus diffuse, plus démocratique de la régulation de contrôle. Nous l'appellerons «régulation de contrôle institutionnelle».

Examinons un peu plus longuement le cas des grandes entreprises allemandes et japonaises qui sont généralement la propriété de banques et d'actionnaires privés et qui reposent sur un contrôle passablement différent du contrôle managérial-actionnarial. En Allemagne, par exemple, les acteurs syndiqués jouent, dans les entreprises de plus de 2 000 employés, un rôle important puisqu'ils y ont obtenu la cogestion en 1976. Michel Albert décrit le fonctionnement de ces entreprises:

> Au sommet de celles-ci, on trouve deux instances clés: le *directoire*, responsable de la gestion proprement dite, et le *conseil de surveillance*, élu par l'assemblée des actionnaires et chargé de superviser l'action du directoire. Ces deux organes sont tenus de collaborer en permanence pour assurer la direction harmonieuse de l'entreprise. Il existe donc un système de *check and balance* entre actionnaires et dirigeants qui permet à chacun de se faire entendre, sans pour autant que l'un prédomine.

> À cette division des pouvoirs au sommet s'ajoute la fameuse cogestion — ou coresponsabilité — avec le personnel. En Allemagne, elle est le fruit d'une longue tradition qui remonte à 1848. Elle s'exerce à travers le *conseil d'établissement* [...]. Cet organe est consulté sur toutes les questions sociales (formation, licenciements, horaires, mode de paiement des salaires, organisation du travail). Et un accord doit *obligatoirement* intervenir sur ces questions entre le patronat et les conseils d'établissement. Mais les salariés allemands disposent d'un autre moyen d'expression et d'action: le conseil de surveillance dans lequel siègent leurs représentants élus. Depuis la loi de 1976 portant sur les entreprises de plus de 2 000 salariés, leur nombre est égal à celui des actionnaires. Certes, le président du conseil de surveillance

est obligatoirement choisi parmi les actionnaires et, en cas de partage des votes, sa voix est prépondérante. Il n'empêche que la représentation et le poids des salariés dans l'un des organes décisifs de l'entreprise sont significatifs. Dans de telles conditions, le dialogue social est perçu comme un impératif faute duquel les entreprises ne pourraient fonctionner. (Albert, 1991, p. 131-132; © Éditions du Seuil, 1991; reproduit avec permission.)

Ainsi, en Allemagne, les acteurs syndiqués participent souvent à la régulation de contrôle. Elle n'est plus ici l'affaire exclusive des propriétaires et des dirigeants. La présence de tels acteurs, combinée à celle des banques comme propriétaires-actionnaires-managers, change toute la dynamique de l'entreprise. En fait, les banques jouent ici, mais de façon plus efficace selon certains analystes, le rôle clé de surveillant des dirigeants. Il faut dire que c'est le cadre juridique qui, parce qu'il favorise le rôle d'intermédiaire pour les banques, permet ce meilleur contrôle. Par exemple, les banques sont la principale source de capitaux des entreprises en exerçant «un quasi-monopole», concédé par l'État, «pour l'émission d'actions et d'obligations, autant privées que publiques» (Nekhili, 1997, p. 354; les informations qui suivent sur les banques allemandes et japonaises proviennent aussi de cette source). Elles détiennent aussi très souvent une partie du capital, qui dépasse cependant rarement les 10%. En fait, ce qui fait la différence, c'est la délégation fréquente par les actionnaires individuels de leurs droits de vote aux banques, si bien que ces dernières exercent ultimement le contrôle effectif, avec en moyenne 36% des droits de vote, dans l'entreprise. Si les banques sont mieux placées que le conseil d'administration à l'américaine pour soumettre à un contrôle les dirigeants de l'entreprise, c'est qu'elles disposent de plus de ressources, notamment elles ont un accès privilégié aux informations financières. Ces dernières leur viennent non seulement de leur rôle de prêteur, mais de toute une série de services qu'elles rendent à l'entreprise: escompte, opérations sur titres, garantie, virement, etc. Elles interviennent en fait directement à toutes les étapes de la vie des entreprises.

De toute évidence domine ici une logique institutionnelle (syndicats-banques-entreprises) qui privilégie la stabilité des capitaux et de la direction. L'entreprise japonaise s'inscrit dans une semblable logique avec la participation des banques et des institutions financières, de même que celle, plus réduite cependant, des salariés (syndicats, cercles de qualité, etc.). Ainsi, comme en Allemagne, les banques financent l'entreprise et en ont le contrôle effectif. En fait, c'est souvent 40% du capital des entreprises japonaises qui est détenu par des institutions financières. Ces dernières délèguent à une banque principale le contrôle de l'entreprise et de ses dirigeants. Tant et aussi longtemps que tout va bien (profit satisfaisant), cette banque intervient peu, réservant sa faculté d'intervention pour les périodes difficiles:

En cas de crise, c'est la banque principale qui s'occupe de la réorganisation, de la programmation des modalités de remboursement de l'emprunt et qui juge de l'urgence d'un nouvel endettement. Elle peut aussi recommander la liquidation de certains actifs et orienter sa stratégie dans d'autres directions. Toujours en cas de crise, elle joue le rôle de chef de file et doit garantir la créance du consortium. (Nekhili, 1997, p. 352.)

Au Japon, en revanche, et contrairement à l'Allemagne, aucun arrangement institutionnel sur le plan sociétal ne vient régir les rapports entre dirigeants et employés; c'est plutôt dans chaque entreprise, dans les grandes surtout, que les arrangements se font, et ce, entre le syndicat et la direction. Le rôle du syndicat peut cependant varier énormément d'une entreprise à l'autre. Bernier (1995) donne l'exemple de l'automatisation de certains procédés ou d'un atelier pour illustrer la plus ou moins grande participation des syndicats à la prise de décision.

> Dans certaines entreprises [japonaises], l'avis du syndicat n'est pas officiellement sollicité: il s'agit d'entreprises dans lesquelles la direction est forte, où la rotation des tâches est systématique et où le syndicat est vu comme un outil de la direction. Mais ce n'est pas le cas dans toutes les entreprises. Dans certaines, les décisions au sujet de l'automatisation, par exemple, doivent être approuvées par le syndicat, qui exige des précisions sur les procédés à automatiser, sur les nouveaux systèmes, sur leurs effets sur les tâches et sur la qualification, sur le choix des personnes qui travailleront sur ces systèmes, sur le sort des travailleurs qui seront déplacés, sur la formation qui sera nécessaire pour utiliser ces systèmes. Dans ces cas, le syndicat est partie prenante de la décision et toute décision prise sans son assentiment serait impossible. (Bernier, 1995, p. 199.)

On trouve donc une participation des salariés et des syndicats à la régulation de contrôle dans plusieurs grandes entreprises japonaises, mais cette régulation n'est pas établie par les grands acteurs institutionnels (patronat, centrales syndicales et État), comme dans le cas de l'Allemagne, mais à l'échelle locale.

Il est évident que les cas de figure sont plus nombreux et plus variés que ceux que nous avons examinés ici, et ce, pour chacun des pays mentionnés. Nous avons présenté seulement certains types dominants, dans la grande entreprise notamment, qui illustrent cette variété. Il reste cependant que, à cause de l'histoire et de la culture propres à chaque pays, certains types restent fortement associés à des pays particuliers. Ainsi, la régulation managériale-actionnariale est davantage associée aux États-Unis et à l'Angleterre, et la régulation institutionnelle à l'Allemagne et au Japon. Certains pays, comme la France, se trouvent dans une situation intermédiaire où le rôle des banques est plus grand qu'aux États-Unis — il faut dire que dans ce dernier pays le régime juridique «conduit réellement à une séparation entre les prêteurs et les actionnaires: il limite ainsi les banques à discipliner les dirigeants des firmes dans lesquelles elles investissent» (Nekhili, 1997, p. 347) — où par ailleurs le rôle du marché (par le biais des actionnaires) est plus grand.

Comment se traduisent ces différentes formes de régulation de contrôle pour ce qui est du contrôle des dirigeants sur les employés? À la lumière de ce qui précède, on peut conclure, avec d'autres (Albert, 1991), que la régulation de contrôle institutionnelle assure une plus grande stabilité de la direction comme du personnel et permet une plus grande participation des travailleurs, produisant ainsi à la fois une régulation de contrôle plus stable et plus susceptible d'être négociée que dans le cas de la régulation managériale-actionnariale. Dans ce dernier cas, comme des analystes l'on noté (Kourchid, 1992, par exemple), la participation des employés à la gestion de l'entreprise, à sa régulation, est possible mais plus rare et se fait surtout sur un mode individualisé, en l'absence d'instances représentant les employés ou de syndicats. Le pouvoir des employés y est donc passablement réduit, et ceux-ci sont davantage à la merci de réorganisations radicales de l'entreprise, incluant des mouvements de personnel importants. Du point de vue de la dynamique sociale de l'entreprise, il y a donc une différence importante entre les deux modes de régulation de contrôle: l'un reconnaît les acteurs collectifs et leur aménage des espaces de négociation, l'autre les reconnaît rarement, sinon jamais, et ne leur aménage à peu près aucun espace de négociation.

L'entreprise publique

L'entreprise publique présente un type différent de régulation de contrôle. La régulation de contrôle y est différente par le jeu des propriétaires — les gouvernements — qui exercent une forte influence sur les orientations et sur la direction de l'entreprise, et donc sur sa régulation. Par exemple, l'arrivée au pouvoir d'un nouveau gouvernement peut s'accompagner d'un remplacement des membres de la haute direction d'une entreprise publique donnée qui se verra dès lors imposer d'autres priorités, plus proches de celles du nouveau gouvernement. En témoignent les nombreux changements de direction qui se sont produits chez Hydro-Québec ces 15 dernières années, lesquels se sont traduits par l'abandon de grands projets de construction de barrages pour privilégier l'économie d'énergie, puis un nouvel intérêt pour les grands projets (Grande-Baleine) peu après abandonnés une fois de plus au profit d'un autre plan (projets de petits barrages privés) aussitôt contesté par le nouveau gouvernement. Chaque fois, derrière ces décisions, se profile l'influence d'un gouvernement (libéral ou péquiste) qui privilégie certains projets au détriment d'autres. Chaque fois, ce sont des groupes de dirigeants et de cadres différents qui sont mobilisés et démobilisés, créant au sein de l'entreprise des mouvements de personnel et des conflits qui laissent des traces. Ainsi, ici, ce n'est pas tant l'humeur des actionnaires en fonction du cours des actions qui est en cause ou celle des banques, mais celle des hommes politiques responsables de l'entreprise devant la population et sensibles à l'opinion publique. Nous appelons «régulation de contrôle sociopolitique» ce type de régulation propre à l'entreprise publique.

L'instabilité de la haute direction de ces entreprises, qui n'est pas plus grande que l'instabilité de la haute direction de type managérial-actionnarial, est souvent compensée par la grande stabilité du personnel cadre et des employés. Ces derniers sont généralement syndiqués et, à ce titre, ils jouissent de certaines protections que n'ont pas tous les employés des grandes entreprises nord-américaines. De plus, le fait de travailler pour une entreprise propriété de l'État assure une certaine protection supplémentaire aux salariés en raison de l'image publique que cherche souvent à projeter le gouvernement à travers elle : modernisme, ouverture démocratique, innovations techniques et sociales.

L'entreprise coopérative

L'entreprise coopérative met en place, de son côté, une régulation de contrôle collective et égalitaire. Ce sont en effet les membres propriétaires de l'entreprise qui prennent les décisions concernant l'orientation de l'entreprise et le type de direction qu'elle se donnera, et ce, dans un cadre de stricte égalité. L'assemblée des membres se différencie de l'assemblée des actionnaires par l'égalité des participants. En effet, dans une assemblée d'actionnaires, ces derniers ont un poids proportionnel à la part des actions qu'ils détiennent dans l'entreprise, alors que, dans une assemblée de coopérateurs, chaque membre a le même poids. Ainsi, ces derniers participent toujours sur un pied d'égalité au fonctionnement de la coopérative, contrairement aux actionnaires d'une entreprise (sauf dans la situation exceptionnelle où tous auraient le même nombre d'actions). Ce qui veut dire, par exemple, que, dans une coopérative, un individu ne peut pas imposer une équipe et un mode de direction aux autres membres comme peut le faire un actionnaire principal. Tous les coopérateurs peuvent se prononcer sur l'élection comme sur la destitution du président sur un pied d'égalité, quoique la question ne soit pas si simple pour les grandes coopératives (voir l'encadré 7.7). De même, c'est collectivement qu'est tranchée la question de la répartition des surplus. Il revient ainsi à tous les membres de décider si ces surplus leur seront retournés sous forme de ristourne ou s'ils seront investis dans des projets de l'entreprise (mise en place d'un nouveau service par exemple) ou dans des projets sociaux (une aide financière aux membres les plus démunis), etc.

Nous pouvons dégager deux variantes de ce type de régulation. Dans la première, la plus fréquente, les membres sont les propriétaires de l'entreprise sans en être les employés. C'est le cas des coopératives de services, tels les magasins coopératifs, les coopératives d'épargne et de crédit (caisse populaire), les coopératives d'habitation, les coopératives funéraires, etc. Dans ces cas, la régulation de contrôle est souvent assurée par des dirigeants salariés embauchés pour remplir ces fonctions et qui ne sont pas membres de l'assemblée générale, c'est-à-dire qui n'ont pas le droit de participer à la vie démocratique de l'entreprise puisqu'ils n'en sont pas propriétaires. Ces dirigeants sont sous la responsabilité d'un conseil

ENCADRÉ 7.7   L'élection du président du Mouvement Desjardins

Le président du Mouvement Desjardins est choisi parmi les 31 membres qui composent le conseil d'administration de la Confédération Desjardins, tête de pont du Mouvement. Ce sont les membres du conseil qui élisent un des leurs comme président du Mouvement. Ces 31 membres sont eux-mêmes élus par une assemblée de délégués issus des 11 fédérations régionales et des 1 307 caisses populaires réparties sur l'ensemble du territoire québécois. Il s'agit donc d'un mode d'élection pyramidal qui part de la base pour aller vers le sommet : chaque caisse populaire délègue des représentants à l'assemblée annuelle de sa fédération, où un certain nombre seront élus pour constituer le conseil d'administration de la fédération qui, à son tour, déléguera des représentants à l'assemblée annuelle de la Confédération et un certain nombre d'entre eux seront retenus pour composer le conseil d'administration de 31 membres. Il s'agit donc d'un mode d'élection démocratique qui part de la base, mais qui ne permet pas aux membres de participer directement à l'élection de leur président.

d'administration élu par l'assemblée des membres. Dans le cas des très grosses coopératives, il peut ainsi se mettre en place des régulations de contrôle assez proches de celles qui caractérisent l'entreprise privée, puisque la distance entre la base (les membres) et le sommet est assez grande. Les coopérateurs, comme les actionnaires, n'ont pas toujours les informations nécessaires pour prendre des décisions éclairées, les informations étant souvent concentrées dans les mains des dirigeants. Ces dirigeants exercent aussi un pouvoir très grand sur les employés qui sont eux-mêmes des non-membres. Cette situation est somme toute très proche de la régulation de contrôle managériale-actionnariale à l'américaine.

Dans la deuxième variante, les membres sont aussi les employés de la coopérative. C'est le cas de ce qu'on appelle la coopérative de production. Cette coopérative est créée par un groupe d'individus qui tiennent non pas à se donner un service mais du travail. Elle est généralement contrôlée par les travailleurs qui choisissent parmi eux leurs dirigeants. Certaines coopératives préfèrent limiter les mandats de leurs dirigeants et les remplacer selon une fréquence préétablie, pour éviter la naissance d'une classe de dirigeants insensibles à la condition des travailleurs. Il peut arriver cependant que, dans certaines circonstances, comme à l'occasion de la reprise d'une entreprise par les employés, par exemple dans le cas de Tricofil (entreprise de textile) au Québec dans les années 70, ceux-ci choisissent d'embaucher des dirigeants salariés possédant des compétences qu'aucun d'entre eux n'a. Il peut s'agir d'une situation temporaire, le temps de former des personnes aptes à occuper les postes, ou d'une situation permanente étant donné la nature de l'emploi et l'intérêt et la capacité des travailleurs. Au Québec, la plupart des coopératives de production sont de petite taille et les membres travailleurs occupent tous les postes de l'entreprise. Dans ce cas, la régulation de contrôle est minime puisque les propriétaires, les dirigeants et les employés sont les mêmes. Nous sommes alors plus près d'une régulation conjointe.

*

*   *

Nous le voyons, les types de propriété et de contrôle (managérial, personnel, familial, institutionnel, étatique, coopératif, etc.) pèsent lourd sur l'entreprise, sa direction et ses employés. Ce sont les propriétaires de l'entreprise, ou ses dirigeants dans certains cas, et, en dernier ressort, leurs buts, leurs intérêts, leurs ressources, leurs stratégies et les enjeux qui inspirent leurs actions, de même que leurs valeurs et leurs représentations, qui modulent — dans le contexte des contraintes d'un cadre sociétal et institutionnel comme nous l'avons vu — la régulation de contrôle dans l'entreprise.

La régulation autonome : la logique des exécutants

La régulation autonome est, rappelons-le, celle des exécutants qui, pour rendre leur travail plus agréable, plus acceptable et plus efficace très souvent, forgent des règles de comportement qui leur sont propres. Cette régulation touche non seulement les travailleurs salariés, mais aussi des cadres et des dirigeants qui, travaillant régulièrement au sein d'équipes d'employés ayant un même statut, élaborent leurs propres règles d'interaction. Nous allons examiner quelques cas pour illustrer cette régulation autonome. D'abord celui des groupes de travailleurs exposés à des risques physiques ou psychologiques importants, comme les mineurs, les travailleurs de la construction ou les infirmières affectées aux soins intensifs ou aux soins des cancéreux, conditions qui donnent lieu à une régulation particulière. Ensuite, nous nous pencherons sur le cas des salariés pratiquant des métiers moins dangereux mais parfois ennuyeux et répétitifs, comme le travail à la chaîne. Nous verrons alors un autre type de régulation autonome à l'œuvre. Finalement, nous examinerons le cas des cadres et des dirigeants travaillant en équipes.

Les mineurs pratiquent un métier difficile et dans des conditions de travail très dures et très dangereuses[5]. En effet, les mineurs se trouvent dans un lieu de travail hostile où il fait toujours noir, où il y a beaucoup de poussières, d'eau et de boue, où les écarts de température sont grands et où les risques d'accidents graves pouvant entraîner la mort sont élevés. Ces conditions de travail difficiles provoquent un stress qu'il faut gérer. Or les mineurs ont perfectionné une façon de composer avec ces conditions de travail, une gestion qui constitue une partie

---

5. Les informations qui suivent sont tirées de notre enquête auprès des mineurs abitibiens (Dupuis, 1997).

importante de la régulation autonome de leur groupe. Ainsi, les mineurs ne parlent jamais des risques d'accidents (provoqués par un effondrement du toit d'un tunnel ou par le détachement d'une roche de la paroi) associés à la pratique de leur métier. Car en parler serait y penser et y penser ferait ressurgir la peur tapie au fond d'eux, ce qui les empêcherait d'y travailler. Non seulement ne parlent-ils pas de ces dangers sur les lieux de travail (sauf après un accident, où il faut exorciser le danger et la peur par la parole), mais ils n'en parlent pas non plus à l'extérieur, ni entre eux, ni avec les parents et les amis. C'est un sujet tabou.

Une deuxième stratégie pour conjurer la peur consiste à travailler sans interruption. Les mineurs détestent les temps morts dans la mine et ils font tout pour éviter les situations où il y en aurait trop. C'est que, durant les temps morts, lorsque la machinerie ne fonctionne plus, ils entendent vivre la mine : bruits, craquements, etc. Ces bruits et craquements sont le résultat bien sûr de l'exploitation intensive de la mine. Mais ils rappellent aux mineurs l'existence du danger, des risques d'effondrement. C'est pourquoi les mineurs aiment travailler en équipes, auprès de compagnons très sociables et avec qui ils peuvent parler durant les temps morts. Tout cela évite d'entendre vivre la mine. C'est pour cette raison qu'un chef d'équipe ou un superviseur n'hésitera jamais à déplacer des mineurs qui ne s'entendent pas bien. D'ailleurs, un mineur qui ne trouverait pas de compagnons pourrait difficilement conserver son poste.

La bonne entente avec les collègues est importante pour une autre raison. En cas d'accident, le mineur doit pouvoir compter sur l'autre pour le secourir. Or, s'il ne s'entend pas bien avec lui, ou s'il n'a pas confiance en lui parce qu'il a tendance à avoir peur et à paniquer, il sait qu'il ne pourra pas compter sur son aide, d'où la tendance chez les mineurs à se mettre à l'épreuve, et surtout à tester les nouveaux, en jouant des tours. Ces mises à l'épreuve permettent aux mineurs de se trouver des compagnons en qui ils auront pleinement confiance et servent à séparer les mineurs de carrière des autres. L'un des tours des mineurs pour éprouver un compagnon sur qui on aurait des doutes est de simuler un effondrement. Pour ce faire, un mineur éteint la lumière de son casque et se cache dans un tunnel pour attendre le passage de l'individu à éprouver. Juste après le passage de ce dernier, le mineur s'approchera silencieusement de lui par-derrière et lui appliquera d'un doigt une légère pression au-dessus de l'épaule pour simuler la chute d'une petite pierre, souvent annonciatrice d'un effondrement plus important. Et là, il surveillera la réaction du mineur. Il s'attend à une réaction de peur, mais ce qu'il veut mesurer, c'est l'ampleur de celle-ci. Si le mineur panique et «part à courir comme un fou dans la mine» — ce qui arrive parfois —, alors il saura qu'il ne pourra pas lui faire confiance en cas d'accident. En effet, ce dernier pourrait aussi bien, s'il se met à courir en tous sens, se blesser en butant contre la machinerie ou se tuer en tombant dans un trou de mine. Il ne sera en tout cas d'aucun secours. Encore une fois, un mineur qui n'a pas la confiance de son ou de ses compagnons sera déplacé.

Trois règles de métier au centre du travail des mineurs (du moins des mineurs abitibiens) se dégagent de tout cela, qui pourraient se résumer ainsi: il faut être «travaillant»; il faut être sociable; il ne faut pas être peureux ni fantasque. Il faut être «travaillant» parce que le salaire est lié à la productivité et que, surtout, le travail «effréné» est une stratégie défensive pour conjurer la peur. Il faut être sociable parce que les journées de travail sont longues, les conditions de travail difficiles et que le seul réconfort des mineurs se trouve finalement dans les bonnes relations qu'ils entretiennent avec leurs compagnons de travail. Il ne faut pas avoir peur parce que, non seulement cette réaction rend le travail difficile, mais elle rappelle aux autres mineurs la peur tapie au fond de chacun d'eux. Toutefois, il ne faut pas être fantasque non plus parce que cela aussi rappelle la peur: un chien qui jappe, dit-on, est un chien qui a peur. C'est pourquoi les mineurs réservent aussi des tours particuliers aux plus fantasques d'entre eux. Ainsi, si on ne doit pas parler de la peur pour ne pas la faire surgir, on ne doit pas non plus la nier en la défiant inconsidérément. Et, nous l'avons déjà souligné, la direction reconnaît et respecte cette régulation, notamment en se soumettant à la règle du choix des compagnons des mineurs.

Nous retrouvons des règles semblables dans les métiers de la construction. Damien Cru (1987), qui a étudié le cas des tailleurs de pierre parisiens, dégage quatre règles qu'il nomme ainsi: la règle d'or, la règle de l'outillage, la règle du temps et la règle du libre passage. Ces règles ont pour fonctions d'assurer la qualité de travail, la sécurité dans l'exercice du métier (taille et pose de la pierre sur les bâtiments), et de favoriser une bonne gestion des relations interpersonnelles. La règle du temps renvoie à la pratique sécuritaire du métier. Elle dit qu'il ne faut ni courir ni s'endormir, ce qui fait référence à la fois au temps d'observation et d'inspection qui précède le début des travaux que s'accordent les ouvriers — et que ne comprennent pas toujours les patrons ou les observateurs extérieurs — et aux risques d'accidents que comporte le fait de travailler trop rapidement quand on est monté dans un échafaudage.

> Et chaque tailleur de pierre connaît l'importance d'une bonne mise en chantier de son caillou, c'est-à-dire d'une bonne disposition de sa pierre face à lui. Un emplacement dégagé, où l'on peut travailler avec aisance; une bonne hauteur; une bonne inclinaison pour suivre le trait sans recevoir d'éclat dans l'œil et sans en envoyer à ses voisins; un bon calage pour éviter que le caillou ne bringuebale ou ne tombe; si possible, une étagère pour les outils à portée de la main; bref, mieux vaut prendre le temps de s'installer confortablement, on y gagne en temps, en fatigue, en précision, et l'on évite les accidents. (Cru, 1987, p. 34.)

Les autres règles renvoient à différents aspects du métier. La règle d'or consiste pour chacun à terminer le caillou, le travail qu'il a commencé, condition de la maîtrise complète du processus et de la reconnaissance du travail accompli. La règle de l'outillage spécifie que chacun travaille avec ses propres outils, signifiant à la fois personnalisation du travail et autonomie. La dernière règle, celle du libre passage, pose que chacun peut circuler librement dans tout le chantier, ce qui donne la possibilité au tailleur de se promener et de s'informer de l'état des travaux avant de commencer à y travailler, de flâner plutôt que de bâcler son travail ou de s'énerver sur son échafaudage, ce qui serait finalement dangereux pour lui et pour les autres, et peu productif pour l'entreprise.

Comme le dit si bien Cru, il ne faut pas confondre ces règles de métier, qui organisent le travail et la vie du groupe, avec les règlements d'une entreprise. La différence entre les deux est fondamentale :

> *Et c'est là qu'une règle de métier diffère radicalement d'un règlement*, d'un règlement intérieur d'entreprise par exemple. Il n'y a aucune sanction prévue contre les contrevenants. Celui qui ne respecte jamais la règle se met tout simplement hors jeu, et peut alors difficilement tenir dans une équipe où la règle est très forte. (Cru, 1987, p. 37.)

Pour illustrer cette affirmation de Cru, considérons le cas d'une infirmière qui travaillait aux soins des cancéreux et qui a été incapable de s'adapter aux règles du groupe[6]. Celle-ci prenait tellement à cœur son métier qu'elle soutenait non seulement les patients mais aussi les parents et les amis de ces derniers tout au long de la maladie, allant même jusqu'à les accompagner aux funérailles et à vivre avec eux le deuil quand il y avait un décès. Ce faisant, elle allait cependant à l'encontre des règles mises en place par les infirmières côtoyant régulièrement la mort et qui consistent notamment à prendre ses distances par rapport aux patients, cela pour se protéger de l'anxiété que suscite le contact quotidien avec la mort (sur ces règles, voir Carpentier-Roy, 1991). La principale stratégie, ou règle, dans ce métier est de dépersonnaliser la relation. Par exemple, les infirmières, tout comme les médecins, appelleront très souvent les patients non pas par leur nom mais par le numéro de la chambre qu'ils occupent ou par le nom de la maladie qu'ils ont, du genre : « As-tu vu le 209 (ou le cancer du poumon) ce matin ? » Il s'agit pour elles de ne pas s'investir émotivement dans la relation pour être en mesure de bien exercer leur métier, et surtout pour pouvoir continuer de l'exercer longtemps. Pour les mêmes raisons, certaines infirmières éviteront d'aller voir le patient ou de s'attarder dans la chambre pendant les heures de visite pour ne pas rencontrer et connaître les parents ou les amis du malade, ce qui lui rendrait encore plus insupportable la condition difficile du patient, et l'idée même de son éventuelle mort.

Cette infirmière a quitté la pratique après un certain temps, traitant ses compagnes de sans-cœur et les hôpitaux, de boîtes inhumaines. Mais, pour la plupart des infirmières, il est évident qu'un tel investissement rend impossible la pratique à long terme du métier d'infirmière. Cet investissement draine toutes les énergies

---

6. Le cas de cette infirmière est présenté dans un reportage intitulé *Être fonctionnaires*. Ce reportage a été diffusé par Radio-Québec dans le cadre de l'émission *Première ligne* en 1989.

de la personne et la rend inapte à poursuivre son travail. C'était le cas de cette infirmière qui vivait constamment des émotions fortes et qui a fini par craquer. Une situation semblable existe aux soins intensifs. Là aussi, il s'agit de prendre ses distances, de dédramatiser la mort. Or, comme le souligne la sociologue Marie-Claire Carpentier-Roy (1991, p. 77-78), nous retrouvons dans une salle de soins intensifs des stratégies de défense tournant autour de l'hyperactivité, de bruits et de rires: paroles ridiculisant la mort, railleries plus ou moins grossières sur l'état des malades inconscients, rires très bruyants à propos de tout et de rien, mouvements brusques, etc. Comme les mineurs qui ne veulent pas entendre vivre la mine, les infirmières ne veulent pas entendre venir la mort. Les deux extraits d'entrevue qui suivent expliquent l'attitude des infirmières:

> Si on ne sait pas rire, on crève et les infirmières qui ne comprennent pas cela ne durent pas longtemps aux soins intensifs. [...]

> Après avoir vécu trois morts consécutives, c'est comme si j'étais plus capable d'en prendre. [...] Tout ce que je pouvais, c'était de faire des folies là-dessus, je pouvais rien faire d'autre que des folies, il n'y avait aucune autre porte de sortie, en rire. (Carpentier-Roy, 1991, p. 78.)

D'autres règles ont cours dans les métiers moins risqués physiquement ou psychologiquement, règles qui ont pour but de rendre tolérables non pas la peur, les risques ou la mort, mais la monotonie, la répétition propres à certains métiers, tout en modelant les rapports interpersonnels. Dans le travail répétitif et monotone, comme celui d'employé sur une chaîne d'assemblage, il existe aussi des règles qui visent à organiser le travail, à se l'approprier, à le rendre un peu plus intéressant. Et ces règles peuvent être assez différentes d'une entreprise à l'autre. Dans une entreprise où des quotas sont fixés, les ouvriers se défonceront pour les atteindre le plus vite possible en vue de s'accorder un temps de détente pendant lequel ils pourront bavarder, rire et s'amuser un peu tout en faisant semblant de travailler. Dans une autre, au salaire horaire fixe, les ouvriers suivront volontairement une certaine cadence, ni trop rapide ni trop lente, pour garder un certain contrôle sur leur temps de travail afin de respirer un peu. Dans les deux cas, les ouvriers qui refusent de suivre le rythme imposé par le groupe risquent de se voir marginalisés, isolés ou pris en grippe par certains et, dans bien des cas, finissent par quitter l'usine ou y mènent une existence misérable. De même, des dirigeants ou contremaîtres zélés qui voudraient changer les méthodes de travail des employés peuvent se heurter à une forte résistance. «Si le travail est fait, et bien fait, pourquoi nous embêter?» diraient les ouvriers. Ces derniers ne cherchent qu'à rendre leur travail supportable, plus intéressant, en se ménageant du temps à eux.

Le sociologue américain Donald F. Roy (1959) a réalisé une étude, devenue célèbre, qui met en évidence les stratégies des ouvriers effectuant des tâches répétitives et monotones. Son étude sur les opérateurs d'une petite usine américaine qui actionnaient une machine à longueur de journée montre bien comment ces derniers ont réussi, malgré tout, à donner un sens à leur travail en élaborant, comme le souligne John Hassard (1990, p. 225), «un ensemble de rites marquant le retour de certains moments. Il [Roy] note que ces ouvriers réussissent à rendre leur temps de travail supportable en superposant au processus technique de production tout un ensemble de rites sociaux».

Ces ouvriers découpaient leur longue journée de travail, de 11 à 12 heures par jour dans bien des cas, en plusieurs tranches qu'ils désignaient par des noms qui n'avaient de sens que pour eux:

> [Ces] moments […] étaient chaque fois l'occasion de se livrer à une forme particulière d'interaction sociale. Le retour régulier de ces moments (l'heure des pêches, l'heure des bananes, l'heure de la fenêtre, du remontant, du poisson, du cola), auxquels étaient associés des thèmes particuliers (plaisanteries ou thèmes «sérieux») transformait la journée de travail — qui, autrement, n'aurait été qu'un unique et interminable espace de temps — en une série d'activités sociales périodiques. (Hassard, 1990, p. 226.)

Le découpage du temps et sa réappropriation par le groupe constituent ici une stratégie des travailleurs pour lutter contre la monotonie, la linéarité, la répétition du travail et une défense contre l'ennui et l'aliénation qui en découlent. Nous retrouvons fréquemment une telle stratégie dans ce type d'emplois.

Les dirigeants et les cadres ne font pas exception lorsqu'ils travaillent ensemble, en équipes. Ils ont aussi leurs règles, leur régulation autonome, qui obéissent à la même logique que celle qui fonde la régulation autonome chez les employés. Prenons l'exemple des cadres, catégorie assez large qui englobe tout aussi bien des individus hautement scolarisés (le diplômé universitaire en administration) que des individus peu scolarisés (le cadre formé en entreprise), travaillant dans le secteur public ou le secteur privé, dans de grandes comme dans de plus petites entreprises, actionnaires ou non de l'entreprise, etc.[7]. La plupart d'entre eux vivent une incertitude extrême quant à leur avenir professionnel dans l'entreprise. En effet, les cadres peuvent être promus très rapidement dans une entreprise comme ils peuvent être déclassés tout aussi rapidement. Ils sont en fait à la merci non seulement du contexte et des performances économiques de l'entreprise, mais aussi de l'humeur des dirigeants et des actionnaires qui peuvent en tout temps les déplacer, les rétrograder, leur accorder une promotion, etc. Tout l'univers du cadre tourne autour de la promotion ou de la non-rétrogradation. Cette situation d'instabilité que vit le cadre tient à la fois à sa non-organisation collective — il n'a pas la plupart du temps de syndicat pour le protéger et le contrat qu'il signe avec l'employeur est conclu sur une base individuelle — et au caractère flou et indéfinissable de sa tâche et de ses compétences. La gestion étant plus un art qu'une pratique aux règles bien définies, ce qui permet à un

---

7. Ce qui suit sur les cadres s'inspire très librement de Boltanski (1982).

cadre de monter ou de descendre dans l'entreprise dépend plus de la subjectivité des acteurs que dans d'autres professions où ce sont des connaissances précises qui donnent accès à un emploi, d'autant plus si ces professions se sont dotées de corporations professionnelles pour se défendre. Pensons entre autres aux ingénieurs ou aux médecins. Ce climat d'incertitude qui marque la vie des cadres colore fortement leurs relations. Les cadres ont toujours l'impression d'être en compétition les uns avec les autres et d'être tout aussi près d'une promotion que d'une rétrogradation ou un licenciement. Il n'est pas rare d'ailleurs que, dans un contexte de réorganisation, un cadre remercié s'attendait plutôt à une promotion ou, inversement, un cadre s'attendant à être mis à la porte se trouve promu. C'est dire combien l'incertitude peut régner dans une entreprise.

Que font les cadres pour composer avec ce contexte ? Quelles sont leurs stratégies collectives de défense ? Quelles règles de fonctionnement se donnent-ils ? D'un côté, ils font preuve d'un dévouement total à l'endroit de l'entreprise en se montrant réceptifs aux suggestions des dirigeants, en étant disponibles pour faire du travail supplémentaire — les cadres travaillent bien souvent beaucoup plus que le nombre d'heures par semaine stipulé dans leur contrat —, en faisant corps derrière elle au moment d'une prise de décision difficile — s'il faut congédier du personnel par exemple —, en se conformant aux règles informelles du groupe (tenue vestimentaire conservatrice par exemple), etc. D'un autre côté, afin de mettre toutes les chances de leur côté, ils restent à l'affût des connaissances et des modes dans leur domaine. À ce titre, la formation continue est l'une des stratégies privilégiées. Il n'est pas rare, de nos jours, que des cadres d'entreprise passent une grande partie de leur vie à suivre des cours de perfectionnement dans des universités ou ailleurs, des plus âgés aux plus jeunes d'ailleurs. Les plus âgés continuent leur formation dans l'espoir de conserver leur poste quelques années de plus devant les jeunes loups frais émoulus des universités et à la recherche d'un emploi. Les plus jeunes cadres se perfectionnent surtout pour se mettre sur la trajectoire des promotions. Il n'est ainsi pas rare de voir de jeunes bacheliers en administration entreprendre, quelques années après l'obtention de leur diplôme, une maîtrise en administration (M.B.A.) pour montrer à leur patron leur désir d'apprendre et de monter dans l'entreprise. Cet exercice est bien souvent purement symbolique — lié entre autres au prestige plus grand du M.B.A. — puisqu'il s'agit fréquemment de suivre de nouveau des cours identiques à ceux qu'on vient juste de terminer.

Tout ce processus permet aux cadres de se reconnaître entre eux et ainsi de participer, à leur niveau de responsabilité, à la sélection des cadres qui restent, qui montent ou qui partent, puisque, faut-il le préciser, il y a très souvent un cadre au-dessus ou en dessous d'un autre cadre. Ainsi, ceux qui restent après une réorganisation ou qui ont une promotion quand des postes s'ouvrent sont souvent ceux qui se sont dévoués le plus, qui ont fait des heures supplémentaires, qui ont suivi des formations complémentaires, qui se sont conformés aux normes du groupe (tenue vestimentaire, rapports interpersonnels), tandis que ceux qui partent sont les marginaux, les critiques, les moins disponibles, etc. Par exemple, quand la Banque Nationale du Canada a réorganisé ses services financiers dans les années 80, notamment en réduisant son personnel, les cadres licenciés furent ceux qui n'avaient pas fait d'heures supplémentaires au cours des dernières années[8]. Les raisons qui ont pu motiver ces refus (charges familiales, maladie, etc.) ne comptaient pas. À ce sujet, il faut d'ailleurs rappeler que les cadres masculins mariés dont les femmes ne travaillent pas et se consacrent à la vie familiale ont des revenus plus élevés et des promotions plus fréquentes que les autres (revoir le chapitre 2).

LA RÉGULATION CONJOINTE : AU CARREFOUR DES DEUX LOGIQUES

Nous l'avons dit déjà, la régulation conjointe est celle qui découle de la rencontre de la régulation de contrôle et de la régulation autonome. En Amérique du Nord, c'est surtout dans le cadre de la négociation d'un contrat de travail dans l'entreprise où il existe un syndicat que cette rencontre se réalise parce qu'il n'y a pas véritablement de lois forçant les dirigeants à tenir compte du point de vue des employés dans la gestion de l'entreprise. L'action syndicale a cependant eu jusqu'à récemment une portée limitée. C'est que les syndicats se sont en général contentés d'obtenir de bons salaires et de bons avantages sociaux (congés de maladie, vacances statutaires payées, etc.) en laissant aux dirigeants pleine latitude quant à la gestion, à quelques exceptions près (la plus importante étant la reconnaissance du principe d'ancienneté dans l'attribution du travail). Le compromis nord-américain entre patrons et syndicats impliquait l'abandon du droit de gestion aux dirigeants en échange d'un certain niveau de vie pour les salariés.

Cependant, l'intensification de la compétition, qui a contribué à la détérioration de la situation économique en Amérique du Nord, a quelque peu renversé cet état de choses, si bien qu'il est de plus en plus difficile pour les entreprises de s'en tenir à un tel arrangement. Il faut dire que, voulant devenir plus compétitives, les entreprises se sont attaquées entre autres aux coûts de la main-d'œuvre. Ce faisant, elles sont devenues moins généreuses envers leurs employés, pratiquant à grande échelle les réductions salariales et les mises à pied. De plus, elles exigeaient une collaboration accrue des employés pour atteindre de nouveaux objectifs de productivité, et dans ce but ont mis en place une nouvelle organisation du travail, ce qui touchait forcément les régulations à l'œuvre dans les entreprises. En réaction à ces exigences patronales, les syndicats ont proposé leur propre mode de participation ou, à tout le moins, ont cherché à poser leurs

---

8. Selon une communication personnelle avec un ex-cadre de la Banque Nationale du Canada. Ce cadre a «survécu» à la réorganisation. Il a quitté cette institution quelques années plus tard pour occuper un poste plus important dans une autre organisation.

conditions de participation. C'est ainsi que les grandes centrales syndicales québécoises ont, tour à tour, donné leur aval à des expériences de participation à la gestion. Reynald Bourque et Paul-André Lapointe (1992) ont analysé cinq de ces expériences. Il s'agit d'entreprises où de nouvelles conventions collectives ont été négociées par des syndicats affiliés à la CSN au début des années 90 : Aciers Atlas (Tracy), Abitibi-Price (usine Kénogami), Alcan (usine Saint-Maurice), MIL-Davie (Lauzon) et GEC-Alshtom (Tracy). Ils ont constaté que :

> Dans la plupart des cas analysés, les syndicats ont consenti des assouplissements aux chapitres de la flexibilité des métiers et de l'élargissement des tâches en échange de certains avantages comme les préretraites. Ces concessions sur les règles de travail sont beaucoup plus présentes que les concessions salariales dans les cas étudiés. [...] Les gains syndicaux en regard de ces concessions reposent principalement sur la consolidation des emplois existants par l'amélioration de la productivité, et sur la responsabilité accrue des salariés et des chefs d'équipe dans l'organisation du travail. (Bourque et Lapointe, 1992, p. 580.)

Concrètement, cela veut dire que la régulation autonome des groupes d'exécutants est davantage reconnue par l'entreprise qui délaisse certains des contrôles traditionnels auxquels elle les soumettait. L'entreprise espère ainsi obtenir une meilleure productivité. La régulation de contrôle se trouve à sacrifier des postes de cadres subalternes et de contremaîtres pour s'en remettre au sens de la responsabilité des groupes d'exécutants, ou encore à entériner une situation où, dans les faits, ce sont les employés qui assumaient la gestion d'un processus de travail.

Prenons l'exemple présenté par Denis Harrisson et Normand Laplante (1994) d'une usine de métaux primaires où les travailleurs sont affiliés à la CSN. Cette usine connaît des conflits et des affrontements entre les contremaîtres et les salariés, et le syndicat refuse, au milieu des années 80, de participer à l'implantation de cercles de qualité visant à relancer l'entreprise, qui éprouve de sérieuses difficultés financières. La direction décide alors d'interrompre les activités pour trois mois en laissant planer la rumeur d'une fermeture définitive. Cet électrochoc convainc les ouvriers de changer d'attitude et l'entreprise relance le processus avec une nouvelle équipe de cadres, ce qui assainit le climat. Pour établir une véritable coopération, il faut des actions plus concrètes et plus significatives pour les salariés. La direction fera le premier pas en reconnaissant une partie de la régulation autonome exercée par ces derniers. Elle pourra ensuite leur faire accepter plus aisément des projets pour améliorer la qualité. La situation se résume ainsi :

> Avant le début du projet de coopération, le travail s'effectuait en processus continu de trois quarts de travail de huit heures. Par contre, les salariés avaient institué des quotas informels de production leur permettant de compléter leur tâche quotidienne en six heures. Peu de temps après le début du projet, les horaires de travail ont été modifiés. La direction et le syndicat ont

conclu une entente non écrite pour répartir le travail sur trois quarts de travail de six heures consécutives, mais à la condition de maintenir le niveau de production. Le quart de nuit est supprimé et les travailleurs conservent la même rémunération. (Harrisson et Laplante, 1994, p. 716.)

Il s'agit donc de créer un climat de confiance qui, souvent, a disparu et de transcrire les nouveaux arrangements dans des ententes que les acteurs chercheront à rendre de plus en plus formelles, par la signature de documents officiels engageant les deux parties, pour assurer leur pérennité. Ces ententes ne remplacent pas les conventions collectives, mais elles cherchent à assouplir leur application en permettant de régler, dans un climat de confiance, de coopération et de partenariat, les problèmes qui se présentent dans l'atelier. Elles sont peut-être, comme le soulignent Harrisson et Laplante, les germes d'un nouveau système de relations de travail dans les entreprises contemporaines. On ne trouvait pas de telles forces à l'œuvre dans les entreprises dépourvues de syndicat, ce qui ne veut pas dire qu'il n'y a pas eu là des arrangements allant dans ce sens. Le cas de Cascades au Québec est l'un de ces rares exemples, bien que l'efficacité des ententes conclues avec les travailleurs soit largement contestée (Lapointe, 1996; Pépin, 1996). Ainsi, il peut exister une régulation conjointe qu'il y ait ou non un syndicat dans l'entreprise, bien que dans le premier cas on offre plus de ressources aux employés pour obtenir une participation réelle.

Or les salariés ne sont pas pour autant libérés du contrôle par la direction de l'entreprise. Dans cette nouvelle approche, le contrôle découle plus des résultats de l'entreprise que de la supervision directe de leur travail. Ils savent ainsi que si le rendement de l'entreprise n'est pas à la hauteur des espérances de la direction, celle-ci pourrait bien mettre un terme aux ententes, ou encore fermer l'établissement et déménager les activités dans une autre région ou un autre pays. On assiste donc plutôt à une transformation de la régulation de contrôle qu'à son abolition. Nul doute cependant que l'autonomie, les régulations autonomes sont davantage valorisées. La régulation conjointe est donc toujours celle de la rencontre des deux régulations traditionnelles et signale l'état de compromis entre elles. La situation actuelle, caractérisée par des crises économiques et sociales, favorise, jusqu'à un certain point, l'extension de ce type de régulation en forçant les acteurs à collaborer pour assurer la survie de leur entreprise. Les limites de cette approche dépendent donc de la bonne volonté des acteurs en présence comme de celle des gouvernements. Ces derniers peuvent en effet l'encourager, voire la rendre obligatoire comme cela se fait dans certains pays pour les grandes entreprises (se rappeler encore une fois le cas de la cogestion en Allemagne).

LES IDENTITÉS DE GROUPES ET D'ENTREPRISES

Lorsque les règles et les régulations à l'œuvre au travail perdurent dans le temps, elles deviennent l'univers premier de référence des individus et des groupes, la clé par laquelle ils accèdent à la compréhension de leur milieu de travail et, souvent, d'une partie du monde. Cet univers dépasse l'idée de règles et de régulations pour englober d'autres dimensions sociales de la vie en entreprise. C'est dans cet univers que naissent les identités de groupes et d'entreprises. Définissons d'abord la notion d'identité.

La notion d'identité est difficile à cerner tant l'usage que les auteurs en font et le sens qu'ils lui attribuent varient. Il s'agit d'une notion polysémique qui peut renvoyer autant à l'individu (identité individuelle) qu'à un groupe ou à une collectivité plus grande, comme une région ou une nation (identité collective). De plus, l'identité n'est jamais donnée; elle n'est pas une caractéristique que possé-derait une fois pour toutes un individu, un groupe ou une collectivité. L'identité est plutôt une réalité construite qui situe l'individu et le groupe dans le monde. La valeur explicative de la notion d'identité, en particulier quand elle met en cause un groupe ou une collectivité, tient à cette polysémie et à cette flexibilité d'utilisation :

> La valeur heuristique de l'identité semble tenir en effet aux relations qu'elle permet d'établir entre les phénomènes très variés – façons de dire, façons de faire, systèmes de représentations – auxquels elle participe et dont la cohé-rence n'est pas donnée *a priori*. Ces relations peuvent être établies parce que les identités collectives procèdent d'un processus de totalisation tant par l'accumulation de traits différenciateurs liés à l'appartenance à des classes sociales et des groupes localisés que par leur capacité à construire des repré-sentations collectives. (Chevalier et Morel, 1985, p. 3.)

Qu'est-ce que cela veut dire ? Cela veut dire que la valeur du concept d'iden-tité repose sur sa malléabilité, sa souplesse d'utilisation. Il s'agit d'un concept syn-crétique, c'est-à-dire qui synthétise l'ensemble des caractéristiques propres à un individu ou à une collectivité (groupe, organisation, communauté, etc.) et qui permet de différencier les individus ou les groupes les uns par rapport aux autres. On pourrait ainsi, par exemple, distinguer deux individus ou deux groupes par quelques caractéristiques ou par un ensemble plus vaste de caractéristiques. Dans les deux cas, on pourrait utiliser le concept d'identité pour résumer, synthétiser les différences de caractéristiques en disant que l'un a une identité de type x et l'autre, une identité de type y. Les identités qui nous intéressent ici sont celles qui naissent au travail et qui donnent des identités de groupes ou d'entreprises.

Concrètement, les identités sociales et collectives peuvent être vues, selon le sociologue français Jean-Pierre Olivier de Sardan (1984), comme des idéologies, des représentations ou des pratiques territorialisées. Nous croyons que, pour en rendre compte le plus fidèlement possible, il faut les voir comme étant tout cela à la fois. C'est ce que fait l'anthropologue québécois Marc-Adélard Tremblay (1983), par exemple, dans ses études sur l'identité québécoise. Les notions qu'il utilise, bien qu'elles soient différentes — visions du monde, image de soi et genres de vie —, renvoient grosso modo au même découpage de la réalité. Renaud

Sainsaulieu (1977, 1988), qui s'est intéressé plus particulièrement aux identités au travail, reprend sensiblement le même découpage. Il parle d'espaces d'identification, de système de représentations et de sociabilités. C'est ce grand découpage que nous retiendrons dans un premier temps pour rendre compte de l'identité collective des groupes et des entreprises.

Comme les autres formes d'identités, les identités de groupes au travail et d'entreprises sont changeantes et sujettes à des transformations en profondeur en fonction des contextes. Il est plus juste alors de parler de dynamique identitaire puisque ces identités se transforment au rythme des changements touchant le travail, les entreprises et la société. C'est pourquoi plusieurs auteurs parlent de stratégies identitaires, signifiant par là que les groupes et les entreprises prennent position dans certaines situations les concernant et qu'ils jouent la carte identitaire, utilisant en quelque sorte leur identité — s'en forgeant une au besoin, plus ou moins artificielle, comme le font certaines entreprises — comme ressource. Le politologue Jacques Chevallier (1996-1997, p. 37) soutient d'ailleurs que « ce qui joue dans l'identité, c'est en effet la construction du lien social, les processus d'intégration sociale, les rapports de domination et de pouvoir [...]. [C'est pourquoi] la question de l'identité doit être considérée comme politique par essence ».

À travers l'expression de leur identité, les groupes comme les entreprises affirment et défendent finalement leurs raisons d'être comme travailleurs ou comme entreprises. Ils affirment et défendent leurs valeurs et leurs intérêts. L'identité, c'est donc très souvent la prise de conscience de son existence en tant que collectivité. Nous allons examiner dans un premier temps les identités de groupes au travail, puis celles des entreprises.

LES IDENTITÉS DE GROUPES

Reprenons ici l'exemple des mineurs. Les règles et les régulations dont nous avons parlé précédemment sont constitutives de leur identité, mais cette dernière est loin de se réduire à ces seuls éléments. Au-delà des règles et des régulations, il y a tout un monde qui comprend, comme nous le disions plus haut, une image de soi, une vision du monde et un genre de vie particulier et localisé. Qu'en est-il des mineurs ? Ces derniers ont tendance à se percevoir comme des individus joyeux, fêtards même, insouciants face à l'avenir, vivant au jour le jour, mais vivant la vie à fond, à cent à l'heure. Ils se perçoivent, de plus, comme une communauté fortement égalitaire et solidaire. Leur vision du monde est plutôt fataliste, faite de résignation à leur travail ou à leur situation en général. Ils savent, par exemple, que leur métier est dur, dangereux, qu'il comporte des risques pour leur santé, mais ils croient qu'il n'y a pas grand-chose à faire. Comme le dit l'un d'eux à propos des troubles respiratoires que peut entraîner le travail constant dans un milieu poussiéreux : « Nous sommes des petits filtreurs ambulants, et les petits filtreurs ne se changent pas. » Ce fatalisme ressemble beaucoup à celui des Indiens travaillant dans les mines de Bolivie : «Nous mangeons la mine et la mine nous mange[9].» Leur vision du monde est qu'il s'en trouve des plus gros, des plus forts qu'eux, et qu'on n'y peut rien. Nous pourrions résumer ainsi leur philosophie de vie : Nous sommes des mineurs, et nous allons mourir de la mine, tel est notre destin. En attendant rions, dépensons, fêtons.

Pourtant, la situation des mineurs n'est pas partout la même. Les mineurs de Bolivie ne vivent pas la situation de ceux de l'Abitibi, par exemple, et même entre ces derniers, il peut exister des différences. Il suffit que les conditions de travail changent et l'identité, une partie du moins, s'en trouve profondément modifiée. Ainsi en est-il des mineurs abitibiens qui se retrouvent dans des entreprises de sous-traitance où les règles et les régulations instaurées dans les grandes entreprises minières ne tiennent plus. En effet, la sous-traitance s'est développée quand les entreprises minières ont, de plus en plus, confié les travaux parmi les plus dangereux et les plus risqués, comme la construction de nouveaux puits et de cheminées à minerai, à de petites entreprises. Ce faisant, les grandes entreprises minières ont pu améliorer leurs résultats en matière de sécurité et de santé au travail (moins d'accidents, moins de dépenses). En fait, les risques et les coûts qui y sont associés ont été transférés aux petites entreprises et surtout aux mineurs qui y travaillent. La situation de ces mineurs est différente de celle des autres. Ils travaillent sous pression — dans un univers où la production à tout prix est le maître-mot — dans des conditions très difficiles et dangereuses.

Ainsi, les trois règles de métier dont nous avons parlé ne jouent pas toujours. Il faut bien sûr être «travaillant» pour abattre le travail et éviter de trop penser aux risques d'accidents. Par contre, l'exigence de sociabilité ne tient plus la plupart du temps. Pressés par l'entrepreneur, rémunérés en fonction du nombre de pieds abattus dans la journée, ils n'ont pas le temps de socialiser, ou de se jouer des tours. Même s'ils le voulaient, ils ne le pourraient pas, car dans le puits, la cheminée ou la rampe où ils travaillent, le bruit couvre leur voix, la poussière et la boue les aveuglent. Travaillant tous à la même place, ils n'ont pas non plus la possibilité de choisir leurs compagnons ou d'en changer. Ils travaillent si vite qu'ils prennent constamment des risques avec les outils et les explosifs. Les accidents sont nombreux, mais la paye est bonne. La règle de n'être ni peureux ni fantasque ne tient pas ici qu'à moitié. En effet, pour exercer le travail dans ces conditions, il ne faut certes pas être peureux, mais plus, il faut être très fantasque. Défier la mort au quotidien est la seule façon de survivre dans cet univers. Pas besoin d'épreuves et de tours pour éprouver les autres, cela se fait dans les conditions «normales», au quotidien. Voici comment, philosophe, un mineur

---

9. D'après le titre de l'ouvrage de l'anthropologue June Nash (1979) sur les Indiens mineurs de Bolivie : *We Eat the Mines and the Mines Eat Us.*

travaillant pour une petite entreprise de sous-traitance décrit les risques liés à son travail :

> Faut pas tu regardes ça [les dangers], c'est pire. Tu en vois tout le temps. Surtout quand tu es sur la *slip*, la roche à un certain angle, tu coupes ça, tu peux t'en imaginer des *lousses* assez effrayants. Mon voisin, celui qui m'a fait rentrer, il peut pus travailler dans les mines, il a eu un gros accident. Lui un *lousse* est parti d'une *slip* pis te l'a accoté sur l'autre bord, une affaire de 16 tonnes, personne s'est fait tuer. Quand le gros morceau est parti il était accoté sur d'autres, ça a fait des éclats de roches, il y a eu des petites blessures. Si tu fais juste regarder ça tu vas *jumper*. La chienne va te poigner. C'est un job faut tu sois fantasque. Tu es toujours sur un *well plate*, ça a huit pouces, tu es debout là-dessus, à 1 900 pieds dans les airs. Si tu commences à dire si... je tombe. Non, tu fais ton *shift*. (Tiré de Dupuis, 1997.)

Ces mineurs, les autres les appellent des «bouleux» et les traitent de fous. Il est intéressant de noter que ce terme dérive du mot anglais *bull* («taureau») et qu'il fait référence à l'opiniâtreté du taureau qui, tête baissée, continue de charger le torero, même s'il connaît le danger, à la manière du mineur qui travaille tête baissée et qui s'expose à tous les risques. La figure de légende d'un bouleux nous est décrite par l'un de ses compagnons :

> C'est la deuxième «grosse» accident qu'il a. Il est fou le gars. Il est tout ouvert ici en arrière. Pis il travaille sept jours par semaine, douze heures par jour. Ah, c'est un fou. Son deuxième accident, des *air blasts* qu'on appelle, la pression vient assez fort dans les roches que, à un moment donné, ça décolle tout seul. Pis il s'est fait enterrer dans sept, huit pieds de roches par-dessus lui. Ils l'ont sorti, y l'ont monté à l'hôpital, une semaine après il était encore en dessous. Là, en ce moment, il est sept jours semaine, le gars est fini... (Tiré de Dupuis, 1997.)

Ce jeune mineur rêvait de sortir au plus vite de ce milieu pour joindre l'autre catégorie dont, manifestement, il partageait l'opinion sur les «fous». Nous le voyons, un abîme sépare les deux milieux et les deux catégories de mineurs, et les conditions de travail très dures que connaissent les mineurs donnent lieu à des règles et à des régulations au travail d'un tout autre genre. Dans un cas, des mécanismes de médiatisation de la peur et des risques s'installent, une sociabilité et un respect se manifestent, absents dans l'autre. Les mineurs «fous» ne sont pas solidaires, c'est chacun pour soi, le seul objectif étant de gagner un gros salaire. L'estime de soi de ces mineurs est beaucoup plus faible, leur vision du monde est encore plus fataliste et ils ont un genre de vie encore plus dommageable pour la santé : plus d'alcool et de drogue dans ce milieu que dans l'autre. Il faut dire que certains de ces mineurs sont incapables de descendre dans le «trou» sans être sous l'effet de la drogue tant les conditions sont difficiles.

L'identité de mineurs n'est pas la seule qui va varier en fonction des contextes de travail. Prenons le cas des comptables qui ont vu leur identité se transformer plusieurs fois au cours du siècle[10]. C'est d'abord le déclin des comptables salariés non professionnels au début du siècle, conséquemment à la mécanisation d'une partie du contrôle interne des entreprises et, surtout, à la suite de la montée de la demande sociale d'une vérification externe des états financiers des entreprises au bénéfice des actionnaires, des créanciers et des gouvernements. Le krach boursier de 1929, en révélant l'absence d'informations publiques fiables sur les entreprises, a servi ici de tremplin à une nouvelle génération de comptables. L'image type du comptable devient celle du professionnel autonome, maîtrisant un savoir spécialisé, au service de la collectivité, qui s'autocontrôle par le biais d'une corporation. Le comptable agréé est un professionnel ayant une responsabilité sociale importante (qui est de donner une information fiable sur l'état financier des entreprises et des gouvernements) reconnue par l'État qui lui cède le monopole de la vérification publique. Il jouit par conséquent d'un certain prestige et occupe un rang social élevé.

Cette identité de professionnel autonome va cependant s'effriter à partir des années 60 sous l'action de plusieurs phénomènes. En effet, la monopolisation de l'économie par les grandes firmes, en particulier au Québec et au Canada par de grandes firmes sous contrôle étranger, et l'accroissement du rôle de l'État vont entraîner la création de grandes firmes comptables plus aptes à fournir des services de masse à ces entreprises. Dans ce contexte, le comptable agréé est de moins en moins un travailleur autonome (4% d'entre eux au Québec en 1981) et de plus en plus, comme à la fin du XIXe siècle en quelque sorte, un travailleur salarié. Il est soit au service d'une grande firme comptable (47% d'entre eux y sont salariés en 1981), elle-même fortement dépendante des grandes entreprises, soit directement au service de l'entreprise qui l'embauche comme contrôleur interne ou gestionnaire (34% des comptables agréés) (Bernard et Hamel, 1982, p. 128-130). Ces transformations ont pour conséquence le déclassement du comptable agréé au profit d'autres catégories de comptables plus près de la gestion des entreprises. Ainsi le prestige et le rang social du comptable agréé sont moindres aujourd'hui qu'il y a 30 ans, si bien que la majorité des étudiants en comptabilité ne se dirigent plus vers cette profession mais davantage vers les autres, en particulier celle de comptable de management accrédité (C.M.A.). Les comptables se divisent ainsi, comme les mineurs, en quelques «tribus» aux identités variant selon les contextes et les époques.

On peut relever ainsi des identités de secrétaires, de caissières, de commis, de techniciens, d'ouvriers, de professionnels, de cadres, etc., qui, tout en comportant pour chacun des groupes des caractéristiques communes, présentent des différences importantes en fonction du type d'industrie dans laquelle les individus

---

10. Pour ce qui suit sur les comptables, nous nous référons à Bernard et Hamel (1982).

s'insèrent, du type d'organisation et de division du travail en place dans l'entreprise, ou de la composition ethnique, sexuelle ou générationnelle de la main-d'œuvre. Il peut même arriver que ce soit une caractéristique de l'industrie, de l'entreprise ou de la main-d'œuvre qui soit la plus importante dans la construction de l'identité plutôt que la tâche elle-même. Par exemple, les ouvrières immigrées qui travaillent dans le textile vont souvent se diviser en sous-groupes dans une entreprise selon leur appartenance ethnique (revoir l'exemple présenté au chapitre 5). L'identité associée en théorie à la condition de travailleuse est alors remodelée en fonction des sous-groupes ethniques. Ceux-ci seront la plupart du temps hiérarchisés sur le fondement de la force d'une communauté dans l'entreprise (la première communauté entrée, certains de leurs membres occupent des postes clés comme contremaîtres ou cadres subalternes, etc.).

Il y a donc une infinité de groupes et d'identités possibles dans l'entreprise. Le sociologue français Renaud Sainsaulieu (1977) a essayé de mettre un peu d'ordre dans tout cela pour montrer qu'il se dégage de grands modèles d'identité collective. À partir d'une enquête menée dans plusieurs entreprises françaises dans les années 60 et au début des années 70, Sainsaulieu a isolé quatre grands modèles d'identité collective qui caractérisent l'époque marquée alors par une forte croissance économique et une relative prospérité. Ces quatre modèles sont transversaux au sens où on peut les retrouver aussi bien chez les ouvriers et les employés que chez les techniciens et les cadres, bien que les proportions de l'un ou de l'autre groupe puissent varier selon les métiers. Sainsaulieu nomme ces quatre modèles identitaires comme suit: le modèle fusionnel, le modèle de la négociation, le modèle de la mobilité professionnelle et le modèle de retrait. Chacun de ces modèles identitaires recouvre une culture propre qui définit les relations entre les individus du groupe et celles qu'ils entretiennent avec les autres.

Dans une enquête qu'il a menée récemment avec une équipe de sociologues sur la transformation des entreprises françaises, Sainsaulieu a pu constater une évolution des types d'identités qu'il avait répertoriés dans les années 60 et 70 (Francfort et autres, 1995). Cette évolution est due aux bouleversements économiques et technologiques qui se sont produits ces 20 dernières années, notamment à la détérioration de la situation économique dans la plupart des pays occidentaux. Nous sommes en effet passés d'une situation de croissance et de prospérité économiques à une situation de crise quasi permanente où dominent la faible croissance, les pertes d'emplois et le chômage élevé. Non seulement ce nouveau contexte a modifié les identités au travail des années 70, mais il a aussi permis de découvrir de nouveaux modèles: le modèle professionnel de service public et le modèle entrepreneurial (voir l'encadré 7.8 [p. 342] sur les différents modèles identitaires et leur transformation).

Résumons. L'entreprise regroupe des individus qui ont tous une ou des tâches particulières à accomplir. Certains dirigent, d'autres exécutent, mais tous

ENCADRÉ 7.8   Les modèles identitaires et leur transformation dans le temps

Le modèle réglementaire (ancien modèle de retrait). Ce modèle était caractérisé par «une très faible entrée dans le jeu des relations interpersonnelles et collectives avec les pairs. On a très peu d'amis parmi ses collègues, les relations restent superficielles dans le travail, le groupe est refusé, le leader aussi, et l'on se cantonne dans une sorte de séparatisme prudent. [...] Le travail n'est pas une valeur dans une telle hypothèse de relations, on y voit surtout une nécessité économique ou le moyen de réaliser un projet extérieur impliquant d'autres relations et d'autres créations» (Sainsaulieu, 1988, p. 174). Sainsaulieu et ses collaborateurs notent une permanence de ce modèle caractérisé par un rapport très instrumental au travail et par une faible socialisation par le travail. Le progrès technologique et les crises économiques qui se succèdent, en favorisant l'exclusion du travail, ont aussi grossi le nombre d'exécutants susceptibles de s'identifier à ce modèle. Paradoxalement, s'ils sont plus nombreux que jamais à se retrouver dans cette catégorie, beaucoup semblent désireux de s'investir davantage dans le travail. De plus, dans certains services de l'administration, il s'agit d'un modèle qui tend à devenir plus pacifique et «dans lequel la suspicion entre collègues et l'évitement du chef ont régressé» (Francfort et autres, 1995, p. 231). Ici, la peur de perdre son emploi semble être la première motivation de ces employés et ouvriers à participer davantage.

Le modèle communautaire (ancien modèle fusionnel). Ce modèle englobait traditionnellement les ouvriers peu qualifiés accomplissant des tâches simples et répétitives à l'extrême, sur la chaîne d'assemblage et dans les productions en série. «Les représentations collectives renvoyaient à une sorte de modèle fusionnel des relations où le collectif est valorisé comme refuge et une protection contre les divergences et les clivages. [...] Les valeurs de la masse, de l'unité, de la camaraderie, l'emportent ici.» (Sainsaulieu, 1988, p. 173.) Ce modèle serait en déclin, il s'effriterait «en raison des restructurations et de la déqualification professionnelle que connaissent certains métiers. Il n'est plus le fait que d'une population d'ouvriers et de cadres ayant une ancienneté importante (souvent plus de quinze ans), issus du même terroir ou du même milieu social» (*Sciences humaines*, 1996-1997, p. 26) et appartenant à des entreprises des secteurs traditionnels (automobile, sidérurgie, transports, secteur bancaire). Il se caractérise «par un écart important entre des valeurs héritées du passé (convivialité, soutien d'un chef porte-parole, solidarité dans la lutte, garantie de l'emploi) et la réalité actuelle des situations relationnelles et professionnelles (dilution et atomisation des relations, menace sur l'emploi et le poste de travail)» (Francfort et autres, 1995, p. 237).

Le modèle professionnel (ancien modèle de la négociation). Ce modèle était marqué «par la négociation et l'acceptation des différences. On [le] retrouve principalement chez les professionnels ouvriers, mais aussi, et avec des nuances, chez les employés et agents techniques exerçant un véritable métier, ou encore chez les cadres ayant de véritables responsabilités d'encadrement»

→

(Sainsaulieu, 1988, p. 173). Il «s'étend aujourd'hui aux nouvelles professions du secteur industriel ayant un rapport étroit à la technologie, et alliant conception et exécution des tâches (personnels de conduite de process automatique, activités de maintenance…)» (*Sciences humaines*, 1996-1997, p. 26). Ce qui caractérise ce modèle, c'est le mode de socialisation «fondé sur des interactions professionnelles» continues et très riches et où la pratique d'un métier est en réalité «un processus d'accomplissement de soi» (Francfort et autres, 1995, p. 248, 254). C'est le modèle de l'artisan transposé aux nouvelles réalités du travail, notamment à celles qui sont liées aux industries à haute technologie.

Le modèle de la mobilité (professionnelle). Ce modèle apparaissait «davantage dans les situations de mobilité socioprofessionnelle prolongées, dans les entreprises où il y a eu de la promotion interne grâce à la croissance du personnel et du nombre de ses cadres et agents techniques, entraînés par ce mouvement ascendant sur des filières d'évolution personnelle rapide. C'est en gros la culture des autodidactes vivant une mobilité sociale en entreprises» (Sainsaulieu, 1988, p. 174). Dans ce modèle, «on trouve aujourd'hui des individus pour qui les phases de modernisation et les innovations constituent une opportunité favorable leur permettant une implication et une adaptation à des situations évolutives de travail. Dans un contexte où les possibilités de promotion se font plus rares, leur projet de réalisation individuelle nécessite des stratégies beaucoup plus offensives» (*Sciences humaines*, 1996-1997, p. 26), comme se donner une formation à toute épreuve et entretenir soigneusement des relations privilégiées avec des acteurs clés.

Le modèle professionnel de service public. Ce modèle «tranche radicalement avec les images traditionnelles de ritualisme et de routine de l'administration. Ces nouvelles attitudes qui se caractérisent par l'autonomie, la responsabilité et la compétence avaient déjà été identifiées chez les travailleurs sociaux» (*Sciences humaines*, 1996-1997, p. 26) et s'étendent à de plus en plus de fonctionnaires. Il s'agit d'une nouvelle dynamique qui est liée à la remise en cause de l'État et à sa transformation en cours relativement, entre autres choses, à la façon de fournir les services. Cette dynamique touche particulièrement les fonctionnaires en contact direct avec le public. En fait, selon Francfort et autres :

> Une partie du travail dans ces univers bureaucratiques ne correspond plus à la logique réglementaire qui demeure l'archétype dans les représentations de l'administration. Dans leur situation de travail, les agents doivent faire face à des situations non réglées à l'avance par des procédures. Ils ont la nécessité d'interpréter et d'arbitrer pour pouvoir appliquer la Loi. Or, ils sont de plus en plus exposés à la relation directe et permanente à l'usager (ligne téléphonique directe, permanence du guichet, personnalisation des relations). Ainsi, à travers le contenu du travail et ce qui en constitue le cœur, la gestion de la relation, se crée une compétence relationnelle spécifique, une identification à une mission, dont la mise en œuvre constitue explicitement un métier. (Francfort et autres, 1995, p. 245.)

Le modèle entrepreneurial. «Ce dernier modèle identitaire, le plus nouveau, fait apparaître des individus qui se mobilisent individuellement et collectivement pour leur entreprise. Ils vivent d'intenses sociabilités au travail, et revendiquent une appartenance à un collectif. Nouveaux chevaliers des temps modernes, ils mettent leur compétence au service d'une organisation qui les intègre.» (Francfort et autres, 1995, p. 262.) Ce modèle «constitue une alliance entre un attachement maison traditionnel et une forme plus moderne et offensive de culture d'entreprise. L'intégration à l'entreprise y est très forte, celle-ci étant vécue comme le lieu d'une communauté d'individus […], de construction d'expertise […], de la carrière possible […] et du dépassement de soi» (*ibid.*, p. 267). Les chercheurs constatent que ce modèle est commun à «des individus qui ne sont ni créateurs d'entreprise, ni grands dirigeants, ni propriétaires d'entreprise. Pour ces entrepreneurs, l'entreprise appartient à ceux qui peuvent contribuer à sa richesse ou à sa perte. On les trouve principalement dans des fonctions en relation étroite et quotidienne avec l'environnement de l'entreprise, dans la catégorie des cadres et des dirigeants diplômés de l'enseignement supérieur» (*ibid.*, p. 268). Cette identité est apparue dans le cadre d'une forte concurrence entre les entreprises, de la montée des PME et des rationalisations des entreprises qui ont marqué les années 80.

ont des buts, disposent de ressources et agissent en fonction d'enjeux qui leur sont propres, ce qui se traduit par des actions et des stratégies particulières (de collaboration, d'affrontement ou de compromis). Une véritable dynamique se trouve ainsi créée, qui prend place dans un univers de règles et de régulations. Certaines règles et régulations sont imposées par la direction, d'autres naissent naturellement dans des sous-groupes d'employés, d'ouvriers ou de cadres qui doivent travailler quotidiennement ensemble et qui partagent souvent le même espace ou la même tâche. Partageant une même tâche, ou ayant le même métier ou la même formation, ou vivant la même situation, ils en viennent à acquérir une identité de groupe fondée sur des valeurs, des symboles, des histoires qui leur sont propres. Ces identités de groupes sont parfois limitées au cadre de l'entreprise, comme dans le cas des travailleuses immigrées au sein d'une usine de textile. D'autres fois, elles débordent largement ce cadre, comme dans le cas des mineurs et des comptables, pour donner naissance à de véritables communautés professionnelles. Ces identités s'inscrivent par ailleurs dans le contexte de leur époque et sont transformées et redéfinies en fonction des transformations sociales. Ainsi, par exemple, les mineurs adoptent des stratégies identitaires de modèle communautaire dans des conditions idéales de travail. Par contre, là où les conditions sont mauvaises, comme celles que connaissent les mineurs travaillant pour les petites entreprises de sous-traitance, le modèle communautaire peut difficilement s'épanouir. Les mineurs sont alors plus près du modèle de retrait (ou réglementaire). Le travail y est réduit à sa dimension économique, et chaque mineur ne pense d'abord qu'à lui. La notion de collectif ou de communauté telle que la vivent les autres mineurs — avec leur sociabilité intense et leurs luttes collectives — leur est presque totalement inconnue.

L'entreprise est donc un lieu fortement marqué par des identités de groupes plus ou moins affirmées, et plus ou moins stables dans le temps. Nous disons « plus ou moins affirmées » parce qu'il arrive souvent que ces identités soient latentes et qu'elles n'éclatent au grand jour que lorsque survient une situation de crise. Jusque-là, les individus ne se reconnaissaient pas nécessairement comme un groupe ayant une identité propre à défendre malgré la présence de règles, de façons de faire ou de voir les choses communes. Ces éléments échappent souvent à la conscience, et il faut parfois des catégories d'employés se sentent menacés de perdre des ressources, des privilèges, voire leurs emplois, pour se rendre compte enfin qu'ils partagent une même situation, une même condition, un même destin, une même identité. La situation de crise agit alors comme révélateur de l'identité latente. Nous ne parlons pas ici des identités de mineurs ou de comptables, par exemple, qui sont bien affirmées et bien reconnues socialement, mais de celles de groupes d'employés qui ne s'identifient pas aussi fortement à un métier. Il peut s'agir de simples ouvriers non spécialisés dans une entreprise industrielle, mais que le travail quotidien dans l'entreprise a amenés à définir des règles, des régulations, des valeurs, des symboles qui les rassemblent et qui constituent les fondements d'une identité de groupe.

LES IDENTITÉS D'ENTREPRISES

L'idée des identités d'entreprises est une extension de celle des identités de groupes, à cette différence qu'elles se forgent souvent en vertu des régulations de contrôle et conjointe plutôt qu'en vertu des régulations autonomes. En effet, ce que partagent tous les membres d'une même entreprise, ce n'est pas ce que vit chaque groupe quotidiennement dans les différents lieux de travail, services, unités et établissements, mais bien l'orientation donnée à l'entreprise par les dirigeants, la coordination mise en place pour faire fonctionner l'ensemble, le discours public sur l'entreprise, etc. C'est autour de ces éléments — plus près de la régulation de contrôle ou de la régulation conjointe — que peut s'articuler une identité d'entreprise. Encore ici, le contexte social et économique joue un grand rôle dans la nature de cette identité. En effet, une entreprise en déclin dans une économie en croissance n'aura pas du tout la même identité qu'une entreprise en croissance dans une économie en déclin, pour prendre deux exemples extrêmes. La première aura probablement, mais cela reste à vérifier par une enquête de terrain, une identité faible, peu mobilisatrice pour son personnel, tandis que la deuxième s'affichera comme *success story*, voudra faire connaître son modèle, ses façons de faire, à des acteurs économiques inquiets et peu sûrs d'eux. Pensons, dans ce dernier cas, à Cascades ou à Bombardier, au Québec, et voyons ce qu'il en est.

Les deux entreprises ne cessent d'accumuler les succès alors que l'économie se porte mal et que bon nombre d'entreprises ferment leurs portes ou sont en pleine rationalisation (réorganisation et mises à pied). Les modèles de Cascades et de Bombardier sont dès lors célébrés, analysés, décortiqués. Bien sûr, les analyses sérieuses montrent que ce n'est pas le bonheur total, que des employés se sentent lésés, qu'il se produit bien des accrochages et des conflits dans ces entreprises, mais leur reconnaissance publique, les innovations technologiques qui s'y font (chez Bombardier en particulier), les contrats qui pleuvent de l'étranger sont, très souvent, pour les employés et les dirigeants des sources d'identification assez fortes. Il est à noter par ailleurs que cette identification à l'entreprise ne signifie pas que tous les employés et dirigeants se rangent entièrement, et en tout temps, aux politiques et décisions des entreprises. Loin de nous l'idée de réduire l'identité de l'entreprise à une question de consensus des acteurs sur ses grandes comme ses petites politiques. Au contraire, l'identité d'une entreprise peut fort bien être marquée par des conflits permanents, récurrents, violents, comme chez Firestone à Joliette qui a vécu plusieurs grèves très dures depuis son ouverture dans les années 60. La dernière grève, déclenchée en août 1995, a d'ailleurs duré six mois et ébranlé fortement l'économie de la région. Elle est un résultat de cette culture du conflit et rien ne semble vouloir changer de ce côté (pour une courte histoire des relations de travail dans cette entreprise, voir l'encadré 7.9). L'identité ne repose donc pas uniquement sur les discours ou les politiques des dirigeants, mais aussi sur les relations quotidiennes entre employés et dirigeants, qui peuvent être des relations de respect ou de non-respect, de collaboration ou d'affrontement, etc. L'identité, c'est ainsi ce qui caractérise plus particulièrement une entreprise, ce qui la distingue, et qui est reconnu comme tel par les acteurs concernés ou par des observateurs extérieurs.

L'identité de l'entreprise dépend ainsi de l'intégration des divers acteurs et des identités de groupes propres à chacune. Certaines entreprises réussissent mieux à intégrer tous les acteurs et les groupes, à satisfaire les revendications et les besoins d'identification des uns et des autres, tandis que d'autres ne réussissent pas très bien. Dans ce dernier cas, il faut distinguer les entreprises qui y sont parvenues, mais qui vivent actuellement un processus de désintégration, de celles qui n'y sont jamais parvenues parce que les différents groupes n'ont jamais adhéré à une culture ou à un projet communs. Trois situations sont donc possibles quant à l'intégration sociale en entreprise, qui correspondent à autant d'états différents : l'intégration réussie (intégration culturelle), jamais réussie (confrontation culturelle), déjà réussie mais en voie d'effritement (désintégration culturelle). Chacune de ces situations contribue à la formation des identités différentes des entreprises.

Nous avons déjà mentionné les cas de Cascades et de Bombardier comme des exemples d'intégration culturelle réussie. Nous donnons ces exemples avec les réserves qui s'imposent : ce sont les établissements les plus anciens qui vivent

ENCADRÉ 7.9 Les relations de travail chez Bridgestone-Firestone

L'entreprise Firestone de Joliette a été ouverte en 1966 par la société américaine Firestone Tire and Rubber. L'entreprise japonaise Bridgestone s'est portée acquéreur de Firestone en 1988, créant ainsi la nouvelle société Bridgestone-Firestone. Au moment du déclenchement de la grève en août 1995, l'usine employait 900 personnes et fabriquait 14 000 pneus par jour dont 90 % étaient exportés aux États-Unis. À l'automne 1995, cinq des six usines Bridgestone des États-Unis étaient en grève. Les employés luttaient contre les méthodes de travail à la japonaise jugées trop exigeantes (Clément, 1995, p. A1).

En 1995, l'usine de Joliette n'en est pas à sa première grève; elle en est en fait à sa cinquième. La première a eu lieu en 1969. Elle a duré 11 semaines, et les travailleurs revendiquaient déjà à l'époque de meilleures conditions de travail. Cette revendication reviendra dans tous les conflits par la suite. La grève de 1973 est la deuxième. Elle a été la plus dure et la plus longue, ayant duré 11 mois. Outre de meilleures conditions de travail et des salaires plus élevés — ils gagnaient à l'époque 1,05 $ de moins de l'heure que leurs homologues de l'usine de Hamilton, en Ontario —, les travailleurs exigeaient que le français soit la langue de travail à l'usine. Les deux autres grèves ont lieu en 1978, d'une durée de trois mois, et en 1983, une courte grève de deux semaines. Toutes ces grèves ont instauré au fil des ans une méfiance mutuelle, voire, selon certains, une culture du conflit entre les employés et la direction (Perreault, 1996, p. A23).

La longue grève de 1995-1996 n'améliorera pas la situation. De nombreux ouvriers sont sortis fortement frustrés de ce dernier conflit et ils en veulent beaucoup à la direction. Comme le rapporte le journaliste Jean-Paul Charbonneau (1996, p. A1), les travailleurs ont accepté les offres «finales» de l'entreprise, mais bien à contrecœur: «La majorité des syndiqués sont sortis de la salle en colère, le visage long.» D'ailleurs, un représentant syndical «est d'avis que si rien n'est fait pour améliorer le climat, l'usine de Joliette sera dans l'obligation de fermer dans quelques années» (*ibid.*).

le plus intensément cette identification à l'entreprise. Par exemple, les travailleurs et les dirigeants de l'usine Cascades de Kingsey Falls et ceux de l'usine Bombardier de Valcourt sont beaucoup plus attachés à l'entreprise que ceux des établissements qui se sont joints à ces grands groupes récemment. Ces derniers établissements connaissent des problèmes de transition qui empêchent pareille identification. Pensons notamment à l'usine Cascades d'East Angus où les travailleurs ont beaucoup de difficulté à faire respecter les droits inscrits dans leur convention collective, ou à ceux des usines belge et irlandaise pour qui le nom de Bombardier ne revêt pas la même signification que pour les travailleurs québécois. Rien n'assure d'ailleurs que la situation changera prochainement (sur

Cascades, voir Pépin, 1996; Lavigueur, 1997; sur Bombardier, voir Tremblay, 1994). Il est possible que, dans ces établissements, l'identité se construise autour d'autres valeurs et d'autres réalités culturelles, malgré les efforts des dirigeants. La construction de l'identité de l'entreprise est un processus très long qui engage les acteurs dans une histoire commune s'étendant souvent sur plusieurs générations. Attardons-nous un peu plus longuement sur le cas de Bombardier pour mieux comprendre cette dynamique culturelle des entreprises[11].

L'invention par Joseph-Armand Bombardier d'un «lourd véhicule équipé de chenilles et de skis capable de circuler sur la neige et de sortir de leur isolement hivernal les populations des régions rurales du Québec» (Tremblay, 1994, p. 6) a été le point de départ de cette entreprise fondée à Valcourt en 1942. Une quinzaine d'années plus tard, Bombardier invente la motoneige qui lance définitivement l'entreprise. De 1964 à 1972, cette dernière connaît, sous le règne de Laurent Beaudoin, gendre de Bombardier, une croissance remarquable, le chiffre d'affaires passant de 10 à 183 millions de dollars. La crise du pétrole de 1973, une inflation galopante et une plus grande sensibilité à l'environnement entraînent une importante baisse de la consommation de la motoneige qui menace la survie de l'entreprise. En réaction à cette menace, l'entreprise va entreprendre une diversification de sa production.

Une première conversion l'amène dans le secteur du transport en commun où elle obtient, en 1974, un important contrat pour fabriquer la deuxième génération de voitures du métro de Montréal, même si elle n'a aucune expertise dans ce secteur. Le désir des promoteurs de confier ce lucratif contrat à une firme québécoise y est pour beaucoup. C'est à l'usine de fabrication de motoneiges de La Pocatière, transformée pour les besoins de la cause, que seront construites ces voitures. L'opération est un franc succès et l'obtention, en 1984, d'un contrat de plus d'un milliard de dollars canadiens pour la construction de 825 voitures de métro pour la ville de New York permet de confirmer cette percée dans le secteur du transport en commun. Par la suite, Bombardier consolide sa présence dans ce secteur en faisant l'acquisition d'entreprises de fabrication de matériel de transport roulant: Brugeoise et Nivelles (BN) en Belgique, ANF-Industrie en France, UTDC en Ontario et Concarril au Mexique. Puis, à partir de 1986, l'entreprise fait une première percée dans le secteur de l'aéronautique en se portant acquéreur de Canadair, au Québec. Elle s'implantera plus solidement dans ce secteur en faisant l'acquisition de Short Brothers en Irlande du Nord, de Learjet aux États-Unis et de Havilland en Ontario.

Qu'en est-il alors de l'identité et de la culture de Bombardier, qui acquiert souvent des entreprises plus anciennes et plus grosses que ses propres usines au

---

11. Les informations sur Bombardier qui suivent sont tirées de Tremblay (1994).

Québec? Rappelons que l'identité de l'entreprise s'est développée à Valcourt autour de la construction d'autoneiges et de motoneiges du début des années 40 jusqu'au début des années 70. Elle a donc à la fois reçu la marque de son fondateur, Joseph-Armand Bombardier, et celle de son milieu, Valcourt, une petite municipalité de l'Estrie. Tremblay (1994, p. 109) parle de fierté, de solidarité, d'intégrité, de débrouillardise, de travail et de simplicité, sur un fond de conservatisme et de paternalisme, pour décrire ce milieu et le fondateur. Les vieux employés de Valcourt ont une expression qui illustre bien ce sentiment d'appartenance: «Quand on se coupe, on saigne jaune», faisant ainsi référence à la couleur jaune moutarde des premières motoneiges Ski-Doo (*ibid.*, p. 4). Cette culture a été enrichie par la suite par Laurent Beaudoin et son bras droit, Raymond Royer, ainsi que par les cadres et les employés de La Pocatière. Selon Tremblay:

> Parmi la trentaine d'usines exploitées par Bombardier à travers le monde, Valcourt et La Pocatière sont les modèles. Valcourt porte l'héritage de Joseph-Armand Bombardier et de son gendre Laurent Beaudoin, tandis que La Pocatière transmet celui de Raymond Royer. On pourrait se risquer à dire, sans trop caricaturer, que l'usine idéale emploierait les travailleurs de Valcourt et les cadres de La Pocatière. Cette synthèse, Bombardier tentera de la transmettre à ses autres usines, mais la greffe ne prendra pas toujours. (Tremblay, 1994, p. 33; reproduit avec permission.)

L'implantation de la culture Bombardier est parfois très difficile. En Belgique, par exemple, la direction belge de la Brugeoise et Nivelles (BN) — spécialisée dans la fabrication de matériel roulant ferroviaire — n'a jamais accepté l'achat de l'entreprise par des étrangers. Elle acceptait encore plus difficilement que ces derniers viennent lui donner des leçons de gestion étant donné que la Belgique fut le premier pays européen à construire un chemin de fer. C'est en quelque sorte l'histoire et la tradition d'un pays contre la culture d'une jeune entreprise québécoise. La direction de Bombardier a pourtant été tolérante et a cherché à changer les manières de faire de façon progressive. Mais, après quelques années aux résultats médiocres, la direction de Bombardier s'est vue dans l'obligation de restructurer l'entreprise et de remplacer une bonne partie de la direction de BN qui s'entêtait à ne pas vouloir modifier ses façons de faire malgré les mauvais résultats financiers. Il y a donc, dans les premières années, un climat de confrontation autant entre la direction de Bombardier et celle de BN qu'entre la direction et les employés syndiqués qui vivent mal la restructuration. On ne peut pas dire ici que la culture Bombardier s'impose facilement.

La situation est plus facile avec la direction de Short Brothers à Belfast qui accepte plus aisément la philosophie de gestion de Bombardier axée sur la participation des cadres et des employés. Pourtant, d'autres problèmes compliquent drôlement les choses. Shorts est le plus gros employeur privé de l'Irlande du Nord et est situé au cœur de Belfast, le lieu d'un long et interminable conflit entre les protestants et les catholiques. Shorts a été longtemps considéré comme un bastion de la communauté protestante — l'usine est située du côté protestant — et compte peu de travailleurs catholiques, situation en voie de s'équilibrer, comme l'explique Tremblay :

> [...] à la suite de pressions locales et internationales, de deux législations sur l'égalité des chances à l'emploi, et de décisions prises par les nouveaux propriétaires québécois, l'entreprise s'ouvre de plus en plus à la minorité catholique, qui représente aujourd'hui 13,5 % de ses travailleurs en usine, comparativement à moins de 5 % au milieu des années quatre-vingt. À terme, Shorts vise 26 %, soit la proportion des catholiques qui habitent dans la région de Belfast. (Tremblay, 1994, p. 73 ; reproduit avec permission.)

Pour tenter de faire dérailler le processus de réconciliation entre les communautés protestante et catholique à l'intérieur de l'entreprise, l'Armée républicaine irlandaise (IRA) a fait exploser huit bombes aux abords de l'usine depuis que Bombardier en est le propriétaire. De plus, les travailleurs catholiques de l'usine ont été l'objet de menaces de mort de la part d'une organisation secrète loyaliste. On le voit, il y a là des enjeux et des identités qui dépassent largement la philosophie de gestion de Bombardier, bien qu'en soi cette dernière ne soit pas irréconciliable avec les projets des modérés ouverts à une participation plus grande des catholiques de l'Irlande du Nord. Les dirigeants québécois ont par ailleurs une certaine expérience des tensions interethniques puisqu'elles ne sont pas absentes de leur réalité dans la province.

Au Québec, c'est l'acquisition de Canadair par Bombardier qui a été une source de tensions culturelles. Canadair était essentiellement une entreprise anglo-saxonne, voire britannique, puisqu'elle recrutait chaque année une dizaine d'ingénieurs en Grande-Bretagne. L'achat de l'entreprise par Bombardier fut un choc pour les cadres et les employés :

> [...] lorsque Laurent Beaudoin prononce presque entièrement en français son premier discours devant les employés, un frisson traverse la majorité anglophone. « Jamais de ma vie je n'aurais cru que mon chèque de paye porterait un jour un nom de compagnie français », confie un autre employé. (Tremblay, 1994, p. 57 ; reproduit avec permission.)

La mise en place des principes de gestion de Bombardier se fera dans un climat très difficile. L'embauche de cadres et d'ingénieurs québécois vient aussi bouleverser les habitudes des cadres et des ingénieurs britanniques de Canadair et il se crée un clivage entre les deux groupes. Il a fallu faire venir Raymond Royer, le bras droit de Beaudoin, et une équipe de cadres formés à La Pocatière pour changer les choses chez Canadair :

> Depuis l'arrivée de Bombardier, « on a changé la culture de la direction de l'entreprise, soutient Brown [président du groupe Canadair], à l'automne 1990. Avant, Canadair était une pyramide monolithique ; une seule personne décidait de tout après avoir consulté un ou deux ministres. On a

décentralisé l'entreprise en divisions, chacune avec son système financier, sa stratégie et sa comptabilité. On veut maximiser le potentiel de chaque individu en maximisant son autorité et ses responsabilités.» (Tremblay, 1994, p. 65-66 ; reproduit avec permission.)

Le changement a été important, même si les principes de gestion de Bombardier sont loin d'être totalement intégrés au moment de l'enquête de Tremblay. Mais encore ici, on ne peut pas dire que du «sang jaune» coule dans les veines de tous les cadres et tous les employés, à preuve le récent conflit chez Canadair au printemps 1997 qui a opposé les employés à la direction relativement aux salaires et aux conditions de travail.

Ainsi, pour BN en Belgique, Shorts en Irlande du Nord et Canadair au Québec, dans l'ouest de l'île de Montréal, on ne peut pas parler d'une identification et d'une intégration semblables à celles qui caractérisent les usines de Valcourt ou de La Pocatière. En fait, loin d'assister à une intégration culturelle réussie, ces entreprises vivent plutôt une période de transition, marquée de désintégration et de confrontation culturelles. Et si jamais l'intégration culturelle se réalisait, en conformité avec les principes de gestion de l'entreprise mère, il n'est pas dit pour autant que l'identité et l'identification auraient la même couleur. Ce n'est de toute façon pas l'objectif de Laurent Beaudoin, qui est bien conscient des limites des transferts culturels et qui explique :

> [...] il est illusoire de penser que l'on va transférer exactement les mêmes valeurs à tous. Ce que tu peux changer dans une organisation, c'est la façon de voir certaines choses ; comme d'être entreprenant plutôt que d'avoir peur de brasser la cage. On essaie de mettre dans la tête des gens qu'il faut générer des nouvelles idées pour se renforcer et se développer davantage. Il est très important que les dirigeants aient cette même vision. (Tremblay, 1994, p. 121 ; reproduit avec permission.)

Avec Bombardier et ses différentes usines dans le monde, nous voyons donc à la fois des cas d'intégration, de désintégration et de confrontation culturelles. Ces cas sont fréquents dans un contexte de mondialisation de l'économie qui provoque beaucoup de turbulence et bouleverse les dynamiques identitaires des entreprises. Ce sont souvent les groupes d'employés et de cadres subalternes qui vivent le plus durement les restructurations et les changements d'activités qui en découlent. Un dernier exemple, tiré de l'enquête de Francfort, Osty, Sainsaulieu et Uhalde, illustre bien cette situation en mettant en scène une entreprise en pleine réorientation de ses activités :

> L'entreprise Z a opéré un changement de stratégie depuis les cinq dernières années. Spécialisée dans la fabrication d'ascenseurs depuis de nombreuses années, elle se tourne depuis peu vers le développement du service après-vente (dépannage) qui devient désormais le secteur rentable de l'entreprise. La fabrication est réduite à de l'assemblage de pièces standardisées et connaît un processus de déqualification professionnelle. Anciens du secteur

valorisé dans l'entreprise, les «professionnels dépossédés» se réfugient dans l'évocation d'une époque plus valorisante pour eux et se désinvestissent de leur travail.

Le secteur de dépannage connaît en revanche un fort développement et beaucoup de jeunes sont recrutés pour être formés et pour pouvoir répondre à une demande toujours croissante. Davantage attirés par un projet de mobilité ascensionnelle en interne ou en externe, ils sont moins attachés à l'entreprise que les professionnels traditionnels et se caractérisent par des logiques plus individuelles.

Deux conceptions du métier s'affrontent : une conception communautaire, attachée à l'entreprise, valorisant le travail bien fait, et une conception individuelle du métier, privilégiant le bricolage au bel ouvrage, les relations sélectives à l'esprit d'équipe et le projet individuel à la carrière maison. Derrière la vision professionnelle, c'est une conception du fonctionnement de l'entreprise et des processus de socialisation qui sont en jeu. L'arrivée massive de jeunes sonne le glas de l'ancienne communauté professionnelle maison, et fait émerger des identités différenciées qui cherchent à s'imposer au sein de l'entreprise. (Francfort et autres, 1995, p. 301 ; reproduit avec permission.)

Nous voyons bien ici les conséquences de la transformation de la mission d'une entreprise pour les acteurs : un groupe qui monte, l'autre qui descend. Il est facile d'imaginer les tensions engendrées par cette situation et la difficulté pour les cadres à gérer la transition à la satisfaction de tous. Cette situation est caractéristique des entreprises en pleine transformation. Or le contexte actuel de mondialisation force de nombreuses entreprises à se transformer ou à se reconvertir. On comprendra alors qu'il y ait aussi, au-delà des compressions salariales et des mises à pied qui touchent des milliers de travailleurs, des conséquences d'un tout autre genre pour ceux qui restent. En effet, le redéploiement des activités dans une entreprise et la réorganisation du travail qui s'ensuit pour la rendre plus productive affectent les travailleurs et les cadres qui restent en transformant non seulement la façon dont ils accomplissent leur travail, mais aussi leur identité profonde. Il y a là une réalité qui explique très souvent les difficultés auxquelles font face les gestionnaires chargés de la réorganisation de l'entreprise. De toute évidence, ces derniers ne sont pas toujours conscients des dynamiques à l'œuvre dans leur entreprise et de l'attachement des travailleurs à l'identité de l'entreprise.

CONCLUSION : LA COMPLEXITÉ SOCIALE DE L'ENTREPRISE

L'entreprise est donc, d'un point de vue sociologique, une réalité sociale complexe. Les nombreux acteurs qui la composent ont différents buts, certains personnels, d'autres liés à l'entreprise, qui mobilisent diverses ressources et appellent des stratégies variées. Les relations entre acteurs qui en découlent s'articulent autour d'enjeux personnels, organisationnels et sociétaux. Ces jeux dans et hors l'entreprise influent profondément sur l'orientation et le fonctionnement de celle-ci. Ces relations et ces jeux se cristallisent dans des règles, des régulations et des identités qui donnent un sens aux acteurs. Ces derniers vont alors, en fonction de cette dynamique interne et des relations avec l'extérieur, s'identifier plus ou moins fortement à l'entreprise.

La complexité sociale de l'entreprise tient notamment à l'interdépendance des divers éléments qui la composent. Changer l'une de ces composantes, c'est souvent changer toute la dynamique interne. Un acteur est-il mis de côté, des ressources coupées ou transférées à un autre acteur, une stratégie ou un enjeu redéfinis par le contexte extérieur, et c'est toute la dynamique de l'entreprise qui risque de changer.

L'entreprise est donc une réalité mouvante, sujette à des transformations fréquentes. Comprendre l'entreprise d'un point de vue sociologique, c'est être conscient de ces jeux d'acteurs, de ces enjeux non seulement économiques, mais politiques, symboliques, identitaires. Pour les employés comme pour les cadres, l'entreprise est plus qu'un lieu de travail, c'est un milieu de vie. En ce sens, c'est un lieu d'expression et de construction de soi à travers des relations sociales riches et complexes, comme dans la «vraie vie», parce que, justement, la vie au travail, c'est la vraie vie.

Pour le gestionnaire, prendre conscience de ces dynamiques sociales à l'œuvre dans l'entreprise est primordial. Cette prise de conscience lui permet de prendre toute la mesure des conséquences et de la portée de ses actes, à la fois pour les personnes et pour l'entreprise. Certaines décisions et actions vont favoriser davantage l'intégration des divers acteurs, individus comme groupes, dans l'entreprise, alors que d'autres accentueront les divisions, les antagonismes. Tout l'art de la gestion repose sur ces actions intégratrices qui donnent une cohérence à l'entreprise. Mais il est évident que la multiplicité des buts, des intérêts, des valeurs et des identités des acteurs rend cette tâche presque impossible. La recherche de cohérence devient dès lors un guide d'action plus qu'une fin en soi.

La figure 7.1 (p. 354) schématise les principales dimensions de l'analyse de l'entreprise qui ont été examinées dans ce chapitre. Cette grille permet de poser un diagnostic quant à la dynamique interne d'une entreprise. Elle indique la voie à suivre pour y arriver. Ainsi, il faut d'abord isoler les acteurs de l'entreprise, découvrir leurs buts et leurs ressources, puis déterminer la nature de leurs relations et de leurs régulations et finalement mettre au jour les identités de groupes. L'identité de l'entreprise pourra être globalement caractérisée par l'état de sa dynamique sociale (confrontation culturelle, intégration culturelle ou désintégration culturelle) et être plus finement appréciée à la lumière des différents éléments (le dénombrement des acteurs et leurs buts et ressources, leurs stratégies, les règles, etc.) qui composent la grille.

FIGURE 7.1   La dynamique interne de l'entreprise — une grille sociologique

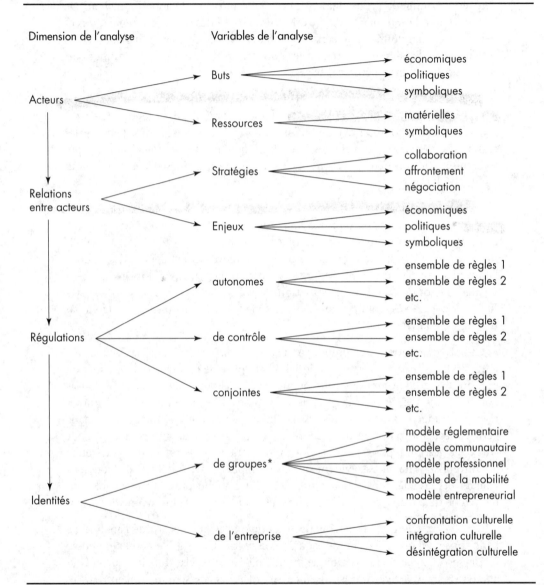

Dimension de l'analyse   Variables de l'analyse

Acteurs
→ Buts → économiques / politiques / symboliques
→ Ressources → matérielles / symboliques

Relations entre acteurs
→ Stratégies → collaboration / affrontement / négociation
→ Enjeux → économiques / politiques / symboliques

Régulations
→ autonomes → ensemble de règles 1 / ensemble de règles 2 / etc.
→ de contrôle → ensemble de règles 1 / ensemble de règles 2 / etc.
→ conjointes → ensemble de règles 1 / ensemble de règles 2 / etc.

Identités
→ de groupes* → modèle réglementaire / modèle communautaire / modèle professionnel / modèle de la mobilité / modèle entrepreneurial
→ de l'entreprise → confrontation culturelle / intégration culturelle / désintégration culturelle

*   Nous reprenons ici cinq des six modèles identitaires de groupes proposés par Francfort et autres (1995). Il ne s'agit que d'un guide d'observation ; nous pourrions découvrir d'autres types d'identités ou plus exactement ressentir la nécessité de découper plus finement les différents types, ce que font d'ailleurs Francfort et ses collaborateurs à propos du modèle professionnel qu'ils scindent en deux (c'est pourquoi nous les avons regroupés sous la même étiquette.)

Bibliographie

ALBERT, M. (1991). *Capitalisme contre capitalisme*, Paris, Seuil, 318 p.

BERNARD, F., et HAMEL, P.J. (1982). « Vers une déprofessionnalisation de la profession comptable ? La situation au Québec », *Sociologie du travail*, n° 2, p. 117-134.

BERNIER, B. (1995). *Le Japon contemporain. Une économie nationale, une économie morale*, Montréal, Presses de l'Université de Montréal, 311 p.

BETTELHEIM, B. (1972). *Le cœur conscient*, Paris, Laffont, p. 331 p.

BOLTANSKI, L. (1982). *Les cadres. La formation d'un groupe social*, Paris, Minuit, 523 p.

BOURQUE, R., et LAPOINTE, P.-A. (1992). « Syndicalisme et modernisation sociale des entreprises : l'expérience de la CSN au Québec », dans T.S. Kuttner (sous la dir. de), *Le système de relations industrielles : développements et tendances*, Actes du XXIXᵉ Congrès de l'Association canadienne des relations industrielles (ACRI-CIRA), vol. 2, n° 2, p. 571-581.

CARPENTIER-ROY, M.-C. (1991). *Corps et âme : psychopathologie du travail infirmier*, Montréal, Liber, 174 p.

CHARBONNEAU, J.-P. (1996). « Joliette respire enfin », *La Presse*, 24 février, p. A1.

CHEVALIER, D., et MOREL, A. (1985). « Identité culturelle et appartenance régionale », *Terrain*, n° 5, p. 3-5.

CHEVALLIER, J. [un entretien avec] (1996-1997). « Un enjeu de pouvoir », *Sciences humaines*, Hors série 15, p. 37.

CLÉMENT, E. (1995). « Conflit à la Firestone de Joliette : Chevrette rencontrera les Japonais », *La Presse*, 10 décembre, p. A1.

CROZIER, M., et FRIEDBERG, E. (1977). *L'acteur et le système*, Paris, Seuil, coll. « Points », 500 p.

CRU, D. (1987). « Les règles du métier », dans C. Dejours (sous la dir. de), *Plaisir et souffrance dans le travail. Séminaire interdisciplinaire de psychopathologie du travail*, tome 1, Paris, publié avec le concours du CNRS, p. 29-42.

DUPUIS, J.-P. (1985). *Le ROCC de Rimouski, la recherche de nouvelles solidarités*, Québec, Institut québécois de recherche sur la culture, coll. « Documents de recherche » n° 6, 282 p.

DUPUIS, J.-P. (1998). *Les deux cultures professionnelles des mineurs abitibiens*, Cahiers de recherche n° 98-14, juin, 69 p.

DURIVAGE, P. (1997). « Les patrons québécois grassement rémunérés », *La Presse*, 12 juillet, p. E1.

DUTRISAC, R . (1997). « Seul contre les banques », *Le Devoir*, 13 janvier, p. A1.

FRANCFORT, I., OSTY, F., SAINSAULIEU, R., et UHALDE, M. (1995). *Les mondes sociaux de l'entreprise*, Paris, Desclée de Brouwer, 612 p.

FRIEDBERG, E. (1972). *L'analyse sociologique des organisations, nouvelle édition remise à jour*, 1988, Paris, L'Harmattan, 126 p.

FRIEDBERG, E. (1993). *Le pouvoir et la règle. Dynamiques de l'action organisée*, Paris, Seuil, 327 p.

GAGNON, M.-J. (1994). *Le syndicalisme : état des lieux et enjeux*, Québec, Institut québécois de recherche sur la culture, 140 p.

GOMEZ, P.-Y. (1996). *Le gouvernement de l'entreprise. Modèles économiques de l'entreprise et pratiques de gestion*, Paris, InterÉditions/Masson, 271 p.

HARRISSON, D., et LAPLANTE, N. (1994). « Confiance, coopération et partenariat. Un processus de transformation dans l'entreprise québécoise », *Relations industrielles*, vol. 49, n° 4, p. 696-727.

HASSARD, J. (1990). « Pour un paradigme ethnographique du temps de travail », dans J.-F. Chanlat (sous la dir. de), *L'individu dans l'organisation*, Québec, Eska, p. 215-230.

KOURCHID, O. (1992). *L'autre modèle californien. Contribution à une sociologie comparative de la condition salariale (France – États-Unis)*, Paris, Méridiens Klincksieck, 344 p.

LAPOINTE, P.-A. (1996). *Participation et partenariat à Cascades-Jonquière: impasse temporaire ou impossible projet?*, Montréal, Hull, Rimouski, Québec, Université du Québec et Université Laval, Cahiers du CRISES n° 9604, 78 p.

LAVIGUEUR, R. (1997). «Cascades, une culture en transformation», communication présentée au 65e Congrès de l'ACFAS, Trois-Rivières, 12 au 16 mai.

MONKS, R.A.G., et MINOW, N. (1995). *Corporate Governance*, Oxford, Blackwell Business, 550 p.

NASH, J. (1979). *We Eat the Mines and the Mines Eat Us. Dependency and Exploitation in Bolivian Mines*, New York, Columbia Press, 363 p.

NEKHILI, M. (1997). «La discipline par les banques», dans G. Charreaux (sous la dir. de), *Le gouvernement des entreprises. Corporate Governance. Théories et faits*, Paris, Economica, p. 331-360.

PÉPIN, N. (1996). «Post ou néo-fordisme chez Cascades Inc.: analyse des dimensions culturelle, organisationnelle et institutionnelle de l'entreprise à travers le cas de Kingsey Falls et d'East Angus», thèse de doctorat, Montréal, Université du Québec à Montréal, 445 p.

PERREAULT, M. (1996). «Cinq conflits en 30 ans», *La Presse*, 10 février, p. A23.

PRESSE CANADIENNE (1997). «La CSN et la FTQ font pression en faveur de Montréal», *Le Devoir*, 25 février, p. B2.

RAO, P.S., et LEE-SING, C.R. (1996). *Les structures de régie, la prise de décision et le rendement des entreprises en Amérique du Nord*, Ottawa, Industrie Canada, Documents de travail n° 7, mars, 133 p.

REYNAUD, J.-D. (1989). *Les règles du jeu. L'action collective et la régulation sociale*, Paris, Armand Colin, 306 p.

ROUILLARD, J. (1993). «L'image du pouvoir syndical au Québec (1950-1991)», *Recherches sociographiques*, vol. 34, n° 2, p. 279-304.

ROY, D.F. (1959). «"Banana Time": Job satisfaction and informal interaction», *Human Organization*, vol. 18, p. 158-168.

SAINSAULIEU, R. (1977). *L'identité au travail*, Paris, FNSP, 486 p.

SAINSAULIEU, R. (1988). *Sociologie de l'organisation et de l'entreprise*, Paris, Presses de la FNSP et Dalloz, 390 p.

SARDAN, J.-P. O. de (1984). «Introduction», *Sociologie du Sud-Est*, nos 41-44, p. 7-15.

SCIENCES HUMAINES (1996-1997). «Appartenances professionnelles. Une constante évolution», *Sciences humaines*, Hors série 15, p. 26-27.

SCOFFIELD, H. [PC] (1996). «Le profit, les emplois ou les deux?», *Le Devoir*, 18 juin, p. B2.

THUDEROZ, C. (1996). *Sociologie des entreprises*, Paris, La Découverte et Syros, 123 p.

TREMBLAY, M. (1994). *Le sang jaune de Bombardier. La gestion de Laurent Beaudoin*, Québec, Presses de l'Université du Québec et École des HEC, 131 p.

TREMBLAY, M.-A. (1983). *L'identité québécoise en péril*, Sainte-Foy (Québec), Les Éditions Saint-Yves, 287 p.

Chapitre 8

Le changement dans l'entreprise : origines, dynamiques et conséquences

Jean-Pierre Dupuis

L'entreprise met en présence des acteurs aux buts, aux ressources et aux stratégies très différents et dont les actions sont déterminées par des enjeux variés. Les
relations que ces acteurs entretiennent entre eux et compte tenu de ces éléments
donnent naissance à des règles et à des régulations qui se cristallisent très souvent
dans des identités de groupes et d'entreprises. L'entreprise est ainsi le résultat du
jeu des acteurs, c'est-à-dire de leurs interactions. Elle est aussi le fruit des relations qu'ils ont avec la société qui les entoure puisque celle-ci impose des contraintes (par le biais de lois ou de pratiques culturelles) qui limitent et orientent
les relations entre acteurs. Ces buts, ces ressources, ces stratégies, ces enjeux, ces
régulations, ces identités ne sont pas donnés une fois pour toutes, ils sont appelés
à changer au gré de l'évolution et des transformations des acteurs et de la société.
Ces changements peuvent être profonds ou superficiels, progressifs ou soudains,
planifiés ou non, etc. Autrement dit, ils peuvent prendre plusieurs formes. C'est
ce que nous allons examiner dans ce chapitre.

Dans un premier temps, nous jetterons un coup d'œil rapide sur la problématique générale du changement en l'articulant à la question des acteurs, de la
forme, du contenu et de la portée du changement. Ce survol nous permettra
d'approfondir la notion de changement que viendront illustrer des exemples plus
longuement développés. Nous nous attacherons aux deux formes dominantes de
changement, soit le changement par imitation et le changement par invention-
innovation, qui se rejoignent autour du concept de l'apprentissage. Enfin, nous
traiterons d'un aspect fondamental du changement, soit celui de ses conséquences. Nous verrons qu'au-delà des conséquences souhaitées et recherchées
par l'introduction d'un changement, il y a aussi très souvent des conséquences
non prévues et, surtout, non désirées.

LA PROBLÉMATIQUE GÉNÉRALE DU CHANGEMENT

LES ACTEURS ET LA FORME DU CHANGEMENT

Les acteurs au sein de l'entreprise, qu'ils soient individuels ou collectifs, propriétaires, dirigeants ou employés, sont aussi les acteurs du changement dans l'entreprise. Ce sont en effet eux qui vont proposer, implanter, mettre en œuvre des changements. Il faut préciser que ce ne sont pas tous les acteurs qui proposeront ou apporteront un changement. Plusieurs se contenteront de collaborer, de s'opposer ou de négocier les modalités d'application du changement. De même, les acteurs du changement ne s'engageront pas tous avec la même intensité, ni en même temps ou pour les mêmes raisons. En fait, cela dépendra du contexte plus large — économique, politique et social — ainsi que des attitudes, des buts, des ressources et des stratégies des acteurs et des enjeux qui seront au centre de leurs relations. Il faut préciser de plus que, dans les grandes entreprises, certains acteurs peuvent avoir comme tâche principale de planifier, d'introduire et de gérer les changements. Ces mêmes entreprises, comme les plus petites d'ailleurs, peuvent aussi embaucher des experts de l'extérieur pour les aider à réaliser un changement, ce qui, dans ce cas précis, ajoute un acteur à la dynamique de l'entreprise en situation de changement.

Les propriétaires et les dirigeants se considèrent souvent comme les seuls artisans de l'introduction d'un changement dans l'entreprise, qu'ils l'entreprennent eux-mêmes ou fassent appel à des experts de l'extérieur. Cela fait partie de ce qu'ils appellent les droits de gérance qu'ils se réservent la plupart du temps. Ils introduisent généralement un changement en fonction de leurs perceptions de l'environnement. S'ils l'estiment stable, ils ne proposeront pas de bouleversements majeurs. Par contre, s'il est vu comme étant en pleine transformation, il appelle alors une réponse de la direction, qu'il s'agisse de profiter d'une nouvelle occasion ou de faire face à la montée de la concurrence, ou de toute autre situation jugée problématique.

À vrai dire, les employés peuvent être tout aussi bien les acteurs d'un changement, mais ce sera souvent de façon indirecte, par une pression exercée sur la direction pour qu'elle modifie ses manières de faire. L'entrée d'un syndicat est souvent un bon indice de la volonté des employés de changer des choses dans l'entreprise, que ce soient les rapports qu'ils entretiennent avec la direction ou leurs conditions de travail. Encore ici, l'environnement peut jouer un rôle important. Par exemple, des cas de syndicalisation dans d'autres entreprises, suivie d'améliorations des relations et des conditions de travail, peuvent inciter les travailleurs à faire de même.

Les propriétaires, les dirigeants et les employés n'ont cependant pas tous les mêmes ressources pour entreprendre un changement. Les propriétaires et les dirigeants disposent de moyens considérables: ressources juridiques, politiques, financières, matérielles, symboliques, etc. Les employés en ont beaucoup moins. Ils ont la force du nombre, importante si cette force est organisée, en syndicat par exemple, peu si elle ne l'est pas. Sans syndicat, ils peuvent toujours formuler des reproches ou ralentir la production en ne faisant que le strict minimum, mais il s'agit là surtout de moyens d'exprimer son mécontentement et non d'une véritable stratégie menant à des changements profonds. La législation sur le travail constitue aussi une ressource appréciable.

Le changement n'est pas toujours introduit volontairement. Souvent, il émerge progressivement, mis en branle par un groupe de cadres ou d'employés qui, lentement mais sûrement, instaurent des pratiques nouvelles qui vont un jour déborder le cadre du groupe pour se diffuser dans l'entreprise. Dans ce contexte, le poids des ressources importe moins, puisque ce sont les pratiques qui finissent par s'imposer d'elles-mêmes. Il n'empêche que ces pratiques doivent, pour se déployer, bénéficier de ressources pertinentes. Il peut s'agir simplement d'un peu plus de liberté et d'autonomie dans l'accomplissement du travail. C'est pourquoi, très souvent, le changement apparaît d'abord à l'intérieur d'un groupe dont la régulation autonome est particulièrement forte. Ainsi, si le changement planifié et souhaité par la direction procède en général de la régulation de contrôle, celui qui émerge de la base provient surtout de la régulation autonome. On a là deux logiques du changement qui reflètent une différence de forme : changement planifié ou spontané.

Entre ces deux formes extrêmes, on peut imaginer des situations intermédiaires. Par exemple, le cas où le changement apparaît d'abord dans un coin de l'entreprise, est ensuite adopté par des membres de la direction et, enfin, diffusé dans le reste de l'entreprise par le biais d'une procédure planifiée. Le changement n'est plus ainsi, pour de nombreuses personnes qui le vivent, tout à fait spontané. De la même manière, on peut penser à un changement planifié dont la mise en œuvre se heurte à des difficultés et qui devient l'occasion pour d'autres acteurs d'introduire des pratiques qui étaient en émergence dans leurs services, unités ou espaces de travail. Ces pratiques émergentes seront d'autant plus tolérées par les artisans du changement planifié qu'elles leur permettront de sauver la face et de transformer d'une façon ou d'une autre l'entreprise. Ainsi, s'il y a bien un point de départ et une direction à un changement, rien n'assure que celui-ci tiendra son cap.

LE CONTENU ET LA PORTÉE DU CHANGEMENT

Le changement, planifié ou spontané, peut concerner n'importe quel aspect de la vie en entreprise, bien que la plupart du temps les spécialistes s'attachent davantage aux grandes politiques (orientation, mode de financement, gestion du personnel, etc.) ou aux grandes structures (organisation du travail, mode de production, structures de pouvoir, etc.) de l'entreprise. Pour notre part, nous avons dit au chapitre précédent que changer un acteur, une ressource ou une stratégie pouvait transformer toute l'entreprise, en insistant tout particulièrement sur les effets du changement plutôt que sur sa nature, son contenu. Il faut bien distinguer les effets du contenu, surtout lorsqu'il est question de changement planifié. Dans ce cas, le changement vise à des objectifs précis pour ce qui est de son contenu, bien que ceux-ci ne soient pas toujours atteints. Le sous-tendent un projet explicite, des intentions formulées, des objectifs à atteindre, tandis que, dans le cas du changement spontané, ces éléments sont absents la plupart du temps. Dans ce contexte, il est normal que les résultats du changement planifié ne soient pas toujours à la hauteur des attentes des acteurs et qu'ils causent bien des déceptions, des colères, des crises, des conflits dans l'organisation. Le problème ne se pose pas pour le changement spontané, puisqu'il n'y avait pas à proprement parler d'attentes au départ.

Or qu'il n'y ait pas d'attentes préalables ne signifie pas pour autant que le changement spontané ne réponde pas à un besoin; c'est plutôt que ce besoin n'était pas perçu par les dirigeants responsables. Il n'est pas dit non plus que ce besoin soit celui de l'organisation tout entière; il peut bien ne concerner qu'un groupe et ses intérêts particuliers. Il faut donc préciser ici que le changement émergent n'est pas nécessairement souhaité ou souhaitable pour l'entreprise, pour ses propriétaires, ses dirigeants, ses employés, ou certains d'entre eux. Ici, comme dans d'autres situations, le changement peut représenter un enjeu aux conséquences catastrophiques pour certains acteurs. Quelques-uns peuvent y perdre leur emploi, comme à la suite d'une rationalisation des activités.

Mais revenons à la question du contenu du changement. Nous avons déjà dit que, pour la majorité des spécialistes, le contenu du changement renvoie aux transformations des politiques et des structures de l'entreprise. Pour notre part, et conformément à notre exposé sur la dynamique interne de l'entreprise présenté au chapitre précédent, nous préférons envisager la question du contenu du changement sous l'angle des acteurs, des buts, des ressources, des stratégies, des enjeux, des règles, des régulations et des identités. Une telle perspective n'est pas du tout incompatible avec le point de vue des spécialistes, bien au contraire, puisqu'il s'agit essentiellement de présenter les politiques et les structures par le biais de la dynamique des acteurs. Le cœur du changement réside donc dans les relations qui s'établissent entre les acteurs et les politiques et structures de l'entreprise. Nous dirons qu'il y a changement si une modification se produit dans les buts, les ressources, les stratégies, les enjeux, les régulations et les identités. Qu'importe que ce changement corresponde à une modification de la structure de pouvoir, à un changement technologique ou à un redéploiement des activités. C'est dans la mesure où il atteint les acteurs, et surtout leurs relations, que le changement sera considéré comme tel.

Il y a, bien sûr, des différences énormes entre le changement qui marque les ressources ou les stratégies d'un acteur et celui qui touche aux régulations entre acteurs ou à leurs identités. Nous croyons d'ailleurs que la portée du changement variera en fonction du type et du nombre de dimensions touchées. Quand toutes les dimensions sont concernées, nous croyons qu'il s'agit d'un changement profond, radical, qui se traduira à terme par un changement d'identité de l'entreprise. En revanche, si le changement n'atteint que les ressources ou les stratégies d'un acteur sans modifier en profondeur les régulations ou l'identité des groupes, il est, selon nous, moins profond, plus localisé, et il n'aura que peu d'effet sur l'identité de l'entreprise. La ligne de démarcation semble être les régulations, c'est-à-dire la nature des relations entre les acteurs. Si la nature de ces relations change, avec, par exemple, l'établissement d'une régulation conjointe dans une entreprise où traditionnellement régulation de contrôle et régulations autonomes s'ignorent ou s'affrontent, nous croyons qu'il y a là un changement assez profond. Autrement, des corrections se font, on apporte des transformations mineures, mais rien n'est bouleversé de façon majeure, aucun changement significatif ne survient. Les acteurs et l'entreprise conservent ou modifient très légèrement leurs identités, sans plus. En fin de compte, rien ne sort du train-train presque quotidien et normal de la vie en entreprise. Cette dernière n'est en effet jamais statique, mais elle n'est pas pour autant constamment aux prises avec une situation de changement radical.

Examinons, pour illustrer quelques-unes de ces notions générales, un exemple concret. Cet exemple nous permettra de mettre en évidence le rôle des acteurs et celui du contexte plus large.

Un exemple de ruptures et de continuités : Hydro-Québec

Hydro-Québec est une société d'État relevant du gouvernement québécois. Elle est l'un des plus importants producteurs et distributeurs d'électricité du monde (Chanlat, Bolduc et Larouche, 1984, p. 23). Elle est le produit d'un double mouvement de nationalisation : le premier mouvement consiste dans la nationalisation, en 1944, d'une compagnie montréalaise, la Montreal Light, Heat, and Power (MLHP) ; le deuxième mouvement se caractérise par la nationalisation, en 1963, d'un ensemble de compagnies privées productrices d'électricité (*ibid.*, 1984). Le tout produit une entreprise monopoliste d'État dans la distribution de l'électricité au Québec.

La nationalisation de 1963 représentait tout un changement pour Hydro-Québec et lui a posé un problème de taille. Comment, en effet, intégrer dans une entreprise qui comptait déjà 4 600 employés des personnes et des groupes venant de 11 entreprises, soit plus de 5 300 personnes, ayant des façons de voir et de faire très différentes ? Les dirigeants de l'époque ont sagement choisi de créer une double structure qui permettait de préserver, pour un certain temps du moins, les identités des divers établissements et personnels. Cette structure comprenait un centre et des unités régionales constituées sur la base des anciennes entreprises (voir les figures 8.1 et 8.2). Elle ne favorisait pas cependant l'intégration de ces établissements, groupes et personnes dans une même grande entreprise. Cette intégration s'est faite plus progressivement, sous l'action décisive d'un groupe, celui des ingénieurs, qui a pris de plus en plus de place dans l'entreprise, le facteur déterminant étant les projets de construction de grands barrages sur les rivières

FIGURE 8.1   Structure d'Hydro-Québec, 1er janvier 1966

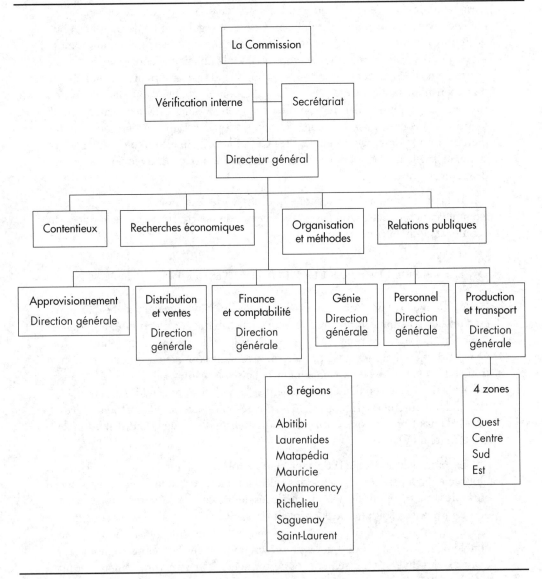

Source : Chanlat, Bolduc et Larouche (1984, p. 78). Reproduit avec permission.

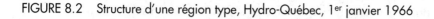

FIGURE 8.2   Structure d'une région type, Hydro-Québec, 1er janvier 1966

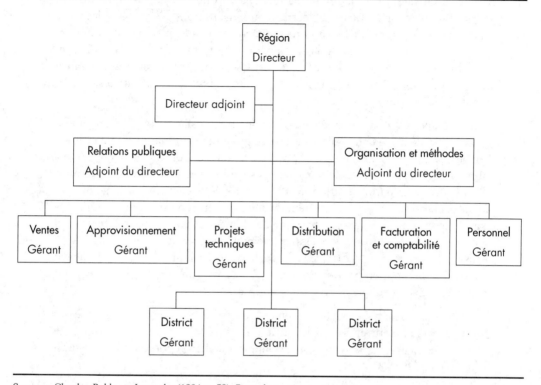

Source : Chanlat, Bolduc et Larouche (1984, p. 79). Reproduit avec permission.

Manicouagan et aux Outardes sur la Côte-Nord et sur la rivière La Grande à la Baie-James, comme l'expliquent Taïeb Hafsi et Christiane Demers :

> Il semble que l'unification soit venue [...] des grandes réalisations des années 1960 et 1970. Les grands projets ont en effet permis de mobiliser les énergies et de susciter les efforts de jeunes cadres brillants et ambitieux. Grâce à ses succès technologiques et économiques, l'entreprise devint le symbole de toute une génération de jeunes francophones québécois. (Hafsi et Demers, 1989, p. 91.)

En effet, la forte croissance de la demande d'électricité dans les années 60, consécutive à une forte croissance économique, oblige Hydro-Québec à augmenter rapidement sa capacité de production et donc à construire de nouvelles centrales électriques. Dans ce contexte, les ingénieurs responsables de la construction des barrages et des centrales deviennent rapidement le groupe d'acteurs le plus important et le plus puissant dans l'entreprise. Ils maîtrisent l'incertitude la plus pertinente pour l'entreprise à ce moment-là, à savoir la capacité de répondre à la forte demande d'électricité par la construction de nouvelles centrales. En effet, l'entreprise, pour assurer sa légitimité et pour justifier la nationalisation, doit être en mesure de livrer la marchandise. Toute incapacité à assurer un approvisionnement adéquat en électricité aux habitations des villages, des villes et des banlieues en pleine expansion et aux entreprises en pleine transformation sera vue comme un échec de la nationalisation et, par la même occasion, du savoir-faire des Canadiens français. Le sort d'Hydro-Québec repose donc entre les mains des ingénieurs, seuls capables de concevoir et de construire les équipements nécessaires.

Ainsi, petit à petit, les ingénieurs, les constructeurs de barrages, prennent de plus en plus de place dans l'entreprise parce qu'ils peuvent maîtriser l'incertitude qui pèse le plus sur elle. À tel point que, dans les années 70, ce sont eux qui déterminent la demande d'électricité et donc les équipements qui seront nécessaires dans l'avenir. La nationalisation de 1963, planifiée et réalisée par le gouvernement québécois, a donc transformé radicalement l'entreprise en donnant l'occasion à un groupe de s'imposer au point de changer la nature des relations qu'il entretient avec les autres et de donner une nouvelle identité, de constructeur au lieu de distributeur, à l'entreprise. Il s'agit donc ici d'un changement radical imposé par le propriétaire, qui a été suivi d'un changement plus progressif, non planifié, de la dynamique interne de l'entreprise.

Comme le soulignent Hafsi et Demers, le rôle central que joue le groupe des ingénieurs dans l'entreprise va lui attirer l'antipathie des autres divisions de l'entreprise, malgré les réussites assez éclatantes de l'entreprise (sur les réussites, voir l'encadré 8.1) :

> Le groupe Équipement [les ingénieurs] était donc, implicitement ou explicitement, en conflit avec tous les autres groupes, mais sa logique dominait l'ensemble d'Hydro-Québec. Le plan de l'entreprise, par exemple, était le « plan d'Équipement » et les besoins de construction avaient la priorité sur tous les autres. Le groupe Équipement a, jusqu'au début des années 1980, dominé la direction générale de l'entreprise et représentait « l'establishment de l'organisation ». Le groupe Exploitation, surtout Clientèles et régions, et le groupe de la SEBJ [Société d'énergie de la Baie James] étaient prêts à endosser tout changement qui aurait modifié le rapport de force en leur faveur. (Hafsi et Demers, 1989, p. 122-123.)

Le changement survient en 1982, quand le gouvernement nomme un nouveau président à la tête d'Hydro-Québec. Le gouvernement craint en effet que l'entreprise, qui continue de planifier la réalisation de mégaprojets, se dirige vers la catastrophe étant donné la baisse considérable de la croissance de la demande d'électricité au Québec depuis la fin des années 70. La direction d'alors, dominée par les ingénieurs, croyait, quant à elle, que cette baisse de la demande serait temporaire et ne voulait pas modifier ses plans. Cette stratégie lui coûtera cher.

Le nouveau président, Guy Coulombe, a pour mandat d'évaluer la situation et de prendre les décisions qui s'imposent. Très tôt, le président découvre à

ENCADRÉ 8.1   Les réussites d'Hydro-Québec

Sur le plan technique, les jeunes ingénieurs d'Hydro-Québec avaient réussi des performances non seulement équivalentes à celles des grands pays occidentaux, mais avaient même dans certains cas réussi des prouesses uniques. Ils construisaient les barrages les plus grands au monde, ils arrivaient à dominer une nature qui semblait toute-puissante, ils inventaient des formes de transport de l'électricité révolutionnaires et hardies. L'Institut de recherche en électricité du Québec avait acquis en peu de temps une renommée mondiale. Partout, le Québec surprenait et impressionnait.

   Sur le plan économique, les succès ont été considérables. Les profits de l'entreprise étaient importants et croissaient régulièrement. Hydro-Québec se révélait aussi un moteur puissant pour le développement de la province. De nombreuses entreprises se sont créées et développées dans le sillon de l'entreprise. Le domaine de la construction et de l'ingénierie a acquis une maîtrise qui permet aux entreprises du Québec d'avoir de grands succès à l'échelle internationale. En matière de production hydroélectrique, les entreprises du Québec ont même un avantage compétitif considérable du fait du savoir-faire accumulé [...].

   Sur le plan social, Hydro-Québec est un des plus gros employeurs au Canada. Mais surtout, l'entreprise a contribué à l'équilibre du développement de la province, en organisant ses achats et ses investissements de sorte que l'ensemble des régions de la province puisse en profiter [...]. De plus, et c'est là un facteur à la fois économique et social, Hydro-Québec a réussi à fournir à ses clients l'électricité à un prix qui est resté l'un des plus bas en Amérique du Nord.

   Sur le plan culturel, Hydro-Québec a fait faire à la langue française un pas décisif en démontrant qu'elle pouvait, en Amérique du Nord, être une langue de travail à la fois pour la gestion et pour la technique. Hydro-Québec a aussi été une grande université pour les ingénieurs francophones et a contribué à renforcer la renommée et la valeur de l'École polytechnique de Montréal.

   Finalement, **sur le plan politique**, Hydro-Québec a été la tête de pont de l'émergence d'une nouvelle élite québécoise capable de prendre en main les leviers économiques du pays et de renforcer le pouvoir politique des francophones. Elle a généré des comportements scientifiques et économiques et des attitudes qui ont profondément transformé la société québécoise.

Source: Hafsi et Demers (1989, p. 109-110).

l'intérieur de l'entreprise des personnes et des groupes qui ne partagent pas la lecture de la situation de la direction. Il s'entoure de ces acteurs et cherche à assurer un meilleur «équilibre entre le groupe Exploitation et le groupe Équipement» (Hafsi et Demers, 1989, p. 123) qui mènera, selon lui, à des plans de développement plus réalistes.

La nouvelle direction veut en fait transformer le «constructeur de barrages» en «vendeur d'électricité», étant donné la baisse de la croissance de la demande et les surplus considérables que produira Hydro-Québec dans les années à venir. On opte, d'une part, pour l'amélioration du réseau, du service et des programmes destinés à la clientèle et pour la négociation de contrats de vente (des surplus) à des producteurs d'électricité américains et, d'autre part, pour le report de nombreux grands projets (comme Grande-Baleine prévu pour le début des années 90). Le pouvoir se déplace donc dans l'entreprise de l'acteur Équipement-Génie (les ingénieurs) à l'acteur Exploitation, région et clientèle puisque c'est ce dernier qui maîtrise en très grande partie les incertitudes désormais les plus pertinentes pour l'entreprise, soit l'écoulement des surplus et le service à la clientèle. Tout cela bien sûr aura d'heureux résultats si l'analyse de la situation qui a été faite est juste. L'impression de perte de pouvoir est grande chez les acteurs du groupe Équipement :

> On sent qu'il y a un glissement vis-à-vis l'Exploitation, notre rôle glisse vers l'Exploitation, c'est le feeling qu'on a. [...] Le groupe Exploitation a grugé petit à petit l'exécution et la conception de certains équipements. La dernière panne (la panne générale [de 1988]) a d'ailleurs résulté de ça. (Administrateur d'ingénierie chez Hydro-Québec, dans Demers, 1990, p. 152.)

L'enjeu semble grand pour le groupe Équipement, pour qui le changement correspond au désir de la nouvelle direction de faire disparaître cette unité, ou du moins de réduire au minimum son rôle, et de confier à l'externe tous les contrats, ou la majorité de ceux-ci, d'ingénierie et de construction (Demers, 1990, p. 148-150), ce qui ne s'est pas produit finalement.

> On avait l'impression qu'ils avaient autre chose en arrière de la tête. On disait qu'on voulait un groupe Équipement fort, mais ce qu'on voyait c'est qu'Équipement perdait des bouts. [...] Pour moi, ce n'est pas clair ce qu'ils voulaient faire — s'ils voulaient éliminer Équipement, ils n'ont pas réussi, s'ils ne voulaient pas le faire, ils l'ont pas mal amoché. (Chef de travaux chez Hydro-Québec, dans Demers, 1990, p. 151.)

Puis, en 1988, on procède, sous un nouveau gouvernement, à un autre changement de direction, ce qui, lié à la reprise économique après 1983 annonçant une augmentation de la demande, va remettre le groupe Équipement à l'avant-scène. Le projet de Grande-Baleine, reporté aux calendes grecques ou presque il n'y a pas si longtemps, redevient prioritaire. Encore une fois, une modification dans l'environnement, favorable aux constructeurs de barrages celle-là, vient changer le rapport de force à l'intérieur d'Hydro-Québec. Cette modification est d'autant plus favorable que le nouveau gouvernement encourage non seulement la vente des surplus d'électricité aux États-Unis, mais aussi une production protégée et garantie, ce qui ne déplaît pas, par ailleurs, aux vendeurs d'électricité récemment formés dans l'entreprise qui auront pour mission de trouver des acheteurs.

Ce dernier changement est moins radical qu'il ne paraît. Il permet en fait de redonner une place importante au groupe des ingénieurs (Équipement) tout en maintenant celle du groupe Exploitation, puisque c'est ce dernier qui devra vendre et mettre en marché aux États-Unis les surplus annoncés. Mais on connaît la suite : la résistance de la nation crie ainsi qu'une baisse de la demande dans le Nord-Est américain ont entraîné l'annulation des contrats avec les États-Unis. Nous examinerons plus en détail cet épisode dans une autre section.

Qu'illustre cet exemple ? D'abord, l'incidence du contexte économique et des projets du propriétaire, en l'occurrence le gouvernement du Québec, sur les changements vécus au sein d'Hydro-Québec durant ces 30 dernières années. C'est le propriétaire qui décide au début des années 60 de nationaliser d'autres entreprises et de les intégrer à Hydro-Québec. C'est encore lui qui décide, au début des années 80, d'opérer un changement radical d'orientation en favorisant davantage l'économie d'énergie, la vente d'électricité et le service à la clientèle plutôt que la construction de grands barrages. Ce dernier changement, introduit et planifié par la nouvelle direction, aura un succès médiocre, surtout à cause, encore une fois, d'un contexte et d'un gouvernement redevenus plus favorables à la construction de nouvelles centrales électriques.

Nous avons vu également l'influence d'un groupe, les ingénieurs, sur le développement et l'identité de l'entreprise. C'est lui qui réussira l'intégration des divers établissements sous la poussée de ses projets de construction de barrages. Ce groupe en viendra à occuper beaucoup de place dans l'entreprise, au point d'infléchir ses politiques, d'imposer son programme, etc. Il s'agit là d'un véritable changement progressif de l'identité d'Hydro-Québec, qui passe d'une identité de distributeur d'électricité à une identité de constructeur de barrages. Dit autrement, l'identité d'un groupe devient celle de toute l'entreprise grâce aux réalisations de celui-ci. Ce groupe résistera à un changement planifié le défavorisant au début des années 80 et retrouvera vers la fin de cette même décennie son importance, pour un temps du moins. Son identité en sera ébranlée, mais pas au point d'être transformée en profondeur.

Nous pouvons donc conclure que, si la nationalisation amorcée en 1963 entraîne finalement un changement radical (en transformant les relations entre acteurs et l'identité de l'entreprise), et ce, malgré les tentatives faites pour minimiser ce changement à l'interne à l'époque (qu'on pense à la double structure), le changement planifié des années 80, qui se voulait radical, a été finalement moins profond quoique important. L'identité de l'entreprise sera plus ébranlée encore par l'échec du projet de Grande-Baleine et les récents déboires d'Hydro-Québec avec la construction des petits barrages, les dépenses somptuaires de ses hauts dirigeants et les compressions annoncées par le gouvernement. À l'interne, les personnes et les groupes vivent des heures difficiles.

LE CHANGEMENT: IMITATION OU INVENTION?

Nous venons de le voir, les acteurs peuvent changer progressivement leurs pratiques, parfois même inconsciemment, sous l'effet d'un contexte mouvant et des difficultés ou des occasions qu'ils rencontrent dans l'entreprise. D'une manière plus volontaire, certains acteurs, dirigeants ou employés, souhaitant ardemment un changement, prendront les moyens nécessaires pour y arriver. Ainsi, les dirigeants désigneront des personnes et mobiliseront des ressources pour opérer le changement désiré; de leur côté, les employés essaieront souvent de le faire en introduisant, par exemple, un syndicat dans l'entreprise. Mais quelle voie suivront-ils, surtout s'ils désirent vraiment un changement? Imiteront-ils ce qui se fait dans d'autres entreprises ou chercheront-ils une solution originale de leurs problèmes? C'est ce que nous allons examiner dans cette section, à savoir le choix entre imitation et invention.

LA PROBLÉMATIQUE

Cette question du choix entre l'imitation et l'invention s'est posée dès le début pour les entreprises modernes. En effet, devant la croissance rapide des entreprises, il a fallu choisir les modes d'organisation et de gestion les plus appropriés. Lesquels choisir? Fallait-il prendre comme modèle les grandes institutions existantes, telles que l'État, l'Église, l'armée, ou inventer son propre modèle? Pour un auteur comme Wren (1994), il est clair que l'imitation n'était pas la voie. L'entreprise industrielle des débuts — la manufacture de textile — posait trop de problèmes originaux, nouveaux, que ne pouvaient résoudre les modèles d'organisation et de gestion existants. Ces modèles présentaient des failles évidentes selon lui:

> Le système industriel naissant posait des difficultés de gestion différentes de celles que l'on avait connues auparavant. En effet, l'Église était en mesure de s'organiser et de gérer ses biens grâce aux dogmes et au dévouement de ses fidèles; l'armée pouvait diriger des effectifs importants par le moyen d'une stricte hiérarchie fondée sur la discipline et l'autorité; les bureaucraties gouvernementales n'avaient pas à soutenir la concurrence ni à enregistrer un bénéfice. Pour leur part, les dirigeants d'usine ne pouvaient se référer à aucun de ces modèles pour assurer une utilisation adéquate des ressources. (Wren, 1994, p. 39; © John Wiley & Sons, Inc., 1994; traduit avec la permission de John Wiley & Sons, Inc.; tous droits réservés.)

Ces problèmes avaient trait notamment au recrutement, à la formation et à la motivation des travailleurs et des managers. Il a donc fallu inventer. La voie privilégiée fut celle de l'expérimentation, par essais et erreurs, débouchant sur des solutions originales. La démarche n'est cependant pas aussi tranchée que ne le laisse croire Wren. Elle se situe entre l'imitation et l'invention. Certains penseurs et praticiens, comme l'ingénieur français Henri Fayol, se sont servis de leur expérience en entreprise, comme de leurs connaissances d'autres institutions, pour concevoir des modèles d'organisation et de gestion appropriés pour les entreprises. S'inspirant de l'organisation de l'armée, Fayol propose le concept de direction générale (Saussois, 1994). En fait, l'élaboration de modèles d'organisation et de gestion procède souvent d'un mélange d'imitation et d'invention. Considérons quelques cas, provenant des débuts de l'industrialisation aux États-Unis, pour illustrer ce point.

À la fin du XVIIIe siècle, Samuel Slater, un proche collaborateur de Sir Richard Arkwright, un industriel britannique, immigre aux États-Unis où il s'associe à des Américains et ouvre, en 1790, la première manufacture de textile. Ses associés et lui copient le modèle de la manufacture tel qu'il existe en Grande-Bretagne. Ce modèle sera connu aux États-Unis sous l'appellation de *Rhode Island System*, du nom de l'État où est installée cette première manufacture. D'autres manufactures, créées la plupart du temps par Slater et ses associés, adopteront ce modèle que Wren décrit ainsi :

> Les manufactures constituées selon le *Rhode Island System* prenaient la forme d'une entreprise à propriétaire unique ou d'une société en nom collectif, ne fabriquaient que du fil de titre fin, confiaient encore beaucoup de travail à des gens de l'extérieur, embauchaient des familles entières et faisaient l'objet d'une surveillance directe de la part de Slater, de ses fils, de son frère ou d'autres membres de sa parenté. (Wren, 1994, p. 70; © John Wiley & Sons, Inc., 1994; traduit avec la permission de John Wiley & Sons, Inc.; tous droits réservés.)

Pour sa part, Francis Cabot Lowell, un marchand de la Nouvelle-Angleterre, fonde la Boston Manufacturing Company à Waltham, dans le Massachusetts, au début du XIXe siècle. Cette entreprise met en place un modèle qui se distingue nettement de celui de Slater :

> Au lieu de s'inspirer des méthodes de gestion britanniques, le *Waltham System* faisait appel à la création de sociétés par actions et à la propriété collective, à l'intégration des activités de filage et de tissage dans le but de produire des biens en grande quantité, à l'embauche de surveillants et de dirigeants d'usine sans lien de parenté avec les propriétaires et recourait à une main-d'œuvre féminine adulte. (Wren, 1994, p. 71; © John Wiley & Sons, Inc., 1994; traduit avec la permission de John Wiley & Sons, Inc.; tous droits réservés.)

Ce modèle *made in USA* déclassera rapidement le modèle d'origine britannique pour devenir dominant dans l'industrie textile américaine. Slater et ses associés vont être lents à réagir, mais ils finiront par adopter les grands principes de ce modèle, comme l'engagement de managers professionnels. Par contre, ils innoveront aussi par l'utilisation de nouveaux procédés techniques et organisationnels qui permettront de régulariser la production et de garantir les emplois sur une base annuelle. En fait, les entreprises textiles vont se relancer mutuellement dans un processus d'imitation-invention, pour finalement produire les premières idées sur l'organisation et le management. Wren (1994, p. 71) attribue d'ailleurs la naissance des premières hiérarchies managériales à ces entreprises.

Les entreprises textiles, et d'autres par la suite, vont si bien se stimuler qu'au tournant des années 1850 le modèle américain (*the American System of Manufactures*) est de plus en plus reconnu sur la scène internationale. Le modèle comprend un vaste ensemble d'inventions techniques et organisationnelles :

> La division du travail, une organisation clairement définie, de même que le recours à des méthodes comptables pour le paiement des salaires et le contrôle des frais de main-d'œuvre et du coût des matières, à des normes uniformisées, à des techniques de mesure pour l'inspection et le contrôle et à des procédés avancés de travail des métaux constituaient des éléments essentiels de ce qui est devenu le modèle américain. (Wren, 1994, p. 74; © John Wiley & Sons, Inc., 1994 ; traduit avec la permission de John Wiley & Sons, Inc. ; tous droits réservés.)

Le relais est pris ensuite par les entreprises de chemin de fer qui, en raison de leur taille et de la dispersion des activités à gérer (des gares le long d'un réseau), ont à résoudre des problèmes nouveaux. En effet, les manufactures textiles de l'époque comptent rarement plus de 250 employés, et ceux-ci sont regroupés dans un même lieu de travail, tandis que les entreprises de chemin de fer dépassent rapidement et largement ce nombre et ont des employés dispersés tout le long d'un réseau.

Ces entreprises de chemin de fer deviennent une source d'inspiration, au chapitre de l'organisation et de la gestion, pour les premières multinationales qui voient le jour au début du XXe siècle. Pierre Du Pont, l'un des plus brillants gestionnaires de la grande entreprise Du Pont de Nemours, ne cachera pas s'être inspiré d'elles (Chandler, 1962).

Les processus d'imitation et d'invention ont été suivis par les Japonais quand ils ont voulu riposter, à la fin du XIXe siècle, à la montée des puissances occidentales. Leur stratégie fut d'imiter les grandes puissances pour mieux leur résister, et pour réaffirmer l'identité profonde de leur pays. Ils ont ainsi très rapidement importé les méthodes industrielles et organisationnelles des entreprises américaines qu'ils ont cependant adaptées à leur situation particulière. Il en a résulté une industrialisation relativement rapide pour un pays d'Asie et, à la suite de plusieurs tentatives, et grâce à de nombreuses inventions-innovations, une percée économique extraordinaire après la Deuxième Guerre mondiale, de sorte qu'aujourd'hui ce sont les entreprises japonaises qu'on cherche à imiter un peu partout dans le monde.

Nous le voyons, il est difficile de déterminer quelle est la voie royale de la transformation des entreprises. Celles-ci naviguent constamment entre l'imitation et l'invention. En fait, que les entrepreneurs et les dirigeants choisissent l'une ou l'autre, il s'agit souvent plus d'un point de départ que d'un point d'arrivée. C'est pourquoi il est plus juste de parler d'innovation, comme nous l'avons fait à l'occasion, pour caractériser un changement réussi. Le processus est ainsi plus complexe, plus nuancé qu'il n'y paraît. Il vaut cependant la peine de distinguer ces deux situations extrêmes — imitation et invention — et de regarder plus en détail ce qu'elles impliquent. Nous verrons, dans les pages qui suivent, que l'apprentissage se trouve au cœur des deux processus.

L'IMITATION : LA DIFFUSION DES PRATIQUES GAGNANTES

L'imitation est un processus de diffusion des pratiques bien connu. Il est fréquent que les individus, les groupes et même les sociétés imitent d'autres individus, groupes ou sociétés pour améliorer leur sort, changer leur destin. Il est tout aussi reconnu qu'une imitation est rarement identique à la situation à laquelle on emprunte. Il est en fait impossible de reproduire, dans le cadre des sociétés humaines, parfaitement et totalement une pratique sociale. Le simple déplacement dans l'espace d'une pratique entraîne toujours une modification, profonde ou superficielle, de celle-ci. En effet, cette pratique est introduite dans un groupe, une région ou un pays qui a une histoire et une culture différentes, et cette histoire et cette culture feront en sorte que les individus interpréteront et utiliseront différemment cette pratique. Ils la transformeront, pour le meilleur ou pour le pire.

Les entreprises n'échappent pas à ce phénomène. Chaque entreprise a son histoire et sa culture, et l'importation d'une pratique exige toujours une adaptation. Fridenson (1994, p. 85) ira même plus loin en soutenant qu'il doit y avoir plus qu'une adaptation, soit une appropriation. Les individus, les groupes doivent s'approprier cette pratique pour qu'elle ait des chances de réussir. Ainsi, paradoxalement, pour Fridenson, une imitation réussie sera une imitation complètement transformée, une pratique que se sont appropriée les acteurs de l'entreprise. S'agit-il toujours alors d'une imitation ? Oui et non. Oui, si on considère la source d'inspiration et que celle-ci est bien déterminée et reconnue. Non, si on considère le résultat final qui va présenter de grandes différences par rapport à la pratique de départ.

Le processus d'imitation est important puisqu'il s'agit en fait du processus de diffusion des pratiques gagnantes (et des perdantes aussi à l'occasion !). Le déplacement de ces pratiques gagnantes sera couronné de succès dans la mesure où la mise en œuvre de celles-ci n'est pas rigide. Mais, encore là, il faut nuancer. Il y a des périodes économiques si fastes qu'il semble que n'importe quelle stratégie puisse être gagnante. Ce n'est pas tout à fait la même chose quand la situation économique est difficile, quand la croissance est lente, voire négative. Dans ce contexte, les pratiques gagnantes sont plus rares et exigent une plus grande souplesse d'application, laquelle ne semble pas caractériser la façon de faire dominante des gestionnaires d'aujourd'hui qui s'adonnent peut-être un peu trop aisément à la réorganisation et à la rationalisation à tous crins, sans réflexion, adaptation et appropriation véritables.

Deux entreprises, Steinberg et Alcan, qui ont favorisé l'imitation comme mode de transformation nous serviront ici d'exemples. Ces deux exemples illustrent bien que, pour donner de bons résultats, l'emprunt — l'imitation — doit être adapté à la réalité de l'entreprise et que les différents acteurs doivent se l'approprier.

Premier exemple : Steinberg et les groupes semi-autonomes de travail

Steinberg a été l'une des entreprises les plus marquantes de l'histoire du Québec. Il a été pendant de nombreuses années le chef de file incontesté de la vente au détail dans le secteur alimentaire, s'étant fait connaître notamment par l'introduction d'innovations dans l'organisation et la vente, comme la création du premier supermarché. La plupart de ces innovations étaient des emprunts faits en Amérique et ailleurs dans le monde. L'expérience dont nous allons parler est de ce type. Nous l'avons choisie parce qu'elle a été bien documentée et qu'elle a fait l'objet d'une analyse sociologique par Michel Brossard et Marcel Simard (1990).

Au début des années 70, l'entreprise Steinberg relève dans ses centres de distribution une série de problèmes — baisse de productivité, taux d'absentéisme élevé, arrêts de travail illégaux, sabotage, etc. — qu'elle veut à tout prix résoudre. Elle opte d'abord pour l'automatisation d'une partie des activités, mais sans grand résultat. La direction et les cadres explorent alors d'autres avenues. Ils consultent, se renseignent et font des visites d'entreprises innovatrices sur le plan du travail. L'entreprise opte finalement, à la suite de la pression des cadres intermédiaires, pour une formule jugée des plus innovatrices, soit la création d'un groupe semi-autonome de travail. Cette formule, en donnant plus d'autonomie aux travailleurs organisés en collectif décisionnaire, permet d'enrichir la tâche, d'obtenir une meilleure productivité, etc. La direction décide donc, en 1974, d'implanter, à titre expérimental, cette formule dans son centre de distribution des produits congelés. Le syndicat accepte d'y participer dans la mesure où l'on respecte les grandes lignes de la convention collective.

Le groupe semi-autonome de travail compte une vingtaine de personnes qui ont pour tâche principale de recevoir, d'exécuter et de charger dans des camions les commandes de produits congelés faites par les supermarchés. Il se caractérise par la rotation des employés dans les six catégories de postes de travail, par l'existence d'une assemblée générale où les travailleurs prennent collectivement et consensuellement des décisions concernant la réalisation et l'organisation de leur travail, par une nouvelle forme de rémunération qui comprend deux niveaux de salaire (qui sont fonction de l'évaluation des pairs et de la direction) et par une faible supervision du travail.

Les résultats ne se font pas attendre. La productivité augmente de 21 % en moyenne sur une période de sept ans et l'absentéisme passe de 16 % à 5 % durant la même période. Sur le chapitre du travail et des relations de travail, il y a une très nette et très rapide augmentation de la satisfaction chez les employés. Par contre, il y aura, après quelques années, un essoufflement de ce côté : la structuration d'oppositions, voire d'identités différentes dans le groupe, entraînera une baisse de la satisfaction. Malgré ce bilan somme toute positif, et l'appui des cadres responsables de l'expérience, du syndicat et d'une majorité de travailleurs, le groupe est dissous en 1983. Que s'est-il passé ?

Il faut s'attarder sur la structuration des rapports internes, autour de trois sous-groupes de travailleurs, pour trouver une première partie de la réponse. La détermination des conditions de travail et le mode de fonctionnement du groupe, ainsi que les projets différents des individus qui en font partie, seront au cœur de la structuration en sous-groupes. Le premier groupe est composé d'individus qui s'investissent à fond dans l'expérience et qui en deviennent les leaders. Pour eux, il faut chercher à exploiter la formule au maximum, notamment en se donnant des règles de fonctionnement et en prenant des mesures (sanctions) pour les faire respecter. Autonomie et autorégulation sont les maîtres-mots de cette minorité dominante qui aspire à monter dans l'entreprise. Un autre groupe minoritaire est composé des individus les plus critiques à l'endroit de l'expérience. Ces derniers se font les défenseurs de la convention collective face à ces leaders, en mettant de l'avant entre autres le principe de l'ancienneté. Ils suggéreront ainsi l'abandon de la rotation des postes et le choix, par ancienneté, du poste de travail dans l'équipe. Le troisième groupe, majoritaire pour ce qui est du nombre d'individus, est cependant le moins actif, mais il finira par devoir s'engager davantage. Les acteurs de ce groupe souhaitent une application souple de l'expérience, avec le maintien de la rotation des postes, tout en refusant d'exercer des sanctions contre les individus récalcitrants. Ils aimeraient que ce soit la direction qui assume cette tâche. Ce faisant, ils s'opposent aux deux autres groupes dont l'un favorise la gestion des sanctions par le groupe, l'autre, l'abolition de la rotation des postes. Devant cette situation, les deux minorités s'associent pour demander la fin de l'expérience. La majorité, elle, veut que l'expérimentation devienne permanente et demande donc l'institutionnalisation du groupe semi-autonome de travail.

Les cadres moyens, qui voudraient maintenir la formule, sont devant un dilemme. C'est alors que la haute direction s'en mêle et propose deux choix : une formule intermédiaire — comme la rotation pour certains postes, pas pour d'autres, etc. — qui va déplaire à tous les travailleurs ou le retour à l'organisation traditionnelle du travail. Les travailleurs rejettent finalement la proposition de la direction en assemblée générale et, par conséquent, choisissent de revenir à l'ancienne organisation du travail. Tout cela n'est toutefois qu'une partie de l'explication de l'échec du groupe semi-autonome de travail. L'autre partie concerne les difficultés que connaît l'entreprise au début des années 80, difficultés qui vont entraîner sa vente et sa faillite par la suite. L'entreprise cherche alors à économiser, et l'implantation et l'extension d'un groupe semi-autonome de travail coûtent cher, surtout en frais de formation. Or, au début des années 80, la fermeture de la boulangerie entraîne le remplacement de sept membres du groupe semi-autonome qui doivent céder leur place à des travailleurs plus anciens dans l'entreprise. Former ces nouveaux travailleurs constitue une dépense élevée, et la réduction de la rotation des postes diminue ces coûts, ce qui explique en partie la proposition de la direction.

L'importation de la formule du groupe semi-autonome dans l'entreprise Steinberg n'a donc pas été couronnée de succès. Nous pouvons dire que c'est en partie parce que l'entreprise n'a pas su se l'approprier pleinement. La haute direction a certainement eu des réticences à l'égard de la formule puisqu'elle l'a limitée pendant tout ce temps à un seul établissement de l'entreprise, malgré son succès initial. Selon Brossard et Simard (1990, p. 131), « le fait que cette expérience soit demeurée isolée dans l'entreprise, plutôt que d'être étendue à d'autres secteurs et même généralisée à l'ensemble du système de distribution, comme la direction le projetait au début, a été un facteur défavorable à l'évolution du groupe ».

Nous pouvons ainsi penser que, si l'entreprise avait étendu la formule plus rapidement, elle aurait pu apprendre et mieux gérer ses rapports avec ce type de groupes de travailleurs. Car ces derniers, malgré les problèmes rencontrés, ont été ceux qui ont d'abord fait les adaptations nécessaires au succès de l'expérience :

> Avec le temps, le groupe semi-autonome a adapté ces principes initiaux à sa réalité propre et en a ajouté d'autres. Par exemple, le poste de commis aux commandes des magasins, que le Centre de distribution a pour mission de servir, est retranché du système de rotation pour être confié à un agent de liaison permanent, auquel le groupe confie également un rôle de coordination et de supervision technique du travail. (Brossard et Simard, 1990, p. 128.)

Cette adaptation et cette appropriation, la direction n'a jamais réussi à les faire. La transplantation de cette formule importée a ainsi échoué.

Deuxième exemple : Alcan et ses usines de Grande-Baie et de Laterrière

Alcan est l'une des plus importantes multinationales canadiennes et l'un des plus grands producteurs d'aluminium du monde, avec des revenus de près de huit milliards de dollars en 1996 et des usines réparties partout dans le monde regroupant 35 000 employés (Ducas, 1996 ; Bellemare, 1997). Une grande partie de ses activités de production se déroulent au Québec, où l'entreprise compte 8 000 employés, en particulier au Saguenay où elle possède l'un des plus grands complexes de production d'aluminium du monde.

Dans les années 70, l'usine d'Arvida, qui fait partie de ce complexe, vit des moments très difficiles. L'usine, construite à la fin des années 20, est désuète et une partie de ses équipements n'ont jamais été remplacés. La productivité est donc assez faible. De plus, les conditions de travail sont très pénibles pour les travailleurs, qui les acceptent de moins en moins, surtout les jeunes entrés au début des années 70, et sont la cause de nombreux problèmes de santé chez les plus vieux, comme le cancer de la vessie, le cancer du poumon, divers troubles respiratoires, etc. Le travail dans les salles de cuves, là où est produit l'aluminium, expose en effet les travailleurs à des concentrations très élevées de contaminants, telles les vapeurs de goudron, la poussière d'alumine, de fluorure et de soufre. Insatisfaits de ces conditions, les ouvriers vont s'absenter souvent du travail et revendiquer des améliorations. Cela va entraîner des conflits importants. Dans les années 70, plusieurs grèves très dures, licites comme illicites, découlent en partie de cette situation (Lapointe, 1993a).

L'entreprise est lente à reconnaître l'existence de ces problèmes et à apporter des corrections. Elle le fera pourtant, à la suite d'études qui confirment les dangers pour la santé des ouvriers des vieilles salles de cuves, et introduira des changements technologiques importants à son usine d'Arvida. De plus, à long terme, elle prévoit le remplacement progressif de l'usine d'Arvida par la construction de nouvelles usines plus modernes, plus performantes et moins dommageables pour la santé. La direction veut cependant profiter de la construction de nouvelles usines pour changer ses rapports, difficiles et malsains, avec les ouvriers. Elle optera donc, dans le cas de l'usine Grande-Baie par exemple, pour un tout nouveau modèle d'entreprise dont l'une des caractéristiques est, contrairement à son usine d'Arvida, l'absence de syndicat.

À l'usine de Grande-Baie, Alcan choisit d'implanter un mode de gestion inspiré des entreprises japonaises et perfectionné en Californie (le modèle californien ; voir Lapointe, 1992). Il s'agit d'une usine qui préconise la gestion individuelle des ressources humaines, la participation des employés, la communication directe, l'abolition des distinctions hiérarchiques entre cadres et ouvriers et un fort sentiment d'appartenance. La philosophie de gestion est exprimée ainsi dans le «Manuel de l'employé» : «La gestion des ressources humaines à l'Usine Grande-Baie est basée sur la confiance, le respect et la compréhension mutuelle; nous favorisons le dialogue et encourageons la solution des problèmes au niveau du supérieur immédiat.» (Cité dans Lapointe, 1993b, p. 3.)

Dans ce contexte, le syndicat est jugé superflu, non nécessaire. Pour s'assurer que sa nouvelle formule fonctionne, la direction recrutera les ouvriers à l'extérieur du groupe Alcan, même si plusieurs ouvriers de l'usine d'Arvida, appelée à fermer rappelons-le, seraient intéressés à y travailler pour pouvoir jouir de meilleures conditions de travail (une usine neuve avec des technologies moins dommageables pour la santé). C'est qu'elle ne veut pas d'employés «contaminés» par les luttes syndicales de ses autres usines. Elle les veut aussi polyvalents, flexibles et qualifiés et croit que les syndicats sont des obstacles à la réalisation de ces objectifs de formation. Elle les a donc choisis sans passé syndical. Et elle n'avait que l'embarras du choix puisqu'elle aurait reçu 20 000 demandes d'emploi pour pourvoir aux 277 postes offerts, selon un dirigeant de l'entreprise.

Quel est le résultat de cette nouvelle formule de gestion? Selon le sociologue Paul-André Lapointe qui a analysé cette expérience, il s'agit d'un échec presque complet. Il y a d'abord l'échec de la formation d'ouvriers plus spécialisés, plus instruits, plus polyvalents. En fait, le recrutement, contrairement à ce qu'annonçait la direction, a occasionné la venue des ouvriers peu instruits et peu aptes à la formation. La vérité, c'est que l'entreprise n'avait pas véritablement besoin d'ouvriers qualifiés puisque le travail avait été en grande partie simplifié par l'introduction de nouvelles technologies qui réduisent les responsabilités et les tâches des ouvriers. Par exemple,

> [...] les opérateurs n'ont aucun accès aux terminaux d'ordinateur. Dans la mesure où, avec l'automatisation croissante du procédé, la régulation se fait toujours plus à partir des terminaux d'ordinateur, le fait de ne pouvoir y avoir accès se traduit par un appauvrissement de la fonction surveillance/ contrôle et donc par une déqualification du travail. Par contre, à l'usine Arvida, les cuvistes ont accès aux terminaux d'ordinateur et peuvent prendre des actions correctrices. (Lapointe, 1993b, p. 14.)

Bref, à l'usine de Grande-Baie, ce sont les cadres qui sont chargés de la régulation. On est ainsi loin du discours sur la polyvalence et la responsabilité des ouvriers. Ce discours était donc plutôt symbolique et était tenu par la direction parce qu'il faisait théoriquement partie de ce nouveau mode de gestion qu'elle ne semble pas vraiment vouloir pratiquer.

Par ailleurs, après quelques années, les relations entre les dirigeants et les ouvriers de la production deviennent tendues. Pour augmenter la productivité de l'usine, les dirigeants proposent une réorganisation du travail qui va alourdir la tâche des ouvriers. Lapointe (1993b, p. 21) estime à 22% l'augmentation de la charge de travail qui découle de cette réorganisation. Une équipe affectée à une série d'électrolyse comptait 11 personnes (quatre opérateurs de cellules, quatre changeurs d'anodes, deux siphonneurs et un préposé aux cuves) avant la réorganisation du travail et neuf après: un poste de changeur d'anodes a été aboli et la fusion des postes de siphonneur et de préposé aux cuves a entraîné la disparition d'un autre poste. De plus, lorsqu'un travailleur s'absente du travail, il n'est pas remplacé. Il n'est donc pas rare que le travail, autrefois effectué par 11 employés, remplacés en cas d'absence, se fasse maintenant à six ou sept personnes. Chez les ouvriers, la tension monte et les relations avec les cadres se détériorent rapidement. Ils vont débrayer deux fois à l'été 1988, après de nombreuses discussions stériles avec la direction, pour protester contre les conséquences de cette réorganisation du travail.

Pour remédier en partie au problème, l'entreprise ajoute un membre à l'équipe et embauche d'autres ouvriers temporaires pour boucher les trous causés par les absences ainsi que pour rattraper le retard dans l'exécution du travail qu'accumulent les équipes, notamment le travail de siphonnage des cuves qui n'arrive plus à être fait dans les délais prescrits. L'embauche de nouveaux travailleurs temporaires accentue les tensions entre les ouvriers, car les temporaires n'osent pas se plaindre des conditions de travail étant donné leur statut fragile dans l'entreprise, ce qui bien sûr affaiblit les ouvriers permanents dans leur tentative de modifier leurs conditions. Il est à noter que ces ouvriers temporaires représentent 35 % des ouvriers de la production et près de la moitié des travailleurs affectés aux salles de cuves, là où se situe le problème de surcharge de travail. On comprendra aisément que les relations soient tendues entre la direction et les ouvriers et entre les ouvriers permanents et les temporaires. La direction divise les employés pour mieux imposer ses façons de faire.

Dans ce contexte, la faible productivité n'a rien de surprenant : plusieurs employés se contentent souvent de faire le minimum, et ils sont nombreux à vouloir se syndiquer. Lapointe conclut : « Bien loin d'être porteur d'innovations dans l'organisation et la démocratisation du travail, le rapport salarial à l'usine Grande-Baie se distingue plutôt par la manipulation des symboles, l'écart entre le discours et les pratiques ainsi que par ses méthodes de division et de sélection de la main-d'œuvre. » (Lapointe, 1993b, p. 29.)

Ainsi, l'implantation d'un mode de gestion participative, à la japonaise, n'a pas réussi parce qu'une telle gestion n'a jamais été un véritable objectif pour les dirigeants chargés de l'appliquer. Ils ont plutôt exploité cette mode managériale pour tenter de contrer le syndicat chez Alcan. Or non seulement il n'y a pas eu appropriation, mais il n'y a même pas eu de véritables tentatives en ce sens. L'entreprise reconnaîtra d'ailleurs implicitement son échec en adoptant une autre stratégie dans sa nouvelle usine de Laterrière quelques années plus tard.

Dans cette usine de Laterrière, qui a commencé ses activités en 1989, on retrouve sensiblement la même philosophie de gestion que celle qui a été mise de l'avant à l'usine de Grande-Baie, à la différence que la direction a associé le syndicat à son projet et a accepté d'y embaucher des ouvriers venant de ses vieilles usines. Selon Lapointe (1993c), le résultat est meilleur sans pour autant être une grande réussite. Il représente certes, pour le syndicat notamment, un gain par rapport à l'expérience de Grande-Baie, mais, pour les ouvriers, les gains sont minimes. En fait, ils retrouvent dans bien des cas ce qu'ils avaient perdu à l'usine de Grande-Baie, et qu'ils avaient auparavant à l'usine d'Arvida, comme l'accès aux ordinateurs. De plus, la charge de travail demeure élevée. Il est vrai, en revanche, que les conditions de travail sont moins dangereuses pour la santé, que la formation est plus poussée et que les relations avec la direction sont moins conflictuelles. C'est pourquoi Lapointe arrive à une conclusion plus positive : « En retour d'une implication maximale au travail et d'une adhésion aux objectifs de productivité et de qualité, les ouvriers se voient accorder une plus grande responsabilité au travail ainsi que la sécurité d'emploi et leurs qualifications sont reconnues.» (Lapointe, 1993c, p. 47.)

Il semble donc que l'entreprise ait appris de sa première expérience qu'il ne fallait pas chercher à importer un nouveau modèle de gestion sans s'assurer la participation de ses travailleurs et de ses syndicats, surtout dans une région où elle a déjà une longue histoire. En effet, vouloir faire fi de l'histoire de ces usines, de ces dirigeants et de ces travailleurs, pour implanter une nouvelle usine et une nouvelle gestion, était, pour reprendre l'expression de Lapointe (1993b), une «grande illusion» qui ne pouvait que mener à l'échec. Le cas de Laterrière montre une meilleure réussite dans l'implantation d'un nouveau mode de gestion emprunté à l'air du temps parce qu'elle s'est arrimée sur les travailleurs et leurs syndicats.

DE L'INVENTION À L'INNOVATION : L'APPRENTISSAGE DES ENTREPRISES

Précisons pour commencer qu'une pratique nouvelle n'est jamais une pure création de l'esprit. Nous voulons dire par là que toute invention est issue d'un contexte particulier qui intervient dans son élaboration. C'est pourquoi nous préférons parler d'innovation plutôt que d'invention, au sens où la pratique nouvelle émerge d'un contexte où les acteurs ont appris de leurs expériences passées et que cette pratique est le fruit de cet apprentissage. Ainsi, ni l'imitation pure ni l'invention pure ne sont véritablement possibles, et l'on peut dire en quelque sorte que leur point de rencontre est l'apprentissage. L'imitation est réussie quand une pratique a été adaptée et transformée par les acteurs qui l'ont faite leur. Il y a là un apprivoisement, voire un apprentissage, à l'œuvre, ce qui est bien proche de l'innovation qui, elle, émerge de la pratique des acteurs qui, à la suite d'essais et d'erreurs, finissent par trouver une solution à un problème posé à l'organisation.

Cette notion d'apprentissage est en effet centrale et implique que le changement réussi est rarement le fruit d'une contrainte d'acteurs sur d'autres acteurs mais celui d'une dynamique collective. Voici comment les sociologues Michel Crozier et Erhard Friedberg décrivent le processus :

> Le changement réussi ne peut donc être la conséquence du remplacement d'un modèle ancien par un modèle nouveau qui aurait été conçu d'avance par des sages quelconques ; il est le résultat d'un processus collectif à travers lequel sont mobilisées, voire créées, les ressources et les capacités des participants nécessaires pour la constitution de nouveaux jeux dont la mise en œuvre libre — non contrainte — permettra au système de s'orienter ou de se réorienter comme un ensemble humain et non comme une machine. (Crozier et Friedberg, 1977, p. 391.)

Plusieurs sociologues reprendront cette idée selon laquelle le changement implique l'alliance du plus grand nombre qui doivent y trouver leur compte à travers un processus d'apprentissage collectif. Cet apprentissage porte non seulement sur de nouvelles façons de faire ou de penser, mais encore sur la manière d'entrer en relation avec les autres. Nous l'avons déjà dit, ce n'est que lorsque les régulations entre les acteurs changent qu'on peut véritablement parler d'un changement profond, permanent de l'entreprise. Il faut donc distinguer les apprentissages qui mènent à des modifications mineures, locales, des comportements des acteurs de ceux qui touchent toute l'organisation en modifiant profondément les relations entre les acteurs. Bernoux parle, dans le premier cas, d'un apprentissage en simple boucle : «C'est le changement par détections d'erreurs, correction et maintien de la coutume.» (Bernoux, 1995, p. 232.) Dans le deuxième cas, il parle d'un apprentissage en double boucle : «Si la pression pour le changement est plus radicale, si les acteurs s'accordent pour changer les normes habituelles [...] il ne suffit plus d'ajuster avec plus de précision les anciennes règles. Il faut les modifier ou les changer et en établir de nouvelles.» (*Ibid.*, p. 233[1].) Ces nouvelles règles impliquent forcément de nouvelles relations — régulations — entre acteurs.

Nous illustrerons ce processus d'innovation par apprentissage par le biais de deux cas : le changement technologique chez Alcan et le développement des structures administratives chez Du Pont de Nemours.

Premier exemple : le changement technologique chez Alcan

L'usine d'Arvida d'Alcan est, comme nous l'avons vu plus haut, l'une des plus vieilles usines de production d'aluminium au Canada. On y a modernisé une partie des équipements au fil des ans en vue d'améliorer sa performance. La façon de procéder de la direction pour remplacer les équipements, ou en améliorer le fonctionnement, a connu des transformations qui font preuve d'un certain apprentissage. En nous référant à l'étude de Paul-André Lapointe (1993a, p. 80 et suiv.), nous allons examiner cette évolution dans le contexte des changements importants apportés, à partir de la fin des années 60, dans les séries d'électrolyse Soderberg.

Les changements visaient à automatiser une grande partie du processus de production. La première phase a consisté à mettre en place, au début des années 70, des ordinateurs de contrôle. Cette action, qui s'est faite sans consultation préalable du syndicat et des ouvriers, et même sans qu'ils en soient informés, ne fut pas sans conséquence :

---

1. Cette notion d'apprentissage en boucle a été introduite en théorie des organisations par Argyris et Schön (1978).

[Il en a résulté] toute une agitation dans les salles de cuves et quelques arrêts de travail, car les ouvriers ont protesté contre les changements dans l'organisation du travail et l'augmentation des charges de travail. Cela a créé une véritable situation d'urgence dans les salles de cuves et l'ordre ne fut rétabli qu'à la suite de négociations au sommet entre le directeur de l'usine et le président du syndicat. La lettre d'entente, signée à l'issue de ces négociations, contient un échéancier précis concernant la diminution des postes de travail dans chaque série et des précisions sur les charges de travail. (Lapointe, 1993a, p. 81 ; reproduit avec permission.)

L'entreprise a été plus prudente au moment de la phase deux et elle a mis sur pied un comité spécial chargé de planifier l'introduction du changement et surtout d'en amoindrir les conséquences pour les ouvriers en l'intégrant dans une organisation du travail appropriée. Il importait en fait d'éviter les problèmes vécus au cours de la première phase. Ce comité était composé de trois contremaîtres de salles de cuves, de deux contremaîtres généraux de salles de cuves, d'un spécialiste en personnel et d'un spécialiste en génie industriel. On notera l'absence de représentant syndical ou d'ouvriers dans ce comité. L'introduction du changement comme telle — il s'agissait ici d'utiliser les ordinateurs pour supprimer les effets anodiques dans les cuves — ne posa pas trop de difficulté. Cependant, avec l'arrivée d'ouvriers plus jeunes pour remplacer les plus âgés, remplacement prévu par la réorganisation du travail, et les conditions de travail pénibles qui suivirent cette réorganisation, il y eut un déferlement de mécontentement chez les ouvriers qui se traduisit par une baisse de la productivité et par une montée de l'absentéisme.

À l'occasion de l'implantation d'une nouvelle génération d'équipements (NGE), au début des années 80, l'entreprise consulta et fit participer davantage les ouvriers. Elle expérimenta même plusieurs modèles d'organisation, qui se sont parfois améliorés en cours de route, pour trouver celui qui poserait le moins de problèmes aux ouvriers. Les résultats sont bien meilleurs, malgré une augmentation de la charge de travail des ouvriers. Lapointe résume ainsi l'évolution de la stratégie de l'entreprise en ce qui concerne les changements technologiques à l'usine d'Arvida :

Lors de la première phase de l'automatisation, la stratégie d'introduction a été conçue sans tenir compte de la main-d'œuvre et les réactions ouvrières ont pris la forme de débrayages illégaux. Pour la deuxième phase de l'automatisation, la stratégie d'implantation n'a pris en compte qu'une composante de la main-d'œuvre, soit les plus vieux. Elle n'a pas prévu que les jeunes qui entreraient alors massivement dans les salles de cuves n'accepteraient pas les pénibles conditions de travail et qu'ils réagiraient en conséquence. À l'occasion de la NGE, la stratégie d'introduction a été, cette fois, bien appropriée pour la main-d'œuvre et elle n'a suscité aucuns remous importants. (Lapointe, 1993a, p. 90 ; reproduit avec permission.)

L'apprentissage n'a pas été uniquement celui de l'entreprise, le syndicat a aussi beaucoup appris à travers ces transformations. Ainsi, si le syndicat s'était bien occupé du sort des plus vieux au moment de la deuxième phase d'automatisation, en leur assurant une sécurité d'emploi tout en leur permettant de quitter les salles de cuves, il avait complètement oublié de prendre en considération les conséquences du changement pour les plus jeunes. Le syndicat sera plus au diapason de l'ensemble de la main-d'œuvre, il est vrai plus homogène au chapitre de l'âge, quand d'autres changements seront apportés au début des années 80. Il se préoccupera notamment des charges de travail, qui avaient déplu aux jeunes au cours de la phase deux.

L'entreprise s'est donc dotée au fil du temps d'une politique d'implantation des changements technologiques. Cette politique est le fruit d'un apprentissage fait sur le terrain. Constitue-t-elle une innovation ? Pour l'entreprise, il s'agit sûrement d'un changement important, puisque cette politique fait appel à une plus grande participation des ouvriers à l'implantation de nouvelles technologies. Les relations entre les ouvriers et les cadres s'en sont trouvées modifiées. Par contre, comme la conception du changement continue de relever de la direction et que les ouvriers ne sont pas associés à cette étape cruciale, mais uniquement à celle de l'implantation, nous pouvons dire que les changements ne bouleversent pas les rapports de force traditionnels dans l'entreprise.

Deuxième exemple : Du Pont et la création des divisions autonomes

Nous avons vu dans le premier chapitre qu'au début du XXe siècle les entreprises américaines ont inventé de nouvelles formes organisationnelles dans la foulée de leur croissance rapide et de la diversification de leurs activités. Selon Chandler (1962), E.I. Du Pont de Nemours and Company peut être considérée comme l'entreprise ayant donné naissance à l'organisation en divisions autonomes. La création de cette nouvelle configuration structurelle est un bel exemple d'innovation par apprentissage. Il ne faut pas penser, en effet, que, du jour au lendemain, les dirigeants de Du Pont ont inventé cette nouvelle structure, passant soudainement d'un mode d'organisation traditionnel à un mode d'organisation moderne. Loin de là. Leur quête d'un mode d'organisation optimal a demandé plusieurs années d'efforts et ne s'est concrétisée qu'après bien des tâtonnements. Le but principal était de bien organiser et de bien coordonner les différentes activités de l'entreprise pour obtenir une efficacité maximale.

L'histoire commence en 1902 au moment où trois cousins reprennent l'entreprise familiale et lui apportent un nouveau souffle. L'entreprise, qui se spécialise dans la production d'explosifs et qui s'apprête à fêter son 100e anniversaire, a en effet pris du retard par rapport à ses concurrents au cours des dernières années. Les aînés s'étaient même demandé pendant un temps s'il ne serait pas préférable de vendre leurs propriétés à un concurrent plutôt que de poursuivre leurs activités. C'est alors que le plus jeune des propriétaires, qui s'opposait à la vente, s'associe à deux de ses cousins pour faire une offre d'achat. Cette offre d'achat est acceptée et permet de conserver l'entreprise dans le giron familial. Les trois cousins reprennent une entreprise qui possède plusieurs usines éparpillées sur le territoire américain et qui sont gérées indépendamment les unes des autres. Du Pont de Nemours est plus un ensemble de propriétés qui rapportent des profits, en baisse il est vrai, qu'une véritable entreprise intégrée, aux activités planifiées et coordonnées par une équipe de dirigeants professionnels. Les cousins entreprennent rapidement une modernisation de l'entreprise en lui donnant une structure administrative semblable à celle de la majorité de leurs concurrents.

> Ils commencèrent par consolider la fabrication. La production fut concentrée dans un petit nombre des plus grandes usines, les mieux situées par rapport aux marchés les plus importants. Ils créèrent ensuite trois départements administratifs, chargés de coordonner, d'arbitrer et de planifier le travail des usines, et spécialisés chacun dans un produit de base: la poudre noire, les explosifs puissants (la dynamite) et la poudre sans fumée. Puis, ils organisèrent un réseau de vente à l'échelle du pays. (Chandler, 1962, p. 99.)

Le processus ici est celui de l'imitation. Non seulement imite-t-on les autres entreprises dans le secteur, mais on reprend une structure conçue d'abord par une entreprise de chemin de fer, la Pennsylvania Railroad, soit la structure multidépartementale. On va ainsi créer une structure centralisée articulée à des départements fonctionnels qui encadrent et soutiennent les unités de production. Chaque département fonctionnel et chaque unité de production aura un vice-président et un directeur. L'ensemble des vice-présidents forme, avec le président, le comité de direction qui voit à chapeauter et à orienter le travail de l'ensemble de l'entreprise. La ligne hiérarchique est claire et simple, et le pouvoir est concentré au sommet. Cette structure va rester en place jusqu'à la fin de la Première Guerre mondiale. Elle permettra d'intégrer, de consolider et de soutenir les meilleures unités de production que possède l'entreprise.

Même si la structure est centralisée, Pierre Du Pont, le président d'alors, ne veut pas que le comité de direction intervienne dans les opérations quotidiennes des départements et des unités de production. Ces derniers ne sont pas complètement autonomes pour autant, mais ils jouissent d'une large autonomie. Plus tard, l'ajout de départements auxiliaires au service du comité de direction mènera à des empiètements sur leur autonomie. Ces empiètements seront dûment constatés et reconnus par la direction, et les rôles de chacun seront mieux définis et mieux circonscrits par la suite. Ce qui est visé à l'époque, c'est que la responsabilité du comité de direction se limite à l'orientation et au fonctionnement de l'ensemble de l'entreprise, notamment à la coordination des différentes constituantes, et que les vice-présidents et directeurs généraux des départements et des unités aient pleine et entière autorité sur les activités de leur groupe. La direction va résoudre le problème causé par les départements auxiliaires en les intégrant aux départements fonctionnels. Elle en est venue à cette solution après avoir pris exemple sur d'autres entreprises faisant face au même problème que le sien. Nous sommes toujours ici dans la logique de l'imitation, mais une imitation adaptée à la réalité locale de l'entreprise, donc que les acteurs s'approprient de plus en plus.

La diversification de la gamme de produits de l'entreprise, nécessaire pour rentabiliser les installations et ainsi compenser la baisse de la demande des produits traditionnels comme les explosifs, vient en quelque sorte accentuer le besoin d'autonomie des unités de production. Cette diversification passe notamment par l'élargissement des usages de la nitrocellulose, qui sert à la fabrication des explosifs. On réussira à utiliser la nitrocellulose pour fabriquer de la pyroxyline, qui entre dans la fabrication de plusieurs produits (pellicule photographique et produits plastiques par exemple). D'autres procédés ou composants permettront à l'entreprise de se lancer dans les industries de la peinture et des vernis, de la teinture, de l'huile végétale, etc. Il s'ensuivra la fermeture d'unités de production, le réaménagement de certaines, l'achat d'entreprises dans ces nouveaux secteurs, etc. La question de la rentabilité des nouveaux secteurs se pose rapidement. La plupart d'entre eux sont déficitaires ou rapportent très peu. Un sous-comité du comité de direction est créé pour étudier la question et s'attache rapidement aux secteurs les plus prometteurs. Il conclut que le principal problème n'est pas un problème de vente, comme on le croyait au départ, mais d'organisation. Une réorganisation de la structure de l'entreprise s'impose selon lui.

Le sous-comité propose d'axer l'organisation de l'entreprise sur le produit plutôt que sur la fonction, ce qui implique qu'à chaque gamme de produits correspondent les services fonctionnels (achat, comptabilité, vente, etc.) pertinents. Il s'agirait d'une véritable révolution dans l'organisation de l'entreprise, car les unités de production n'auraient plus à se rapporter à de grands départements fonctionnels pour l'achat ou la vente mais organiseraient elles-mêmes ces services. L'idée est d'avoir des services adaptés par gamme de produits, dans l'espoir d'obtenir un meilleur rendement, ce que n'est pas en mesure de faire la structure en place.

Cette proposition qui contenait les bases de la création de divisions autonomes a été rejetée par le comité de direction et son président, Irénée Du Pont, qui a succédé à son frère Pierre à la tête de l'entreprise. Ces derniers ne partageaient pas les points de vue exprimés dans le rapport, et ce, malgré le fait qu'un deuxième sous-comité formé de dirigeants plus anciens et plus expérimentés ait non seulement confirmé l'analyse du premier sous-comité, mais ait proposé l'application de cette structure à l'ensemble de l'entreprise plutôt qu'aux seuls secteurs étudiés. Plusieurs membres du comité de direction croyaient en effet que le temps arrangerait les choses, qu'il fallait une période normale de transition avant que les procédures traditionnelles de gestion de l'entreprise fassent leur œuvre et que de simples corrections, combinées à plus d'informations, seraient suffisantes pour que deviennent rentables les nouveaux secteurs. Il suffisait donc de faire quelques corrections pour améliorer le rendement des nouveaux secteurs. Un plan d'action pour redresser la situation est finalement déposé et accepté. Il contient plusieurs des éléments du changement proposé par le premier sous-comité, par exemple donner plus de responsabilités aux unités de production, sans avoir toutefois comme objectif explicite de transformer la structure. L'auto-nomisation des unités de production s'accentue.

L'absence d'amélioration des résultats financiers dans l'année qui suit vient donner le coup de barre final et convaincre l'ensemble des membres du comité de direction de la nécessité d'un changement de structure important : les unités de production sont regroupées en grandes divisions autonomes, chacune de celles-ci possédant, explique Chandler (1962, p. 168), «ses propres départements fonc-tionnels et une direction générale chargée d'administrer les différents départe-ments». Seul le département des finances (*Treasurer's Department*) conservera une certaine autorité sur les nouvelles divisions.

On modifiera de plus la composition du comité de direction. Ce dernier ne sera plus formé des vice-présidents et des directeurs des différents départements ou des nouvelles divisions ; y siégeront plutôt des personnes qui ne sont pas en conflit d'intérêts, c'est-à-dire qui ne défendent pas leur département ou leur unité de production. Les membres du comité de direction seront bien sûr choisis pour offrir des points de vue variés, tout en étant spécialistes d'un domaine (achat, production, vente, ingénierie-chimie), mais aucun d'entre eux ne sera responsable des activités d'un département ou d'une division. Ils se consacreront véritablement à l'orientation et au fonctionnement de l'ensemble de l'entreprise. Pour plus d'efficacité, on réduira aussi la taille de ce comité. Il ne comprendra plus que cinq membres. Ce comité travaillera avec le comité des finances respon-sable du contrôle des fonds et chien de garde des actionnaires en quelque sorte.

Il s'agit ici d'une véritable innovation sur le plan de l'organisation. De plus, le changement est profond puisqu'il redéfinit la nature des relations entre les dif-férentes unités de l'entreprise et entre une grande partie des dirigeants. On laisse plus d'autonomie et de responsabilité aux divisions et à leurs dirigeants. Cette structure née dans les années 20 deviendra dominante par la suite. Au moment de l'étude de Chandler, dans les années 60, elle représentait la forme de structure dominante dans les grandes entreprises exploitant une gamme variée de produits. Encore aujourd'hui, l'organisation par divisions autonomes reste un mode privi-légié d'organisation. Bombardier, par exemple, est organisé de cette façon avec, notamment, sa division des produits motorisés (la motoneige, la motomarine, etc.), celle du matériel de transport roulant (voitures de métro, de train, etc.) et celle de l'aéronautique (avions de transport régional, avions amphibies, etc.). Cette innovation a été le fruit d'un apprentissage et a suivi, comme le note Chandler, la décision relative à la diversification prise par la direction de l'époque. Il s'agissait de trouver la meilleure structure possible pour opérationnaliser cette décision de diversifier la production. Une telle diversification, rappelons-le, était essentielle pour maintenir la croissance de l'entreprise et rentabiliser ses immenses installations mises en place d'abord pour produire des explosifs.

LES CONSÉQUENCES ATTENDUES ET INATTENDUES DES CHANGEMENTS

Comme nous l'avons déjà dit, le changement planifié suscite plus d'attentes que le changement émergent. Dans le premier cas, des résultats sont attendus par les dirigeants ou les cadres qui préconisent un changement, ce que nous pouvons appeler les conséquences positives prévues. Dans le cas du changement émergent, les conséquences apparaissent plutôt après coup, bien que certains acteurs aient pu avoir en tête des objectifs au départ. Outre les conséquences positives prévues, il est possible que le changement entraîne des conséquences négatives et celles-ci peuvent avoir été prévues comme elles peuvent avoir été ignorées (sans oublier les conséquences positives non prévues, possibilité que nous nous contentons de signaler ici). En général, une bonne équipe de direction cherchera à prévoir les conséquences négatives que le changement peut engendrer et à les réduire le plus possible. En fait, pour les dirigeants qui planifient un changement, tout le jeu consiste à choisir la formule qui maximise les conséquences positives et qui minimise les conséquences négatives. Malheureusement, les dirigeants négligent trop souvent de prendre en compte ou d'explorer à fond la question des conséquences négatives, préférant se concentrer sur les conséquences recherchées. Or les conséquences négatives peuvent parfois être plus grandes, et donc plus dommageables pour l'entreprise, que les conséquences positives. Nous reprendrons quelques-uns des exemples précédents pour aborder l'examen de cette question. Par la suite, nous traiterons d'un cas d'échec dû à la non-anticipation de conséquences négatives pourtant prévisibles.

BREF RETOUR SUR QUELQUES EXEMPLES

Chez Steinberg, l'implantation d'un groupe semi-autonome de travail visait à réduire les conflits ouvriers et à obtenir une meilleure productivité. Ces objectifs ont été atteints assez rapidement. En revanche, la direction n'avait certes pas prévu l'éclatement de conflits entre ses employés relativement au fonctionnement du groupe, conflits qui seront responsables en partie du démantèlement du groupe semi-autonome de travail. Rappelons-le, le peu d'intérêt pour l'expérience dont fait preuve la direction — qui n'a jamais cherché à l'étendre à d'autres unités de travail ou de production — est aussi responsable de cet échec. La direction avait appuyé ce projet, soutenu, à l'origine, par les cadres intermédiaires.

À l'usine d'Arvida, les changements technologiques, qui visaient à une augmentation de la productivité, n'ont pas toujours donné les résultats escomptés.

Ainsi, au cours de la deuxième phase d'automatisation, l'entreprise avait fait coïncider l'implantation de nouvelles technologies avec le remplacement d'une partie de la main-d'œuvre âgée par des employés plus jeunes. Or les jeunes ont difficilement accepté les conditions de travail restées pénibles malgré l'introduction de technologies plus sophistiquées. Leur productivité a été faible et le taux d'absentéisme élevé. Nous l'avons vu plus haut, la direction a ajusté le tir par la suite en raffinant sa stratégie d'implantation des changements technologiques. Il n'empêche qu'elle n'avait absolument pas prévu cette réaction ouvrière.

Chez Du Pont de Nemours, la décision de diversifier la production de l'entreprise avait comme objectif de rentabiliser les installations et les investissements de l'entreprise. Il n'était nullement envisagé de changer la façon de gérer l'entreprise au moment de l'adoption de cette décision. La direction croyait fermement que son mode d'organisation était le plus efficace qui soit. Pourtant, les conséquences positives prévues ne furent pas au rendez-vous dans un premier temps. Non seulement la diversification ne générait pas les profits escomptés, mais elle risquait d'entraîner la faillite de toute l'entreprise. Ce n'est que lorsque la direction opta pour une réorganisation complète, en créant des divisions autonomes en fonction des produits, qu'elle réussit à redresser la situation financière. La diversification de la production entraîna donc une conséquence non prévue : la réorganisation structurelle de l'entreprise.

La décision du gouvernement québécois de nationaliser les entreprises privées d'hydroélectricité dans les années 60, et de les intégrer à Hydro-Québec, visait non seulement à une meilleure exploitation des ressources hydrauliques du Québec, mais aussi au développement de l'économie du Québec tout entier. Sur ce plan, la nationalisation fut un succès. Par contre, la montée du groupe des ingénieurs et l'importance qu'il prendra dans l'entreprise n'avaient pas été prévues, ces derniers s'étant imposés en réalisant la construction de grands barrages. La situation a engendré, au fil des ans, des tensions entre le groupe des ingénieurs et les autres groupes dans l'entreprise, tensions que cherchera à apaiser la nouvelle direction dans les années 80. La volonté, au cours de cette décennie, de passer d'une logique de construction des barrages à une logique de vente s'articule justement au désir d'établir un certain équilibre entre les forces en présence. Le mégaprojet de Grande-Baleine et les possibilités de vente sur les marchés américains constituent une bonne occasion de tenter ce rééquilibrage. Ce changement échouera pour des raisons tant internes qu'externes que nous examinerons plus en détail dans la prochaine section.

Nous le voyons, il est extrêmement difficile pour des dirigeants et des gestionnaires de prévoir la tournure des changements qu'ils entreprennent. En raison de la dynamique de l'entreprise, avec ses différents acteurs et leurs buts, leurs stratégies, leurs identités, il est très difficile de prévoir les comportements des uns et des autres et l'issue du changement. Le cas du mégaprojet de Grande-Baleine illustre bien cette dynamique des acteurs et l'effet désastreux que peut avoir le fait de ne pas envisager certaines conséquences négatives pourtant prévisibles.

DES CONSÉQUENCES NÉGATIVES NON PRÉVUES : L'ÉCHEC DU PROJET DE GRANDE-BALEINE

À la fin des années 80, le gouvernement du Québec annonce la réalisation du mégaprojet de Grande-Baleine. Ce projet prévoit la construction de trois grandes centrales d'une puissance totale de 3 168 mégawatts sur la Grande rivière de la Baleine. Cette puissance, bien qu'importante, n'égale pas la production des deux centrales (LG-2 et LG-3) de la rivière La Grande construites dans les années 70 à la Baie-James. En effet, «la seule centrale LG-2, du complexe La Grande, possède une puissance de plus de 5 300 mégawatts» (Bisson, 1991). L'objectif premier de ce projet est de produire des surplus d'électricité pour l'exportation aux États-Unis. Il s'agit d'un changement d'orientation pour l'entreprise qui, jusquelà, se contentait de vendre, l'été surtout, son excédent de production. Avec le projet de Grande-Baleine, Hydro-Québec veut s'assurer d'avoir des surplus fermes et importants qu'elle peut garantir aux entreprises de distribution américaines.

Le Grand Conseil des Cris, l'organisation qui représente les 10 000 Cris du Québec, va cependant faire savoir dès le départ, en invoquant un ensemble d'arguments économiques, sociaux, culturels et historiques, son opposition au projet. Il avertit Hydro-Québec et le gouvernement du Québec que les Cris utiliseront tous les moyens à leur disposition pour empêcher la réalisation d'une seconde Baie-James. Il juge que, pour la communauté crie, les retombées négatives ont été plus nombreuses (atteinte à leur mode de vie traditionnel, pollution des réservoirs, etc.) que les retombées positives (des sommes d'argent considérables, plus d'autonomie politique, etc.) à la suite de la construction des premiers barrages, réservoirs et centrales.

Malgré l'avertissement sérieux lancé par les Cris, Hydro-Québec va de l'avant, forte de l'appui du gouvernement du Québec, des milieux d'affaires et des grandes centrales syndicales ainsi que des leaders inuits[2], et se rappelant que, dans les années 70, les Cris, après s'y être opposés, avaient fini par signer une entente (la Convention de la Baie James et du Nord québécois, signée en 1975) permettant la réalisation du projet sur la rivière La Grande à la Baie-James en retour de compensations financières (voir à ce sujet Leconte, 1991b). Les dirigeants d'Hydro-Québec se sentent d'autant plus en mesure de réaliser le projet

---

2. Le projet de Grande-Baleine touche aussi le territoire des Inuits. Ceux-ci sont cependant divisés sur le projet. Leur gouvernement régional, la Société Makivik, est d'accord avec le projet, mais les habitants du village touché par le projet, Kuujjuarapik, sont plutôt en désaccord.

que, selon eux, les Cris ont renoncé en 1975 à leurs droits sur le territoire de la baie James, où sera réalisé le projet de Grande-Baleine, en vertu de l'article 2.1 de la fameuse convention.

> En considération des droits et des avantages accordés aux présentes aux Cris de la Baie James et aux Inuit du Québec, les Cris de la Baie James et les Inuit du Québec cèdent, renoncent, abandonnent et transportent par les présentes tous leurs revendications, droits, titres et intérêts autochtones, quels qu'ils soient, aux terres et dans les terres du Territoire et du Québec, et le Québec et le Canada acceptent cette cession. (Gouvernement du Québec, 1976, p. 6.)

Les Cris ont une tout autre interprétation de la Convention et de cet article, et promettent de contester devant les tribunaux celle des dirigeants d'Hydro-Québec (Leconte, 1991a). Cette possibilité n'effraie cependant pas ces derniers, qui sentent la loi et la société québécoise de leur côté. Les Cris ont le même sentiment, puisque leur stratégie va consister à sortir justement du cadre étroit et défavorable de la société québécoise. Ils vont tout mettre en œuvre pour élargir le terrain de jeu et pour porter la question sur la scène internationale, en particulier aux États-Unis. En effet, les Cris sont pris dans un système de relations dont les règles favorisent largement Hydro-Québec, car elles reposent essentiellement sur des lois québécoises (dont la fameuse Convention de la Baie James). Les Cris ont peu de marge de manœuvre à l'intérieur de ce système; ils n'ont pas d'autorité sur la demande d'électricité, ni sur la vente de cette électricité; ils ont peu de contact avec les producteurs américains qui veulent acheter une grande partie de l'électricité produite par Grande-Baleine, etc. En fait, ce que les Cris veulent transformer, ce sont les relations d'indifférence qu'ils ont avec les producteurs américains (voir la figure 8.3). Ils veulent être capables d'influencer ces acteurs pour qu'ils modifient leur décision. Pour que se réalise cette transformation, pour changer le rapport de force entre les deux parties, et ainsi imposer de nouvelles règles du jeu qui leur seront plus favorables, ils exploiteront une incertitude, l'opinion publique américaine, que ne maîtrise pas Hydro-Québec.

Leur stratégie principale (à ce propos, voir Rioux, 1991a) pour réussir ce tour de force est d'utiliser les questions environnementale (mettre en évidence l'éventuelle destruction d'un site exceptionnel et supposé grand comme la France[3]) et amérindienne (attirer l'attention sur la mort d'une des dernières grandes cultures

---

3. Voir, par exemple, l'annonce publicitaire choc publiée dans le *New York Times* à l'automne 1991. *La Presse* a reproduit une traduction de cette publicité dans son édition du 28 octobre 1991, p. B3, «Catastrophe à la Baie James: destruction d'une étendue sauvage de la grandeur de la France», pour informer ses lecteurs sur le contenu explosif de cette publicité. Cette annonce a été dénoncée comme mensongère par à peu près tout le monde au Québec, y compris par de nombreux groupes écologistes (voir Noël, 1991b).

FIGURE 8.3   Relations entre Hydro-Québec, les Cris et les producteurs américains

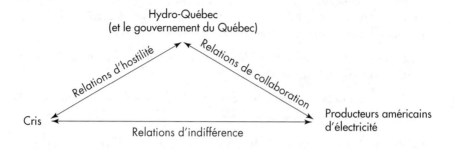

amérindiennes «intactes» d'Amérique[4]). Ils espèrent ainsi s'assurer du soutien des écologistes et des progressistes américains. Ce soutien doit leur servir de tremplin pour obtenir l'appui des politiciens américains sensibles à ces questions (les fils Kennedy, par exemple). Ces derniers pourraient, à leur tour, faire pression sur les producteurs américains achetant de l'électricité d'Hydro-Québec en vue de faire annuler les importants contrats de vente d'électricité passés entre Hydro-Québec et ces entreprises. L'annulation de ces contrats rendrait inutile, selon eux, la construction de centrales sur la Grande rivière de la Baleine.

D'autres stratégies secondaires, mais venant appuyer la stratégie principale, consistent :

– à démontrer, par la publication d'études réalisées par des spécialistes en ressources énergétiques, l'inutilité du projet en matière de demande énergétique pour le Québec (Grande-Baleine n'est construite que pour exporter de l'électricité aux États-Unis, pas pour les besoins du Québec comme le soutient Hydro-Québec, répéteront-ils partout) et les États de la Nouvelle-Angleterre (une demande en baisse et des pratiques d'économie d'énergie rendent inutile l'achat d'électricité du Québec selon les Cris et leurs alliés écologistes américains) ;

– à convaincre les Américains que les gouvernements n'ont pas respecté les engagements qui découlent de la Convention de la Baie James en s'appuyant sur des études effectuées par des spécialistes en droit et en affaires autochtones ;

---

4. Voir à ce sujet les articles publiés dans la presse européenne. *Le Soleil* présente un compte rendu de quelques-uns de ces articles dans son édition du 22 décembre 1991, p. A6, sous le titre «Les articles sur Grande-Baleine, rares mais dévastateurs». L'article est sous-titré «Horreurs et insanités dans la presse européenne».

- à traîner Hydro-Québec devant des tribunaux internationaux (comme la Cour internationale des eaux [voir Bueckert, 1992; Francœur, 1992] ou Globe, une association internationale de parlementaires intéressés aux questions environnementales [voir Tison, 1992]) pour démontrer l'absence d'études d'impact sérieuses liées au projet de Grande-Baleine;

- à aller rencontrer les étudiants sur les campus américains pour qu'ils fassent pression sur les politiciens américains;

- à obtenir l'appui de chanteurs rock (Sting entre autres) pour qu'ils influencent les jeunes étudiants américains.

Cette stratégie tous azimuts coûte énormément cher — des centaines de milliers de dollars — aux Cris qui ont recours à des firmes multinationales de relations publiques pour l'élaborer et la mettre en œuvre (à ce sujet, voir Rioux, 1991a; *L'actualité*, 1992), mais elle va porter ses fruits. Hydro-Québec est lente à réagir à cette stratégie. L'entreprise décide d'abord, à la suggestion de ses alliés américains (conseillers en marketing et dirigeants des entreprises d'électricité), de ne pas réagir à l'offensive américaine des Amérindiens et de leurs alliés (Rioux, 1991b). Mais il apparaît rapidement que la situation lui échappe et que les Amérindiens font des gains importants. Elle réagit en publiant diverses annonces dans les médias américains et en s'assurant les services d'une firme de relations publiques américaine pour reprendre en main ce dossier (Francœur, 1991a; Noël, 1991a). Elle a beau soutenir qu'un ensemble de mesures environnementales vont être mises en place et que le niveau de vie des Cris s'est amélioré depuis 1970 (la population a doublé, l'espérance de vie est à la hausse, de nombreuses entreprises cries ont été fondées), cela ne suffit pas pour renverser la vapeur puisqu'un premier contrat de vente, d'une valeur de plus de 17 milliards avec la New York Power Autority (NYPA), est annulé en mars 1992 (*La Presse* et PC, 1992). Le projet de Grande-Baleine en est grandement compromis, quoi qu'en disent les dirigeants de l'entreprise (Pelchat, 1992). Le projet sera plus tard reporté de plusieurs années.

L'annulation du contrat par la NYPA n'est compréhensible que si on rappelle que la situation, non seulement par rapport aux Cris, mais aussi par rapport à la question énergétique, a changé depuis l'entente initiale conclue avec Hydro-Québec. En effet, la baisse du taux de croissance de la demande d'électricité dans l'État de New York rend moins urgente la signature d'un contrat d'achat d'électricité avec Hydro-Québec ou tout autre producteur. Puis il semble que le gaz se présente de plus en plus comme une solution de rechange tout aussi intéressante pour combler les besoins de l'État, d'autant plus que les producteurs de gaz de l'Alberta sont en train de construire «un pipeline acheminant le gaz de l'Alberta à New York» (Rioux, 1991a, p. 50). Ainsi, du point de vue de l'acteur new-yorkais, résilier le contrat avec Hydro-Québec était aussi une bonne affaire, et non seulement une simple concession consentie aux écologistes et aux Cris. Pour

Hydro-Québec, cette solution devient une incertitude qu'elle ne maîtrise pas, ce qui n'augure rien de bon pour l'avenir.

L'enjeu véritable de cet affrontement entre Hydro-Québec et les Cris reste cependant à définir. Cet enjeu porte sur le contrôle des richesses naturelles (le potentiel hydraulique par exemple), quoi que disent les Amérindiens à propos de certains enjeux culturels ou écologiques, ou le gouvernement sur les nombreux enjeux économiques. En effet, l'enjeu culturel, qui est la protection de leur mode de vie, semble discutable, puisque ce mode de vie a déjà été, selon les Cris eux-mêmes, profondément modifié à la suite de la réalisation de la première phase de la Baie-James (LG-2, LG-3 et LG-4) et de l'arrivée des Blancs qui y ont travaillé[5]. L'enjeu écologique est bien plus un prétexte qu'un enjeu majeur pour eux puisqu'ils ont affirmé à maintes reprises que, même si les études environnementales démontraient qu'il est possible de réaliser le projet sans compromettre l'environnement, ils pourraient toujours s'y opposer au nom d'autres considérations (Leconte, 1992). Quant aux enjeux économiques dont fait état le gouvernement du Québec (création d'emplois, besoins énergétiques du Québec, etc.), ils ne dépendent pas strictement de ce projet. Hydro-Québec a d'autres projets de développement hydroélectrique en vue qui feraient tout aussi bien l'affaire de ce point de vue (*La Presse*, 1992).

Reste l'enjeu caché[6], celui du contrôle des richesses naturelles, qui passe sous le couvert de l'enjeu politique et qui repose sur une plus grande autonomie politique des Amérindiens. Cette autonomie politique les intéresse dans la mesure où elle se concrétise par un contrôle du territoire et de ses richesses naturelles qu'ils pourraient éventuellement exploiter, avec la collaboration d'entreprises privées ou publiques, et en tirer des revenus fort importants. Leurs revendications s'inspirent ici largement du cas des Navahos du Sud-Ouest américain qui retirent annuellement plus de 78 millions de dollars de l'exploitation du pétrole, du gaz et du charbon sur leur territoire (Rioux, 1992, p. 76). Mais cette autonomie politique exige une révision constitutionnelle du partage des compétences entre Ottawa et les provinces. Voilà une question qui est loin d'être réglée puisque le gouvernement du Québec n'entend pas céder ses droits de propriété sur les richesses naturelles de ce territoire, droits qui lui sont reconnus par la Constitution du Canada.

L'échec du projet de Grande-Baleine est attribuable autant à la dynamique interne d'Hydro-Québec qu'à la stratégie fort habile des Cris. À l'interne, en

---

5. Le grand chef des Cris, Matthew Coon Come : «Les parents ne peuvent plus éduquer leurs enfants sur les terres. Nous perdons notre mode de vie.» Extrait de l'annonce parue dans le *New York Times* et traduite dans *La Presse* («Catastrophe à la Baie James : destruction d'une étendue sauvage de la grandeur de la France», art. cité).
6. Selon la séduisante analyse faite par Michel Yergeau, conseiller juridique d'Hydro-Québec en matière de droit environnemental (voir Francœur, 1991b).

effet, la domination des constructeurs de barrages sur les gens des ventes et du marketing, puis celle de ces deux groupes sur les spécialistes des questions environnementales et amérindiennes, qui les avaient pourtant mis en garde contre une attitude arrogante envers les Amérindiens, y ont été pour beaucoup dans cet échec. Dès 1975, après la signature de la Convention de la Baie James, Hydro-Québec aurait pu et dû associer très fortement les Amérindiens à la gestion des barrages et au développement des projets futurs, comme le lui recommandaient les spécialistes des questions autochtones qu'elle embauchait. Elle a fait certains efforts de ce côté, comme former des techniciens amérindiens pour travailler à la surveillance et à l'entretien des barrages, mais ces efforts furent si timides qu'ils n'ont jamais donné les résultats escomptés.

Ainsi, les conséquences négatives prévisibles de la poursuite des grands projets de contruction de barrages dans le Grand Nord québécois n'ont pas été suffisamment prises en considération par les dirigeants, malgré les avertissements qu'ils avaient reçus de l'interne comme de l'externe. La domination du groupe des ingénieurs qui a fait la force d'Hydro-Québec dans les années 60 et 70 est ainsi devenue son talon d'Achille dans le nouveau contexte — montée de l'écologisme et des questions autochtones — dans les années 80 et 90. On comprend mieux alors l'effort déployé au début des années 80 pour équilibrer le rapport de force entre les groupes dans l'entreprise. Ce changement qui n'a réussi qu'à moitié explique en grande partie l'échec de la stratégie d'Hydro-Québec dans ses tentatives pour réaliser le projet de Grande-Baleine.

CONCLUSION

Le changement est un processus souvent entrepris par les dirigeants, ou par les propriétaires qui remplacent leur équipe de dirigeants par une autre, mais il peut l'être tout aussi bien par des cadres ou des employés qui, à leur échelon, introduisent des pratiques innovatrices qui pourront se diffuser ultérieurement dans l'entreprise. Que les dirigeants choisissent d'imiter des formules ayant réussi dans d'autres entreprises ou qu'à force d'essais et d'erreurs ils finissent par trouver des solutions originales, il semble que la voie du succès, dans un cas comme dans l'autre, passe par une stratégie fondée sur l'échange d'informations au sujet des pratiques à introduire, sur l'adaptation et l'appropriation de ces pratiques par tous les acteurs concernés. La réussite du processus implique aussi la connaissance non seulement des conséquences recherchées par le changement, mais aussi des conséquences moins désirables qu'il risque de produire. Il faudra alors chercher — n'est-ce pas là le sens et le but de l'adaptation et de l'appropriation? — à minimiser les conséquences négatives découlant du changement.

L'utilisation de la grille présentée à la fin du chapitre 7 (figure 7.1, p. 354) devrait permettre d'évaluer les conséquences possibles, du moins pour la dynamique interne, du changement à entreprendre et ainsi aider les acteurs à choisir la solution optimale, c'est-à-dire celle qui maximise les retombées positives et minimise les retombées négatives. De la même manière, si on veut mesurer, après coup, les effets produits par un changement, on pourra aussi se servir de cette grille. Cela implique cependant qu'il aura fallu faire au préalable, avant l'introduction du changement, une analyse de l'entreprise à l'aide de cette même grille. On sera en mesure alors de comparer les deux situations.

Malgré toutes ces précautions, il peut tout de même arriver qu'un changement ne produise pas les résultats escomptés. Ainsi est, finalement, la nature humaine, qui se laisse difficilement réduire à des modèles de prévisibilité, aussi sociologiques soient-ils, des comportements humains. Il reste toujours une part d'indéterminé dans le comportement des hommes et des femmes. La vie dans une entreprise ne fait pas exception.

Bibliographie

ARGYRIS, C., et SCHÖN, D.A. (1978). *Organizational Learning: A Theory of Action Perspective*, Reading (Mass.), Addison-Wesley, 344 p.

BELLEMARE, P. (1997). «Profit en baisse chez Alcan», *La Presse*, 17 janvier, p. C2.

BERNOUX, P. (1995). *La sociologie des entreprises*, Paris, Seuil, coll. «Points», 396 p.

BISSON, B. (1991). «Grande-Baleine, grandeur nature. Ce que Hydro-Québec veut faire, techniquement et économiquement», *La Presse*, 17 août, p. B1.

BROSSARD, M., et SIMARD, M. (1990). *Groupes semi-autonomes de travail et dynamique du pouvoir ouvrier. L'évolution du cas Steinberg*, Québec, Presses de l'Université du Québec, 138 p.

BUECKERT, D. (1992). «Hydro-Québec invitée à se défendre à Amsterdam», *Le Devoir*, 6 janvier, p. A2.

CHANDLER, A.D. (1962). *Stratégies et structures de l'entreprise*, 1989, Paris, Éditions d'organisation, 543 p.

CHANLAT, A., BOLDUC, A., et LAROUCHE, D. (1984). *Gestion et culture d'entreprise. Le cheminement d'Hydro-Québec*, Montréal, Québec/Amérique, 250 p.

CROZIER, M., et FRIEDBERG, E. (1977). *L'acteur et le système*, Paris, Seuil, coll. «Points», 500 p.

DEMERS, C. (1990). *La diffusion stratégique en situation de complexité, Hydro-Québec, un cas de changement radical*, thèse de doctorat, Montréal, École des HEC, 292 p.

DUCAS, M.-C. (1996). «Le retour d'Alcan», *Le Devoir*, 13 avril, p. C5.

FRANCŒUR, L.-G. (1991a). «Hydro déclenche son offensive américaine», *Le Devoir*, 24 octobre, p. A1 et A4.

FRANCŒUR, L.-G. (1991b). «Un conseiller juridique d'Hydro trace les contours de la "vraie" bataille autour de Grande-Baleine», *Le Devoir*, 17 décembre, p. A3.

FRANCŒUR, L.-G. (1992). «Le Tribunal de l'eau ne condamne pas Grande-Baleine», *Le Devoir*, 21 février, p. A1.

FRIDENSON, P. (1994). «La circulation internationale des modes managériales», dans J.P. Bouilloud et B.P. Lécuyer (sous la dir. de), *L'invention de la gestion*, Paris, L'Harmattan, p. 81-89.

GOUVERNEMENT DU QUÉBEC (1976). *Convention de la Baie James et du Nord québécois* (Convention entre le Gouvernement du Québec, la Société d'énergie de la Baie James, la Société de développement de la Baie James, la Commission hydroélectrique de Québec [Hydro-Québec], le Grand Council of the Crees [of Québec], la Northern Québec Inuit Association et le Gouvernement du Canada), trad. en français par le service rédaction et traduction de la Société d'énergie de la Baie James, Québec, Éditeur officiel, 486 p.

HAFSI, T., et DEMERS, C. (1989). *Le changement radical dans les organisations complexes, Le cas d'Hydro-Québec*, Boucherville (Québec), Gaëtan Morin Éditeur, 310 p.

L'ACTUALITÉ (1992). «Comment les Cris ont planté Hydro. Prise 2», 1er mars, p. 13.

LAPOINTE, P.-A. (1992). «L'Alcan, une entreprise mais trois modèles d'usine», communication présentée au Colloque international «Le "métier" de dirigeant: son passé, son présent, son avenir», Montréal, École des HEC, 15-19 juin, 20 p.

LAPOINTE, P.-A. (1993a). *Usine Arvida: de la crise du travail au renouvellement du fordisme*, Montréal, Université du Québec à Montréal, Département de sociologie, Cahiers du CRISES no 9305, 102 p.

LAPOINTE, P.-A. (1993b). *Usine Grande-Baie: le néo-fordisme ou «la grande illusion»*, Montréal, Université du Québec à Montréal, Département de sociologie, Cahiers du CRISES no 9306, 33 p.

LAPOINTE, P.-A. (1993c). *Usine Laterrière: un dépassement du fordisme*, Montréal, Université du Québec à Montréal, Département de sociologie, Cahiers du CRISES no 9307, 50 p.

LA PRESSE (1992). «Des scénarios de rechange», 4 avril, p. B1.

LA PRESSE et PC (1992). «Une victoire pour les Cris et les Verts», 28 mars, p. A2.

LECONTE, C. (1991a). «L'accord source de tous les désaccords», *Le Devoir*, 18 septembre, p. B1-B2.

LECONTE, C. (1991b). «Un compromis accepté en novembre 1975», *Le Devoir*, 18 septembre, p. B1.

LECONTE, C. (1992). «Les Cris ne se conformeront pas aux conclusions de l'évaluation de Grande-Baleine», *Le Devoir*, 27 février, p. A1.

NOËL, A. (1991a). «Hydro-Québec va riposter au coup publicitaire truffé "d'erreurs grossières"», *La Presse*, 23 octobre, p. A4.

NOËL, A. (1991b). «Des groupes écologistes dénoncent à leur tour l'annonce de la James Bay Coalition, parue dans le *New York Times*», *La Presse*, 24 octobre, p. B5.

PELCHAT, M. (1992). «"Le Québec aura besoin de Grande-Baleine en l'an 2000" — Richard Drouin réaffirme la volonté d'Hydro-Québec d'aller de l'avant malgré l'annulation du contrat new-yorkais», *La Presse*, 30 mars, p. A4.

RIOUX, C. (1991a). «Comment les Cris ont planté Hydro», *L'actualité*, 15 décembre, p. 46-50.

RIOUX, C. (1991b). «Un silence d'agneau», *L'actualité*, 15 décembre, p. 48.

RIOUX, C. (1992). «Vive les Navahos libres!», *L'actualité*, 15 octobre, p. 74-78.

SAUSSOIS, J.-M. (1994). «Henri Fayol, ou l'invention du Directeur Général salarié», dans J.P. Bouilloud et B.P. Lécuyer (sous la dir. de), *L'invention de la gestion*, Paris, L'Harmattan, p. 45-51.

TISON, M. (1992). «Une inquiétante résolution tuée dans l'œuf», *La Presse*, 6 février, p. B1.

WREN, D.A. (1994). *The Evolution of Management Thought*, 4e éd., New York, John Wiley & Sons, 466 p.

La logique de l'entreprise et la logique de la société : deux logiques inconciliables ?

Jean-François Chanlat

L'entreprise est devenue un acteur clé des sociétés contemporaines. En effet, il ne se passe pas une journée sans que la presse, ici ou à l'étranger, fasse état des activités économiques en général ou de celles d'une entreprise en particulier, les médias rivalisant entre eux pour couvrir l'actualité économique. Dans un univers social qui met l'accent sur la croissance, le marché, les échanges, le profit, la productivité et le rendement, l'entreprise est bel et bien devenue, comme le souligne le titre d'un ouvrage sous la direction de Sainsaulieu (1990), une affaire de société.

De nos jours, des entreprises comme General Motors, Sony, Microsoft, Hydro-Québec, Renault, British Airways, Bombardier, Siemens, Boeing, Airbus Industries, Dawoo, Petrobras, Alcan et plusieurs autres font partie, chacune à leur manière, du nouveau paysage de la société actuelle. La moindre de leurs actions (investissement, licenciement, assemblée générale des actionnaires, publication des résultats financiers, lancement de nouveaux produits, litiges juridiques, grèves) est rapidement signalée et occupe le devant de la scène. Pourquoi un tel intérêt envers l'entreprise ?

Tout simplement parce que les entreprises, qu'elles soient petites, moyennes ou grandes, participent à la construction de nos sociétés et que leurs activités, leur logique de fonctionnement, leurs pratiques de gestion, leurs stratégies et leurs valeurs sont au cœur de la dynamique sociale d'aujourd'hui (Segrestin, 1992 ; Bernoux, 1995 ; Francfort et autres, 1995 ; Alter, 1996 ; Thuderoz, 1997).

Cette présence de l'entreprise dans la vie sociale n'est pas un phénomène récent. En Occident, on la trouve, sous sa forme moderne, dès le Moyen Âge.

Mais ce n'est qu'au XIXe siècle que l'entreprise prend de l'importance, et elle devient prédominante au XXe siècle. Un président américain n'a-t-il pas été jusqu'à déclarer, dans les années 50, que ce qui était bon pour la General Motors était bon pour les États-Unis ?

À chaque époque, les effets de l'activité économique des entreprises se font sentir. Pensons aux banques de la Renaissance italienne, aux grandes compagnies commerciales du XVIIe siècle, aux premières manufactures du Siècle des lumières, aux entreprises minières et ferroviaires du siècle dernier, à la compagnie Ford du début de ce siècle. Chacune de ces entreprises a eu une influence sensible sur son environnement. Les historiens, les philosophes, les économistes, les sociologues, les psychologues et les écrivains ont tous commenté ce phénomène à des degrés divers. Aujourd'hui, cette préoccupation n'a pas disparu. Bien au contraire, l'importance accrue des entreprises dans la vie sociale nous force à nous interroger sur les conséquences qu'elles ont sur nos sociétés.

Il existe une abondante littérature dans ce domaine qui couvre des aspects fort variés. Dans ce chapitre, nous rendrons compte de cette influence d'une double manière, en présentant d'une part les effets positifs des activités de l'entreprise et d'autre part leurs conséquences négatives. Dans les deux cas, nous examinerons les effets à la fois internes et externes des pratiques de gestion en nous appuyant sur la documentation disponible et sur nos propres recherches. Pour terminer, nous chercherons à dégager les principales conditions d'un meilleur équilibre entre l'entreprise et la société qui l'environne.

LES DEUX VISAGES DE L'ENTREPRISE

L'entreprise est à l'image du dieu Janus ou de ces statuettes africaines à deux visages qu'on observe parfois dans les musées. Elle comporte sa part d'ombre et de lumière, de bon et de mauvais. Pour bien comprendre la place qu'occupe l'entreprise dans la société et l'influence qu'elle y exerce, il importe de cerner ces divers aspects, tant positifs que négatifs.

LES VERTUS DE L'ENTREPRISE

L'entreprise en tant qu'organisation existe depuis longtemps. Comme nous l'avons dit plus haut, les historiens la font remonter, dans sa version moderne, au Moyen Âge et l'associent étroitement à la montée du capitalisme (Jones, 1981 ; Braudel, 1985 ; Kennedy, 1989). Max Weber, le célèbre sociologue allemand, situe justement le capitalisme là où l'entreprise est la forme économique dominante :

> Il y a capitalisme là où les besoins d'un groupe humain qui sont couverts économiquement par des activités professionnelles le sont par la voie de l'entreprise, quelle que soit la nature du besoin ; plus spécialement, une

exploitation capitaliste rationnelle est une exploitation dotée d'un compte de capital, c'est-à-dire une entreprise lucrative qui contrôle sa rentabilité de manière chiffrée au moyen de la comptabilité moderne et de l'établissement d'un bilan. (Weber, 1991, p. 296-297.)

Comme on le voit, c'est ce type d'organisation associée étroitement au capitalisme qui s'impose peu à peu à partir du début du siècle. Dans un monde qui place l'économique au centre des préoccupations (Polanyi, 1974), l'entreprise capitaliste devient le lieu par excellence de la production de biens et, pour la pensée libérale, l'instrument privilégié du développement (Aron, 1962). Toutefois, il faut souligner que la forme capitaliste n'est pas la seule et unique forme d'entreprise. Comme nous l'avons vu dans les premiers chapitres, il existe également des entreprises publiques, coopératives ou mixtes qui, selon les pays et les périodes historiques, occupent une place plus ou moins importante. L'expérience des pays anciennement socialistes ou, plus près de nous, le rôle qu'ont joué les entreprises publiques après la Deuxième Guerre mondiale sont là pour en témoigner.

Pour les défenseurs de l'entreprise privée, cette forme de propriété qui réunit toutes les caractéristiques du modèle idéal typique, toute entreprise possède plusieurs vertus ou plusieurs fonctions positives au sein du système capitaliste qui est le nôtre. Ces qualités sont au nombre de six. En premier lieu, l'entreprise assume une fonction économique importante. Elle produit des biens et des services et, ce faisant, elle crée de la valeur, c'est-à-dire de la richesse qu'elle permet de redistribuer. En deuxième lieu, elle a une fonction sociale. Elle est en effet un lieu d'intégration, d'appartenance et de développement personnel. En troisième lieu, elle a une fonction innovatrice, car elle est à la base de nombreuses innovations sociales et techniques. En quatrième lieu, elle participe par son existence même à l'avènement d'une société libre. C'est en quelque sorte sa fonction politique. En cinquième lieu, elle contribue, par ses productions, ses activités et ses innovations, à la culture de la société à laquelle elle appartient. C'est sa fonction culturelle. Enfin, par son soutien aux domaines artistique et scientifique et ses dons aux associations caritatives, elle joue un rôle civique. C'est sa fonction de mécène.

L'entreprise comme lieu de création de richesses

Depuis plus de deux siècles maintenant, la richesse des nations, comme l'a soutenu Adam Smith (1976) dans un livre devenu célèbre, est avant tout considérée comme le fruit du travail, de la division du travail et de l'échange. Cette conception moderne de l'enrichissement met fin à l'ancienne vision, héritée du monde féodal, qui était essentiellement statique et où la richesse était synonyme d'accaparement. Selon la conception smithienne, la richesse ne provient plus de ce qu'on possède ou de ce qu'on prend à l'autre par la conquête ou le pillage, mais du travail et de l'échange. Le doux commerce, si cher à Montesquieu, devient par le jeu des intérêts bien compris un instrument de pacification (Hirschman, 1984). Et les producteurs, comme dans la célèbre parabole de Saint-Simon au début du XIXe siècle, prennent enfin la place qui doit leur revenir, c'est-à-dire la première.

Cette idée, largement partagée dans les cercles libéraux, a fait son chemin depuis puisqu'elle a été à la base de ce qu'on appelait hier l'économie politique, première science sociale digne de ce nom, et de ce qu'on appelle aujourd'hui l'économique. En mettant l'accent sur le caractère dynamique de la création de richesses, on pouvait désormais penser au progrès et à l'amélioration générale des conditions de vie. Dans cette nouvelle conception, l'entreprise et l'entrepreneur occupent une place centrale (Schumpeter, 1951). Il est donc dans l'intérêt de tous de favoriser leur existence si on veut améliorer la situation du plus grand nombre (Baechler, 1995).

Dans *Le grand espoir du XXe siècle*, Jean Fourastié (1958) rappelle combien les sociétés occidentales ont en effet amélioré leur sort, au cours du dernier siècle, en multipliant les investissements, en améliorant la productivité et en innovant. Ce mouvement a été très largement associé au dynamisme des entreprises. Qu'en est-il de nos jours? Il ne fait aucun doute que les entreprises sont plus que jamais au cœur de la croissance qui caractérise notre époque. Quand une entreprise décide d'investir dans une région, tous (les communautés, les gouvernements, les syndicats, les commerces environnants, etc.) ne peuvent que s'en réjouir, la plupart du temps. Cette occasion est synonyme d'activité économique, d'emplois, de revenus, de rentrées fiscales, autrement dit une occasion de création de valeur sans laquelle toute communauté aurait des difficultés à améliorer son existence matérielle. La décision récente d'Ubisoft, l'un des chefs de file de la production d'images de synthèse en Europe, de s'installer à Montréal en constitue un exemple probant. En choisissant la métropole québécoise pour établir son centre de production nord-américain, l'entreprise française va non seulement créer 650 emplois dans le secteur de l'imagerie informatique, mais aussi renforcer l'industrie québécoise du logiciel, déjà fort dynamique. Par la même occasion, elle vient consolider le pôle économique montréalais que constitue l'industrie de la haute technologie.

Chaque entreprise contribue ainsi plus ou moins à l'activité de la région où elle est établie. C'est la raison pour laquelle tous les ordres de gouvernement (fédéral, provincial, régional, municipal) ont mis en place des structures de développement économique dont la principale tâche consiste à attirer les investissements dans leur région, notamment dans les secteurs les plus prometteurs (l'aéronautique, l'informatique, le génie biomédical, les télécommunications, l'intelligence artificielle, etc.). Au Québec, on a également assisté à la création de fonds d'investissement syndicaux, tel le Fonds de solidarité de la FTQ, qui contribue en outre au lancement de nouvelles entreprises ou au soutien d'entreprises déjà établies, provoquant ainsi un changement de mentalité au sein du mouvement syndical, longtemps cantonné dans l'opposition systématique.

Si, pour de nombreux acteurs institutionnels, l'entreprise privée est, aujourd'hui, bel et bien au cœur du développement économique, il reste que les autres formes d'entreprises jouent également un rôle important dans ce domaine. Dans les chapitres précédents, nous avons vu combien les secteurs public et coopératif remplissent des fonctions essentielles dans l'économie québécoise et ont contribué à l'affirmation des francophones au cours des 40 dernières années dans des secteurs qui étaient largement dominés jusque-là par des intérêts étrangers ou anglophones (Dupuis, 1995).

Dans le processus de production de biens et de services, les entreprises publiques, coopératives ou à vocation sociale comblent souvent des besoins qui sont mal ou pas du tout satisfaits par les entreprises privées, ces dernières s'intéressant seulement à la demande solvable. Quand on parle de contribution économique, on ne peut donc les ignorer. Cette situation peut s'observer dans de nombreux pays. Leur degré de participation à la vie économique nationale contribue par ailleurs à la spécificité des modèles de capitalisme dont fait état le premier chapitre.

L'entreprise comme lieu d'intégration et d'appartenance sociale

L'entreprise n'est pas uniquement une structure de production de biens et de services, donc de richesses, elle constitue également un lieu d'intégration et d'appartenance sociale. Nombreux sont les travaux sociologiques qui le rappellent (Sainsaulieu, 1990 ; Dubar, 1991 ; Bernoux, 1995 ; Castel, 1995 ; Bélanger et Lévesque, 1996 ; Sainsaulieu, 1997). En créant de l'emploi dans une communauté, l'entreprise, quelle que soit la nature de ses activités, permet à un certain nombre de gens d'exercer un métier et de s'enraciner dans un lieu (Fischer, 1992). Par là même, elle leur confère une identité sociale et professionnelle sans laquelle, dans le monde actuel, l'individu se sent sans valeur. Elle leur permet également de s'insérer dans un ensemble et d'y créer des liens sociaux, et donc de satisfaire les besoins d'appartenance et de reconnaissance qui sont si essentiels à l'existence humaine et à l'équilibre personnel (Dejours, 1993).

Si l'individu trouve sa raison d'être dans les autres, l'entreprise, à sa manière, participe à l'établissement et au renforcement du moi social. En effet, combien de fois au cours d'une journée se fait-on demander : «Que faites-vous ?» «Où travaillez-vous ?» Plusieurs sont fiers de pouvoir répondre qu'ils travaillent pour telle ou telle entreprise d'envergure ou qu'ils sont informaticiens, électrotechniciens, comptables, financiers, assureurs, etc. L'entreprise offre donc plus qu'un salaire. Elle permet à l'individu de s'inscrire dans un champ social où il peut jouer un rôle et bénéficier d'un statut en rapport avec ce rôle. Pour être cadre, technicien, employé, ouvrier ou secrétaire, il faut en effet trouver un lieu qui nous permettra de l'être (De Bandt, Dejours et Dubar, 1995).

Comme nous l'avons vu dans un chapitre précédent, ce sentiment d'intégration et d'appartenance sera par ailleurs plus ou moins fort selon la culture de l'entreprise. Mais pour qu'il existe, il faut qu'il y ait au départ ce lien fondamental qu'est l'emploi. C'est une condition *sine qua non*. À cet égard, les pratiques de gestion jouent un rôle particulièrement important. Au paternalisme qui associait — et associe encore parfois — l'entreprise à une famille se sont substituées d'autres conceptions de l'entreprise : l'équipe sportive, la communauté d'intérêts, le contrat, le dogme ou la règle bureaucratique. Si chacune renvoie à un type de gestion particulier, elles créent toutes un lien social (Enriquez, 1992) et participent ainsi à la constitution de la société et à sa singularité.

L'entreprise participe aussi à la création d'un lien social sur un plan plus large, c'est-à-dire à l'extérieur de l'établissement. Par ses multiples rapports avec ses fournisseurs, ses actionnaires, ses clients, ses syndicats, ses concurrents — ne parle-t-on pas parfois de coopération conflictuelle ? —, les différents ordres de gouvernement et la communauté qui l'environne, l'entreprise participe à l'élaboration de réseaux sociaux qui sont autant de points d'ancrage pour chacun des maillons du système social. Elle contribue par là même à renforcer l'identité et le rôle de chacun. C'est en effet dans l'échange et la confrontation que s'affirme un individu ou un groupe. Par sa présence, toute entreprise, quelle que soit sa nature (privée, publique ou coopérative), permet aux autres organisations de se définir elles aussi, tout comme ces dernières contribuent à sa définition. Prenons par exemple l'entreprise de restauration rapide McDonald's. Elle a ses fournisseurs, ses partenaires, ses clients, ses concurrents, etc. Chacun d'entre eux se situera par rapport à elle. Certains y verront le comble du mauvais goût alimentaire (les restaurants de qualité), d'autres, une organisation particulièrement performante (les spécialistes en marketing), d'autres encore, un commanditaire prestigieux (les équipes de sport amateur), d'autres, enfin, une manifestation de la culture américaine (les anthropologues) ou bien un pollueur et un destructeur de la nature (les écologistes) (voir l'encadré 9.1, p. 406). Autrement dit, du simple fait de son existence, McDonald's tisse des liens et permet à d'autres de se situer par rapport à elle-même. Toutes ces interrelations contribuent à édifier l'ordre socioéconomique, donc à créer une relation sociale et à définir des identités. On trouvera ce processus à l'œuvre autour de chaque entreprise, quelle que soit sa forme. Mais la diversité des formes d'entreprises contribue elle aussi largement à la construction identitaire, comme en attestent les figures du secteur privé (l'entrepreneur, l'investisseur, le commerçant), celles du secteur public (le fonctionnaire, le bureaucrate) ou celles du secteur de l'économie sociale (le membre, le sociétaire).

L'entreprise comme lieu d'innovation

Au sein d'une société soumise à la croissance continue et à la concurrence, l'innovation devient une variable stratégique. Elle permet d'obtenir des avantages par rapport aux autres, elle entraîne de nouvelles façons de faire et elle contribue à la transformation de notre réalité.

Les innovations revêtent plusieurs formes. Elles peuvent toucher les produits, les processus de fabrication, les circuits de distribution, les techniques financières, les pratiques sociales, etc. Elles peuvent avoir des retombées plus ou moins importantes. Pensons, par exemple, au taylorisme, au fordisme, aux produits financiers dérivés, au juste-à-temps, au télémarketing, aux techniques de recrutement, à la qualité totale ou encore à la réingénierie des processus. Chacun résulte d'innovations qui ont provoqué des changements dans les modes de fonctionnement des entreprises, voire, dans certains cas, dans la société dans son ensemble. L'entreprise Ford, par exemple, n'a pas seulement inventé la chaîne de montage, elle a également contribué à l'avènement de la société de consommation de masse (Boyer et Durand, 1993). En haussant les salaires de ses ouvriers, Henry Ford leur a permis d'acheter les automobiles qu'ils fabriquaient. En produisant en grandes quantités, il a créé l'usine moderne, qui regroupait des milliers d'employés. C'est de cette concentration ouvrière qu'a pu surgir la syndicalisation de masse. Enfin, en rendant possible au plus grand nombre l'accès à une voiture, il a permis de modifier profondément le paysage urbain et la notion d'espace. Si toutes les innovations ne provoquent pas de tels changements, chacune, à sa façon, participe au remodelage des entreprises, voire de la société dont elles font partie. L'invention et la commercialisation du micro-ordinateur en constituent un autre exemple tout à fait éloquent.

Aujourd'hui, le monde économique est en grande mutation. Une partie de cette mutation vient directement du fait que les entreprises, poussées par la perspective du gain et la concurrence, innovent constamment. On n'a qu'à penser à l'industrie informatique, dont le rythme dans ce domaine est tout simplement effréné, ou encore au secteur biomédical pour s'en convaincre. Si l'innovation et plus particulièrement le progrès technique sont au centre de la dynamique du capitalisme contemporain, fondé sur le savoir et les connaissances, l'entreprise est certainement l'une des organisations qui en produit et en utilise le plus.

L'entreprise comme expression d'une société libre

L'entreprise et l'esprit d'entreprise ont, depuis deux siècles, été associés à l'ouverture sur le monde et au rejet des privilèges liés à la naissance. L'émergence du capitalisme en Occident, un véritable miracle européen, selon plusieurs historiens contemporains (Jones, 1981 ; Kennedy, 1989), serait en partie redevable à l'apparition de l'entreprise et au contexte favorable qui a permis son développement, notamment à certains facteurs politiques et culturels (Todd, 1984 ; Baechler, 1995). En permettant à cette forme sociale de production de biens et de services de prospérer, on a donné la possibilité aux idées, aux hommes et aux marchandises de circuler. Grâce à l'échange, on a contribué à désenclaver des régions et à créer de véritables économies-mondes (Braudel, 1985). On a permis à de nombreuses sociétés de connaître des produits nouveaux et des techniques nouvelles. Les pays, les régions et les villes qui n'ont pas encouragé l'activité entrepreneuriale ont connu une tout autre existence, comme ce fut le cas en Chine, dont l'empereur interdit à partir du XVe siècle la navigation hauturière et le commerce au loin, et au Japon, qui, au début du XVIIe siècle, chassa tous les étrangers installés sur son sol et se referma sur lui-même pendant deux siècles (Kennedy, 1989).

En Occident, tous les États qui ont freiné à des degrés divers le développement des entreprises ont connu des périodes creuses comparativement aux États qui accordaient plus d'intérêt aux ambitions commerciales (Kennedy, 1989 ; Baechler, 1995). Dans l'histoire du monde, l'ouverture des barrières, la réduction des privilèges des corporations, le déclin des valeurs aristocratiques et l'abolition du servage ont permis peu à peu la victoire des producteurs sur les rentiers, des bourgeois sur les aristocrates. Avec l'entreprise capitaliste, les ouvriers étaient désormais libres de vendre leur force de travail à qui ils voulaient. Ils n'étaient plus liés pour la vie à un maître comme l'étaient naguère les paysans. C'est la raison pour laquelle Karl Marx (1967) lui-même, qu'on ne peut soupçonner de complaisance envers l'entreprise capitaliste, reconnaissait les vertus libératrices de cette forme de production sans laquelle il ne pouvait y avoir de changement social profond. Cette idée sera à la base de toute la pensée modernisatrice, qu'elle soit de gauche, à savoir inspirée plus ou moins par la pensée marxiste, ou de droite, c'est-à-dire libérale. La gauche la considérant comme une étape incontournable de la marche vers l'émancipation, la droite comme une donnée fondamentale d'une société libre et démocratique.

À l'heure actuelle, cette question a repris de la vigueur avec l'effondrement du bloc de l'Est et le déclin des expériences socialistes dans les pays en développement, comme c'est le cas en Chine aujourd'hui. L'entreprise apparaît comme le meilleur instrument de développement et d'ouverture sur le monde et même, pour certains, comme un rempart nécessaire contre toute renaissance du totalitarisme. L'entreprise joue alors le rôle de contre-pouvoir à un État toujours potentiellement envahissant et tutélaire. On est ici en présence de la vieille thèse de l'équilibre des pouvoirs de Montesquieu appliquée à la société contemporaine. Dans les pays en développement, l'entreprise peut délier les attaches sociales de toutes sortes qui empêchent les gens d'être plus libres (clientélisme, clanisme, tribalisme, etc.).

L'entreprise en tant que productrice de culture

L'entreprise ne produit pas seulement des biens matériels ou des bénéfices. Elle contribue également à la culture de la société dont elle fait partie, voire à la culture des sociétés étrangères où elle investit. Toute entreprise émerge dans un lieu précis, qui possède des caractéristiques qui lui sont propres. Si la culture ambiante influe sur la dynamique de l'entreprise, comme l'ont démontré certaines études sociologiques (Iribarne, 1989; Whitley, 1992a, 1992b), les entreprises participent en retour à la transformation des cultures qu'elles rencontrent par leurs innovations, leurs productions et leurs valeurs. Elles constituent même dans certains cas de véritables symboles d'une société particulière, voire d'une civilisation (Ritzer, 1993).

Nous avons déjà brièvement évoqué l'effet du fordisme sur nos sociétés. Mais on peut penser également aux découvertes pharmaceutiques, au développement du prêt-à-porter, à la prolifération de la restauration rapide ou aux productions de séries télévisées, par exemple, qui, chacun à leur façon, ont modifié le rapport que les membres de certaines populations entretenaient avec la vie, leur corps, leur apparence, leur façon de se nourrir et leur imaginaire. En d'autres termes, Coca-Cola, McDonald's, Chanel, Ciba-Geigy, Hydro-Québec, Pemex, Honda, CNN, Microsoft, etc. ne sont pas seulement des fabricants ordinaires de biens particuliers, ils sont aussi des agents de transformation culturelle servant de vecteurs à leur culture nationale. À cet égard, certaines entreprises deviennent de véritables institutions. Les Québécois se rappellent l'époque récente où l'on ne faisait pas son marché mais son «Steinberg». Mais comme toutes les productions humaines, les entreprises sont périssables. Et Steinberg, tout comme bien d'autres institutions semblables, est aujourd'hui disparu.

L'entreprise en tant que mécène et donatrice

Depuis les années 80, l'entreprise est de plus en plus active dans les domaines artistique et scientifique ainsi que dans les œuvres à caractère social. Là encore, cet engagement n'est pas tout à fait nouveau. On pouvait déjà l'observer au siècle dernier, notamment aux États-Unis. Combien d'universités et d'institutions américaines ont en effet bénéficié de contributions importantes des entreprises pour se développer? Presque toutes, à tel point que leur nom même dans certains cas emprunte celui du généreux donateur. Les fondations Rockefeller, Ford ou Carnegie sont célèbres dans le monde entier. Nombreuses sont également les écoles de médecine, de gestion et de génie qui portent des noms d'entrepreneurs ou encore les chaires universitaires qui n'hésitent pas à se désigner sous le nom de l'entreprise qui a versé les fonds. Au Canada, même si les universités sont avant tout publiques, se dessine la même tendance. Les restrictions budgétaires successives effectuées par les gouvernements fédéral et provinciaux, la baisse du nombre d'étudiants et le gel des frais de scolarité amènent les universités canadiennes et québécoises à solliciter cette forme d'aide. C'est ainsi qu'on a pu voir, très récemment, l'une des écoles de gestion les plus renommées du Canada anglais vendre son nom pour près de 20 millions de dollars, et la plus importante école de gestion du Québec faire commanditer les salles de cours et les espaces publics de son nouvel immeuble. Aux prises avec les mêmes problèmes, les hôpitaux imitent aussi les institutions américaines.

Toutefois, l'entreprise ne soutient pas uniquement les universités et les hôpitaux, elle subventionne également les compagnies de théâtre et d'opéra, les concerts classiques et populaires, les événements sportifs et toute autre activité qui lui donnera une bonne visibilité. C'est ainsi qu'on peut assister à Montréal aux concerts Air Canada, au festival Du Maurier, au Grand Prix Molson, à des représentations du théâtre Alcan, aux expositions L'Oréal, etc. Enfin, les entreprises contribuent aussi aux campagnes de financement de nature sociale. Au Québec, la campagne annuelle de Centraide est l'occasion de montrer sa générosité et sa solidarité envers ceux et celles qui sont dans le besoin. De même, les soirées télévisées consacrées à certaines maladies graves constituent autant d'occasions de manifester son esprit civique. Dans des sociétés où les gouvernements diminuent substantiellement leurs contributions, les entreprises sont de plus en plus appelées à prendre le relais de l'État.

Cette image de l'entreprise mécène et donatrice constitue de nos jours un élément de communication moderne, en suppléant, d'une certaine façon, aux campagnes publicitaires. Certaines entreprises se montrent plus généreuses que d'autres, mais toutes tentent de donner une bonne image d'elles-mêmes. Si elles sont souvent motivées par des considérations fiscales, il reste, en revanche, que plusieurs estiment qu'il est normal de redonner à la communauté ce qu'elles en ont reçu.

LES VICES DE L'ENTREPRISE

Malheureusement, l'entreprise n'a pas que de bons côtés. Depuis son apparition et surtout depuis son développement au siècle dernier, les critiques à son endroit se sont multipliées, et recouvrent plusieurs aspects.

L'entreprise comme lieu d'exploitation

La première critique systématique à l'endroit de l'entreprise a été formulée par Karl Marx dans la première moitié du XIXe siècle. Elle a constitué le point de départ de toutes les critiques ultérieures. Pour l'auteur du *Capital* (1967), la manufacture était le lieu par excellence de l'accumulation capitaliste résultant de l'exploitation de la force de travail. Par exploitation, Marx entendait le fait que l'ouvrier n'était pas payé à sa juste valeur par rapport au travail effectué. S'appuyant sur les postulats de l'économie politique classique, Marx voyait dans le travail la principale source de création de richesse. Or, si le travail était la variable clé, c'était avant tout la misère des classes laborieuses qu'il observait, comme on les appelait à l'époque. Partant de là, il expliquait le formidable développement économique par l'accumulation qui était rendue possible grâce à l'exploitation de millions d'hommes, de femmes et d'enfants de par le monde et en particulier en Angleterre, où il vivait en exil et où la révolution industrielle avait débuté.

Cette notion d'exploitation a depuis été reprise par de nombreuses personnes. Elle renvoie à l'idée que le travail accompli n'est pas rémunéré à son juste prix. Une entreprise sera accusée d'exploitation lorsqu'elle offrira de bas salaires pour de longues heures de travail et pas ou peu d'avantages sociaux. De telles situations sont régulièrement dénoncées par les syndicats, les groupes de pression, la presse nationale et internationale ou encore par des rapports d'organismes internationaux comme le Bureau international du travail (BIT) ou la Banque mondiale. Ces rapports révèlent que des dizaines de millions d'enfants et d'adultes travaillent dans les pays en voie de développement pour des salaires de misère, que de véritables filières internationales alimentent certaines industries des pays industrialisés (textile, confection, restauration, hôtellerie, agriculture, bâtiment et travaux publics, etc.) en main-d'œuvre bon marché, sans parler bien sûr de toutes les activités illicites (drogue, prostitution, jeux, etc.) qui entretiennent l'économie parallèle, et dont les pratiques s'apparentent plus à l'esclavagisme qu'à toute autre forme de système économique.

Les entreprises connues ne sont pas à l'abri de ce genre de critiques. Le procès que McDonald's a intenté devant les tribunaux contre deux écologistes britanniques pour propos diffamatoires touchait justement cet aspect. Si l'entreprise a gagné son procès, la cour n'a toutefois pas rejeté totalement cette accusation (voir l'encadré 9.1, p. 406).

Le but de toute entreprise privée étant de réaliser des bénéfices, il n'est donc pas étonnant que certains puissent profiter de la situation pour exiger plus de leurs employés sans aucune contrepartie. Dans le contexte de chômage élevé, de précarité d'emploi, d'exclusion et de grande turbulence que nous connaissons actuellement, il n'est pas rare de voir des gens travailler dans des conditions particulièrement inférieures à ce qu'ils auraient eu antérieurement. De tels cas s'observent aujourd'hui dans de nombreux pays industrialisés, notamment en Grande-Bretagne et aux États-Unis, où l'on trouve de nombreux *working poors*, comme on les appelle dans ces pays, c'est-à-dire des gens qui travaillent à des salaires inférieurs au seuil de pauvreté (Thurow, 1996 ; de Beer, 1997 ; Wolman et Colamosca, 1997).

L'exploitation dont on accuse les entreprises ne concerne pas uniquement les individus, mais aussi certaines richesses naturelles dans les pays en voie de développement. Cette question, qui a fait naître des débats passionnés au cours des années 60 et 70, amenant de nombreux pays à nationaliser plusieurs industries, a perdu de l'intensité avec le récent discours sur la mondialisation et l'ouverture des marchés. Toutefois, le juste prix à payer pour les matières premières des pays du Sud demeure une question régulièrement soulevée par certaines instances nationales et internationales.

ENCADRÉ 9.1   McDonald's devant les tribunaux en Grande-Bretagne

Le géant de la restauration rapide McDonald's a dû affronter un long procès en Grande-Bretagne. Accusée par deux écologistes britanniques d'empoisonnement au hamburger, d'exploitation du Tiers-Monde et d'esclavage industriel, l'entreprise a remporté le 19 juin 1997 le procès en diffamation qui l'opposait à Dave Morris et Helen Steel. Après un procès de 313 jours décrit en 800 pages, McDonald's a eu raison de ses deux opposants. Ce procès, qui lui aura coûté 16 millions de dollars en frais de justice, lui aura permis de se défendre contre les différentes accusations portées: publicité mensongère, utilisation de produits avariés, cruauté envers les animaux, pollution urbaine, participation active à la déforestation au Brésil, au Guatemala et au Costa Rica. Si le président de la cour a reconnu que la majorité des accusations étaient diffamatoires, il a convenu par ailleurs que certaines d'entre elles étaient fondées, notamment celles qui touchaient les bas salaires, la cruauté dans l'abattage des animaux et l'exploitation des enfants dans des campagnes publicitaires. Les deux pourfendeurs de McDonald's ont assuré leur propre défense, tout en bénéficiant d'un comité de soutien qui utilisait un site Internet. Ils ont été condamnés à payer 100 000 dollars de dommages et intérêts à McDonald's. Cette dernière a fait savoir qu'elle ne les exigerait pas, ses deux détracteurs étant sans argent. Ceux-ci ont toutefois confirmé qu'ils continueraient leur lutte.

La notion d'exploitation continue, souvent avec raison, de marquer le débat social. Elle rappelle qu'une entreprise est aussi jugée par sa contribution sur le plan économique à l'intérieur autant qu'à l'extérieur de ses murs. Lorsque cette contribution n'est pas à la hauteur du travail fourni par son personnel et des services rendus par sa communauté, elle court le risque d'être accusée d'exploitation par ceux qui se sentent lésés.

L'entreprise comme instrument de domination

L'exploitation n'est pas le seul reproche qu'on peut adresser aux entreprises. Selon Marx et bien d'autres penseurs, l'entreprise est souvent perçue, d'une part, comme un lieu où s'exerce une domination sociale et, d'autre part, comme une organisation qui exerce une certaine emprise sur son environnement (Aktouf, 1989). C'est donc d'un double pouvoir dont il s'agit ici, l'un exprimant une relation interne et l'autre, une relation externe. Le pouvoir que donnent l'argent et, par extension, la possibilité de faire ce qu'on veut avec cet argent s'exerce ainsi à l'intérieur de l'entreprise par le propriétaire majoritaire ou principal. Ce droit de propriété lui confère souvent une très grande latitude et laisse à ses représentants salariés la liberté de gestion voulue. On assiste alors à une séparation entre les membres fondée sur le lien de propriété et la hiérarchie qui en découle. La légitimité du gouvernement d'une entreprise privée, comme on qualifie ce pouvoir de nos jours, se fonde essentiellement sur l'apport de capital. Ce sont donc les actionnaires majoritaires ou principaux (les *shareholders*) qui mènent, réduisant les autres ayants droit (les *stakeholders*), le personnel, les clients, les fournisseurs, la communauté et les syndicats à la portion congrue (voir l'encadré 9.2).

Par conséquent, l'entreprise privée n'est pas un espace démocratique où les différents acteurs se consultent sur le meilleur mode de fonctionnement à adopter et sur ses finalités. Le pouvoir d'un petit nombre ne s'exerce pas seulement à l'intérieur de l'organisation, mais aussi à l'extérieur. Les commentaires concernant la réunion annuelle de Davos en Suisse, qui rassemble les plus importants décideurs du monde, ne manquent pas de le souligner chaque année. La concentration économique et financière à laquelle on assiste aujourd'hui, tendance inhérente au phénomène capitaliste remarquée par tous les analystes depuis le XVIIIe siècle, témoigne de l'influence particulière qu'ont, de nos jours, les grandes entreprises privées sur les décisions qui concernent le monde entier.

ENCADRÉ 9.2   Restructuration d'entreprise et mondialisation : le cas Electrolux

Au cours du mois de juin 1997, la compagnie suédoise Electrolux, un chef de file mondial dans le domaine de l'électroménager, annonçait par la voix de son président, Michael Treschow, qu'elle allait fermer 25 usines et 50 entrepôts dans le monde. Cette décision, qui va entraîner la perte de 12 000 emplois, principalement en Europe où se trouve 60 % de son personnel, a été prise pour faire face à la mondialisation et atteindre les objectifs de rendement fixés par la direction et le principal actionnaire de l'entreprise, la famille Wallenberg. Depuis de nombreuses années déjà, la compagnie Electrolux et le groupe américain Whirlpool se livrent une lutte acharnée pour atteindre une taille critique à l'échelle mondiale, chacun rachetant des fabricants d'Europe et d'Amérique. C'est ainsi qu'Electrolux a pris le contrôle de marques américaines célèbres comme White, Frigidaire ou Kelvinator et que Whirlpool reprenait l'électroménager du néerlandais Philips. Ces acquisitions successives n'ont pas été sans problèmes et, conjuguées à un tassement de la demande de produits électroménagers en Europe, elles ont empêché l'entreprise suédoise d'atteindre le rendement sur capital investi établi par l'actionnaire principal (8,3 % au lieu de 15 %). Parallèlement, des concurrents asiatiques, comme le coréen Dawoo, prennent des parts de marché, tout en alimentant la surcapacité de production de l'industrie. Pour le patron de l'entreprise, cette décision de supprimer une partie du groupe, malgré sa rentabilité, est nécessaire : « Personne, a-t-il déclaré, ne pourra nous battre sur le plan des coûts, de la qualité, de l'innovation et de la rentabilité. » La bourse de Stockholm a d'ailleurs fort bien réagi à cette annonce puisque l'action Electrolux a gagné 14 % en une journée ! En revanche, le personnel qui sera mis à pied n'a pas pavoisé, sachant, comme le déclarait un employé, qu'« on nous demande toujours plus de productivité. Et ça ne suffit jamais ».

Quelques centaines de firmes ont en effet plus de poids sur le plan économique que la majorité des nations de la terre (Andreff, 1996). Il devient alors bien difficile pour ces nations de sentir qu'elles ont quelque pouvoir sur le cours des événements qui les touchent. Cette domination est particulièrement ressentie dans les pays où de grandes entreprises multinationales ont la main haute sur de nombreux secteurs industriels et en particulier sur les richesses naturelles.

Les pays les plus industrialisés ne sont pas non plus à l'abri de telles influences. On n'a qu'à penser au débat qui, au Canada et en Europe, touche les industries culturelles, notamment la production cinématographique, où les producteurs européens et canadiens livrent une lutte acharnée aux producteurs américains. Ce qui est en jeu ici, ce n'est pas simplement une part de marché, mais la mainmise sur l'esprit et sur l'imaginaire social. Ce qui n'est pas rien ! Car derrière le visage bienveillant de la production Disney, par exemple, s'impose une vision du monde qui laisse peu de place, si on n'y prend garde, à d'autres productions venant de différents horizons culturels dont l'héritage sociohistorique est pourtant d'une grande richesse.

L'entreprise comme lieu de souffrance et d'aliénation

La troisième grande critique formulée contre l'entreprise concerne les conséquences que ses pratiques de gestion peuvent avoir sur l'équilibre physique et mental de son personnel. Les médias dénoncent régulièrement les problèmes de stress et d'épuisement professionnel que connaissent les travailleurs dans toutes les sociétés développées. À l'instar de l'employé japonais qui est mort d'une surcharge de travail en 1991 (voir l'encadré 9.3), de plus en plus de gens éprouvent des problèmes de santé physique et mentale liés à leur travail.

ENCADRÉ 9.3   Perdre sa vie à la gagner

La presse internationale faisait état récemment d'un fait divers qui s'est passé au Japon. Ichiro Oshima, un Japonais de 24 ans, mettait fin à ses jours. Après 17 mois de présence ininterrompue au travail, sept jours sur sept, souvent jusqu'aux petites heures du matin, cet employé du groupe publicitaire Dentsu qui ne dormait que de deux à quatre heures par nuit et qui n'avait bénéficié que d'une demi-journée de repos, s'est suicidé en août 1991. Sa famille a porté plainte et un tribunal de Tokyo vient de reconnaître l'entreprise coupable d'avoir poussé le jeune homme à bout. C'est une première au Japon, où 63 cas de *karoshi*, terme désignant la mort par excès de travail et que le ministère du travail japonais a étendu au décès consécutif à la fatigue et au stress, ont été recensés de février à novembre 1995. C'est deux fois plus qu'en 1994. L'entreprise nie les faits et refuse de payer les dommages de un million de dollars qu'on lui réclame. Elle a fait appel de cette décision de justice.

Trois rapports publiés récemment par trois organismes différents abondent dans ce sens. Aux États-Unis, selon l'institut fédéral de la santé au travail (NIOSH), le stress constitue aujourd'hui l'un des 10 problèmes les plus graves de santé au travail. Le Bureau international du travail (BIT) (1993) prévoit quant à lui que le stress sera, dans les pays industrialisés, la première cause de procès ayant trait aux maladies professionnelles dans un proche avenir. Enfin, la dernière enquête de la Communauté économique européenne (CEE) (1994) sur ce sujet révèle que le stress est la première source de plaintes des travailleurs européens interrogés. Le Canada et le Québec ne font pas exception : on observe ici aussi de plus en plus de problèmes de stress lié au travail (Vézina et autres, 1992).

L'entreprise, dès le siècle dernier, a fréquemment été associée à un lieu où l'on malmenait les corps et les esprits. On se souvient des descriptions de Villermé en France, d'Engels en Angleterre, de Virchow en Allemagne ou de l'écrivain Upton Sinclair aux États-Unis concernant les abattoirs de Chicago au début du siècle. Dévoreuse d'hommes, de femmes et d'enfants, l'usine du siècle dernier était le plus souvent un mouroir pour ceux qui y travaillaient. La mine faisait alors figure de métaphore, comme le souligne Zola dans *Germinal*.

Dans la première moitié du XXe siècle, la grande usine de fabrication à la chaîne constitue l'un des lieux de travail où s'exprime le plus l'usure des corps et l'aliénation des esprits, comme en fait foi la caricature de Charles Chaplin que sont *Les temps modernes*. Après la Deuxième Guerre mondiale, l'usine fordienne va demeurer l'image même du lieu de la souffrance physique et de l'aliénation, c'est-à-dire du non-sens et de l'«étrangeté du faire» (Friedmann et Naville, 1962). Les systèmes taylorien et fordien sont encore aujourd'hui tenus largement responsables de cette usure physique et mentale ressentie par de nombreux travailleurs (Karasek et Theorell, 1990). Ces difficultés ne sont toutefois pas le seul fait de modes de gestion qui se sont développés dans le milieu des usines. Le personnel appartenant à des univers bureaucratisés connaît lui aussi certains problèmes de ce genre (Carpentier-Roy, 1995). Tout récemment, les nouveaux modèles de gestion fondés sur l'excellence et la compétitivité ont également montré leurs effets pathogènes (Aubert et Gaulejac, 1991).

Quels aspects le mode de gestion doit-il considérer ? Plusieurs éléments entrent en ligne de compte. Tout d'abord, le fait que tout être humain a besoin pour se développer et pour conserver son équilibre d'un minimum de reconnaissance de ce qu'il est, de ce qu'il fait et de ce qu'il sait faire (Dejours, 1993). Ensuite, tout travail ayant ses exigences physiques, mentales, psychiques et sociales, il est nécessaire de disposer d'autonomie pour y faire face (Karasek et Theorell, 1990). Enfin, tout mode de gestion conçu par une direction ou des experts doit toujours être revu, corrigé en fonction des contraintes observées quotidiennement (Daniellou, 1996 ; Carpentier-Roy et autres, 1997). Ainsi, un mode de gestion sera d'autant plus problématique qu'il ne s'appuiera pas sur la reconnaissance, qu'il ne donnera pas une autonomie suffisante au personnel pour accomplir sa tâche efficacement et qu'il privilégiera une conception abstraite de la gestion très éloignée de l'expérience vécue sur le terrain (Chanlat, 1992b).

Toutes les données de recherche dont on dispose, à l'heure actuelle, vont clairement dans ce sens, qu'elles concernent l'aspect ergonomique, physiologique, psychodynamique, médical ou organisationnel, chaque mode de gestion entraînant des problèmes particuliers (Chanlat, à paraître). Par exemple, si les pratiques tayloriennes sont une source de stress particulière parce qu'elles conjuguent absence de reconnaissance, forte charge de travail et très faible autonomie (Karasek et Theorell, 1990; *La Presse*, 1997), les pratiques bureaucratiques, quant à elles, mettent souvent l'employé devant une double contrainte en l'obligeant à suivre une règle qui n'est pas appropriée. L'univers techno-bureaucratique est un lieu fertile pour ce genre de situation, car il associe l'emprise de la règle prescrite, abstraite et universelle avec des situations réelles, concrètes et singulières qui se présentent dans le travail quotidien (Carpentier-Roy, 1995).

Les nouveaux modes de gestion fondés sur l'excellence et la compétitivité suscitent d'autres sources de stress et de difficultés. Contrairement aux deux modes de gestion précédents, qui privilégiaient une certaine stabilité et sécurité d'emploi, ces nouvelles pratiques mettent l'accent sur l'instabilité d'emploi, la flexibilité et l'adaptabilité permanente (Aubert et Gaulejac, 1991). Ce phénomène a entraîné l'apparition des emplois atypiques (travail à temps partiel, contrat à durée déterminée, sous-traitance, travail intérimaire, travail épisodique, etc.), comme le montrent de nombreuses statistiques récentes, surtout au Royaume-Uni et aux États-Unis, où l'on a le plus encouragé ce type d'emploi (Chanlat, à paraître; Wolman et Colamosca, 1997). L'emploi permanent devient un objectif de moins en moins possible pour la majorité de la population en âge de travailler. En outre, ces modes de gestion privilégient les restructurations et les réductions de personnel, suscitant ainsi une très forte anxiété chez les employés (*Business Week*, 1996; Wolman et Colamosca, 1997). On voit même apparaître le syndrome du survivant, longtemps associé à des désastres, des catastrophes ou des expériences particulièrement traumatisantes (Ouimet, 1997).

L'incertitude quant à l'avenir professionnel n'est cependant pas l'unique source de stress dans ce mode de gestion; le rythme et l'intensité du travail qu'il engendre sont la cause de nombreux cas d'épuisement professionnel (Aubert, à paraître). *L'âge de la performance*, pour reprendre le titre d'un récent reportage québécois, est exigeant. Cette intensité du rythme est par ailleurs amplifiée par le développement des nouvelles technologies de l'information, qui rendent possibles l'accélération et la virtualisation des actions. Dans certains cas, elles peuvent se conjuguer à des pratiques tayloriennes et provoquer une hausse sensible des maladies de la productivité, c'est-à-dire des maladies musculo-squelettiques. On observe ce phénomène, aujourd'hui, dans de nombreux pays industrialisés. Le cas de l'usine Mazda au Michigan en est un bon exemple. Le mode de gestion mis en place par l'entreprise à la fin des années 80 faisait en sorte que l'ouvrier soit occupé 57 secondes par minute, alors que dans une usine similaire le temps de travail était de 45 secondes. Cette frénésie de production a engendré en l'espace de quelques mois, parmi une main-d'œuvre très jeune, une augmentation de 50 % des blessures, un doublement du nombre de tendinites et une désillusion par rapport au modèle japonais (Fucini et Fucini, 1990). Cette augmentation de la charge de travail est rendue possible grâce à l'extension des pratiques tayloriennes à des industries jusque-là peu touchées, comme l'industrie agroalimentaire, et à l'utilisation massive de l'informatique dans un contexte de très grande compétitivité. Les résultats, sur le plan des maladies professionnelles, sont très clairs : une augmentation considérable du nombre de travailleurs soumis à de tels rythmes et du nombre de maladies périarticulaires qui en découlent, notamment chez ceux qui ont un statut d'emploi précaire, les femmes et les immigrants étant largement représentés dans cette catégorie (Karasek et Theorell, 1990 ; Alternatives sociales, 1994).

Comme on le voit, l'entreprise, par ses pratiques, peut affecter de façon durable la santé des individus. Elle peut également avoir des conséquences sur l'environnement naturel. Le débat qui entoure de nombreux dossiers, comme celui qui oppose les fabricants de cigarettes américains aux instances gouvernementales (voir l'encadré 9.4), nous montre combien, aujourd'hui, nos sociétés sont devenues sensibles aux questions environnementales.

ENCADRÉ 9.4   Les fabricants de tabac américains dans la tourmente

Depuis de nombreuses années, les fabricants de tabac sont aux prises avec une contestation grandissante. Cette industrie importante et florissante — elle assure en effet un bénéfice de 34 % sur le chiffre d'affaires en moyenne aux entreprises, Philip Morris, par exemple, a enregistré l'an dernier un bénéfice net de 4,2 milliards sur des ventes nationales de 12,5 milliards — subit les assauts de différents groupes de pression et de certaines instances gouvernementales, en particulier du ministère fédéral de la santé. Le conflit qui oppose les fabricants aux différents ordres de gouvernement vient de prendre un tournant au cours de l'année 1997. En effet, à la suite d'un accord conclu avec le ministère de la justice des États-Unis, les compagnies de tabac vont devoir payer près de 370 milliards de dollars au cours des 25 prochaines années. En échange, elles obtiennent l'arrêt des poursuites en justice intentées par les différents États américains. Mais, en revanche, elles pourront toujours être poursuivies par des individus ou des groupes privés. Toutefois, dans ce cas-là, les condamnations ne pourront pas dépasser cinq milliards par année. Le principal négociateur pour le ministère américain a déclaré que c'était l'un des accords les plus importants jamais conclu dans le domaine de la santé publique. « Nous devions punir cette industrie de façon exemplaire, a-t-il ajouté, parce que franchement les groupes de tabac ont fait plus de mal qu'aucune entreprise n'a jamais fait dans l'histoire. »

⟶

L'argent versé ira principalement aux États afin de couvrir les dépenses du programme Medicaid. Il ira aussi à des fonds de dédommagement et à des associations d'aide à des fumeurs repentis. Enfin, 500 millions seront utilisés chaque année pour financer des campagnes publicitaires antitabac. En outre, les fabricants de tabac ont convenu de limiter leurs propres campagnes publicitaires, de ne plus poser d'affiches à l'extérieur, de ne pas faire de réclames dans les cinémas, à la télévision ou sur Internet. On a également interdit les personnages pouvant attirer les jeunes, par exemple le cow-boy Marlboro ou encore le dromadaire de Camel. Les distributeurs automatiques sont supprimés. Enfin, l'industrie sera tenue responsable d'un plan visant à réduire le nombre de fumeurs de moins de 18 ans de 42 % en 5 ans et de 67 % en 10 ans. Dans le cas où ces objectifs ne seraient pas atteints, l'industrie devra verser des indemnités pouvant aller jusqu'à deux milliards. Cette négociation a été engagée peu après que le plus petit producteur, Ligget, eut reconnu le caractère nocif du tabac. Il rompait ainsi le pacte implicite conclu par tous les producteurs sur la nocivité du tabac. Cet accord ne concerne toutefois que le marché américain. Les fabricants peuvent toujours exporter leur production. Or, sur les 750 milliards de cigarettes fabriquées, 32,5 % sont exportées. Et certains marchés étrangers sont en pleine croissance. Les exportations vers le Mexique ont décuplé au cours des 10 dernières années et le Japon est devenu le deuxième client des producteurs américains. Dans ces marchés, les ventes de cigarettes américaines croissent de 3 % à 5 % par année et des entreprises comme RJR y gagnent déjà la moitié de leurs revenus. Par exemple, Philip Morris avec la cigarette Marlboro est passé de 2 % du marché de Hong Kong en 1976 à 36,7 % en 1989. Et la Chine constitue à elle seule un marché fabuleux de 300 millions de fumeurs, marché qui a connu une hausse de 5 % par an, au cours des années 80, et où 35 % des enfants de 12 à 15 ans fument. L'association américaine des maladies pulmonaires a dénoncé cet accord, qu'elle juge favorable à l'industrie. Elle est très sceptique quant aux engagements concernant la publicité destinée aux adolescents. «La capacité de l'industrie du tabac à se réinventer et surmonter les restrictions est, selon le directeur général de l'association, remarquable.» D'autres opposants trouvent que l'industrie devrait verser encore plus d'argent.

Source: Inspiré de *Time* (1997).

Les répercussions de l'entreprise sur l'environnement sont de plusieurs ordres, selon son secteur d'activité. Elle peut utiliser des produits toxiques et potentiellement dangereux pour fabriquer certains biens de consommation ou assurer certains services. C'est le cas de l'industrie nucléaire. Elle peut rejeter dans la nature et l'atmosphère des émanations de produits dangereux qui influeront sur l'équilibre naturel et les êtres vivants. C'est le cas des industries papetières ou chimiques (l'exemple de la catastrophe de Bhopal en Inde est encore frais dans les mémoires). Elle peut fabriquer des produits dont l'usage est potentiellement néfaste comme l'amiante, le tabac ou encore des aliments qui contiennent des concentrations trop élevées de graisse ou de sucre. C'est ainsi que les producteurs de tabac, d'amiante ou les chaînes de restauration rapide subissent fréquemment des critiques très virulentes, comme en font foi les cas illustrés dans les encadrés 9.1 (p. 406) et 9.4 (p. 411-412).

L'entreprise produit aussi des biens qui peuvent se révéler néfastes à long terme pour l'équilibre naturel, comme l'automobile munie d'un moteur à essence. Au dernier Sommet de la terre à Rio, on imputait à l'automobile l'essentiel de l'effet de serre. Enfin, la nature même de l'activité de l'entreprise, l'exploitation d'une richesse naturelle par exemple, peut venir modifier certains équilibres écologiques, comme c'est le cas des entreprises forestières, des industries de la pêche ou encore des entreprises minières. Au Québec, le cas du projet de Grande-Baleine a bien montré que le détournement de certaines rivières ne faisait pas l'unanimité dans la communauté autochtone et que la construction de barrages n'était pas sans risques pour l'environnement.

La question environnementale connaît une popularité grandissante depuis une trentaine d'années. Elle touche particulièrement les activités des entreprises, tant dans les pays industrialisés que dans les pays en voie de développement, la situation dans ce dernier cas étant souvent plus problématique en raison de la faiblesse des règlements en matière de protection de la nature. Dans les pays post-communistes, comme la Russie, la situation peut être encore plus dramatique. L'accident de Tchernobyl a révélé les graves lacunes des entreprises socialistes dans ce domaine. Devant la demande croissante qu'on observe dans tous les domaines, devant l'explosion démographique sans précédent qui caractérise notre époque et le mode de consommation particulièrement « énergivore » de nos sociétés, on peut se demander si nous n'avons pas atteint un point de non-retour. Les difficultés que nous avons à tenir compte des éléments du rapport Brundtland et à mettre en place les bases d'un développement durable témoignent de la complexité des intérêts en jeu et des limites de l'économie de marché dans ces questions, les entreprises ayant une tendance naturelle à externaliser les coûts associés à la défense de la nature (Burgenmeier, 1994).

L'entreprise est au cœur de la problématique de l'environnement. Si elle peut dans certains cas être sans reproche sur ce chapitre, il reste que l'appât du gain à court terme l'emporte la plupart du temps sur le respect, notamment quand aucune pénalité n'est rattachée au délit. En Grande-Bretagne, le cas récent de la vache folle illustre bien ce qui se produit lorsque les normes de production sont sans cesse repoussées aux limites du souhaitable. L'industrie peut alors véritablement en mourir. Comme on l'a vu dans le cas du sang contaminé, notamment en France et au Canada, les organismes à but non lucratif ne sont pas à l'abri de tels dérapages. Les intérêts économiques l'emportent, là encore, sur les considérations sanitaires et morales. On sait que les organismes concernés ont en effet préféré écouler des stocks de sang contaminé par le virus du sida plutôt que de les retirer.

L'entreprise comme source d'exclusion et d'inégalités

Au cours des dernières années, la montée du chômage, l'augmentation des emplois précaires et l'accroissement du nombre d'exclus dans de nombreux pays occidentaux ont amené un certain nombre d'observateurs et d'analystes à s'interroger sur la responsabilité des entreprises dans ces phénomènes. Contrairement à la période des Trente Glorieuses, ces 30 années qui ont suivi la Deuxième Guerre mondiale où la croissance était synonyme d'emploi pour tout le monde, la période qui commence à la fin des années 70 voit naître des difficultés en matière d'emploi. Ce phénomène s'est renforcé au cours des 10 dernières années, tant en Europe qu'en Amérique du Nord.

L'économie, tout en produisant plus que jamais, a besoin de moins de personnes. La conjugaison de plusieurs éléments explique ce paradoxe : tout d'abord, la saturation des besoins dans un certain nombre de domaines (l'équipement électroménager, l'automobile) ; ensuite, l'utilisation croissante de l'informatique dans de nombreux secteurs et la concurrence de plus en plus forte dans certaines industries des pays nouvellement industrialisés ; enfin — et surtout —, les pratiques de gestion des entreprises elles-mêmes.

En raison de la nouvelle situation économique qui privilégie l'information, la connaissance, l'ouverture des marchés, la déréglementation, le retrait de l'État, la compétitivité, la productivité et le rendement financier, les modes de gestion des entreprises ont en effet beaucoup changé. La flexibilité est devenue le mot d'ordre en gestion (flexibilité des stocks, du personnel cadre et non cadre, du capital et de la production) et la condition de survie dans un monde de plus en plus compétitif. Le résultat de cet engouement pour la compétitivité est bien connu : une main-d'œuvre de plus en plus temporaire et contractuelle, une baisse ou une stagnation des salaires pour le plus grand nombre, une domination des logiques financières, une utilisation massive des technologies de l'information dans les services (guichets automatiques, répondeurs, micro-ordinateurs, interactivité, etc.), une augmentation considérable des rémunérations des principaux dirigeants et des experts financiers, une diminution des avantages sociaux, un recul du syndicalisme, une montée du chômage et de l'exclusion (Perret et Roustang, 1993 ; Rifkin, 1995 ; Thurow, 1996 ; Wolman et Colamosca, 1997).

Tous les milieux sont touchés par l'accroissement du travail temporaire. Selon de nombreuses études, on estime qu'environ 25 % de la main-d'œuvre travaille sur une base temporaire. Si on ajoute à ce nombre celui de ceux qui ne travaillent pas (les chômeurs, les exclus, etc.), qui représente environ 25 % de la population en âge de travailler, on arrive à près de la moitié de la main-d'œuvre disponible ! Autrement dit, si on en croit ces statistiques, seulement une personne sur deux disposerait d'un emploi relativement stable. De nombreux pays présentent les mêmes résultats, y compris ceux qui se targuent d'un bas taux de chômage, comme les États-Unis et la Grande-Bretagne (Chanlat, 1992a ; Rifkin,

1995 ; Freeman, 1996 ; Wolman et Colamosca, 1997). On peut dès lors comprendre un peu mieux pourquoi on parle plus d'employabilité que d'emploi aujourd'hui dans les entreprises. Mais lorsqu'on sait qu'employabilité est souvent synonyme de précarité, on comprend pourquoi certains demeurent sceptiques devant ce nouveau discours sur les ressources humaines.

Dans le monde actuel, les considérations financières sont devenues plus importantes que toutes les autres. Quand l'annonce de licenciements massifs chez ATT ou chez Electrolux (voir l'encadré 9.2, p. 407) provoque une augmentation immédiate du titre, on est en droit de se poser des questions, d'autant que les dirigeants qui détiennent des milliers d'actions voient leur capital augmenter par la même occasion. On ne peut alors plus s'étonner si les inégalités ont crû de façon considérable dans nos pays, plus particulièrement aux États-Unis et en Grande-Bretagne, au cours des 15 dernières années (Thurow, 1996 ; Wolman et Colamosca, 1997). En effet, dans les années 60, un président-directeur général gagnait 40 fois plus qu'un salarié alors qu'il gagne aujourd'hui 230 fois plus ! De façon générale, les inégalités de revenu et de richesse sont, aux États-Unis, plus importantes aujourd'hui que dans les années 30 (Thurow, 1996 ; Wolman et Colamosca, 1997). La dynamique socioéconomique de l'entreprise contemporaine n'est pas étrangère à ce fossé qui se creuse entre les nantis et les autres. L'obsession des résultats financiers et de ce qui en découle provoque une véritable rupture du lien social traditionnel, jetant de plus en plus de gens dans l'incertitude. Le recours croissant à la sous-traitance, aux agences de travail intérimaire, aux contrats à durée déterminée amène de plus en plus de personnes à s'inquiéter de leur avenir. L'économie marche alors contre la société (Perret et Roustang, 1993 ; Thurow, 1996 ; Wolman et Colamosca, 1997). Nous retrouvons ici le discours de Polanyi (1974), qui rappelle combien la nature de l'économie marchande est de chercher à se rendre autonome par rapport à la société, ce qui dans les faits est impossible. Car aucune société ne peut accepter les conséquences d'une telle autonomie. Elles sont toujours trop lourdes. L'histoire est là pour en témoigner, notamment la période des années 30.

Les transformations que nous connaissons actuellement ne sont pas le fait de la nature ou du destin, elles sont le produit des actions humaines qui, par le jeu des logiques des uns et des autres, construisent le monde dans lequel nous vivons. À l'intérieur de ce système d'interactions entre acteurs sociaux, l'entreprise joue un rôle important, voire primordial. Comme on vient de le voir, les conséquences de ses activités ne sont pas toujours positives, loin de là. Chaque époque a vu surgir un certain type d'entreprise et a dû subir, inévitablement, ses multiples effets, et la nôtre ne fait pas exception. Les problèmes suscités par la croissance dans une société de consommation de masse ont fait ressortir la question de l'aliénation dans l'usine fordienne et le système bureaucratique. Aujourd'hui, dans un monde aux prises avec une diminution de la demande et la domination des objectifs financiers, la question centrale devient l'emploi, tant du point de vue de sa rareté que de ses effets néfastes (l'épuisement, l'anxiété). L'entreprise, qui est au cœur de ces processus, ne peut pas les ignorer, à moins de condamner la majorité des individus à la précarité, au chômage et à l'exclusion. L'avertissement récent du financier Georges Soros (1997) montre que les inquiétudes des sociologues et de certains économistes sont parfois partagées à l'intérieur même du monde financier, voire par les jeunes dirigeants d'entreprise (Centre des jeunes dirigeants, 1996). La dictature des marchés et de la logique financière ne doit pas être considérée comme inéluctable. Car elle est aussi une création sociale (Wolman et Colamosca, 1997).

L'ENTREPRISE ET LA SOCIÉTÉ: DEUX UNIVERS CONCILIABLES?

À la lumière de ce que nous venons de présenter, il apparaît très clairement que la logique de l'entreprise capitaliste n'est pas toujours compatible avec la société. En effet, la logique de l'entreprise et la logique de la société se distinguent sur plusieurs plans: finalités, organisation, horizon temporel, cadre géographique et culture. Ces oppositions ne sont toutefois pas complètement insurmontables.

DES FINALITÉS DIFFÉRENTES

L'entreprise privée a pour objectif de réaliser des profits sur un marché donné. La production de biens et de services est subordonnée à cette finalité essentiellement économique. Cet objectif est ouvertement déclaré dans tous les discours économiques. Milton Friedman (1970) a bien souligné, dans un article provocateur, que la responsabilité sociale de l'entreprise était de faire encore plus de bénéfices. L'entreprise n'est donc pas un organisme charitable ou à vocation sociale. Nombreux sont les gens d'affaires qui le rappellent régulièrement. Toutefois, la rentabilité d'une entreprise est quelque chose de relatif. Elle varie selon l'entreprise, l'industrie, voire le pays où elle est établie. Alors que certaines entreprises cherchent des rendements élevés, d'autres se contentent de résultats moyens. Alors que des industries affichent une très forte rentabilité, par exemple dans les secteurs de pointe (la pharmacie, l'informatique), le secteur financier ou encore les secteurs fortement monopolisés, d'autres exercent leurs activités dans des secteurs au bénéfice réduit (la distribution alimentaire, la confection, la chaussure, etc.). Alors que certaines sociétés, comme le Japon ou l'Allemagne, ont valorisé jusqu'à présent d'autres aspects que le simple rendement de l'action, d'autres, comme les États-Unis, en font le critère même de la réussite.

Si l'intérêt par rapport aux seules performances financières varie selon le lieu et l'époque, il reste que, au cours des 15 dernières années, on a assisté à une valorisation marquée des objectifs financiers dans la plupart des pays industrialisés.

L'explosion des titres en bourse, la multiplication des produits financiers, les nombreuses fusions et acquisitions, la déréglementation des marchés ont encouragé les gestionnaires à valoriser particulièrement le rendement sur capital investi au détriment des autres objectifs. Le cas Electrolux que nous avons présenté dans l'encadré 9.2 (p. 407) en constitue un bon exemple. Mais ce n'est pas un cas isolé. On trouve des comportements analogues dans de nombreuses autres entreprises nationales et internationales.

Cette obsession du rendement a des effets pervers sur de nombreuses entreprises. En insistant trop sur les résultats financiers, on tend à raisonner en fonction du coût et à oublier les autres éléments constitutifs du succès. C'est ainsi que des entreprises n'ont pas hésité à réduire leur personnel ou à recourir à des formes flexibles de main-d'œuvre pour augmenter leurs bénéfices à court terme au détriment de leurs résultats à moyen et à long terme. Une étude récente réalisée par deux comptables anglo-saxons auprès de deux géants du commerce américains, Sears Roebuck et Wal-Mart, montre que ce n'est pas forcément la bonne stratégie (Hope et Hope, 1996). Quand les profits et les ventes ont en effet commencé à décliner chez Sears dans les années 80, la direction de l'entreprise a réagi en établissant des programmes de réduction de coûts, notamment en supprimant 33 000 emplois administratifs. Cette suppression d'emplois devait épargner de 600 à 700 millions de dollars par année à l'entreprise. Une autre politique a également été mise en place dans le secteur des ventes. On a inversé le ratio de 70 % de personnel à plein temps et de 30 % à temps partiel afin d'économiser sur les salaires. Cette politique s'est révélée en définitive une fausse économie. Car elle a conduit à un taux élevé de roulement du personnel, à une formation insuffisante et à une démotivation des employés. En 1989 seulement, 119 000 emplois ont dû être pourvus ! Quant aux clients, ils étaient très insatisfaits des services reçus, notamment dans les rayons où le taux de roulement de personnel était élevé. Wal-Mart, au contraire, ne s'est pas seulement développé en raison de sa gestion intelligente des stocks, mais aussi grâce à sa politique de personnel, qui privilégiait la stabilité et la continuité dans l'emploi. Les économies ne se trouvent donc pas toujours là où on le croit. C'est pourquoi les questions de rentabilité sont toujours bien plus complexes que de simples opérations comptables.

Une société n'est pas une entreprise. Elle ne peut donc avoir un tel objectif. Circonscrite dans un espace géographique particulier, composée de gens aux origines souvent diverses, elle cherche bien sûr à assurer son bien-être matériel, mais aussi à préserver sa cohésion sociale et sa vitalité culturelle. La question de la solidarité est ici essentielle. Sans elle, aucune société ne peut se maintenir. C'est la raison pour laquelle, dans de nombreuses sociétés, ce rôle est historiquement revenu à l'État, seule institution pouvant à la fois incarner le bien public, réguler les tensions sociales et assurer le rayonnement culturel. Ce phénomène a été d'autant plus fort dans certains pays que l'État-nation se confondait dans le discours officiel avec la société. Tel fut le cas, par exemple, en France. Aux

États-Unis, l'expérience a été tout autre, l'individu et la communauté constituant les références de base (Wagner, 1995).

C'est la société qui absorbe une grande partie des coûts (médicaments, hospitalisation) liés aux dommages sociaux et environnementaux (alcoolisme, violence, suicide, chômage, pollution, etc.) provoqués par certaines décisions d'entreprises (licenciements massifs, précarisation de la main-d'œuvre, etc.). La rentabilité des uns est donc souvent obtenue par l'extériorisation des coûts, ce que les économistes qualifient d'externalisation (Burgenmeier, 1994). Ce phénomène est observable aussi dans le domaine de l'environnement. Combien d'entreprises paient vraiment les coûts réels de destruction de la nature qu'entraînent leurs activités? Si les entreprises peuvent croiser les bras, la société, elle, ne le peut pas. Car la sauvegarde de son environnement fait aussi partie de ses finalités.

DES ORGANISATIONS DIFFÉRENTES

L'entreprise ayant des objectifs essentiellement économiques, elle se préoccupe avant tout de la santé financière de ses unités de production. Ses dirigeants adoptent donc la plupart du temps une vision microscopique. La société, par la voix de ses différents corps politiques, adopte presque toujours une vision macroscopique. C'est ce constat qui a amené de nombreux analystes à présenter à l'entreprise les notions de responsabilité sociale, de réceptivité sociale, d'éthique des affaires ou d'entreprise citoyenne (Pasquero, 1995). C'était une façon de rappeler à l'entreprise que ses actions ne se construisent pas en vase clos et qu'elles sont dépendantes pour leur bonne marche de nombreux facteurs institutionnels externes (règles de droit, morale, système d'éducation, infrastructure publique, gouvernement, syndicats, etc.) (Thuderoz, 1997).

DES HORIZONS TEMPORELS DISTINCTS

Le temps de l'entreprise n'est pas celui de la société. Rythmée par les cycles de production, de ventes, des budgets et des bilans, l'entreprise privilégie une vision à court terme plutôt qu'à long terme. Le taux de «mortalité» élevé des entreprises l'explique en partie. Cependant, comme on l'a vu dans le cas d'Electrolux et de Sears Roebuck, la domination des logiques financières ne fait que renforcer l'horizon immédiat au détriment du futur. En général, ce comportement est toutefois plus typique des entreprises américaines que japonaises ou européennes. Le temps dans l'entreprise ne se mesure pas de la même façon que dans la société, où les rythmes sont plus lents et plus enracinés dans l'histoire — même s'il existe des entreprises centenaires — et où les variations à l'échelle de la planète sont encore très diverses. Si la mondialisation, comme on l'appelle aujourd'hui, semble mettre en place certains éléments d'un «temps mondial» (virtualisation, communication, activités boursières, etc.), il reste que ce temps n'a pas encore atteint tout le monde au même degré.

DES CADRES GÉOGRAPHIQUES DIFFÉRENTS

L'espace de l'entreprise n'est pas non plus le même que celui de la société. Alors que l'entreprise, en théorie, peut se rendre partout où existe un marché solvable, la société est toujours contrainte par des frontières, visibles ou invisibles. De nos jours, l'activité des entreprises, notamment des plus grandes, se déploie souvent sur plusieurs continents. Dans de nombreux cas, on voit des entreprises fermer des unités dans leur pays d'origine pour en ouvrir d'autres ailleurs. Ces délocalisations, comme on les appelle aujourd'hui, montrent bien que l'espace de l'entreprise est un espace mobile. En revanche, la société est assujettie à une géographie singulière dont elle ne peut s'extraire. C'est à la fois une ressource mais aussi une contrainte à laquelle elle ne peut échapper. Toute entreprise, quant à elle, peut par la volonté de ses dirigeants déménager presque sur-le-champ. Les flux commerciaux et financiers conditionneront dans une large mesure son enracinement dans un lieu donné. Ce qui ne veut pas dire que toutes les entreprises soient des apatrides. Là encore, contrairement à certaines idées reçues, il existe peu d'entreprises globales. La plupart, même parmi les plus grandes, dépendent en effet largement de leur pays d'origine, tant pour leur marché que pour le soutien qu'elles reçoivent de leurs gouvernements. Le gouvernement canadien a organisé récemment des voyages d'affaires en Asie et en Amérique latine auxquels étaient conviées certaines entreprises canadiennes dans le but d'augmenter les exportations et les projets canadiens dans chacune de ces zones. Les entreprises participantes étaient donc bel et bien canadiennes. La référence à un espace commun fondait leur participation.

UNE CULTURE À LA FOIS DIFFÉRENTE ET COMMUNE

Comme on vient de le voir, l'entreprise possède une certaine autonomie par rapport à son environnement immédiat en raison de ses finalités économiques. D'un autre côté, elle en est dépendante de multiples manières. Dans le domaine de la culture, il en est également de même. Si toute entreprise constitue un univers culturel en soi, cet univers est largement influencé par les façons de penser et de faire propres à la société dont elle fait partie. De ce point de vue, il n'y a pas de culture totalement autonome. En revanche, la culture d'une entreprise peut être plus ou moins en opposition avec celle de la société. C'est le cas par exemple lorsqu'une entreprise investit dans un pays étranger. Elle subit alors un choc culturel. Ce phénomène peut toutefois se produire dans sa propre culture quand l'entreprise agit selon un modèle contraire à l'usage courant ou qu'elle reprend les activités d'une entreprise très différente. Chaque fois, l'entreprise découvre que son lien avec son environnement est aussi de nature culturelle et que son autonomie, sur ce plan, dépend du rapport qui s'établit entre les différents acteurs concernés et les structures avec lesquelles ils doivent composer.

CONCLUSION

L'entreprise et la société entretiennent une relation complexe. La société a besoin du dynamisme économique de l'entreprise et, en retour, l'entreprise a besoin du système social dont elle est issue. Ni tout à fait dépendante, ni tout à fait autonome, l'entreprise entretient un rapport à la fois conflictuel et harmonieux avec la société. Un rapport conflictuel résultant de sa logique avant tout économique et financière, mais aussi dans certains cas de ses valeurs, de ses productions, de ses méthodes de gestion qui heurtent la société. Un rapport de coopération en raison de son rôle socioéconomique et des nombreux liens qu'elle tisse avec son milieu, sans lesquels elle ne pourrait exister ou survivre.

Aujourd'hui, l'entreprise est appelée à remettre en question ses pratiques de gestion, et ce, sur de nombreux plans (écologique, social, etc.). En raison de la place qu'elle occupe dans la société et des problèmes de plus en plus nombreux qui secouent notre époque, auxquels elle n'est pas étrangère, l'entreprise doit donc revoir certaines de ses pratiques. Elle doit devenir plus active, c'est-à-dire, comme l'a fort bien résumé Thuderoz (1997), agir comme un acteur, viser à l'efficacité dans tous les domaines, mobiliser son personnel, définir et établir son propre système d'action, adopter une approche globale des problèmes et gérer avec doigté ses systèmes internes de relations sociales. Cela sera d'autant plus possible sous la gouverne d'un État régulateur et avec l'aide de syndicats et de groupes de pression puissants, tant à l'échelle nationale qu'internationale. Ce n'est qu'à ces conditions qu'une certaine conciliation sera possible entre la logique de l'entreprise et celle de la société. Cet objectif, auquel tous les acteurs doivent collaborer, est à l'heure actuelle essentiel pour assurer l'équilibre de nos sociétés et le bien-être du plus grand nombre.

Bibliographie

AKTOUF, O. (1989). *Le management entre tradition et renouvellement*, 3e édition, Boucherville, Gaëtan Morin Éditeur.

ALTER, N. (1996). *Sociologie de l'entreprise et de l'innovation*, Paris, PUF.

ALTERNATIVES SOCIALES (1994). *Souffrances et précarités au travail. Paroles de médecins du travail*, Paris, Syros.

ANDREFF, W. (1996). *Les multinationales globales*, Paris, La Découverte.

ARON, R. (1962). *Dix-huit leçons sur la société industrielle*, Paris, Gallimard.

AUBERT, N. «La culture de l'urgence», communication présentée au colloque «Nouveaux modes de gestion, nouvelles sources de stress professionnel?», Strasbourg, juin 1996 (à paraître).

AUBERT, N., et GAULEJAC, V. de (1991). *Le coût de l'excellence*, Paris, Seuil.

BAECHLER, J. (1995). *Le capitalisme*, Paris, Gallimard.

BÉLANGER, P., et LÉVESQUE, B. (1996). *La modernisation sociale des entreprises*, Montréal, Presses de l'Université de Montréal.

BERNOUX, P. (1995). *Sociologie de l'entreprise*, Paris, Seuil.

BOYER, R., et DURAND, J.-P. (1993). *L'après-fordisme*, Paris, Syros.

BRAUDEL, F. (1985). *La dynamique du capitalisme*, Paris, Arthaud.

BUREAU INTERNATIONAL DU TRAVAIL — BIT — (1993). *Le stress dans l'industrie*, Genève, Bureau international du travail.

BURGENMEIER, B. (1994). *La socio-économie*, Paris, Economica.

BUSINESS WEEK (1996). «Economic Anxiety», 11 mars.

CARPENTIER-ROY, M.-C. (1995). *Corps et âme, essai de psychopathologie du travail infirmier*, Montréal, Liber.

CARPENTIER-ROY, M.-C., CHANLAT, J.-F., LANOIE, P., et PATRY, L. (1997). *Ergonomie participative, mode de gestion et performance et prévention des accidents du travail : le cas de la Société des alcools du Québec*, rapport de recherche, Montréal, IRSST.

CASTEL, R. (1995). *Les métamorphoses de la question sociale*, Paris, Fayard.

CENTRE DES JEUNES DIRIGEANTS — CJD — (1996). *L'entreprise au XXIᵉ siècle. Lettre ouverte aux dirigeants pour réconcilier l'entreprise et la société*, Paris, Flammarion.

CHANLAT, J.-F. «Modes de gestion et stress professionnel», communication présentée au colloque «Nouveaux modes de gestion, nouvelles sources de stress professionnel ?», Strasbourg, juin 1996 (à paraître).

CHANLAT, J.-F. (1992a). «Peut-on encore faire carrière ?», *Gestion*, vol. 17, nᵒ 3, p. 100-111.

CHANLAT, J.-F. (1992b). «Votre mode de gestion est-il malade ?», *Prévention*, vol. 5, nᵒ 4, p. 22-23.

COMMUNAUTÉ ÉCONOMIQUE EUROPÉENNE — CEE — (1994). *European Conference on Stress at Work: A Call for Action: Proceedings*, Dublin, European Foundation for The Improvement of Living and Working Conditions.

DANIELLOU, F. (sous la dir. de) (1996). *L'ergonomie en quête de ses principes*, Toulouse, Octarès.

DE BANDT, J., DEJOURS, C., et DUBAR, C. (1995). *La France malade du travail*, Paris, Bayard Éditions.

DEJOURS, C. (1993). *Travail et usure mentale*, Paris, Bayard Éditions.

DUBAR, C. (1991). *La socialisation. Construction des identités sociales et professionnelles*, Paris, Armand Colin.

DUPUIS, J.-P. (sous la dir. de) (1995). *Le modèle québécois de développement économique. Débats sur son contenu, son efficacité et ses liens avec les modes de gestion des entreprises*, Cap-Rouge, Presses Inter Universitaires, 183 p.

ENRIQUEZ, E. (1992). *L'organisation en analyse*, Paris, PUF.

FISCHER, G.-N. (1992). *Psychologie des espaces de travail*, Paris, Armand Colin.

FOURASTIÉ, J. (1958). *Le grand espoir du XXᵉ siècle*, Paris, PUF.

FRANCFORT, I., OSTY, F., SAINSAULIEU, R., et UHALDE, M. (1995). *Les mondes sociaux de l'entreprise*, Paris, Desclée de Brouwer.

FREEMAN, R.B. (1996). «Toward an apartheid economy», *Harvard Business Review*, sept.-oct., p. 114-126.

FRIEDMAN, M. (1970). «The social responsibility of business is to increase its profits», *New York Times Magazine*, 13 septembre.

FRIEDMANN, G., et NAVILLE, P. (1962). *Traité de sociologie du travail*, Paris, Armand Colin.

FUCINI, J., et FUCINI, J. (1990). *Working for the Japanese*, New York, The Free Press.

HIRSCHMAN, A.O. (1984). *Les passions et les intérêts*, Paris, PUF.

HOPE, T., et HOPE, J. (1996). *Transforming the Bottom Line*, Londres, Nicholas Brealey.

IRIBARNE, P. d' (1989). *La logique de l'honneur*, Paris, Seuil.

JONES, E.L. (1981). *The European Miracle: Environments, Economics and Geopolitics in the History of Europe and Asia*, Cambridge, Cambridge University Press.

KARASEK, R., et THEORELL, R. (1990). *Healthy Work, Stress, Productivity and the Reconstruction of Working Life*, New York, The Free Press.

KENNEDY, P. (1989). *Naissance et déclin des grandes puissances*, Paris, Payot.

LA PRESSE (1997). « Le travail est plus dangereux pour les employés que pour les patrons », 26 juillet, p. E8.

MARX, K. (1967). *Le capital*, Paris, Éditions sociales.

OUIMET, G. (1997). « Régime minceur organisationnel : lorsque les lipides sont les employés », *Info ressources humaines*, vol. 19, nº 5, avril-mai-juin, p. 10-13.

PASQUERO, J. (1995). *Éthique et entreprises : le point de vue américain*, Actes du colloque « Entreprises et société », Association internationale des sociologues de langue française (AISLF), Montréal, 21-23 août.

PERRET, B., et ROUSTANG, G. (1993). *L'économie contre la société*, Paris, Seuil.

POLANYI, K. (1974). *La grande transformation*, Paris, Gallimard.

RIFKIN, J. (1995). *The End of Work*, New York, The Free Press.

RITZER, G. (1993). *The Macdonaldisation of Society*, Thousand Oaks (Calif.), Pine Forge Press.

SAINSAULIEU, R. (sous la dir. de) (1990). *L'entreprise, une affaire de société*, Paris, Presses de la Fondation des sciences politiques.

SAINSAULIEU, R. (1997). *Sociologie de l'entreprise : organisation, culture et développe-*

ment, Paris, Presses de la Fondation des sciences politiques.

SCHUMPETER, J. (1951). *Capitalisme, socialisme et démocratie*, Paris, Payot.

SEGRESTIN, D. (1992). *Sociologie de l'entreprise*, Paris, Armand Colin.

SMITH, A. (1976). *Recherches sur la nature et les causes de la richesse des nations*, Paris, Gallimard.

SOROS, G. (1997). « The capitalist threat », *The Atlantic Monthly*, février, p. 45-58.

THUDEROZ, C. (1997). *Sociologie des entreprises*, Paris, La Découverte.

THUROW, L. (1996). *The Future of Capitalism*, New York, William Morrow and Company, Inc.

TIME (1997). « Big Tobacco Takes a Hit », 30 juin, p. 19-25.

TODD, E. (1984). *L'enfance du monde, structures familiales et développement*, Paris, Seuil.

VÉZINA, M., COUSINEAU, M., MERGLER, D., et VINET, A. (1992). *Pour donner un sens au travail. Bilan et orientations en santé mentale au Québec*, Boucherville, Gaëtan Morin Éditeur.

WAGNER, P. (1995). *Liberté et discipline*, Paris, Minuit.

WEBER, M. (1991). *Histoire économique*, Paris, Gallimard.

WHITLEY, R. (1992a). *Business Systems in East Asia : Firms, Markets and Societies*, Londres, Sage.

WHITLEY, R. (sous la dir. de) (1992b). *European Business Systems : Firms, Markets and Their National Contexts*, Londres, Sage.

WOLMAN, E., et COLAMOSCA, A. (1997). *The Judas Economy. The Triumph of Capital and the Betrayal of Work*, New York, Addison-Wesley Publishing Company Inc.

Conclusion

Au terme de ces trois parties, on peut faire le point sur la démarche adoptée et la matière présentée dans ce livre. Nous avons d'abord exploré le contexte dans lequel s'insère l'entreprise : les sociétés capitalistes où l'État, les syndicats et le marché sont des institutions dominantes et où les technologies et les mouvements sociaux (mouvements des femmes, des jeunes, des immigrants, des écologistes, etc.) jouent un rôle essentiel. Par la suite, nous nous sommes intéressés à la dynamique interne de l'entreprise et à son mode de transformation. Finalement, nous sommes revenus au contexte de l'entreprise pour exposer et analyser succinctement les incidences des pratiques de gestion sur la société, les communautés, et sur les hommes et les femmes qui les composent. Ce parcours en forme de boucle — du contexte de l'entreprise, à l'entreprise, au contexte — a permis de réunir le couple entreprise et société, tandem inséparable en ce sens que les entreprises n'existent et ne sont pleinement compréhensibles qu'à travers leur ancrage dans un espace social donné — sociétés, régions, communautés — qui a une histoire, une culture, des institutions particulières qui les façonnent mais qui sont aussi, en retour, façonnées par elles.

Traduite de façon plus schématique, en guide d'analyse, cette démarche comprend trois grandes étapes qui sont autant de regards portés sur l'entreprise et qui permettent d'en avoir une vue d'ensemble, une compréhension riche et dynamique. Ces trois étapes se résument comme suit :

1. Établir le degré de liberté de l'entreprise dans la société, c'est-à-dire répertorier les contraintes qui pèsent sur elle et les ressources dont elle dispose. Pour ce faire, il s'agit, par exemple, de déterminer l'encadrement et le soutien institutionnels (cadre juridique, soutien économique, etc.), l'existence de mouvements sociaux et de groupes de pression, ainsi que l'encadrement et le soutien de milieux sociaux (notamment l'existence de réseaux), et voir en quoi ces éléments contraignent ou soutiennent l'entreprise.

2. Établir la dynamique interne de l'entreprise, c'est-à-dire déterminer les acteurs, leurs buts et leurs ressources, l'état de leurs relations (stratégies et enjeux), les régulations à l'œuvre et l'identité des groupes et de l'entreprise. On mettra à profit la grille d'analyse proposée à la fin du chapitre 7 (figure 7.1, p. 354) pour ce faire.

3. Établir l'histoire de l'entreprise et de ses relations avec la société, c'est-à-dire reconstituer l'histoire de l'entreprise (évolution et transformation de sa dynamique interne) et celle de ses relations avec les groupes, les communautés, la ou les sociétés.

Les deux premières étapes nous permettent de saisir l'entreprise dans une perspective synchronique, c'est-à-dire de connaître, à un moment précis dans le temps, les contraintes qui pèsent sur elle, les ressources dont elle dispose et l'état de sa dynamique interne. Il s'agit en quelque sorte d'une photographie de l'entreprise à un moment donné dans le temps. Nous savons alors quel est le cadre juridique de l'entreprise, quels sont les groupes et les mouvements qui font pression sur elle, quelles sont les identités de ses groupes, quelle est son identité à elle, etc. La troisième étape nous permet d'avoir une vue diachronique de l'entreprise, c'est-à-dire d'examiner son évolution dans le temps, ses relations avec les divers groupes, mouvements, communautés. Il est dès lors plus facile de comprendre la description synchronique de l'entreprise, puisque nous avons des informations sur son origine, les conditions de son établissement, etc.

Est-il besoin, chaque fois qu'on cherche à saisir une situation d'entreprise, de refaire tout le parcours que représentent ces étapes? Nous pensons que non, bien qu'il soit souvent nécessaire de passer par l'une ou l'autre des étapes pour comprendre certaines situations. En effet, si, après avoir accompli une étape pour examiner une dimension particulière de l'entreprise, le sens d'une action, d'une pratique, d'une valeur nous échappe, il sera probablement nécessaire de nous tourner vers les autres. La solution de l'énigme se trouve peut-être dans un autre regard qu'il vaudra alors la peine de porter sur l'entreprise pour mieux saisir la situation. Ainsi, les étapes que nous proposons ne sont pas autant de passages obligés pour mieux comprendre l'entreprise, mais des clés pour le faire, pour pousser l'exploration si besoin est. Ces étapes peuvent être abordées dans l'ordre ou dans le désordre selon la situation à l'étude, chacune étant une porte d'entrée à la compréhension de l'entreprise.

Reprenons quelques exemples développés dans le livre pour illustrer notre propos. Au chapitre 7 (encadré 7.9, p. 347), nous avons parlé du dernier conflit de travail à l'entreprise Bridgestone-Firestone qui a entraîné une grève âpre et longue. Pour comprendre l'âpreté et la longueur de cette grève dans un contexte de crise économique où les grèves sont assez rares, et où l'appui de la population aux grévistes est passablement faible, il faut absolument faire l'histoire des relations de travail dans l'entreprise. Comme nous l'avons signalé, cette entreprise a connu, depuis sa création, de nombreuses grèves longues et difficiles. L'élément clé pour comprendre la dernière est donc l'histoire de l'évolution et de la transformation de la dynamique interne de l'entreprise. De la même façon, les relations tendues provoquées par l'implantation de nouvelles technologies chez Alcan (voir le chapitre 8) s'expliquent principalement par la dynamique interne de cette entreprise, notamment par le fait que les travailleurs ne sont pas consultés et par le fait que les dirigeants négligent de prendre en considération certaines conséquences. La compréhension des stratégies des acteurs, de leurs ressources et des régulations à l'œuvre dans l'entreprise permet d'expliquer la réaction des ouvriers. La deuxième étape semble ici suffisante pour mener à une première compréhension de la situation.

Par ailleurs, comment comprendre l'échec du projet de Grande-Baleine sans s'acquitter des trois étapes mentionnées plus haut ? Pour la réalisation de ce projet (voir le chapitre 8 pour plus de détails), Hydro-Québec jouissait, de prime abord, d'une liberté considérable qui reposait notamment sur l'appui inconditionnel du gouvernement et des syndicats et d'un cadre juridique plutôt favorable (comme la Convention de la Baie James et du Nord québécois). Par ailleurs, l'existence d'un vaste mouvement écologiste, qui a donné naissance à plusieurs groupes militants, et celle d'un mouvement autochtone préconisant la reprise en main de leur développement par les nations amérindiennes constituaient des contraintes qu'avait mal évaluées Hydro-Québec, qui ne voyait que les appuis dont elle disposait. En ce qui a trait à la dynamique interne de l'entreprise, on peut dire qu'elle a, en favorisant les constructeurs de barrages — les porteurs du projet de Grande-Baleine — au point qu'ils occupent toute la place, joué un rôle important, notamment dans l'incapacité des dirigeants de bien analyser les contraintes qui pesaient sur l'entreprise. Enfin, si on considère l'histoire de l'entreprise, faite de succès répétés, dont la construction des centrales du complexe La Grande malgré les réticences initiales des Cris, elle laissait présager à ses dirigeants une réussite assurée pour le projet de Grande-Baleine. Cette histoire de succès répétés rendait en effet les dirigeants aveugles aux forces nouvelles et puissantes — les groupes écologistes et les Cris, ces derniers plus riches, plus instruits et plus organisés que lors de la réalisation du projet de la Baie-James — qui s'opposaient au projet. Nous le voyons, dans ce cas, il faut parcourir toutes les étapes pour comprendre l'échec du projet de l'entreprise.

Comme on le constate, l'analyse sociologique, en s'attachant autant à la dynamique sociale et culturelle à l'œuvre dans l'entreprise qu'aux transformations sociales, politiques, économiques et historiques des sociétés auxquelles elle s'intéresse, permet d'éclairer d'une façon particulière les situations problématiques vécues par l'entreprise. Elle fait ressortir finalement l'interdépendance, dans nos sociétés, entre le social, le politique, le culturel et l'économique.

Quatrième partie

Analyses et cas

Dans cette quatrième et dernière partie, nous proposons une série de textes sur des situations concrètes de travail ou de gestion qui peuvent être analysées, ou qui le sont déjà, à la lumière des concepts et notions qui ont été exposés dans les chapitres précédents, notamment dans les chapitres 7 et 8. Cette section réunit deux types de textes: des analyses et des cas. Les analyses consistent en un exposé d'une situation de travail ou de gestion accompagné d'une analyse qui s'inscrit dans la problématique théorique générale du livre, c'est-à-dire qui s'appuie sur une connaissance des acteurs de l'entreprise et de leurs stratégies, de leurs ressources, etc. Il en est ainsi des textes de Paul-André Lapointe et de Denis Harrisson.

Les cas, bien qu'ils décrivent des situations de travail ou de gestion, ne proposent pas d'analyse. Ce sont ceux qui en feront usage (enseignants, étudiants, conseillers, etc.) qui doivent procéder à l'analyse à l'aide des concepts et des notions étudiés dans les chapitres précédents. Les textes d'Alain Naud, Luc Farinas, Marie-Andrée Caron, Chantale Mailhot et Linda Rouleau sont de ce type.

Nous n'avons pas formulé de questions, comme il se fait souvent dans ce genre d'exercice, pour lancer la discussion et la réflexion sur les situations décrites. La raison en est que ces textes se prêtent à des analyses et à des usages divers et, dans cette perspective, nous avons préféré ne pas orienter les lecteurs vers des pistes particulières ou limiter l'analyse des situations à quelques questions. Nous croyons que chaque lecteur pourra aisément formuler des questions pertinentes au regard, ou non, du matériel théorique contenu dans ce livre.

Rationalité, pouvoir et identités : autopsie de la grève chez Alcan en 1995

Paul-André Lapointe

Après une longue période de paix industrielle, la grève refait surface chez Alcan, à l'automne 1995, dans un contexte caractérisé à la fois par une reprise économique sectorielle et par une modernisation sociale et une restructuration de l'entreprise, commencées depuis déjà plus de 20 ans. Est-ce un retour aux années 70, fortement perturbées par les longs et coûteux conflits de 1976 (six mois) et de 1979 (quatre mois) ? À une époque où la grève est à son plus bas niveau dans la pratique des relations de travail et presque bannie dans les nouvelles approches, élaborées autour de la « négociation raisonnée », que les travailleurs d'Alcan avaient d'ailleurs été parmi les premiers à expérimenter, comment expliquer cette grève ? Est-ce dû à une erreur de stratégie ou à un manque de rationalité de la part des parties ? Est-ce le prélude à un renversement de situation, dans la mesure où le retour de la prospérité dans les grandes entreprises incitera les salariés à réclamer « leur juste part » des profits qu'ils ont contribué à générer par leurs concessions ou leur modération salariale dans les années de crise ? Compte tenu de la réorganisation et de la professionnalisation du travail, est-ce au contraire la « dernière des grèves » mettant en scène les « derniers des prolétaires[1] » ?

LES ACTEURS EN PRÉSENCE

De propriété canadienne, Alcan, dont le siège social est situé à Montréal, est l'une des plus vieilles et des plus grandes entreprises industrielles du Québec. C'est une entreprise multinationale, présente dans plus de 20 pays, et spécialisée dans la production de l'aluminium, dans laquelle elle intervient à toutes les étapes, de l'extraction des matières premières à la fabrication de produits

---

1. À l'été 1992, Nathalie Petrowski, alors journaliste au *Devoir*, publiait un article intitulé « Le dernier des prolétaires », à la suite d'une entrevue avec le président du Syndicat des travailleurs d'Alcan à l'usine d'Arvida.

semi-finis. Elle est le deuxième producteur mondial d'aluminium, détenant 10 % de la capacité mondiale de production d'aluminium. Elle emploie, en 1995, au total dans le monde 34 000 personnes, un chiffre qui ne représente plus que la moitié des effectifs qu'elle regroupait 10 ans plus tôt. Attirée au Québec au début du siècle par l'abondance et le faible coût d'exploitation des ressources hydroélectriques, requises en grande quantité pour la production de l'aluminium, Alcan est principalement présente au Saguenay–Lac-Saint-Jean. Dans cette région où elle exploite quatre alumineries et possède six centrales hydro-électriques, elle emploie près de 6 000 personnes, soit beaucoup moins qu'au début des années 80 alors qu'on comptait 9 500 personnes à son service. Depuis lors, Alcan a procédé à une importante restructuration de ses activités et à une modernisation de ses usines. Non seulement ces transformations ont-elles entraîné des conséquences majeures pour l'emploi, mais elles se sont accompagnées aussi de changements profonds dans l'organisation et les relations du travail, porteurs de nouveaux enjeux pour les acteurs sociaux.

Quant aux travailleurs d'Alcan au Saguenay–Lac-Saint-Jean, ils sont syndiqués depuis belle lurette, en fait depuis 1937. Activement présents dans le mouvement syndical, ils ont longtemps dominé par leur nombre la Fédération de la métallurgie à la CSN. En 1972, ils choisissaient de s'en retirer, non sans division, pour former une fédération indépendante, la Fédération des syndicats du secteur aluminium (FSSA). Cette dernière regroupe tout près de 5 300 membres qui, à l'exception des travailleurs de l'aluminerie de Bécancour, syndiqués depuis 1990, viennent tous d'Alcan et en très grande majorité de la région du Saguenay–Lac-Saint-Jean. La FSSA a connu au cours des dernières années une baisse importante du nombre de ses membres qui s'est déjà élevé à près de 8 000, au début des années 80. Au Saguenay–Lac-Saint-Jean, elle a perdu le monopole de la représentation des salariés d'Alcan : en 1980, la compagnie démarrait une nouvelle usine, à Grande-Baie, où la FSSA, ni d'ailleurs aucune autre centrale syndicale, n'a pas réussi à pénétrer. En outre, les travailleurs de l'usine d'Alma, au nombre d'environ 450, ont choisi en 1994 de quitter la FSSA pour former un syndicat indépendant. Depuis son congrès de 1994, la FSSA est dirigée par un nouveau président qui représente une certaine radicalisation du discours et des stratégies.

Le principal syndicat de la FSSA est le Syndicat national des employés de l'aluminium d'Arvida (SNEAA) qui détient cinq accréditations (les employés horaires de l'usine d'Arvida, les employés de bureau de la même usine, les employés du Centre de recherche d'Arvida, les employés horaires de l'usine de Laterrière et les employés de bureau de la même usine). Les syndiqués du complexe Jonquière (anciennement dénommé usine d'Arvida) représentent le groupe le plus important du SNEAA : au nombre de 2 400 travailleurs (ouvriers de production et ouvriers de métiers) et de 250 employés de bureau, ils surpassent largement les autres groupes : 450 travailleurs et 30 employés de bureau à l'usine de Laterrière, et 110 techniciens au Centre de recherche. Depuis le début des années 90, la direction syndicale a été renouvelée et elle est également porteuse d'une certaine radicalisation. Alors que le complexe Jonquière exploite une vieille technologie, remontant aux années 40, l'usine de Laterrière, mise en service au début de la présente décennie, est dotée d'une technologie à la fine pointe. En outre, tandis que le travail à cette dernière usine est organisé autour des nouveaux concepts du travail en équipes, de l'autonomie et de la polyvalence, il est dans la vieille usine encore largement organisé autour des vieux principes du taylorisme, même si certains services ont été profondément réorganisés selon les nouvelles formes d'organisation du travail. En conséquence, la productivité du travail dans les salles de cuves à Laterrière est deux fois plus grande qu'à Jonquière.

LE CONTEXTE ET LES ENJEUX

Après avoir connu des négociations extrêmement difficiles et deux longues grèves dans les années 70, qui ont entraîné des pertes de production équivalentes à 20 % de la capacité de production de la compagnie dans la région, les négociateurs tant patronaux que syndicaux convenaient à l'aube des années 80, à la suite d'une réouverture de contrat en 1981, qui avait été très bénéfique pour les salariés, d'adopter un mode de négociations moins conflictuel, qu'on pourrait qualifier de « négociations raisonnées ». Ce changement s'appuyait sur la conclusion d'un « nouveau compromis », en vertu duquel les salariés acceptaient la restructuration et le maintien de la paix industrielle en échange d'augmentations salariales appréciables, d'une amélioration des conditions de travail et de certaines mesures assurant une plus grande sécurité d'emploi. Quatre rondes de négociations sans conflit (1981, 1984, 1988 et 1992) ont alors suivi et ont amené également le règlement de certains dossiers majeurs, notamment l'extension du certificat d'accréditation de l'usine d'Arvida à la nouvelle usine de Laterrière et la sélection de la main-d'œuvre en fonction de l'ancienneté. Mais le compromis était fragile et quatre de ses cinq dimensions constitutives seront remises en question : les salaires, la sécurité d'emploi, la réorganisation du travail et la paix industrielle.

Après avoir traversé une période de baisse des prix, de faible utilisation des capacités de production et d'offre fortement excédentaire sur les marchés, à la suite de l'écoulement des stocks de métal des pays formant l'ancienne URSS, la conjoncture est redevenue très favorable et les prix ont connu une remontée importante. Les entreprises d'aluminium et particulièrement Alcan ont dès lors recommencé à enregistrer des bénéfices appréciables. Les syndiqués, qui avaient consenti à une modération salariale dans les années difficiles, encaissant même une baisse de leur salaire réel depuis 1984, revendiquent maintenant leur juste part des fruits de la reprise économique. Ils soutiennent en outre que leur salaire a accumulé un retard par rapport aux autres travailleurs syndiqués de l'aluminium au Québec et au Canada. C'est donc un enjeu classique des années 70 et des Trente Glorieuses. Mais il est également bien actuel dans la mesure où les salariés revendiquent le partage des gains après une période d'acceptation de relative austérité. Les syndiqués, déjà bien payés avec un salaire horaire moyen de 20 $, sentiront le besoin de justifier leur demande de rattrapage salarial auprès d'une population régionale qui est aux prises avec de bas salaires et un chômage massif. Ils donneront l'impression d'être des « privilégiés » qui en veulent toujours plus. À cet égard, la compagnie n'a guère meilleure image. Après avoir édifié un empire grâce à l'exploitation des richesses hydrauliques, dont elle tire encore largement profit puisque les coûts de production de l'énergie sont sans conteste les plus bas du monde, elle réorganise aujourd'hui ses activités en supprimant un très grand nombre d'emplois dans une région où le taux de chômage officiel oscille autour de 15 % et que les jeunes quittent massivement pour aller vivre ailleurs. « Un autobus de jeunes quitte la région à chaque semaine », me disait récemment en entrevue un dirigeant syndical.

Les négociations se déroulent en outre dans un contexte de restructuration de la production. Les vieilles usines sont en sursis : elles sont soit modernisées ou carrément fermées et remplacées par des installations utilisant des technologies plus productives et moins polluantes. En conséquence, l'emploi se réduit comme une peau de chagrin. Le nombre de syndiqués, employés horaires et de bureau, à l'usine d'Arvida est passé de 5 500 au milieu des années 70 à environ 2 600 aujourd'hui, et à un peu plus de 3 000 si on ajoute les travailleurs de la nouvelle usine de Laterrière. Il était à l'origine prévu que cette restructuration s'accomplisse sans entraîner de mises à pied. Or, avec la récession sur le marché de l'aluminium, les mesures de protection de l'emploi se sont révélées inefficaces et n'ont pu empêcher la mise à pied de près de 500 travailleurs. Pour les syndicats, la sécurité d'emploi devient donc un enjeu majeur. Certains progrès ont été réalisés dans les négociations précédentes et il s'avère nécessaire de les consolider. Les syndicats avancent même l'objectif de création d'emplois, en convertissant les heures supplémentaires en congés payés et en cherchant des formules pour réduire le temps de travail.

La réorganisation du travail se situe également au cœur des négociations. Pour la direction de l'entreprise, il s'agit d'éliminer les rigidités de l'organisation traditionnelle du travail avec ses nombreux postes de travail étroitement définis et fortement cloisonnés. La direction veut introduire une plus grande flexibilité en élargissant et en enrichissant les postes de travail, en éliminant bon nombre de contremaîtres de premier niveau et en décloisonnant les métiers traditionnels. À l'usine de Laterrière, elle est largement réalisée, alors qu'au complexe Jonquière elle est encore en chantier parmi les ouvriers de production et tout simplement en projet parmi les ouvriers de métiers. Les salariés ont quelques réserves à l'égard de l'augmentation des charges de travail et des pertes d'emplois. Mais, dans cette négociation, l'enjeu se centrera sur les contreparties salariales revendiquées pour accepter les nouvelles formes d'organisation du travail.

Le dernier enjeu concerne la paix industrielle, censée être assurée par un nouveau mode de négociations. Le mode traditionnel de négociations, qui a dominé pendant les Trente Glorieuses, se caractérise par l'usage du rapport de force pour imposer ses revendications à l'autre partie. Ce sont la capacité de faire du tort à l'autre partie et la crainte de subir des pertes considérables au cours d'un conflit qui contraignent les parties à conclure une entente. À la limite, le différend se règle au terme d'une guerre d'usure qui entraîne des conflits parfois très longs et toujours coûteux pour les deux parties. Les négociations raisonnées veulent éviter cette situation par une nouvelle approche des différends. À l'usage du rapport de force autour de positions arrêtées elles proposent de substituer la recherche de solutions, mutuellement avantageuses compte tenu des divergences d'intérêts, mais compte tenu aussi et surtout de l'existence d'intérêts communs, comme le maintien et le développement de l'entreprise, seule garantie en fin de compte de l'emploi et des salaires. Tandis que les négociations traditionnelles se caractérisent comme un jeu à somme nulle, les gains de l'une des parties se faisant au détriment de l'autre, les négociations raisonnées se définissent comme un jeu à somme positive, chacune des parties enregistrant des gains au terme du processus.

Dans la réalité toutefois, même s'il a permis de régler certains problèmes majeurs et d'éviter des conflits coûteux, l'usage du nouveau mode de négociations chez Alcan, pendant plus de 10 ans, a donné lieu à un certain nombre de critiques parmi les syndiqués. D'une longueur excessive, les négociations se déroulent quasi en secret : les informations sont distribuées au compte-gouttes et, exemptes de critiques, elles se distinguent par leur caractère de neutralité, ne rapportant ni les enjeux ni les divergences entre les parties. Par ailleurs, en l'absence de positions véritablement indépendantes, la trop grande proximité des négociateurs syndicaux et de l'employeur remet en cause leur indépendance. Au fur et à mesure qu'ils se rapprochent de la direction, les chefs syndicaux s'éloignent de la base, dont la mobilisation est jugée inutile, étant donné que le rapport de force n'est plus utilisé.

Dans la foulée de ces critiques, les leaders syndicaux des années 80 ont été, à la suite d'élections syndicales, remplacés par d'autres plus « combatifs » et voulant se rapprocher de la base. Ces derniers ont imprimé un tournant au mode de négociations. C'est ainsi que les dernières négociations marquent le retour des négociations plus « traditionnelles » et militantes. C'est l'appel à la mobilisation des membres et au rapport de force : à la force des arguments s'ajoute l'argument de la force. En 1995, les leaders syndicaux ont voulu profiter du fait que la conjoncture économique sur le marché de l'aluminium leur procurait un pouvoir considérable pour imposer leurs revendications, et c'est sur cette base qu'ils ont mobilisé les membres. Entre la fin de juin et la mi-octobre 1995 se sont tenues chez les syndiqués de l'usine d'Arvida six assemblées générales, auxquelles les membres ont participé en très grand nombre, en moyenne à plus de 75 %. Les syndiqués ont été tenus en alerte avec des informations nombreuses et critiques à l'égard des positions de la partie patronale. Les négociateurs syndicaux ont recherché la conclusion rapide d'une entente avantageuse pour leurs membres. Devant le piétinement des négociations, ils n'ont pas hésité à brandir l'ultimatum de la grève et ils ont négocié en ayant en poche un mandat de grève. Les travailleurs se sont mobilisés pour exercer des pressions qui ont culminé dans une grève générale d'une dizaine de jours. Tout semblait donc favoriser la partie syndicale, qui espérait beaucoup des bonnes vieilles stratégies qui avaient si bien servi par le passé. Mais, toujours plus compliquée, l'histoire se répète rarement.

LA GRÈVE ET SON DÉNOUEMENT

À la suite d'un mandat de grève obtenu au début du mois d'août, accordé par 86 % des membres votants lors d'un scrutin secret, les négociateurs syndicaux du SNEAA ont invité leurs membres à se mettre en grève le 6 octobre suivant, sans tenir de vote préalable. La grève était à peine déclenchée dans les diverses accréditations du SNEAA que la division apparut dans les rangs des syndiqués. À l'occasion d'une assemblée syndicale des travailleurs de l'usine d'Arvida, tenue le premier jour de la grève, on procède à un vote à main levée relativement à une proposition de soumettre au vote les offres patronales, déposées la veille et sensiblement pareilles aux offres rejetées lors d'un vote ayant eu lieu en août dernier. La proposition est rejetée à la majorité. Dans la fin de semaine qui suit, une pétition circule parmi les salariés pour demander qu'on soumette au vote les dernières offres patronales. Elle aurait recueilli près de 600 noms. Devant la situation, les dirigeants syndicaux convoquent une assemblée générale pour le 9 octobre. Au cours de cette assemblée, la direction syndicale présente aux membres une proposition d'organiser un vote sur les offres dans les plus courts délais, soit dans 48 heures, c'est-à-dire le mercredi suivant, le 11 octobre. Cette proposition est acceptée dans une proportion de 72,6 %, à la suite d'un scrutin secret. En conséquence, les salariés sont conviés à un vote secret sur les offres patronales. Ce même jour, les membres des autres accréditations du SNEAA et tous les autres syndiqués d'Alcan, membres de la FSSA, se prononcent également sur les offres patronales. Les résultats alors obtenus indiquent une très grande division parmi les syndiqués. Les syndiqués horaires d'Arvida rejettent les offres à 51,3 %, tandis que ceux de Laterrière les acceptent dans une proportion de 66,1 %. Pour l'ensemble du SNEAA, incluant tous les membres couverts par les cinq accréditations détenues, les offres sont acceptées à 51,4 %. Néanmoins, la grève se poursuit. Les syndiqués horaires d'Arvida ont rejeté les offres et les autres syndiqués sont invités par solidarité à poursuivre la grève en appui aux grévistes d'Arvida. La grève se poursuivra encore quelques jours. Une entente de principe interviendra rapidement, reprenant avec quelques changements mineurs les offres du 5 octobre, et les employés l'entérineront dans une proportion légèrement supérieure à 70,0%. Le retour au travail s'effectuera le lendemain, soit le 17 octobre.

Avant le déclenchement de la grève, les écarts entre les offres patronales et les demandes syndicales étaient les suivants, selon les dernières offres déposées en date du 5 octobre 1995 :

	Offres patronales	Demandes syndicales
Augmentations salariales, égales pour tous	1,50 $ (soit 7%)	1,93 $ (soit 9%)
Prime pour la réorganisation pour les ouvriers de métiers	1,40 $	1,65 $
Prime pour la réorganisation pour les ouvriers de production	0,75 $	1,00 $

En règlement après la grève, la proposition patronale sur le plan pécuniaire est acceptée telle quelle : soit 1,50 $ plus 1,05 $ (moyenne de la prime de réorganisation pour les ouvriers de métiers et les ouvriers de production), ce qui donne au total une augmentation de 2,55 $ l'heure ou 12,6%.

Avant la grève, les formules de sécurité et de partage d'emploi avaient été à peu près mises au point. À ce chapitre, il y a indéniablement innovations et gains syndicaux. Les syndiqués ont notamment obtenu la protection à peu près totale de l'emploi pour 3 044 travailleurs du SNEAA, à la suite d'une précision apportée à la définition de « baisse de production ». C'est que l'interprétation que faisait de cette notion la compagnie en vertu du contrat de 1992 lui permettait une très grande liberté pour procéder à des suppressions de postes et à des mises à pied touchant les travailleurs qui avaient plus de cinq ans d'ancienneté, dont la sécurité d'emploi devait être assurée par le contrat de 1992. Les négociateurs syndicaux ont également réussi à faire des gains dans le domaine de la création d'emplois grâce à la mise en œuvre d'une formule originale, le 40/38. En vertu de cette formule, les syndiqués qui le désirent travaillent 40 heures par semaine et sont payés pour 38 heures. Ils accumulent deux heures par semaine pour obtenir en fin de compte deux semaines et demie de vacances supplémentaires par année. Par ailleurs, les parties se sont entendues pour réduire les heures supplémentaires et inciter les travailleurs à reprendre en congé les heures supplémentaires qu'ils font. Ces deux initiatives se sont révélées un succès, puisque, au printemps 1997, soit un an et demi après l'entente, les travailleurs y avaient adhéré dans une proportion de 70 %, créant ainsi plus de 100 emplois. La courte grève d'octobre 1995 a porté ses fruits en bonifiant les formules de partage du travail. Ainsi, une augmentation de 0,25 $ l'heure a été consentie pour les salariés qui se prévaudront de la formule 40/38. Cela leur rapportera environ 500 $ supplémentaires par année, soit à peu près l'équivalent de la perte salariale nette pendant la grève.

Au sujet de la rémunération, il faut mentionner une autre innovation, introduite cette fois sur l'initiative de la compagnie et contenue dans les offres faites avant la grève. Il s'agit d'une prime salariale indexée sur le prix du métal. Sur la base de la formule proposée, cette prime devrait être de l'ordre de 0,43 $ l'heure, soit environ 900 $ par année, compte tenu du fait que le prix actuel du métal se situe aux environs de 0,85 $ la livre. Tout à fait particulier ! Ce n'est en rien relié à la motivation au travail et aux rendements des salariés. En fait, comme le prix du métal a une forte incidence sur les profits de l'entreprise, c'est une formule de partage des profits.

Après la grève, il en a coûté près de 100 millions de dollars à l'entreprise pour redémarrer les salles de cuves à Arvida et à Laterrière, car le métal avait « gelé » dans les cuves. C'est un coût énorme pour la compagnie, alors qu'avant la grève un écart de 27 millions séparait les offres patronales des demandes syndicales. Quant à l'ensemble des syndiqués, ils ont perdu au total en salaires près de 5 millions de dollars, pour enregistrer des gains plutôt limités. Mais par-delà cette comptabilité étroite, il faut mesurer les gains et les pertes à plus long terme et évaluer la grève en relation avec d'autres dimensions que les seules dimensions pécuniaires.

ANALYSE

L'analyse de cette grève et de son dénouement fait appel à trois interprétations privilégiant un facteur déterminant dans les relations entre acteurs sociaux : la rationalité, le pouvoir ou les identités. Selon la première interprétation, le conflit apparaît inutilement coûteux. Si elles avaient adopté des comportements plus « rationnels » et « raisonnés » dans leurs négociations, les parties auraient pu éviter ce conflit et trouver une solution plus avantageuse. Il est alors tenu pour acquis qu'à moins d'y être contraint un acteur rationnel, ayant une bonne compréhension de ses intérêts et de ceux de l'autre, évitera l'affrontement, étant donné les coûts qui s'y rattachent, au profit d'une « négociation raisonnée ». Cette interprétation soulève deux questions. D'abord, il y a un problème de définition des coûts, des gains et des pertes, au terme d'un conflit. Dans une logique de gestion « rationnelle », tout peut s'évaluer en dollars et à court terme. Mais dans une perspective sociologique et stratégique plus large et à plus long terme, d'autres dimensions sont à considérer, notamment les relations de pouvoir. l'histoire du mouvement syndical n'est-elle pas d'ailleurs constituée de coûts supportés à court terme pour enregistrer des gains à long terme? Sur un autre plan, la conception de la rationalité sous-jacente à cette interprétation est elle-même discutable. Elle suppose l'existence d'une rationalité universelle et «désincarnée», située en dehors des acteurs sociaux concrets. La sociologie des organisations ne nous enseigne-t-elle pas qu'il n'y a pas de rationalité unique, mais seulement des rationalités limitées et propres à chaque acteur? D'ailleurs, n'est-il pas révélateur de constater à la lecture des journaux et des diverses informations diffusées par les parties au cours du conflit que chacune accuse l'autre de manquer de rationalité, de ne pas respecter l'esprit des «négociations raisonnées» et de retourner au mode traditionnel de négociations?

Selon la deuxième interprétation, c'est le pouvoir dont disposent les acteurs dans le cadre d'une relation donnée qui explique leur comportement. Dans le cadre de négociations collectives, celui qui est avantagé par l'état du marché et de la conjoncture peut causer des pertes énormes à l'autre, sans que cela lui coûte beaucoup. En période de reprise économique, la grève est beaucoup plus efficace qu'en période de crise et de surproduction. Alcan et Kenworth représentent à cet égard des situations opposées. Ainsi, les syndiqués d'Alcan ont voulu profiter d'une conjoncture très favorable, il est vrai, pour enregistrer des gains importants. Bien plus, la fragilité de la technologie, comme l'indiquent les coûts élevés de redémarrage après un conflit, si court soit-il, donne un pouvoir énorme aux syndiqués. C'est en partie ce qui explique pourquoi la direction tient tant à la paix industrielle et n'a pas ménagé les efforts pour l'obtenir au début des années 80 après les conflits coûteux des années 70. Quelque temps après la grève de 1995, elle a d'ailleurs proposé au syndicat l'ouverture de discussions en vue de conclure une entente à long terme, jusqu'en l'an 2015 et plus, pour assurer la stabilité des opérations. Sans aucun doute, les dirigeants syndicaux ont voulu exploiter cet avantage que leur procuraient la conjoncture favorable et la fragilité de la technologie et ils ont tenté de convaincre leurs membres de les suivre. Pourquoi les membres n'ont-ils pas suivi? Ils étaient prêts à brandir la menace de la grève, mais, le moment venu de passer à l'action, ils ont hésité et la division s'est installée. En effet, c'est à une très faible majorité que la grève a été déclenchée et les résultats sont très différents selon les usines. Pourquoi les syndiqués ont-ils refusé, en pratique, de renouer avec les stratégies et les actions des années 70, même si la conjoncture était des plus favorables? Pourquoi les travailleurs de l'usine de Laterrière, à qui la fragilité de la technologie donne un pouvoir encore plus grand que celui qu'elle confère à leurs confrères d'Arvida, ont-ils refusé de voter pour la grève, même s'ils ont été ensuite contraints de la faire par le jeu de la solidarité syndicale?

Selon une troisième interprétation, il faut prendre en considération les répercussions de la modernisation sociale et de la réorganisation du travail sur les identités et sur les rapports sociaux au travail. Les divisions ouvrières deviennent ici le phénomène le plus révélateur. L'attitude des salariés à l'égard de la grève s'expliquerait alors par les identités et les rapports sociaux au travail qui sont eux-mêmes fortement déterminés par la réorganisation du travail et la modernisation sociale des entreprises. Ainsi se comprendrait la division parmi les salariés : si ceux des vieilles usines sont en faveur de la grève et que ceux des nouvelles usines sont contre, c'est que, dans un cas, le travail n'a pas été fondamentalement changé, alors que, dans l'autre, il aurait été substantiellement modifié. Dans le cadre du taylorisme, les identités fonctionnent à la dualisation : c'est *nous* contre *eux*. Elles s'alimentent à une logique de protection contre l'arbitraire patronal et de répartition des fruits de la production (le « partage du gâteau »), tout en acceptant la division traditionnelle des fonctions : il revient à la direction, grâce à des droits de gérance étendus, de diriger, et aux syndicats, de réagir et de négocier le partage. Les syndicats sont exclus de la prise de décision concernant l'organisation du travail et la gestion de l'entreprise. La solidarité ouvrière se construit à même l'hostilité envers le patronat, exacerbée par un discours de dénonciation. C'était manifestement sur ces identités traditionnelles que les dirigeants syndicaux misaient dans leur stratégie. Dans les milieux où le travail a été réorganisé, comme à l'usine de Laterrière et dans certains départements de l'usine d'Arvida, les identités ouvrières se transforment et elles hésitent entre deux orientations : soit l'identification et l'intégration à la direction, soit la construction de nouvelles identités autour de la démocratisation du travail. Conformément à la première orientation, la logique de la compétitivité domine : c'est le « tous ensemble » contre l'ennemi extérieur, représenté par la concurrence des autres usines, entreprises et pays. C'est sans conteste le type d'identité qui est mis de l'avant par la direction patronale. Dans ce cadre, la grève est tout simplement obsolète et le fait d'y recourir ne signifie pas autre chose que de « se tirer dans le pied ». Quant aux nouvelles identités, elles reposent sur une logique de démocratisation du travail, qui amène les syndiqués à intervenir dans l'organisation du travail et la gestion de l'entreprise, afin de promouvoir un autre projet de réorganisation du travail moins dominé par les seuls impératifs de la compétitivité et plus respectueux des principes de solidarité et de démocratie industrielle. Dès lors, la grève n'est plus considérée comme le seul moyen d'action des salariés et l'arrêt de la production ne représente plus le seul pouvoir dont ils disposent. En effet, ils peuvent défendre leurs intérêts et faire valoir leurs points de vue au sein de diverses instances de participation et de représentation. Leur pouvoir repose désormais sur leur expertise et leur savoir-faire que la direction sollicite fortement et considère comme la principale source d'efficacité et de qualité. Parmi les membres du SNEAA, ces trois logiques et ces trois formes d'identités coexistent, sans qu'aucune d'elles ne soit hégémonique, expliquant ainsi les bégaiements stratégiques et l'incapacité de la direction syndicale à rallier tous les salariés à la grève.

En somme, c'est comme si les acteurs syndicaux avaient voulu renouer avec les stratégies du passé, que le contexte de la reprise économique rendait possibles, alors que des transformations fondamentales avaient considérablement modifié les rapports sociaux au travail et les identités ouvrières, tout en rendant moins nécessaire le recours à la grève. Les divisions ouvrières reflètent et traduisent ce décalage entre les stratégies syndicales et les identités ouvrières.

Partenariat et innovation en matière d'organisation du travail à Primétal

Denis Harrisson

Les programmes de qualité, les équipes semi-autonomes de travail et les modifications aux tâches des employés comptent parmi les transformations les plus importantes et les plus fréquentes dans l'organisation du travail manufacturier. Ces transformations ont pour but de redresser la compétitivité des entreprises par l'amélioration de la qualité des processus de production et du rendement des salariés entraînant une réduction des coûts de production. En plus des gains de productivité, ces transformations entraînent des changements importants dans les rapports sociaux du travail en modifiant les relations hiérarchiques et latérales des membres de l'organisation, entre autres par une plus grande participation des employés dans la conception et la prise de décision en ce qui a trait à l'organisation du travail. Cependant, ces transformations ne se font pas machinalement sous l'effet conjugué de contraintes externes et des pressions de l'environnement socioéconomique. Bien que ce contexte (mondialisation, déréglementation, technologie de l'information, etc.) incite fortement les acteurs à transformer les relations, ils doivent prendre en charge le processus de transformation et mener à terme les projets qui conduisent à un nouvel ordre productif. Ces projets sont innovateurs mais, comme toute innovation, ils doivent intéresser les membres de l'organisation afin qu'ils puissent se les approprier en modifiant les règles relationnelles et les rôles. Dans ce contexte, les acteurs disposent de suffisamment d'autonomie et de marge de manœuvre pour agir sur les transformations qui sont également des innovations dans l'organisation du travail parce qu'elles présentent des manières d'agir et de penser le travail qui sont en rupture avec les modes traditionnels d'organisation et de gestion du travail.

Dans les prochaines pages, nous suivrons les principales étapes du projet de transformation de Primétal, une entreprise métallurgique spécialisée dans la fabrication d'acier « à façon ». Située dans une ville industrielle du Québec, l'entreprise emploie 250 personnes dont 200 ouvriers répartis dans trois ateliers interdépendants : l'aciérie, la forge et l'atelier d'usinage. Primétal a implanté un programme de qualité intégrale en 1993. Par ce programme, l'entreprise réussit le passage d'un mode d'organisation du travail tayloriste à un mode d'organisation du travail participatif. Primétal a été transformé en mettant à contribution tous les acteurs : les cadres, les représentants syndicaux et les travailleurs. Ces derniers ont participé à toutes les phases du projet d'innovation que représente la qualité intégrale ; ils ont réussi à intéresser et à rallier les membres en concevant des activités qui ont engendré un succès progressif, puis en cassant les oppositions et les résistances parmi les membres sceptiques. La démarche a eu pour effet de consolider la coopération par des relations patronales-syndicales modifiées et un plan de développement des ressources humaines.

LE PROJET D'INNOVATION

Depuis le début des années 80, Primétal a perdu une grande part des marchés d'exportation, subissant du même coup les effets de la fluctuation du taux de change et du déclin général de l'industrie métallurgique en Amérique du Nord. La situation économique de l'entreprise est telle que le licenciement d'une cinquantaine de salariés est nécessaire au début des années 90, suivi d'une période de travail partagé durant laquelle les ouvriers ne travaillent plus que trois jours par semaine pendant 39 semaines. En 1991, les propriétaires de Primétal songent sérieusement à fermer l'usine ou à la vendre. Le syndicat des employés fait tout pour empêcher la fermeture et demande une étude sur les forces et les faiblesses de l'organisation. Cette étude conclut que la gestion de l'usine présente plusieurs lacunes et que le contrôle de la qualité est déficient. La perte d'une grande part des marchés par Primétal n'est pas uniquement le résultat d'une conjoncture défavorable, elle a des causes internes, car il existe un marché pour les produits de Primétal. En effet, l'entreprise possède la seule presse de 5 000 tonnes de tout l'Est nord-américain et il y aurait lieu d'en faire un avantage concurrentiel si les autres phases de fabrication de l'acier sont améliorées, soit les coulées d'acier, le traitement thermique et la modification des pièces à l'usinage. Ces parts de marché peuvent être récupérées à la condition d'améliorer la qualité des produits et les délais de livraison. Ce n'est cependant pas si simple, l'amélioration de la qualité étant un processus complexe qui comprend des dispositifs techniques et des dimensions sociales. Les aspects techniques ne peuvent être pris en charge sans que les acteurs au sein de l'entreprise transforment leurs relations et changent les rôles. Les gestionnaires doivent apprendre à associer et à intéresser les employés à la prise de décision, et ceux-ci doivent apprendre à déceler et à résoudre les problèmes sans avoir recours aux supérieurs hiérarchiques. Le syndicat est au centre de ce revirement, mais il doit aussi apprendre à faire équipe avec les gestionnaires pour promouvoir l'innovation et la répandre dans tous les coins et recoins de l'usine grâce à la participation de chaque employé, tout en continuant de protéger les intérêts socioéconomiques de ses membres.

LES ACTEURS

Une innovation n'est pas un *ready made*, c'est-à-dire qu'elle ne suit pas un cheminement linéaire que suggère un plan précis de chacune des étapes. Une innovation comme celle qu'introduit un programme de qualité intégrale exige que les acteurs décident de l'itinéraire, qu'ils se mettent d'accord sur les objectifs, qu'ils définissent les étapes et les activités à démarrer. Les acteurs coaniment le processus de transformation, mais ils doivent auparavant s'accepter mutuellement dans leurs rôles respectifs. Avant de former les premiers comités, la direction de Primétal apporte des changements à la gestion locale en nommant les cadres supérieurs qui sont les plus susceptibles de mener à bien ces transformations. Ce sont des personnes qui, tout en possédant les qualités de gestionnaires, ne craignent pas le risque et l'incertitude d'une situation de changement. Selon la situation, leurs idées seront évaluées, et parfois contestées, mais en tout temps ces cadres devront tenter de s'accorder, de convaincre et de persuader par la discussion et la démonstration logique plutôt que par la coercition ou le recours à l'autorité. En d'autre temps, ils devront céder devant un argument d'un autre acteur, et les compromis qu'ils doivent faire deviennent aussi une source de transformation. Des gestionnaires « nouvelle vague » sont nommés aux postes stratégiques, à la direction de l'usine, à la production et au contrôle de la qualité. Ces derniers sont réputés pour leur style de gestion participative, qu'ils ont instauré à l'aciérie, et ils sont les personnes désignées pour conduire le changement dans les deux autres ateliers de l'usine, soit la forge et l'atelier d'usinage. Ces nouveaux gestionnaires inspirent confiance, ce qui est fondamental dans une situation à risque comme toute innovation. Ils savent rallier les cadres subalternes et les employés. Le rôle de rassembleur de ces nouveaux gestionnaires n'est cependant pas défini, il se crée en situation, en interaction avec les autres.

LE SYNDICAT

Le syndicat des employés de Primétal désire participer pleinement au changement, mais il n'existe aucun cadre institutionnel qui indique le rôle que peut jouer le syndicat dans le processus de changement. Au Canada, dans les milieux syndiqués, les transformations sont de la responsabilité exclusive des employeurs qui détiennent tous les droits de gérance. Cependant, les employeurs ont des positions divergentes sur le rôle du syndicat dans le processus de transformation. Certains cadres s'opposent au nouveau rôle du syndicat qu'ils tentent de confiner à sa fonction traditionnelle. Cependant, ces mêmes cadres n'ignorent pas que la réussite du projet d'innovation repose sur la participation directe des employés. D'autres, au contraire, voient dans la collaboration syndicale un moyen d'élargir le processus participatif par l'enrôlement d'un acteur influent auprès des employés ; le syndicat devient alors un agent qui facilite le processus de transformation. Les syndicats ont aussi défini leur position sur l'innovation : ils sont parfois défensifs, refusant de s'engager et défendant les acquis de la convention collective ; ils sont parfois proactifs, voyant dans l'innovation de l'organisation du travail une façon d'élargir leur sphère d'influence dans l'entreprise qui dépasse la négociation collective.

Le syndicat des employés de Primétal appartient à la seconde catégorie, mais il doit faire sa place dans le processus. Son rôle n'est pas défini, comme c'est le cas dans la négociation collective. À l'instar des gestionnaires, les représentants syndicaux apprennent leur rôle de promoteur d'un système productif, ils apprennent aussi à présenter à leurs membres des activités de reconstruction de l'organisation du travail. C'est très différent du rôle classique du syndicat habitué à réagir aux positions de l'employeur et qui fait adopter par ses membres des stratégies défensives. Or il n'y a pas de modèle et il y a peu d'expériences de ce type de concertation au Québec. Les représentants syndicaux apprennent sur le tas le rôle de partenaire dans l'innovation de l'organisation du travail avec la direction de l'établissement.

Pour réussir le passage d'un rôle à l'autre, le syndicat doit être fort, c'est-à-dire qu'il doit adopter des positions partagées par la majorité des membres sans s'aliéner les opposants. Surtout, l'exécutif du syndicat doit se présenter tel un bloc solidaire. Le changement ne doit pas être l'affaire d'une seule personne. L'apprentissage est collectif, c'est un ensemble qui s'engage et qui cherche à inciter les membres à collaborer avec les différents comités. Les représentants syndicaux tiennent des assemblées fréquentes et informent les membres de toutes les activités. Ils essaient aussi d'étouffer les nombreuses rumeurs qui circulent dans une situation de changement. L'exécutif syndical est persuadé que l'information est primordiale dans le succès du programme de qualité intégrale.

L'information ne concerne pas que le programme. Le syndicat et les employés s'engagent dans une relation de confiance avec les gestionnaires et l'information est une clé pour comprendre ce type de relation fondée non pas sur des règles précises ou des comportements conformistes mais sur un engagement de réciprocité et d'équivalence (je te donne, tu me donnes). Les employés sont régulièrement informés des rapports financiers, des revenus de l'entreprise, des ventes, des contrats, des nouveaux créneaux du marché, des exigences du client, parfois de sa bouche même à l'occasion de visites d'usine. Les livres comptables sont ouverts, et les employés apprennent ainsi que l'entreprise perd 200 000 $ mensuellement pour un chiffre d'affaires de 26 millions. Les investissements pour l'achat de nouveaux équipements et le renouvellement de la technologie sont aussi l'objet de consultations et de discussions entre les acteurs. Plusieurs aspects qui composent les prérogatives habituelles de la direction (les droits de gérance) relèvent d'une prise de décision conjointe ou, dans les autres cas, sont l'objet d'une consultation. À l'occasion d'une démarche de l'entreprise pour obtenir un prêt de sept millions de dollars auprès du gouvernement du Québec, les représentants syndicaux accompagnent les gestionnaires et ils démontrent par cette démarche commune l'harmonisation des relations de travail garante d'un climat plus serein dans les ateliers. Toutes les autres démarches de financement de l'établissement auprès des institutions financières, des agences gouvernementales et du siège social sis en Ontario se font conjointement.

LE COMITÉ

Toute innovation se réalise par la conception d'un projet. Le projet de Primétal consiste à modifier l'organisation du travail dans les trois ateliers et à implanter un processus d'amélioration continue en mettant les employés à contribution. Un consultant est engagé par la direction et le syndicat pour guider les acteurs dans la réalisation de différentes étapes de l'innovation. Un comité directeur paritaire composé de cinq membres de la direction et de cinq représentants syndicaux est formé. Ce comité est responsable du processus de transformation qui comprend la conception du projet, la planification des étapes, la réalisation des activités, l'évaluation du changement, l'établissement des priorités d'intervention, la diffusion de l'information aux membres de l'organisation, dont les travailleurs, et la mise en place de nouveaux réseaux de communications verticales et horizontales. Le comité est un lieu d'interaction et de dialogue entre des acteurs qui souhaitent un changement dans l'entreprise. L'existence de cette structure permet de fréquents contacts directs (deux fois par semaine à raison de deux heures chaque fois), créant un climat de familiarité et d'apprentissage entre les acteurs dans des situations nouvelles pour eux. Une telle structure assure la régularité et la permanence des discussions sur les moyens à prendre pour faire face à l'incertitude.

Des sous-comités sont également constitués sous la responsabilité du comité directeur. Ces sous-comités regroupent des contremaîtres et des employés, généralement quatre ou cinq personnes, qui se rencontrent une fois par semaine. Un représentant syndical assiste à toutes les réunions. Ces comités ont pour objectif d'examiner et de résoudre des problèmes particuliers de production dans les ateliers de travail. Ce sont les travailleurs qui font les recommandations sur les modifications à apporter à l'organisation du travail et aux postes de travail. La création des sous-comités a pour effet de décentraliser le partenariat qui s'institue entre la direction et le syndicat et favorise la participation directe des ouvriers. Chaque sous-comité est structuré par un problème particulier relevé par le comité directeur ou suggéré par des employés, mais la décision de former ou non un sous-comité émane toujours du comité directeur. Une fois qu'une solution est proposée et adoptée par celui-ci, le sous-comité est dissous. D'autres sous-comités sont alors formés pour analyser d'autres problèmes.

Deux objectifs président à la création des sous-comités. Le premier consiste à résoudre un problème à la lumière de l'analyse qu'en font ceux qui possèdent le plus de connaissances sur le travail réel, soit les ouvriers et les contremaîtres. Le second objectif consiste à faire participer tous les membres de l'organisation et non pas uniquement les experts ou une certaine élite ouvrière. Pour les membres du comité directeur, en particulier les représentants syndicaux, le partenariat est une voie vers la démocratie industrielle, d'où l'importance de faire participer le plus grand nombre et de ne pas céder à la tentation de faire intervenir les experts. Plusieurs sous-comités ont ainsi été formés, parfois jusqu'à 10 sous-comités dans les trois ateliers de l'entreprise. Pour les travailleurs et les membres de la direction de Primétal, cette nouvelle structure marque un tournant : les travailleurs habitués à l'affrontement participent à la prise de décision sur l'organisation du travail et la direction les écoute.

LA VIE SYNDICALE

Les pratiques habituelles du syndicalisme sont également modifiées. Le syndicat s'est engagé avec certaines réticences et non par choix délibéré. La participation des membres du syndicat dans l'organisation du travail est d'abord motivée par la survie de Primétal. Mais la crainte que le succès d'un projet de réorganisation puisse conduire à la disparition du syndicat était bien réelle. Le syndicat n'en conserve pas moins son rôle traditionnel et continue à défendre les intérêts socioéconomiques de ses membres et à négocier la convention collective de travail, bien que les difficultés financières de l'entreprise ne soient guère propices à l'amélioration des conditions de travail ni à des augmentations salariales. Au dire des représentants syndicaux, il faut parfois marquer un recul avant de revenir avec des demandes à la hausse. C'est ce que font les travailleurs syndiqués de Primétal en acceptant la flexibilité par une fusion de certaines tâches, le regroupement de postes de travail, des modifications à l'horaire de travail et une suppression de sept postes. Les salaires sont réduits de 3 % la première année, mais ils augmentent de 2,5 % la deuxième année et de 2,5 % la troisième année. À ce moment, le calcul rationnel des membres consiste à d'abord participer au redressement économique de la firme avant de demander un partage plus équitable des gains de productivité. Ceux-ci apparaissent assez rapidement après la réorganisation du travail. D'une perte mensuelle de 200 000 $, l'entreprise réussit à faire des profits de quelque 50 000 $ par mois.

Ce revirement ne pourrait avoir lieu sans un appui des membres qui cherchent principalement à conserver leur emploi en participant davantage à la gestion de l'entreprise. Les débats sont cependant houleux aux assemblées syndicales, car ce virage ne fait pas l'unanimité. Il s'agit avant tout d'un calcul stratégique visant à sauver l'entreprise sans trop compromettre le rôle syndical. Certains membres du syndicat croient néanmoins que c'est là un engagement impossible sans compromission du syndicat. Pour ceux-là en effet, cela marque un recul de la force syndicale dans l'entreprise. Pour d'autres, le syndicat joue un rôle qui ne lui appartient pas. L'engagement syndical dans la gestion de l'organisation du travail serait impossible sans compromettre le rôle fondamental de la défense des intérêts des travailleurs.

Les représentants syndicaux et les membres du syndicat qui les appuient tiennent le pari contraire. Leur engagement auprès du comité directeur est conditionnel au maintien des emplois comme il a été négocié à l'occasion de la dernière ronde. L'employeur ne peut réduire le nombre d'emplois sans un accord avec le syndicat. Pourtant, au cours d'une période où les commandes étaient à la baisse, l'employeur a voulu mettre à pied temporairement une dizaine de travailleurs afin de réduire les coûts. Le syndicat s'y est opposé en menaçant de se retirer du comité directeur, ce qui aurait compromis les avancées du partenariat quant à l'organisation du travail. Le syndicat s'est gagné des appuis de ses membres en agissant de la sorte tout en consolidant sa position au sein du comité directeur. Il montre que certaines demandes sont impraticables et que les travailleurs demeurent une priorité. Les gestionnaires n'ont guère le choix et doivent supporter le coût de cette décision afin de ne pas s'engager dans une situation qui annihilerait tous les efforts du partenariat.

Le rôle du syndicat auprès des membres s'est néanmoins modifié, il s'est enrichi de fonctions nouvelles telles que voir au bon fonctionnement des rencontres, encourager et motiver les travailleurs. Ses moyens ont aussi changé ; de l'affrontement, il évolue dorénavant vers la concertation et le dialogue. Les membres semblent plus unis et solidaires que jamais. Le syndicat s'assure en effet que les transformations de l'organisation du travail conduisent également à l'amélioration de la qualité de vie au travail et non pas uniquement à l'amélioration de la productivité à même l'intensification du travail. Chaque mesure devant mener à des gains de productivité débattue dans les sous-comités et au comité directeur tient compte des conditions de travail, de la santé et de la sécurité du travail. Dans plusieurs postes de travail, la pénibilité du travail, l'effort physique et la charge de travail ont été réduits, contribuant ainsi à reconditionner le travail. Encore ici, ces mesures de redressement s'accompagnent d'une bonification qui renforce le projet de partenariat auprès des travailleurs sceptiques quant au rôle syndical.

LE SUCCÈS PROGRESSIF DE L'INNOVATION

La démarche de partenariat n'est efficace que si elle conduit au consentement du plus grand nombre, tant chez les travailleurs que parmi les cadres de la direction. Il est normal que les acteurs au sein de l'entreprise soient un peu sceptiques au départ. Après tout, passer d'une longue période d'affrontement à des relations plus harmonieuses ne s'accomplit pas comme par enchantement. Le comité directeur constate que tous les salariés ne sont pas au même point dans l'acceptation de l'innovation et que certains ne sont pas prêts à s'investir dans un nouveau rôle. Les agents de chaque atelier réagissent différemment, l'accueil réservé à l'innovation varie en effet selon les groupes de travailleurs. Primétal est organisé en trois ateliers interdépendants, mais chacun est autonome dans le mode de fonctionnement. Afin de faciliter l'adhésion et d'intéresser le plus grand nombre, les membres du comité directeur décident d'une stratégie par étapes selon laquelle les chances de succès sont grandes. Il s'agit moins de démarrer ce projet d'innovation dans tous les ateliers de l'entreprise que de commencer dans un atelier où les acteurs sont réputés pour leur esprit d'innovation avant de l'étendre à d'autres ateliers. La promotion auprès des unités de travail s'en trouvera facilitée, croit-on au comité directeur.

L'innovation s'amorce donc à l'aciérie puisqu'il faut améliorer la qualité de l'acier et réduire les temps de cycle de façon à augmenter le nombre de coulées. Les ouvriers de l'aciérie ont de plus l'habitude d'être consultés, puisque le directeur de la production a introduit d'une manière très informelle la gestion participative bien avant que la direction de l'établissement et le syndicat s'entendent sur une démarche commune. De plus, un acier de qualité est essentiel à la fabrication des pièces de fonte métallique de haut degré de résistance. L'aciérie est le point de départ de la production et la qualité des produits est le facteur déterminant de l'amélioration de la qualité des procédés au cours des différentes étapes du processus de production en aval. Le démarrage du projet dans cet atelier correspond donc à deux grandes exigences : *a*) la qualité s'améliore par une série d'interventions directes sur les méthodes de travail et les procédés de fabrication décidées au cours des rencontres des sous-comités ; *b*) la résistance des salariés est moindre dans cet atelier en raison d'une habitude acquise grâce à des rencontres informelles antérieures. Aussi, les réussites des sous-comités sont vite connues des employés des deux autres ateliers. Ce succès sème l'enthousiasme chez les ouvriers métallurgistes de l'aciérie, tant au chapitre de la participation qu'au chapitre de l'amélioration des rendements, des conditions de travail et de la qualité de l'acier produit, et ce, sans changement majeur de l'équipement. Aux ouvriers de la forge et de l'atelier d'usinage de prendre la relève maintenant.

Un problème subsiste parmi les travailleurs de l'atelier d'usinage où se trouvent des machinistes dont certains sont diplômés d'écoles techniques alors que d'autres ont appris le métier sur le tas. Les deux catégories sont réunies dans une même classification sans aucune distinction. Par contre, le travail réel effectué par les machinistes est différent selon la formation. Les machinistes diplômés, qui accomplissent les tâches plus complexes, exigent une classification supérieure aux autres de façon que soient reconnues leur compétence et leur contribution réelle. Pour sa part, la direction refuse de procéder à une double classification des machinistes.

Les machinistes diplômés sont invités dans les sous-comités afin de résoudre les problèmes de production, mais ils refusent de coopérer et se retirent de toute forme de participation. Le projet se poursuit auprès des autres unités de travail. À l'atelier d'usinage, l'impasse est dénouée par l'intervention du syndicat auprès de la direction qui promet une solution définitive lors des prochaines négociations, sans pour autant révéler à l'avance la teneur de l'entente. Les machinistes éprouvent la solidité du syndicat en formulant des demandes précises qui interpellent le comité directeur. Ils tentent de marchander leur participation par la reconnaissance d'une classification particulière qui viendrait résoudre ce qu'ils perçoivent comme un problème d'iniquité. Le syndicat s'empresse d'étouffer la revendication et tente de marginaliser la position du groupe des machinistes pour ne pas compromettre le projet d'innovation. À l'intérieur d'une même entreprise, l'organisation du travail diffère d'un atelier à l'autre et il importe que l'innovation soit introduite de façon à tenir compte des particularités de chaque groupe de travail. Les machinistes forment un groupe qualifié qui réagit différemment des autres groupes, car ils pressentent que l'autonomie qui caractérise leur métier peut être remise en question par l'innovation alors qu'elle s'accroît au sein d'autres groupes. De plus, le syndicat est interpellé directement et doit trouver une solution qui ne compromet ni le projet d'innovation, ni son nouveau rôle au sein du comité directeur, ni son rôle de défense des ouvriers quel que soit leur métier. La résistance et l'opposition sont très présentes dans ces projets innovateurs. En fait, la fonction du partenariat consiste généralement à trouver des solutions à ces problèmes sans avoir recours à une tierce partie.

LA DIRECTION

La direction ne se présente pas non plus comme une entité homogène. Il n'est par ailleurs guère facile de modifier la fonction de direction et de faire entrer les cadres dans un rôle où l'autorité revêt une forme différente. Les cadres doivent apprendre à communiquer, à discuter, à faire comprendre et accepter, à convaincre, au besoin à persuader, mais aussi à céder devant un meilleur argument que le leur, devant un arrangement auquel une majorité adhère. La force et la coercition ne sont pas de mise dans cette démarche. L'information et les canaux de communication entre les paliers hiérarchiques sont primordiaux. Bien sûr, ce ne sont pas tous les cadres qui sont capables d'une telle transparence et d'ouverture. Plusieurs ont donc quitté l'entreprise, les autres ont appris et quelques-uns résistent encore, mais c'est une infime minorité que la direction espère gagner au partenariat dans la mesure où le succès de la démarche incite fortement l'adhésion à l'innovation. La structure hiérarchique a été aplanie et la coordination ne peut plus se faire sous forme de contrôle direct comme c'était le cas avant les transformations. Les travailleurs eux-mêmes assument une bonne partie de la coordination du travail, certains contrôles sont informatisés et les ordres de production ne se font plus guère selon la méthode du bouche à oreille mais par des imprimés détaillés des commandes de pièces à fabriquer adressés à chaque poste de travail. Le contremaître, en tant qu'instance du contrôle et de la coordination du travail, n'est pas disparu, mais son rôle est passablement modifié.

Au sein de la direction, les ingénieurs de Primétal forment un groupe à part. L'amélioration de la qualité est le résultat de la démarche de partenariat relativement à l'organisation du travail, notamment de l'application des solutions provenant des sous-comités. Mais la participation des travailleurs, sans être ouvertement contestée par les ingénieurs parce que mobilisatrice, semble néanmoins incomplète aux yeux des ingénieurs, puisque la démarche proposée par le comité directeur laisse en plan l'adoption de mesures de contrôle de qualité. Pour les ingénieurs, la qualité et l'amélioration de la productivité se mesurent par des paramètres techniques et non pas uniquement par le « bon sens » des travailleurs ou par la neutralisation des effets négatifs de l'esprit d'affrontement. L'amélioration du procédé de production est donc partielle. Les aspects sociaux que représentent la participation, la conscientisation, la discussion sur les méthodes de travail les plus efficaces et le décloisonnement des connaissances du travail ne seraient donc qu'une entrée en matière sur le plan des améliorations, laquelle devrait conduire à une prise de conscience des limites de cette démarche et à l'adoption de dispositifs techniques. Selon les ingénieurs, les contrôles techniques s'imposent, mais il y a risque de heurts avec les ouvriers qui croient que les contrôles menacent leur autonomie. Les méthodes de travail sont liées aux conditions de travail, elles ne sauraient être subordonnées aux procédures normées que les ingénieurs seraient tentés d'imposer. Ces représentations diversifiées des moyens d'améliorer les procédés de production illustrent bien l'état de tension qui subsiste entre les propriétés techniques et sociales du travail, même dans un cas où le partenariat est souvent présenté comme un modèle. Rien n'est jamais acquis, les conflits et les tensions ne sont pas nécessairement éliminés, la discussion a des limites qui mettent en lumière les contradictions et la difficulté de concilier des approches et des représentations contradictoires non pas sur le chapitre des objectifs mais sur le chapitre des priorités, des orientations et des activités à privilégier. Cependant, les discussions sont ouvertes, les représentations ne sont pas des stratégies cachées pour mieux combattre l'adversaire. Chacun est informé de ce que l'autre pense. L'accord ne s'obtient cependant pas instantanément, les acteurs doivent y travailler.

CONCLUSION

L'innovation dans l'entreprise est un processus lent et engageant. Ce sont les acteurs eux-mêmes qui y donnent forme par des activités et des interactions concrètes. Les projets servent de guide, mais il n'y a guère de solutions toutes faites aux problèmes que rencontrent les acteurs. L'information et les communications entre des acteurs aux intérêts divergents sont au cœur du processus de transformation. En établissant de nouveaux rapports de coopération, les acteurs réussissent à transformer les relations qui les unissent. Les difficultés de parcours sont résolues par des discussions fréquentes qui débouchent sur des compromis et des arrangements innovateurs. Les acteurs réussissent mieux ces arrangements quand ils connaissent bien leurs limites respectives et leurs intérêts. La direction est intéressée par les gains de productivité, mais elle sait qu'elle ne peut aller au-delà d'un seuil que le syndicat impose. Ce dernier s'engage dans l'innovation en sachant très bien que l'intensité du travail sera plus grande, mais il négocie en retour des conditions de travail moins pénibles pour les ouvriers.

Les conflits et les tensions entre les groupes ne sont pas disparus. Cependant, les acteurs savent que le partenariat ne peut guère aller plus loin sans que des solutions permanentes soient trouvées. Les acteurs ne remettent pas en question le projet parce que certains des membres résistent et ils ne laissent pas ces difficultés sans solutions, ils les traitent, les analysent et formulent des propositions mais ne forcent pas les acteurs à les accepter. L'autonomie des groupes de travail est au centre de ces difficultés qui révèlent que le consensus reste fragile, qu'il n'est pas permanent. Parfois, des tensions se manifestent, liées à l'orientation du projet, comme l'a montré la réaction des ingénieurs. Cependant, un retour en arrière est improbable, les acteurs étant bel et bien engagés dans de nouvelles voies de coopération.

Cas 1

La vie qui roule

Alain Naud[*]

Il est 5 h 15. Une voiture bleue se gare dans le stationnement d'un des garages de la STCUM. Malgré un temps plutôt maussade, « un vrai temps de chien », comme disent les gars, on note une activité fébrile et intense sur les lieux. Comme tous les matins, près de 1 800 autobus s'apprêtent à envahir l'île de Montréal et à transporter des milliers de personnes.

Pour Lucien, ce matin ressemble à bien d'autres matins, lui qui totalise quelque 26 années de service en tant que chauffeur à la division Anjou. D'un pas alerte, il traverse le stationnement des employés pour atteindre une porte donnant accès à un corridor qui longe un comptoir vitré. Une fois à l'intérieur de la division, Lucien remplit sa fiche de présence devant un c.o. (chef d'opération) qui, lui, s'affaire à vérifier une liste informatique. Il lui demande :

« T'as-tu du supplémentaire pour demain et mercredi ?

– J'sais pas. Mets tes disponibilités et ton matricule à même place que d'habitude et on verra.

– O.K. Salut !

– C'est ça, salut ! »

Quelques pas plus loin, Lucien débouche dans la salle des chauffeurs où un gars l'interpelle :

« Eh, Lucien ! Quelle ligne tu fais aujourd'hui ?

– J'fais du 193.

– Pas un *right through* ?

– Non, non. Un *deux bouts*. J'rentre au garage à 10 h 20, puis j'prends le 146 à 13 h 45 jusqu'à 15 h 30.

– Ben, on va pouvoir jouer aux cartes ensemble contre Ti-Louis et son *partner*. On pourrait faire une couple de piastres !

– Ouais, c't'une idée, mais on verra ça plus tard parce qu'y faut que j'décolle tout de suite pour être sur mon horaire. »

* Sous la direction de Jean-Pierre Dupuis. L'École des Hautes Études Commerciales de Montréal a soutenu financièrement la rédaction de ce cas.

Dans le garage, Lucien jette un coup d'œil à son horaire afin de retrouver le numéro de l'espace qui identifie le véhicule qui a été assigné à son matricule d'employé.

Parvenu à l'autobus désigné, il en ajuste le siège, puis cole sa radio portative, qui se fixe par des ventouses, sur la vitre côté chauffeur. Il grille hâtivement une cigarette avant de commencer son trajet qui débute à la station de métro Jarry à 5 h 40 précises. Selon Lucien, le 193 Jarry à l'heure de pointe n'est pas la ligne la plus reposante, comparativement à bien d'autres lignes. L'affluence des usagers est énorme, à un point tel que l'autobus est plein à craquer dès les premières minutes de sa journée. La clientèle est surtout composée de travailleurs employés dans les usines de l'est de la ville.

Cette heure de pointe matinale est une vraie course contre la montre qui conditionne le rythme de travail de Lucien. L'horaire de l'autobus est réglé comme une horloge suisse pour chaque arrêt qui se trouve sur le trajet du 193. Et, lorsque les usagers représentent « une bonne charge », suivant l'expression du métier, le temps se resserre comme un étau sur l'horaire du chauffeur. Les arrêts du véhicule sont plus fréquents, les temps d'embarquement et de débarquement s'allongent à cause du nombre accru d'usagers, des clients qui cherchent la monnaie exacte pour payer lorsqu'ils sont devant la boîte de perception, etc.

Malgré le stress que cause l'obligation de respecter l'horaire, Lucien est d'un calme olympien, car, comme il le dit si bien : « C'est toujours la même rengaine chaque matin. Ça fait longtemps que j'le connais, le refrain. Les usagers ressemblent à des automates, muets pour la plupart et, parfois, des "Bonjour" ou "Merci" viennent troubler le silence. C'est un peu comme si les gens dormaient encore, mais dans l'autobus. »

Lucien pratique lui aussi l'économie des mots de politesse en adressant un « Bonjour » ou un « Merci » au groupe qui monte ou descend de l'autobus. Une marque de politesse réglée comme un enregistrement qui répète inlassablement « Bonjour » et « Merci » sur le même ton.

L'autobus arrive à l'intersection Jarry–Pie-IX, où près de 80 % des usagers descendent avec empressement pour attraper l'autre autobus qui attend au coin. De la main, Lucien fait un signe amical à l'autre chauffeur qui lui rend son salut.

Lucien jette un coup d'œil à son horaire, histoire de vérifier si son temps de passage est conforme au temps prescrit. Seulement trois minutes de retard, ce qu'il estime normal compte tenu du *rush* qui vient de passer, retard qu'il pourra facilement rattraper parce que la charge sera beaucoup moins importante jusqu'à la fin du trajet dans l'est de la ville.

À ses débuts comme chauffeur, la plus grande difficulté était justement les temps de passage trop rapides ou trop lents aux différents arrêts. Ainsi qu'il l'explique lui-même : « J'avais un peu de misère parce que j'connaissais pas les différents circuits, surtout qu'on change souvent d'itinéraire et qu'il faut prendre de l'expérience afin de connaître les trajets avec tout ce qu'ils comportent : le trafic, le circuit routier, les habitudes de la clientèle dans son voyagement, etc. »

Le long du trajet du 193, Lucien a des points de repère, soit les intersections qui sont des axes routiers importants et qui lui permettent de vérifier son temps de passage. Ainsi, il peut s'ajuster en accélérant, s'il est en retard, ou en ralentissant, s'il est en avance. « Parfois, dit-il, il est difficile de respecter l'horaire parce qu'il y a un accident devant nous et qu'on ne peut pas passer par-dessus ; ou bien le verglas et une bonne tempête de neige nous obligent à ralentir énormément ! Ça, c'est vraiment l'enfer parce que la clientèle est de méchante humeur parce qu'on est en retard. Dans ce temps-là, j'entends souvent des commentaires comme : "Votre montre est pas à même heure qu'la mienne !" Alors, comme j'ai pas le goût de rire, je monte le volume de la radio pour qu'ils comprennent que j'm'en fous ! »

Il est 7 h 45. Lucien est maintenant seul dans l'autobus pendant cette portion du trajet qui est plus tranquille. Il immobilise son véhicule devant un dépanneur et descend se chercher un café et le journal. Lorsqu'il entre dans le commerce, l'employée à la caisse lui demande :

« Ça va bien ce matin ?

– Ouais, pas pire malgré ce temps maussade.

– Ça fait un bout de temps qu'on vous avait pas vu…

– Ben, j'étais sur le 69 Gouin, mais j'suis pas mécontent d'être revenu dans le secteur.

– Ah oui, comment ça ?

– Ben, toujours des problèmes avec la clientèle, surtout les immigrés qui veulent jamais payer, et les jeunes qui crient dans l'autobus. De quoi donner un bon mal de tête, surtout que c'est toujours plein de monde et qu'on n'a jamais le temps de prendre un café. Faut que j'parte, combien j'te dois ?

– 1,55 $.

– Tiens. Salut et à demain ! »

Lucien retourne à son autobus et continue son trajet jusqu'au terminus. Il ouvre son journal à la section « Sports » et boit son café. Dans sept minutes, il lui faudra repartir dans le sens inverse de son trajet initial. Ne trouvant rien d'intéressant dans le journal, il le referme, s'allume une cigarette, puis change le poste de la radio afin d'écouter une émission populaire diffusée au réseau AM. Il aime bien se brancher sur ce poste et écouter les différentes tribunes téléphoniques et les informations sur divers sujets. Il se souvient qu'il y a environ cinq ans, la STCUM interdisait à ses chauffeurs d'apporter une radio à bord des véhicules. Cependant, cette règle n'était guère suivie, et une bonne majorité des chauffeurs avaient imaginé une panoplie de trucs pour la contourner. Entre autres, plusieurs gars dissimulaient un minuscule poste de radio dans la poche de leur chemise ; d'autres ne s'en cachaient même pas devant les c.o. Maintenant, sans pour autant approuver la présence de radios portatives à bord des autobus, la STCUM n'a d'autre choix que de la tolérer.

Il est maintenant grand temps de partir et Lucien s'empresse de sortir de l'espace réservé pour reprendre l'itinéraire en direction du métro Jarry. Avant même d'apercevoir le premier arrêt, il sait déjà que l'autobus ne sera pas vide longtemps, surtout en raison des écoliers qui représentent la charge la plus importante dans cette partie du parcours et à cette heure. Heureusement, ils ne resteront que peu de temps à bord puisque l'école n'est pas très loin. La prévision de Lucien se révèle exacte : au premier arrêt, près d'une vingtaine d'écoliers du primaire envahissent l'autobus en chahutant un peu. Plus l'autobus avance, plus le tintamarre contraste avec l'ambiance qui régnait plus tôt avec les travailleurs, au départ du 193. Le travail devient un peu plus exigeant parce qu'il faut surveiller les jeunes à l'extérieur et à l'intérieur du véhicule. À l'extérieur, les comportements sont parfois imprévisibles : les chamailleries peuvent se terminer dans la rue alors que l'autobus arrive près de l'arrêt. À l'intérieur règne surtout un bruit de cirque où rires et cris fusent dans le chaos le plus complet.

Pourtant, Lucien aime bien les enfants de ce quartier, en particulier celui qui lui pose des tas de questions et à qui la mère dit toujours de ne pas déranger le chauffeur. Il faut dire que le petit bonhomme de sept ans est devenu la mascotte des chauffeurs qui sont affectés au 193 à cette période du matin. Toutes les fois qu'il monte à bord, les chauffeurs s'amusent de le voir grimper dans l'autobus en s'agrippant à la rampe d'accès pour mieux escalader les marches un peu trop hautes pour lui. Il dit toujours : « Bonjour, m'sieur l'chauffeur ! » Une foule de questions s'ensuivent sur le fonctionnement de ceci et de cela. Mais, ce matin, il n'est pas au rendez-vous. Lucien se dit qu'il est probablement en retard ou bien dans le 193 qui le précède. Dommage, peut-être demain !

À la division Anjou, Lucien est en bonne position sur la liste d'ancienneté puisqu'il est le 23e sur près de 500 chauffeurs. À l'occasion du changement des horaires et des trajets qui a lieu tous les trois mois, ceux qui ont le plus d'ancienneté, comme Lucien, ont la priorité sur les plus jeunes quant au choix de l'horaire de travail et aux circuits ou trajets d'autobus. L'ancienneté n'a pas d'incidence sur le salaire horaire des chauffeurs, car il est le même pour tous, soit 18,03 $. Cependant, les plus anciens peuvent augmenter leur salaire en faisant des heures supplémentaires qui, elles aussi, sont attribuées par ordre d'ancienneté et par disponibilité. Chaque semaine, Lucien peut faire une dizaine d'heures supplémentaires payées à taux majoré de 50 %.

À ses débuts comme chauffeur à la STCUM, Lucien travaillait souvent les fins de semaine et pouvait rarement choisir les circuits d'autobus et les horaires de travail. Il se retrouvait souvent avec des itinéraires tel le 55 Saint-Laurent que les plus vieux n'aiment pas en raison de l'horaire, de la clientèle, de la circulation et des usagers toujours très nombreux. Cette nouvelle carrière était d'autant plus difficile pour lui qui n'avait aucune expérience avec le public, ayant travaillé comme chauffeur de camion auparavant. De plus, il y avait cette faune urbaine qui était bien éloignée de ce qu'il avait toujours connu dans son village de Saint-Hippolyte. «Une mentalité bien différente de celle de la campagne», comme le lui répétait souvent son père.

Une attitude de je-m'en-foutisme généralisée ou d'indifférence chronique l'avait surpris à ses débuts comme chauffeur d'autobus. Un vieux chauffeur de la division Saint-Laurent lui avait dit : «Si tu conduisais un camion de vidanges peinturé en bleu, y aurait pas de différence, les gens embarqueraient dedans quand même.» Mais pour Lucien, et de toute manière, chaque travail comportait ses aspects positifs et négatifs.

L'autobus patientait depuis quelques minutes déjà à l'intersection Jarry-Papineau parce que Lucien se savait légèrement en avance sur son horaire. La plupart des chauffeurs, à l'instar de Lucien, préfèrent un retard sur le temps de passage requis plutôt qu'une avance. L'une des raisons est que les usagers remarquent peu un retard de quelques minutes, délai que le chauffeur peut toujours justifier en invoquant des circonstances comme la circulation dense ou le mauvais temps. Mais un temps de passage devancé attire souvent des plaintes de la part des usagers qui doivent attendre le prochain autobus. Le chauffeur qui suit n'est pas content non plus parce que la charge de passagers augmente dans son autobus et qu'il reçoit en même temps les récriminations des clients. De plus, chaque parcours est régulièrement vérifié par un pointeur qui surveille le temps de passage ainsi que le nombre d'usagers. Et, comme un temps de passage trop rapide est injustifiable à moins d'une défectuosité mécanique, il s'ensuit souvent une plainte écrite de la part de l'usager ou du pointeur. Depuis l'apparition des Planibus, et avec l'accès par téléphone aux renseignements sur l'horaire de chaque autobus, les usagers deviennent aussi des patrons qui, comme les pointeurs, surveillent l'horaire des chauffeurs.

Le 193 peut maintenant repartir, mais le feu de circulation vient de tourner au rouge. Au même moment, un autobus circulant sur Papineau, en direction nord, passe devant celui de Lucien. En saluant de la main, il reconnaît l'une des femmes chauffeuses de sa division qui travaille souvent dans les mêmes secteurs que lui, mais sur des circuits différents.

Le panneau d'affichage du 45 Papineau indique «Hors service». À son bord, Lucie Chagnon conduit l'autobus au garage de la division Anjou où elle doit rencontrer son mari, chauffeur à la même division. Ils organisent toujours leurs horaires de travail de façon à concilier le plus possible vie familiale et travail en fonction de leur petite fille de sept ans. En fait, c'est plus souvent Philippe qui modifie son horaire parce que Lucie n'a que neuf années de service. Avant d'exercer ce métier, elle travaillait comme serveuse dans un restaurant de Laval. Philippe, depuis quelques années déjà, l'encourageait à quitter cet emploi pour essayer le métier de chauffeuse, surtout que le salaire et les conditions de travail supplantaient allègrement ceux de Lucie. De plus, une certaine sécurité d'emploi pouvait permettre au couple de réaliser quelques-uns de leurs projets les plus chers.

Cependant, Lucie n'était guère chaude à l'idée de conduire un autobus, et ce, malgré les avantages financiers qui découleraient de cette nouvelle situation. L'élément déclencheur fut la fermeture du restaurant qu'elle pressentait depuis un certain temps parce que les clients se faisaient de plus en plus rares.

Après quatre mois passés à la maison, Lucie avait décidé de s'inscrire au programme de formation de chauffeur d'autobus. Si l'expérience ne donnait pas de résultat concret, elle se disait qu'elle pourrait toujours se trouver un autre emploi de serveuse.

Divers programmes d'accès à l'emploi encourageaient justement une représentativité des femmes au sein de ce corps de métier traditionnellement réservé aux hommes. De plus, la société de transport la plus importante du Québec, soit la STCUM, venait de rompre avec le passé en nommant une femme au poste de présidente, et ce, pour la première fois de toute son histoire.

Il y avait maintenant près de neuf ans que Lucie exerçait le métier de chauffeuse d'autobus. Pendant ces années, elle en avait vu de toutes les couleurs, surtout sur l'horaire de nuit qui apportait une clientèle qu'elle trouvait peu rassurante. Non pas que le travail était plus difficile que celui de l'horaire de jour, mais les frictions avec la clientèle lui semblaient plus fréquentes, surtout avec les gens sortant des bars et des clubs du centre-ville. Il arrivait parfois qu'il y ait des injures et des bousculades dans l'autobus entre différents groupes ethniques. Dans ces cas-là, Lucie n'argumentait pas ou ne s'obstinait pas avec les clients, histoire d'éviter les engueulades qui pouvaient dégénérer en violence physique. Elle citait en exemple cette nuit sur le 31 Saint-Denis où elle avait vraiment eu la peur de sa vie! L'autobus circulait normalement en direction nord et une trentaine de jeunes venaient tout juste de monter à bord au coin des rues Rachel et Saint-Denis. À un moment, les jeunes assis à l'arrière prirent à partie un jeune qui ne semblait pas appartenir à leur groupe. La chamaille verbale se transforma rapidement en provocations et en menaces que Lucie entendait clairement à l'avant de l'autobus. L'atmosphère devenait de plus en plus lourde, surtout du fait que d'autres jeunes, étrangers à la situation, commençaient à s'immiscer dans l'affaire, à un tel point qu'un flot d'injures et de provocations jaillissaient de toutes parts, rendant la situation de plus en plus intenable. Lucie arrêta net l'autobus et convia les belligérants à descendre sur-le-champ, mais la situation se retourna contre elle. Un grand gaillard arriva de l'arrière et se planta directement en face d'elle. Il la poussa légèrement sur l'épaule tout en lui intimant de se mêler de ses affaires, faute de quoi elle aurait des problèmes. Finalement, l'incident se termina avec l'arrivée des policiers, alertés par les feux de détresse que Lucie avait allumés et qui indiquaient qu'il y avait un problème à l'intérieur du véhicule. Après cet incident, Lucie avait suivi des cours d'autodéfense. Bien sûr, il y a le téléphone d'urgence à bord et les feux de détresse à l'arrière du véhicule, qui sont des moyens rassurants, mais l'arrivée des secours n'est pas instantanée.

Il y a aussi les « achalants », comme les appelle Lucie, qui vous racontent leur vie tout en essayant d'obtenir votre numéro de téléphone ou un rendez-vous quelconque. Ceux-là, elle les voit venir assez rapidement, surtout lorsqu'ils changent de siège pour venir s'asseoir près de la porte, sur le « banc des scèneux », selon l'expression des chauffeurs. La plupart du temps, l'usager n'insiste pas lorsqu'il s'aperçoit que Lucie fait l'indifférente. Pour se faire comprendre encore mieux, elle monte le volume de la radio ou fait semblant de ne rien entendre à cause du bruit.

Évidemment, l'horaire de nuit n'est pas constamment marqué d'incidents ou d'« achalants », mais Lucie trouve que cet horaire est plus stressant parce qu'on ne sait jamais à quoi s'attendre de la part de la clientèle.

D'autres femmes chauffeuses à la même division n'apprécient pas plus l'horaire de nuit. L'une d'elles est même en congé de maladie depuis deux mois à la suite d'une altercation verbale au cours de laquelle elle s'était fait cracher à la figure. Au moins, avec l'habitude d'un même circuit, Lucie connaissait les divers endroits ouverts tels les dépanneurs ou le poste de police le plus près de son itinéraire. Mais le changement d'horaire aux trois mois implique chaque fois un nouvel apprentissage : il faut repérer les endroits utiles, tels des phares dans la nuit. Malgré cela, Lucie préférait le 31 Saint-Denis à bien d'autres circuits, surtout parce qu'il lui procurait ce sentiment de ne jamais être seule. D'autres itinéraires traversent des zones qui ressemblent à des cimetières tellement l'activité humaine y semble absente, comme les parcs industriels ou les artères exclusivement résidentielles. Souvent, l'autobus peut rouler pendant une dizaine de minutes avec un seul client à son bord.

Malgré les inconvénients que pouvait présenter l'horaire de nuit, Lucie ne se décourageait pas pour autant, car elle se disait que, de toute manière, chaque nouveau chauffeur devait passer par là. Comme l'ancienneté est déterminante dans le choix de l'horaire et des itinéraires, il fallait faire son temps comme les autres. Pour Lucie, c'était aussi une question d'orgueil, et c'est ce qui la motivait à faire son travail.

Dans la salle des chauffeurs de la division Anjou, les gars ne ratent jamais une occasion de taquiner ou de faire des farces. Lucie sait très bien que les gars mettent la pédale douce à son égard, surtout à cause du fait qu'elle est la femme de Philippe que tous connaissent à la division.

Il arrive que Lucie trouve que les farces dépassent les bornes. Elle donne cet exemple d'une collègue qui s'était fait dire par un vieux chauffeur qu'elle aurait dû « rester dans ses chaudrons » ! Il y a bien certains chauffeurs qui désignent les femmes chauffeuses par le terme « chaufferettes ». Philippe lui dit de ne pas s'en faire, que les gars disent beaucoup de niaiseries et que cela ne vise pas seulement les femmes. Même entre eux, ils ne se lâchent pas une seconde, comme s'ils essayaient d'éprouver la patience de chacun. Il vaut mieux avoir un solide sens de l'humour dans la salle, sinon les gars redoublent d'ardeur pour tester les limites de tout un chacun. C'est à un point tel qu'une femme, Chantal Langlois, qui revenait de son congé de maternité, avait demandé d'être mutée dans une autre division. En effet, à son retour, un groupe de gars s'étaient moqués des privilèges relatifs aux congés de maternité et ne cessaient pas de la taquiner en ce sens. Une telle attitude à son endroit l'exaspérait, et sa réaction était facile à comprendre quand on sait ce qu'elle et d'autres femmes avaient vécu dans le cadre du processus de leur embauche (voir l'encadré, p. 458). Lucie se dit qu'il ne faut pas trop en demander aux chauffeurs, surtout que le nombre de femmes à la division se limite à environ 35. Il n'empêche que plusieurs gars se disent heureux de la présence des femmes. Ils sentent un énorme changement dans le langage, beaucoup moins vulgaire qu'auparavant, et même dans l'ambiance qui règne dans la salle des chauffeurs. Cela fait bien rire Lucie qui se demande à quoi cela pouvait ressembler avant !

Ayant maintenant un horaire de jour depuis quatre mois, Lucie doit souvent attendre deux bonnes heures avant de recommencer un nouvel itinéraire. Elle tâche de s'occuper le plus possible ; elle en profite pour faire ses courses, surtout qu'il y a moins de monde durant la journée comparativement aux soirs de la semaine. Quelquefois, elle rend visite à sa mère pour prendre un café et bavarder. Contrairement à Philippe, elle n'aime pas particulièrement passer ses heures de pause à la division. Elle ne se mêle pas aux loisirs de la division, comme les jeux de cartes, le ping-pong, etc. Les gars s'organisent souvent entre eux, comme de vieux *chums* qui jouent régulièrement ensemble depuis longtemps. Le poker rassemble plusieurs adeptes sur une base quasi quotidienne dans une atmosphère de tension incroyable, comme si des vies se jouaient chaque fois qu'une carte tombe sur la table. Affirmer que les heures de pause sont une détente semble plus un euphémisme pour Lucie.

Ce qu'elle déteste par-dessus tout, c'est le sempiternel commérage sur la vie de l'un et de l'autre. Les rumeurs circulent à qui mieux mieux dans la salle des chauffeurs, comme un vent du Nord balayant tout sur son passage. Une

Discrimination sexuelle à la STCUM

Chantal Langlois s'était passablement fait remarquer au moment de son embauche en 1987. Auparavant, elle avait essuyé deux refus d'engagement parce que la STCUM exigeait une expérience de cinq ans dans la conduite d'un véhicule de poids lourd. Finalement, elle fut engagée en 1987, après l'élimination de ce critère de sélection par la direction de la Société de transport. Chantal et neuf autres femmes dans la même situation avaient intenté une poursuite contre l'employeur pour perte de salaire ainsi que pour des dommages moraux. Elles réclamaient une sentence exemplaire. Elles eurent gain de cause en 1990, après que la Commission des droits de la personne eut jugé que le fameux critère de sélection « comportait des exigences ayant des effets discriminatoires en raison de l'utilisation continuelle de l'exigence d'expérience de conduite d'un véhicule commercial* ». Chantal obtint 10 000 $ de dédommagement ainsi que deux semaines de vacances supplémentaires en compensation des années de service perdues. Il faut rappeler qu'en 1986 la STCUM ne comptait qu'environ 80 femmes chauffeuses comparativement à 3 000 hommes. « Cependant, les femmes n'ont pas encore pénétré le monde assez fermé du syndicalisme à la STCUM pas plus qu'elles n'ont conquis des emplois dans les ateliers d'entretien** . »

* Martin Pelchat, « La STCUM verse 100 000 $ pour discrimination sexuelle : dix femmes chauffeurs obtiennent un dédommagement », *Le Devoir*, 7 février 1990, p. A3.
** Jean-Paul Soulié, « Dix femmes chauffeurs d'autobus obtiennent une indemnisation de la STCUM », *La Presse*, 7 février 1990, p. A3.

querelle, un divorce, l'orientation sexuelle d'un tel, des problèmes d'alcool ou de drogue, enfin toute information fausse ou véridique devient la nouvelle du jour sinon de la semaine. Lucie est prudente, car elle ne voudrait pas voir sa vie privée étalée au grand jour pour une petite confidence échappée dans une oreille indiscrète. Elle trouve que les gars ne se mêlent pas de leurs affaires en reniflant ainsi partout.

La porte principale du garage de la division Anjou vient de s'ouvrir pour laisser entrer l'autobus de Lucie. Un c.o. lui indique le numéro de stationnement pour garer le véhicule qui paraît soudain être une fourmi parmi tant d'autres dans l'immensité des lieux. En entrant dans la salle des chauffeurs, Lucie cherche des yeux son mari qui jase avec ses copains de travail habituels. Elle salue le groupe qui discute abondamment de la convention collective ou plutôt de ce à quoi la prochaine devrait ressembler. Elle décide de s'asseoir pour écouter les envolées oratoires de son mari tout en mangeant le lunch improvisé plus tôt le matin. Il est question surtout de l'ancienneté des chauffeurs qui passent de l'autre côté de la barrière en devenant c.o., soit les cadres ou les patrons desquels les chauffeurs relèvent directement. Philippe est plongé dans une conversation assez animée avec Henry :

« J'suis ben content que l'ancienneté retombe à zéro si un chauffeur décide d'aller jouer au *boss* pour augmenter son salaire, dit Philippe. Qu'y reste là et qu'y vienne pas nous emmerder par la suite !

— T'as ben raison ! approuve Henry. C'est comme le gros Charles qui est revenu comme chauffeur sans perdre aucune année d'ancienneté et qui va même toucher plus de retraite que nous autres.

— Ouais, ben j'peux dire qu'y s'est fait parler dans l'casque en saint-sapin par un gars du syndicat. Moi, j'y ai dit en pleine face ce que je pensais de lui. J'te dis qu'il se fait p'tit pas mal et qu'il doit avoir hâte de prendre sa retraite. En tout cas, y parle pas fort dans la division !

— Eh ! Tu sais que Luc a décidé de s'en aller dans le métro comme conducteur de rame ?

— Non !

— Ben oui ! J'ai appris ça d'un de ses *chums*.

— Y faut être complètement cinglé pour vivre dans l'trou.

— Ouais, mais de toute façon, le gars était pas mal solitaire. Peut-être que ça l'arrange mieux. »

Lucie observe Bob qui vient de s'asseoir de peine et de misère sur une chaise près du mur. Elle le connaît de vue et de réputation seulement. À la retraite depuis de nombreuses années, il vient souvent faire son tour pour jaser et quelquefois jouer aux cartes avec les vieux chauffeurs de la division. Toujours affable et gentil, il peut rester là des heures à attendre, comme un gamin en pénitence. Est-ce qu'il se rappelle certains souvenirs qui se rattachent à ces lieux, des visages, des rires, des amis disparus ? Lucie n'en sait rien, mais elle est convaincue qu'une bonne partie de lui est enfouie ici, quelque part. Les plus vieux chauffeurs lui apportent toujours un café comme prétexte pour lui piquer un brin de jasette. Mais le café posé sur la table semble demeurer intact.

L'an passé, il était même venu à la fête de Noël des chauffeurs pour jouer de l'accordéon. Lucie se souvient bien de cette fameuse fête, surtout par l'émoi causé à l'entrée du restaurant. Une femme chauffeuse de la même division s'était vu refuser l'accès parce que son mari était c.o. Le gars qui s'occupait des billets à la porte lui avait dit : « Tu peux rentrer mais sans ton mari parce qu'il a pas d'affaire icitte ! » Évidemment, le couple était reparti aussitôt, sans insister, devant un accueil aussi chaleureux. L'incident avait alimenté une bonne partie des conversations de la soirée, et on avait même assisté à des engueulades sur le sujet. Même Noël n'arrivait pas à détruire cette relation chien et chat !

Dans la division, le lieu de travail des c.o. se trouve au début de la salle des chauffeurs. L'endroit, dont la porte donne dans la salle, ressemble à un guichet de banque vitré. Sur la porte, un écriteau indique : « Accès au personnel autorisé seulement ». La salle des chauffeurs comprend une vingtaine de grandes tables rondes et rectangulaires. De plus, on y trouve une table de ping-pong, des jeux vidéo, des distributrices de produits alimentaires, une cuisinette, une salle pour l'Amicale (groupe de chauffeurs chargé d'organiser les activités sociales) et une salle de bains avec douches et toilettes. Chaque c.o. est responsable d'un certain nombre de chauffeurs pour les horaires, les remplacements, les plaintes des usagers ou des pointeurs qui surveillent l'horaire, et ainsi de suite.

Lucie s'entend bien avec son surintendant direct, qui lui envoie la main lorsqu'ils se croisent dans le stationnement ou dans le garage. À sa première convocation pour plainte en avril 1990, elle avait voulu le rencontrer seule pour lui donner sa propre version des faits. Le représentant syndical lui avait fait comprendre que sa présence était toujours requise dans ces situations. Pendant la réunion, les mots ressemblaient à une série d'articulations techniques invoquant tel numéro de la convention collective et des droits de l'employé. Lucie aurait préféré discuter simplement, surtout que la plainte n'était qu'une simple banalité sans conséquence. Pour 15 minutes de convocation, elle fut payée deux heures, tel que le stipule un article de la convention. Elle trouve que le syndicat exagère un peu, mais elle se contente de le penser plutôt que de le dire de vive voix. Surtout que certaines têtes fortes du syndicat ne se gênent pas pour vous passer un message clair en cas d'incartade.

Un matin, une affiche virulente sur le babillard des chauffeurs dénonçait « Les c.o. bleus », c'est-à-dire les chauffeurs qui participaient à certains programmes ou sondages de la STCUM. Les noms des chauffeurs étaient inscrits au crayon-feutre noir avec la mention « Traître » au-dessus. Le même matin, la direction avait voulu suspendre le chauffeur fautif qui se pavanait de fierté dans la salle, sans aucun remords. Cependant, l'ensemble des gars ayant menacé de ne sortir aucun autobus du garage, le tout fut renvoyé à des procédures entre le syndicat et la direction.

Soudain, Lucie sursaute parce que Philippe vient de poser sa main sur la sienne.

« Qu'est-ce que tu fais ? lui demande-t-il.

—   Ah ! J'pensais à certaines choses, répond Lucie.

—   Au fait, est-ce que tu sais si Chantal Langlois a eu sa mutation dans une autre division ?

—   Non, j'en ai pas de nouvelles.

—   Ben, si jamais t'entends quelque chose, fais-moi-le savoir. J'te laisse, faut que j'parte sur le 54 pour mon deuxième trajet, j'te revois à soir. »

Journal de « bugs » : à propos de CD-Ethnik

*Luc Farinas**

LE 15 AVRIL 1996

C'est ma première journée de travail chez CD-Ethnik inc.[1] en tant qu'adjoint du directeur des ressources humaines. Ce dernier nous a fait visiter les lieux (le nous, ce sont les autres « nouveaux » et moi-même). Il nous a d'abord montré les bureaux de l'entreprise et il nous a présentés aux responsables des différents services. Puis, il nous a fait visiter les chaînes de montage. Et c'est là que j'ai eu un choc. Je n'avais jamais vu ça : deux employés (un homme et une femme) qui s'engueulent très fort devant tout le monde. L'homme semble être originaire du Moyen-Orient et la femme est occidentale. Le directeur des ressources humaines a vraiment eu l'air embarrassé. Il nous a alors entraînés vers un autre endroit, soit les entrepôts, pour qu'on puisse terminer la visite avant le dîner.

LE 2 MAI 1996

Aujourd'hui, j'ai rencontré Henri, un Haïtien, qui est contrôleur de la qualité sur les chaînes de production. On a pris un café ensemble à notre pause de 15 minutes ce matin. Nous avons sympathisé très vite. Henri est très intéressant. Il étudie aux HEC le soir. Il a aussi vécu dans plusieurs pays (Haïti, France, États-Unis, Canada). C'est pourquoi il a un regard original sur ce qui l'entoure. Je pense que je vais l'inviter à prendre une bière après le travail et que je vais lui parler de l'« engueulade » dont j'ai été témoin le 15 avril.

---

* Sous la direction de Jean-Pierre Dupuis. L'École des Hautes Études Commerciales de Montréal a soutenu financièrement la rédaction de ce cas.

1. Fondé en 1984, CD-Ethnik inc., une firme importante dans la reproduction de logiciels sur micro-disquettes ou CD-ROM, a connu une croissance rapide et a embauché beaucoup d'immigrants. Cette embauche massive d'immigrants s'explique par le fait que cette main-d'œuvre est moins exigeante (en matière de salaire, d'avantages sociaux, etc.) que la main-d'œuvre autochtone.

LE 3 MAI 1996

Je viens de rentrer du travail. Ou plutôt, après ma journée de travail, je suis allé prendre une bière avec Henri. On a parlé des HEC. Et surtout, j'ai enfin pu discuter avec lui de l'« engueulade » du 15 avril. Comme cela fait trois ans qu'il travaille là, je pense que son explication est très intéressante. Selon Henri, Samir (c'est le nom de l'Iranien qui s'engueulait avec la femme occidentale) est un superviseur un peu particulier.

D'après lui, Samir est devenu superviseur parce qu'il applique une discipline quasi militaire sur la chaîne de production (voir l'annexe, p. 468) et qu'il est issu d'une communauté culturelle. À un moment, la direction a jugé bon de remplacer le superviseur de production, Gaston, pour des raisons précises : il n'était pas vraiment compétent en gestion et il était assez insensible à la réalité multiethnique de l'entreprise. Gaston travaillait pour CD-Ethnik depuis les tout premiers débuts. Il était l'homme à tout faire sur les chaînes de production. Il ne savait pas vraiment ce que pouvait impliquer la responsabilité de plusieurs chaînes de production. En plus, le caractère multiethnique de la chaîne de production lui posait problème. Au départ, la chaîne de production n'était pas multiethnique, on y trouvait uniquement des Blancs. Puis, des Noirs sont arrivés, des Vietnamiens, etc. Et Gaston, qui était canadien-français, ne prêtait pas vraiment attention à cette diversité de la main-d'œuvre sur la chaîne de production. C'est vrai que ce n'est pas toujours évident. Il peut se produire de petites tensions dues à des réflexions du genre : « Moi, je n'ai pas le goût de me mettre à côté de celui-là parce qu'il ne sent pas bon. » D'après Henri, ce genre de remarques est assez fréquent sur la chaîne de production. La direction a même dû adresser une note à certains employés pour qu'ils n'oublient pas de se laver : comme les espaces de travail sont assez rapprochés, il ne faut pas indisposer les autres employés.

« Je peux te donner un autre exemple de tensions ethniques, me dit Henri. Sur la chaîne de production, il peut arriver qu'un musulman travaille à proximité d'une femme occidentale. Si cette femme lui fait remarquer que son travail n'est pas accompli convenablement, le musulman ne l'acceptera pas (même si c'est vrai !). Il va penser que cette femme veut lui imposer quelque chose. Un superviseur doit tenir compte de ces petites tensions culturelles et Gaston, comme je te l'ai dit, n'y était pas sensible. La direction voulait un superviseur issu des communautés culturelles, car elle croyait qu'il comprendrait mieux ces problèmes culturels. Elle voulait aussi quelqu'un qui avait déjà travaillé sur la chaîne de production, pour qu'il puisse résoudre les problèmes de productivité et de discipline qui s'y posent. Samir avait déjà été ouvrier, chef de chaîne de production et chef d'équipe, et il se tirait bien de ses tâches. La direction a donc nommé Samir superviseur. »

Or, au dire d'Henri, Samir a des problèmes avec les femmes et il abuse de son autorité. En fait, d'après Henri, il n'accorde pas beaucoup d'importance aux femmes. Plus encore, dès qu'une femme commet une erreur, il l'engueule, peu importe son rang dans l'entreprise. Ou bien, si une femme se plaint, Samir ne règle pas la situation comme il le devrait. Pour lui, les femmes se plaignent tout le temps pour un oui ou pour un non. Henri me donne alors un exemple de plaintes que peut faire une femme (ou un homme) sur une chaîne de production où les postes de travail sont très rapprochés :

« Si la personne avant toi est plus lente que les autres, elle va vouloir rattraper la boîte qu'elle doit remplir de manuels, de logiciels, etc. Et en voulant rattraper cette boîte, elle peut se retrouver très près de toi et t'empêcher de travailler. »

Henri me demande alors de lui décrire la femme avec qui Samir se disputait. Je lui réponds qu'elle était de taille moyenne, les cheveux noirs assez longs, plutôt jolie. Henri en conclut que c'était Rolande, l'une de ses collègues du contrôle de la qualité.

« Justement, j'ai un exemple de conduite agressive avec elle, me lance Henri. Comme contrôleur de qualité, il faut que tu prennes des échantillons de boîtes de logiciels pour voir si tous les éléments sont bien présents et bien disposés : les dépliants publicitaires, les manuels d'instructions et les logiciels doivent être placés dans la boîte de façon qu'ils ne s'abîment pas. Rolande a pris un échantillon et elle a constaté une erreur. Elle a donc voulu arrêter la chaîne de production pour la repartir du bon pied. Mais Samir n'a rien voulu savoir. Il s'est mis alors à engueuler Rolande : "C'est moi qui suis le superviseur. C'est moi qui suis chargé de la production. J'en prends la pleine responsabilité. Si les patrons ne sont pas contents, c'est moi qui irai me justifier devant eux et si vous avez un rapport à faire, faites-le, moi, je m'en fous." Samir veut être le maître absolu de la chaîne de production. Il faut que tout passe par lui.

« Ce n'est pas toujours facile de travailler avec Samir, m'explique Henri. Moi, une fois, j'ai eu un problème avec lui. Il n'avait pas prêté attention aux emballages qu'il utilisait. Le travail fait précédemment sur la chaîne de production l'était sur une base *up-grade*, c'est-à-dire que l'emballage doit porter une étiquette *up-grade*. Le travail suivant devait être fait sur une base régulière (c'était une commande de 5 000 à 6 000 produits). Il y a une grande différence entre les deux : pour bénéficier du *up-grade*, il faut avoir acheté la version antérieure du produit, c'est-à-dire la version régulière précédente. Et Samir a commencé à utiliser les emballages *up-grade* pour un produit régulier.

« Avant de lancer la chaîne de production pour un produit, Samir est supposé, comme tous les superviseurs, apporter un échantillon, c'est-à-dire une boîte, à l'inspecteur de qualité qui doit l'approuver. Il ne l'a pas fait. Samir passe toujours outre à cette procédure, parce qu'il ne veut pas dépendre du service du contrôle de la qualité. Il nous demande toujours de prendre un échantillon sur la chaîne de production. Mais moi, je me suis dit : "S'il ne m'apporte pas son échantillon, je ne fais pas de vérification, juste pour le coincer un peu." Donc, j'ai laissé aller Samir, puis j'ai "stoppé" la chaîne de production et lui ai demandé de reprendre les 600 boîtes qui avaient déjà été faites. Et il a été obligé de les refaire. Moi, ce que je fais dans ces cas-là : je prends mon chronomètre et je mesure le temps de reprise ; je compte aussi les personnes qui font le travail. Puis, j'envoie un rapport à mon superviseur qui va calculer le nombre d'heures travaillées perdues et les coûts que cela entraîne pour la compagnie. J'ai montré mon rapport à Samir qui l'a accepté tel quel.

« Or ce jour-là, continue Henri, j'avais un cours aux HEC, il fallait que je parte à 16 heures. Il était 16 h 45. Je n'ai donc pas pu faire le suivi du dossier. J'arrive le lendemain, le responsable de production me convoque parce que, sur le chapitre des coûts, si j'avais laissé passer la production de Samir telle quelle, cela aurait coûté très cher à l'entreprise, disons un million. On me fait une espèce de réprimande. On met en doute le contenu de mon rapport : on trouve qu'il est exagéré. Et c'est là que j'apprends que Samir m'a traité de menteur : je n'aurais pas fourni les vraies informations concernant la reprise du travail. Par exemple, j'ai mentionné dans le rapport que le temps de reprise du travail était de 45 minutes alors que pour Samir cela a pris 10 minutes; j'ai signalé qu'il y avait 10 personnes qui travaillaient, mais selon Samir il n'y en avait que trois ; j'ai souligné qu'il y avait 600 produits de faits, Samir disait qu'il y en avait 50. Samir affirme que je mens pour différentes raisons : entre autres, il soutient que je ne suis jamais content de son travail et que je veux toujours lui mettre des bâtons dans les roues.

« Je discute avec le responsable de la production. Ce dernier décide de faire une confrontation entre Samir et moi. Samir dit que mon rapport est légèrement exagéré pour ce qui est du temps et du nombre de personnes. Le responsable lui fait remarquer : "Ce n'est pas ça que tu disais hier. Apparemment, tu dis aujourd'hui que le rapport est légèrement exagéré alors que hier tu soutenais qu'il était complètement faux." J'explique au responsable comment je suis arrivé aux informations contenues dans mon rapport : "J'ai chronométré le temps de reprise. Je devais partir à 15 h 30 et je suis finalement parti à 16 h 45 pour attendre que le travail ait repris. J'ai compté le nombre de personnes et je ne suis pas aveugle." Ma superviseure a alors pris ma défense : "Ce n'est pas ça que tu nous as dit hier, Samir. Mais, écoute, il faut comprendre que ce n'est pas notre département contre le tien, on travaille tous dans la même boîte." Et Samir lui a répondu : "Fais-lui la leçon de morale à lui, parce que tu es son superviseur. Tu n'es pas mon superviseur. Tu n'as rien à me dire. Fais 100 000 rapports si tu veux, je m'en fous. Je n'ai pas d'ordre à recevoir de toi et je n'en recevrai jamais." »

LE 27 MAI 1996

Cela fait un peu plus d'un mois que je travaille chez CD-Ethnik inc. Un mois que, tous les jours, je viens dîner dans la cafétéria et c'est la première fois que je remarque que tout le monde semble y avoir son coin. En fait, je devrais parler de coins «ethniques»: les Noirs sont dans le fond de la cafétéria, près des fenêtres; les Canadiens français sont dans le milieu, sur le côté, près des distributrices; les Canadiens anglais sont aussi dans le milieu de la cafétéria, de l'autre côté, près du mur; et la direction est à l'avant, proche de la porte.

Aujourd'hui, j'ai dîné avec Henri et j'ai vu le regard que lui portaient ses camarades jamaïcains, africains ou haïtiens. Un regard difficile à décrire: un regard subtilement froid et distant. Comme s'ils se disaient: «Mais qu'est-ce qu'il fout là? Il n'est pas avec nous!» J'en ai tout de suite discuté avec Henri. Je ne veux pas qu'il se sente mal à l'aise de manger avec moi.

«Es-tu sûr que tu vas bien digérer?» lui ai-je demandé. Henri m'a regardé un peu interloqué:

«Pourquoi me demandes-tu cela?
– Tu ne vois pas le regard que certains de tes collègues portent sur toi?
– Ah ça! Je m'en fous un peu. Si tu savais. Tant qu'ils ne me traiteront pas de "biscuit Oréo", c'est correct.»

C'est à mon tour d'être surpris:

«Ça veut dire quoi, au juste, "biscuit Oréo"?
– Tu ne la comprends pas? dit Henri qui ne peut s'empêcher de rire. Ça veut dire noir à l'extérieur et blanc à l'intérieur, comme le biscuit.»

J'avoue que je n'y avais pas pensé. Henri s'empresse d'ajouter:

«Ne t'en fais donc pas pour la façon dont ils me regardent, c'était pire avant. Tu sais, je vais souvent manger avec les gens du *one-off line*, une chaîne de production réservée aux commandes spéciales et sur laquelle je travaille souvent. Sur cette chaîne de production, il y a surtout des francophones. En fait, la chef d'équipe de cette chaîne comprend uniquement le français. Et comme je travaille souvent avec eux, j'ai noué des liens avec certains. J'allais donc manger avec eux et un certain nombre d'ouvriers francophones venaient nous rejoindre. On parlait et on rigolait. Les autres personnes dans la cafétéria, je ne les connaissais pas et je ne voyais donc pas pourquoi j'irais manger avec elles. Je me suis rendu compte que cela embêtait les autres Noirs. Je l'ai remarqué par leur attitude: je leur disais bonjour, et ils me répondaient par un petit bonjour distant. Entre eux, ils sont beaucoup plus chaleureux. En plus, j'ai remarqué qu'ils avaient une certaine agressivité vis-à-vis de moi au travail: une ou deux fois, des collègues africains sont venus travailler avec nous sur le *one-off line*, et quand je leur demandais de faire quelque chose, ils rouspétaient.

«Tu sais, poursuit Henri, une fois, lors de ma pause matinale, j'avais commencé une discussion avec un autre Haïtien. Le midi, je suis allé dîner avec lui, entre autres pour continuer notre discussion. J'ai alors fait une remarque : "Tiens, comment ça se fait que tous les Noirs se mettent derrière, dans le fond?" Une femme, une Haïtienne, m'a répondu : "Parce que c'est comme ça!" Je lui ai demandé : "Comment ça, c'est comme ça?" Elle m'a lancé : "T'as pas remarqué depuis tout ce temps-là, t'as vraiment pas remarqué!" Puis elle m'a dit : "Je me suis demandé si tu comprenais quelque chose, pourquoi tu allais manger avec eux. Mais qu'est-ce que tu foutais là?" D'autres personnes se sont permis d'ajouter : "Remarque bien : les francophones se mettent ici ; les anglophones se mettent là. Alors pourquoi les Noirs ne se mettraient pas là?" J'étais un peu surpris de leurs réactions. Puis, une femme qui venait de nous retrouver pour dîner s'est jointe aux critiques : "Qu'est-ce que tu fais ici? Tu ne vas pas manger là-bas avec les autres aujourd'hui?" »

LE 12 JUIN 1996

Je viens de terminer mon travail et je décide de sortir en passant par le service de production. Le stationnement est plus proche. J'ai droit à un petit choc. Tout est tellement calme, tranquille. Je n'en reviens pas. C'est vrai que c'est le quart de soir qui commence et qu'il est composé presque entièrement de Vietnamiens. Mais je n'en reviens vraiment pas. On pourrait entendre une mouche voler dans un endroit où deux chaînes de production sont en marche. Il faut que j'en parle à Henri demain.

LE 13 JUIN 1996

Aujourd'hui, j'ai eu une pause de 15 minutes des plus intéressantes avec Henri. Comme prévu hier, je lui ai parlé des Vietnamiens du quart de soir. Je me suis aussi renseigné auprès d'une connaissance de la direction : ce quart de travail est l'un des plus productifs de l'entreprise. Tout se passe comme s'il n'y avait pas de problèmes. Et c'est ce que je demande à Henri :

« Le quart du soir est un quart de travail très productif et il est tellement tranquille. On dirait qu'il est impossible d'avoir des problèmes avec cette équipe…

– C'est vrai que c'est un des quarts de travail les plus agréables. C'est tellement calme. Tout le monde se respecte. C'est vraiment génial. Ça fait même deux fois que je demande à être muté dans l'équipe de soir tellement j'aimerais y travailler. »

Henri pense que le climat de travail agréable est dû au respect, à la politesse ou à un esprit civique très développé. Par exemple, chaque employé sur la chaîne de montage doit s'assurer que le travail de la personne qui le précède est fait convenablement. Les Vietnamiens, lorsqu'il y a une erreur, le mentionnent gentiment à la personne concernée : « Est-ce que tu peux vérifier si tu as oublié un livre ou quelque chose ? Merci. » Alors qu'avec les Canadiens français ou anglais, la réaction est assez différente : « Hé ! T'as oublié un livre, là, fais attention » ou « *Hey ! Watch out, watch out !* » Et c'est à ce moment-là qu'une tension peut apparaître parce que, si certains prennent bien ce genre de commentaires, d'autres ne les acceptent pas. Si c'est un autre Canadien français ou anglais au poste qui précède, il n'y a pas de problèmes. Il comprend ce qu'on lui dit, il le prend tel quel et il fera attention. Il sait que, dans la même situation, il ferait la même chose. Mais adressées à une personne étrangère, des remarques de cette nature peuvent être très mal acceptées.

C'est justement un genre de problème qui ne se pose pas avec les Vietnamiens. D'après Henri, ils sont très polis. Par exemple, si une Vietnamnienne s'aperçoit qu'un de ses commentaires a choqué quelqu'un, elle ne lui dira rien sur le moment. Mais dès qu'elle pourra rencontrer la personne en privé, elle cherchera à se reprendre : « Excuse-moi pour un écart de langage de ce genre-là. Est-ce que tu veux un paquet de bonbons ? » Les Vietnamiennes ont souvent de petits sacs de bonbons avec elles et elles en offrent à la personne qu'elles ont blessée.

« Tu vois, me dit Henri, les Vietnamiens ont toujours un petit geste de gentillesse et de collaboration, ce qui favorise un climat de travail très agréable. »

Ainsi, d'après Henri, les Vietnamiens n'ont presque pas de problèmes avec les autres groupes ethniques. En revanche, ils en ont entre eux. Et ces tensions « internes » sont particulièrement problématiques. Non seulement sont-elles difficiles à percevoir pour un non-Vietnamien, mais elles sont courantes.

« J'ai un bon exemple de tensions entre deux Vietnamiennes, ajoute Henri. J'ai remarqué qu'elles s'engueulaient en vietnamien. Puis, il y avait de longs silences. Eh bien ! imagine-toi qu'elles continuaient à travailler ensemble, l'une à côté de l'autre. Elles allaient même prendre leur lunch à la même table. Et tout cela sans s'adresser la parole. »

La situation n'était pas sans inquiéter la direction, qui craignait que le fonctionnement et la productivité de sa meilleure chaîne de montage soient influencés par ces problèmes.

Annexe

Une description des postes de travail de la chaîne de production

Le responsable de l'approvisionnement

Il s'occupe uniquement de l'approvisionnement de la chaîne de production. C'est lui qui fait les demandes de matériel, qui s'assure qu'il y a toujours du matériel sur la chaîne de production et que tout est prêt pour lancer la production. Il ne travaille jamais sur la chaîne de production.

Les ouvriers de la chaîne de production

Ils s'occupent de l'assemblage des boîtes de logiciels ; ce sont eux qui placent les logiciels (sur microdisquettes ou sur CD-ROM), les dépliants publicitaires et les manuels d'instructions dans les boîtes ; d'autres ouvriers ont aussi la tâche de fermer les boîtes.

Le technicien

Il s'occupe de la « machinerie » sur la chaîne de production (soit le fourneau, le scelleur et l'emballeuse) ; il vérifie constamment si « ses » machines fonctionnent bien ; il est là en permanence ; on le considère comme une personne de la chaîne de production mais, en réalité, c'est un technicien.

Le chef de chaîne de production

Il est responsable d'une chaîne de production. C'est lui qui, de concert avec son superviseur, apporte les échantillons au contrôleur de la qualité. Il voit aussi à ce qu'il y ait en permanence du matériel sur la chaîne de production. S'il survient un problème, il peut arrêter la production ; s'il y a un conflit entre deux personnes, c'est lui qui le règle : il peut déplacer un employé à l'intérieur de sa chaîne mais pas d'une chaîne à une autre ; c'est lui qui a l'entière responsabilité de sa chaîne de production et de son équipe.

Le chef d'équipe

Il a la responsabilité de plusieurs chaînes de production : par exemple, si, sur cinq chaînes de production, trois sont consacrées à un produit et deux à un autre, le chef d'équipe aura la responsabilité d'un produit (ainsi que des chaînes qui le produisent).

Le superviseur

C'est le supérieur hiérarchique de tous ceux qui précèdent. Il contrôle tout : il s'assure que tout fonctionne bien, qu'il n'y a pas de conflits, que tous les employés sont bien en place. En cas de conflit de personnalité (ou si une production rapide et de qualité est nécessaire), il peut déplacer un employé d'une chaîne à l'autre.

Réingénierie chez Technix : tensions autour du grand-livre

Marie-Andrée Caron

PROLOGUE

En route pour l'Estrie, Yves Dubé ne semble pas trop s'inquiéter de la tournure que prendra la rencontre qui se déroulera dans quelques heures avec les contrôleurs de l'ensemble des usines, réunis autour du projet d'implantation d'un nouveau logiciel de traitement des transactions financières, à l'échelle internationale. Après avoir consacré cinq ans, comme consultant interne, à l'épuration d'une fonction finance perçue par plusieurs dirigeants comme « un mal nécessaire », Yves Dubé constate que la tension entre lui et les contrôleurs s'est considérablement atténuée. Il est très excité par le projet devant maintenir en vie le groupe auquel il a donné naissance pour effectuer la réingénierie de la fonction finance. Il compte sur ce projet pour assurer la survie du groupe, s'il accepte l'offre qu'il a reçue de travailler dans l'équipe de réingénierie de la fonction finance de la société mère ; son projet sera donc présenté au vice-président finance de la filiale par son patron, Jacques Côté. Ce projet se nomme « Vision II » et il met l'accent sur le partenariat d'affaires, puisque les aspects technologiques de la réingénierie seront dorénavant gouvernés par la société mère.

* *

Logifer est une entreprise de haute technologie d'envergure internationale, dont le siège social est à Montréal. Ses activités consistent à concevoir des circuits intégrés de très haute précision et d'en faire la commercialisation. Une filiale a été créée qui s'occupe des activités d'exploitation. Logifer gère la commercialisation, et la filiale Technix organise l'exploitation. Le nom de Logifer occupe l'avant-scène, d'autant plus qu'il est la marque de commerce des produits distribués. La société mère et la filiale sont néanmoins différentes sur beaucoup d'aspects, dont ceux-ci : les employés de la société mère sont anglophones et ceux de la filiale sont francophones (à l'exception de ceux de l'usine de l'Ontario) et les éléments critiques de gestion de Logifer sont internationaux alors que ceux de Technix sont régionaux. Les dirigeants de Logifer ont souvent choisi Technix comme site expérimental pour les innovations organisationnelles.

La vérification annuelle des états financiers de Technix est effectuée par un cabinet comptable autre que celui de Logifer. Comme tous les cabinets comptables, les vérificateurs de Technix offrent, en parallèle, un service de consultation. Ce service est assuré par des professionnels comptables qui ont conçu une banque de données sur les « meilleures pratiques mondiales » relativement à la gestion de la fonction finance. Yves Dubé, embauché comme vérificateur chez Bélanger, Beaudoin, Bérubé dès sa sortie de l'université, a rapidement choisi de pratiquer à partir de la section consultation. Il a été affecté à l'analyse de la gestion des systèmes et processus financiers de Technix pendant cinq ans, pour ensuite y être embauché directement comme coordonnateur de projets. La réingénierie des systèmes et processus financiers de Technix s'inscrit donc dans la mouvance des meilleures pratiques mondiales et de leur application au sein des entreprises québécoises. Les projets de Logifer et ceux de Technix sont généralement menés en parallèle, malgré certains croisements.

Jacques Côté, à l'époque codirecteur de la fonction finance de Technix, se sépare de ce groupe pour fonder le groupe logistique finance (LG). Il embauche alors Yves Dubé. Depuis ce temps, l'exercice de la pratique comptable est distincte de son analyse. Ces deux groupes sont géographiquement séparés à l'intérieur même du siège social, les comptables professionnels du groupe LG et ceux du service de comptabilité occupant des étages différents. En plus du noyau dur des activités comptables de Montréal, des transactions sont enregistrées en plusieurs endroits au Québec et en Ontario, par le biais des services comptables des usines.

Le groupe LG est constitué de comptables agréés (CA) et de comptables en management accrédités (CMA). Dès leur mise en coopération, ils se donnent comme projet la création d'un service partagé[1] au sein de la fonction finance de Technix. Six analystes composent ce groupe : il s'agit de Jacques Côté (un sénior, CA), Yves Dubé (un sénior intermédiaire, CA), Simon Durand (un junior, analyste des tâches, CMA), François Turcotte (un junior, responsable de la promotion de la comptabilité par activités, CMA), Marc Grenier (un intermédiaire, responsable de la réingénierie de la paie, CMA) et René Leduc (un junior, analyste des tâches, muté dans le service de la comptabilité pour la mise en œuvre du projet de réingénierie, CA).

En dehors des activités du siège social de Montréal, six usines composent les sites d'exploitation de la filiale Technix : trois dans l'Estrie, une à Mont-Laurier, une à Trois-Rivières et une en Ontario. La majeure partie des activités

---

1. Un service partagé est un regroupement de tous les grands-livres des usines.

de la filiale Technix se déroule en Estrie, soit dans les usines de Sherbrooke, de Magog et de Lennoxville. Ce fait présente, pour le groupe Logifer, une particularité notable : on emploie une forte proportion de résidants de cette région et, historiquement, ces employés ont bâti une opposition syndicale considérable. À l'occasion, les contrôleurs des différentes usines de la filiale Technix représentent, dans des réunions plénières orchestrées par les analystes de Logifer et de Technix, les requêtes, la culture, les manières de voir et la philosophie des gens de leurs usines.

Après quelques années passées à la gestion des activités financières de l'usine, les contrôleurs ambitionnent, en concurrence avec les ingénieurs spécialisés dans la gestion des activités d'exploitation, de diriger l'usine. Les contrôleurs sont rapidement associés aux procédures particulières de leurs usines respectives. Chez Technix, l'identification à l'usine semble peser plus, pour les contrôleurs, que l'identification à leur groupe professionnel. Jacques Côté soutient, au cours d'une des rencontres hebdomadaires du groupe LG : « Avec les usines syndiquées, c'est très complexe. Il y a un comité de changement, la place accordée à la négociation est très importante et ça prend une documentation massive. »

Le président du groupe de travail sur la simplification du processus budgétaire (l'un des contrôleurs d'usine) affirme : « Tu les connais, nous devons inclure quelqu'un du complexe Sherbrooke, sinon ils vont défaire ce qu'on aura fait ! Il faut inclure quelqu'un de l'Estrie, à moins que je ne me retire. » À une autre rencontre hebdomadaire du groupe LG, Jacques Côté confirme : « Avec les usines syndiquées, ça ne peut pas être *top down* sinon on va manger une volée. » Yves Dubé renchérit, ironiquement : « Nous allons laisser ça à Logifer ! » L'identification à la région est également un ingrédient relationnel important. À la rencontre plénière tenue en Estrie, les contrôleurs d'usine se moquent de l'habillement des « gars de Montréal » : « Vous avez mis vos cravates, pourtant le carnaval est fini ! » Après son embauche chez Technix, Yves Dubé a travaillé en Estrie où il est demeuré pendant trois ans avant d'être déplacé à Montréal. Il s'y était établi avec sa femme et ses trois enfants.

Une altercation entre Yves Dubé et son patron Jacques Côté met au jour la tension des relations entre les contrôleurs d'usine et les analystes du groupe LG. Yves Dubé veut ajouter une nouvelle étape au projet de réingénierie, et il soumet l'idée à son patron : « Que penserais-tu d'éliminer des comptes de grand-livre ? » Cet aspect du projet, d'apparence banale pour un observateur externe, touche le cœur des interactions entre le siège social et les usines. Jacques Côté s'oppose farouchement à un tel projet : « Qu'est-ce que ça nous donne ? Je ne vois pas de retour immédiat, surtout au prix que ça nous coûterait ! Tu connais la tension et les crises créées dans les usines par l'élimination des comptes. J'ai de la difficulté à comprendre pourquoi j'absorberais des coûts sans en retirer des avantages. » Yves Dubé met alors ce projet en attente, confiant qu'il pourra le réaliser une fois qu'il aura été affecté aux projets de réingénierie de Logifer.

L'engagement des ressources financières pour la réalisation des sous-projets issus du projet de réingénierie est également une source d'affrontements entre les usines et les analystes du groupe LG. À une de leurs rencontres hebdomadaires, Marc Grenier sollicite l'aide de son patron : «Je suis prêt à me battre avec Pierre pour faire accepter ce projet, mais il faudrait tout de même qu'on arrête de se lancer la balle au sujet des coûts ! » Jacques Côté, visiblement mécontent, lui répond : «Oui, mais on leur a déjà permis de sauver tellement d'argent avec la refonte du grand-livre, ils n'ont pas à se plaindre ! » Marc Grenier ajoute : «Mais on ne pourra pas faire démarrer le projet tant qu'on ne se sera pas entendus là-dessus. » Jacques Côté concède alors : «D'accord, je l'appelle cette semaine ! » Le personnel comptable, dont la tâche est passée au crible, se désengage en partie de la démarche de réingénierie, en soutenant que sa tâche n'est pas uniquement comptable ; elle contient une part importante de gestion et comporte des aspects non routiniers. Lorsque l'analyste leur demande de justifier un rapport, les comptables du siège social affirment que la demande leur provient de Logifer.

Les analystes du groupe LG nomment, à tour de rôle, un contrôleur d'usine comme président des groupes de travail afin de légitimer les différentes étapes de la démarche de réingénierie, de faciliter leur mise en œuvre et de réduire la tension entre le personnel comptable régional et les analystes du groupe LG du siège social. Par leur participation à ces groupes de travail, les contrôleurs régionaux sont à même de constater l'ampleur des difficultés de la démarche de réingénierie, de même que sa nécessité. On leur donne accès aux bases de données des meilleures pratiques mondiales (MPM) et ils participent à la visite de fonctions finance de différentes entreprises de taille comparable.

Malgré le fait que les contrôleurs d'usine n'hésitent pas à défendre le service de comptabilité de leur usine devant des analystes du groupe LG de Technix, ils protègent également la filiale Technix, dans son ensemble, par rapport à la société mère. Au cours de la rencontre tenue en Estrie avec tous les contrôleurs d'usine de la province, un participant exprime son inquiétude aux représentants de Logifer : «A-t-on évalué les bénéfices de Technix là-dedans ? A-t-on évalué le *fit* entre les façons de faire des gens de Technix et le logiciel comptable proposé par Logifer ? » À cette rencontre, Jacques Côté déclare : « La rencontre d'aujourd'hui a pour but de prendre vos commentaires sur le projet en cours. » Un contrôleur d'usine rétorque : «Il n'est pas un peu tard pour prendre nos commentaires ? » Un autre renchérit : «On va leur donner nos frustrations ! » Un autre ajoute : «Notre opinion changera-t-elle quelque chose ? »

Durant cette rencontre, le délégué finance-informatique de Logifer admet les différences entre la société mère et la filiale. Il souligne que Technix est différent de Logifer et qu'il faudra quelques mises à jour sur le plan technologique. Un contrôleur d'usine soutient : « L'important dans tout ça, c'est d'analyser l'effet que cela aura sur les usagers. Côté technologie, tout peut être résolu, à condition d'y mettre les sous. Mais quand il s'agit de problèmes humains, c'est autre chose ! » Le délégué finance-informatique réplique : « Nous verrons plus tard, au sujet des problèmes humains, les résultats d'un petit sondage. Ce sont là des problèmes importants mais qui débordent très certainement le cadre restreint de cette rencontre. » L'atmosphère de la réunion se détériore et, soudain, un fossé se creuse entre le personnel comptable des usines et les analystes du groupe LG ; les contrôleurs d'usine discutent entre eux, jacassent et rigolent. Les délégués du siège social essaient de reprendre le contrôle de la réunion plénière, sans succès.

L'image de toute-puissance de Logifer alimente la réticence des contrôleurs, mais elle inquiète également les analystes, surtout après que Jacques Côté eut confirmé les rumeurs selon lesquelles le groupe LG serait dissous, et ses membres réaffectés aux projets de réingénierie de Logifer. Jacques Côté affirme : « Logifer manque de ressources. Comme ils sont plus gros que nous, nous allons être englobés. Nous allons être mis à la disposition des projets de Logifer. » Marc Grenier s'insurge : « Ce n'est donc plus vrai que nous pouvons mener nos projets en parallèle avec Logifer ! » Yves Dubé possède de l'information sur les déplacements éventuels alors que ses coéquipiers « bâtissent du stress », pour reprendre sa formule. Quelques mutations ont été effectuées jusqu'à maintenant de Technix à Logifer, malgré leurs différences identitaires. Pour qu'un professionnel comptable puisse gravir l'échelon des postes à haut pouvoir décisionnel à l'intérieur de Logifer, il doit posséder un important portefeuille de placements, être prêt à faire des séjours internationaux d'un an ou plus et, de préférence, être de nationalité étrangère. À l'occasion, les dirigeants de Logifer s'allient des financiers des régions du monde placées sur son échiquier d'exploitation.

Les analystes du groupe LG, bien que tous engagés dans le projet de réingénierie, ont abordé des aspects fort différents. Les membres de l'équipe LG ayant analysé les tâches en détail ont vécu, avec le personnel comptable concerné, des moments riches en émotions. Simon Durand se dit ébranlé par certains contacts interpersonnels : « Cette expérience a été très dure. Des gens pleurent, vous disent qu'ils n'ont pas dormi de la nuit en pensant à l'éventualité de perdre leur emploi. Ils ont besoin de garanties, de savoir d'entrée de jeu ce qu'il adviendra de leur poste. La communication, c'est vraiment important dans tout ça. Il faut mettre l'accent sur l'enrichissement de leur tâche. » Ils possèdent maintenant un bagage de connaissances important à propos du personnel affecté par la réingénierie. Forts de ces connaissances, ces analystes remettent en cause, à certains moments, la démarche dictée par les gestionnaires de la réingénierie sur un plan plus global. Au cours d'une rencontre, Yves Dubé affirme : « Nous avons choisi de procéder à cette deuxième phase d'analyse durant la fermeture afin de pouvoir faire l'analyse des tâches de fermeture des livres. Nous sommes conscients que cela dérange, mais… » Ce à quoi René Leduc rétorque : « Cela va être dur à vendre ! » Yves précise alors la démarche : « Le mieux serait de demander aux gens ce qu'ils comptent faire durant les deux prochaines heures et de retourner les voir après ce temps. » René s'oppose : « Je ne suis pas certain que les gens vont apprécier de se faire demander cela toutes les deux heures. » Yves Dubé clôt la discussion : « Il va falloir faire diligence ! »

Yves Dubé occupe l'avant-scène de l'équipe LG, il donne les directives. Son patron Jacques Côté est d'origine anglaise, mais il maîtrise très bien le français. Il connaît Logifer et ses filiales dans leurs moindres détails, il y travaille depuis 30 ans. Au sein de l'équipe du groupe LG, son rôle est moins directif que celui d'Yves Dubé. Jacques Côté exerce son autorité sur les membres de l'équipe LG en critiquant les fondements des projets en cours après avoir laissé s'écouler un bon laps de temps. Yves Dubé, au contraire, interagit constamment avec les analystes de son équipe.

Jacques Côté intervient auprès des analystes, à leurs rencontres hebdomadaires, pour suggérer des alliances entre eux, avec des consultants externes en qui il a confiance et avec du personnel comptable dans les différentes usines. Certains analystes peuvent même parfois se sentir menacés. Côté fait une suggestion à Marc Grenier : « Simon Durand a fait du bon travail dans ce genre de démarche. Il a été le *frontman* et les gens ont été enchantés. » Marc Grenier répond : « À ce que je sache, la paie est encore à moi ! Ce n'est pas sûr que Simon Durand doive être engagé dans ce projet ! » Côté lui lance : « Marc, tu devrais songer à faire ton politicien un peu ! »

Yves Dubé, bien qu'il n'ait pas eu à vivre d'interactions troublantes avec le personnel dont la tâche a été analysée, a tout de même reçu son lot d'insultes et de mépris ; il a occupé l'avant-scène des colloques annuels organisés par son équipe pour faire la promotion de la démarche de réingénierie. Il affirme : « J'ai failli recevoir des tomates à bon nombre d'occasions. Des contrôleurs d'usine me disaient : "Tu ne nous auras pas ! Tu ne mettras jamais les pieds chez nous !" » À certains égards, Yves prône une démarche progressive, tandis que, pour d'autres aspects, il défend une démarche sans compromis ni planification et consultation excessives. À un consultant interne, il spécifie : « Nous avons "déplogué" 200 rapports et 20 seulement ont été réclamés. » Mais il préconise beaucoup de transparence autour de la démarche de réingénierie et il n'a pas hésité à se mettre la tête sur le bûcher à plusieurs reprises.

CONCLUSION

La marge de manœuvre laissée aux analystes du groupe LG par le vice-président finance de Technix, Pierre Vimont, est considérable. Toutefois, les analystes prennent le risque de perdre la face si la démarche qu'ils ont entreprise auprès du personnel comptable n'est pas entérinée par Pierre Vimont, comme ce fut le cas avec le projet de service partagé. Après des mois consacrés à l'analyse des tâches du personnel comptable, très éprouvants sur le plan émotionnel, tant pour les gens dont la tâche a été passée au crible que pour les analystes dépourvus devant le flot d'accusations de la part du personnel comptable des usines, le projet de service partagé justifiant de telles analyses a avorté par manque d'appui de la part de la haute direction.

Yves Dubé doit maintenant considérer l'offre qu'il a reçue de Logifer d'y transférer son expertise. Plusieurs paramètres entrent dans sa décision et des conséquences importantes vont très certainement en découler pour le groupe LG et l'ensemble des usines de la filiale Technix. Les succès remportés par le groupe LG l'ont mené à sa cinquième année d'activité au sein de la filiale exploitation de Logifer.

ÉPILOGUE

La réingénierie du processus budgétaire est le dernier-né de ce groupe, mais sa réalisation pose, au groupe LG, des problèmes considérables. Ces difficultés sont probablement dues à l'ampleur des liens constitués au fil du temps et sédimentés à travers ce processus ; Logifer, la société mère, donne les paramètres de départ concernant les unités à produire. Les procédures de réingénierie du processus budgétaire commandent, d'entrée de jeu, la remise en question du principe même de l'élaboration d'un budget ; il semble que ce fait ne puisse toutefois être contesté par la filiale Technix, l'exigence ayant été posée par la société mère Logifer. Yves Dubé justifie le démarrage de la réingénierie du processus budgétaire en spécifiant que le budget n'est pas dans le *scope* de Logifer. Le projet Vision II devrait raviver le groupe quelque peu atteint par les incertitudes des dernières semaines.

Cas 4

Pratiques de gestion et identités dans deux caisses populaires de Montréal*

Chantale Mailhot

Les deux caisses populaires dans lesquelles nous avons mené une petite enquête comptent de nombreuses années d'histoire. La première, la caisse de l'Est[1], a été fondée dans les années 10 et la deuxième, la caisse du Nord, au début des années 60. L'effectif des deux caisses était comparable jusqu'en 1994, année de forte rationalisation à la caisse de l'Est à la suite de problèmes financiers importants (le nombre d'employés est passé de 50 à 26). Dans les deux caisses, cet effectif est très stable. La majorité de leurs employés ont plus de cinq années d'expérience et quelques-uns ont travaillé plus de 20 ans dans leur établissement. Le personnel de la caisse du Nord est syndiqué depuis 1980, alors que celui de la caisse de l'Est s'est syndiqué en 1985 pour se « désaccréditer » trois ans plus tard. Dans les deux cas, l'atmosphère n'est pas à la revendication et la communication entre la direction et les employés est qualifiée de facile.

> Ça ne paraît pas du tout que les employés sont syndiqués dans la caisse. Les inspecteurs sont toujours surpris de l'apprendre. Dans la majorité des caisses syndiquées, ça se sent immédiatement. Ici, l'atmosphère de travail est très bonne. (Directeur de la caisse du Nord.)

> Les gestionnaires sont dynamiques ici, et les gens s'entraident beaucoup. En général, il y a un bon esprit de travail, une bonne atmosphère, de l'entraide. Tout dépend des gestionnaires en place. Mais aujourd'hui, la communication est bonne. Ils sont humains. (Membre du personnel de la caisse du Nord.)

> Ici, le travail se fait dans le plaisir. Tout le monde se parle, employés, cadres, comme dirigeant. L'accueil est chaleureux, les relations faciles et agréables. (Membre du personnel de la caisse de l'Est.)

Le directeur général de la caisse du Nord est en place depuis 20 ans. La caisse de l'Est a connu une direction aussi stable des années 50 au milieu des

* Ce cas a été élaboré dans le cadre d'une recherche portant sur les liens entre la culture des entreprises et leurs performances économiques. Cette recherche, sous la direction de Jean-Pierre Dupuis, a bénéficié d'une subvention du Service de la recherche de l'École des HEC. Je tiens à remercier Dominique Dorion, qui a participé à une partie de la collecte et de l'analyse des données dans une des deux caisses populaires.

1. Afin de préserver la confidentialité, les noms des caisses étudiées ont été changés.

années 90, pour ensuite vivre deux changements de direction. En 1994, le directeur adjoint a en effet succédé pendant deux ans au directeur en place depuis si longtemps. Ces deux années sont marquées de nombreux bouleversements pour le personnel de la caisse. Selon certains, la récession et les mesures radicales qu'obligent à prendre de grosses pertes sur prêts sont responsables des deux années plus chaotiques de cette caisse.

Il y a eu des coupures, mais c'étaient des décisions de rentabilité. Le directeur en place a passé pour la bête noire. C'est sûr que le directeur précédent, celui qui était là depuis longtemps, il était bon, c'était un bon papa, mais ça lui nuisait dans le sens où il n'aurait jamais été capable de faire de mises à pied. « On ne peut pas faire ça aux petites filles, elles ont besoin de gagner », disait-il. Il fallait jamais qu'il arrive rien de mauvais à personne. Mais le contexte économique était bien meilleur. (Membre du personnel de la caisse de l'Est.)

De toute façon, c'étaient des décisions de la Fédération. Le directeur devait constituer un comité de gestion et les exécuter. Tout cela est injustifié, cette image négative de la caisse. Avant, la caisse était super bien vue, elle avait un bon directeur, qui faisait de l'argent, qui avait de l'influence à la Fédération. Les profits étaient de 800 000 $ ou un million par année, il n'y avait pas de coupures de postes, on faisait des fêtes avec les employés, les rapports d'inspection étaient beaux, la caisse était bien structurée, la réputation excellente. D'accord, on a ensuite fait trois millions de pertes sur prêts. Mais c'était avec deux membres seulement, dans un contexte de crise de l'immobilier. La Fédération a recommandé une série de coupures de postes ridicules. Le directeur général prenait la relève d'une gestion paternaliste et a tout absorbé le choc du contexte économique. Les gens ont relié ça à lui. (Membre du personnel de la caisse de l'Est.)

Pour d'autres, c'est précisément le passage d'un style de direction paternaliste à un style inéquitable et autoritaire qui explique davantage ces années difficiles. Voici ce qu'en disent certains employés :

Ça allait tellement mal son affaire, il est devenu de plus en plus intransigeant. On ne comprenait pas pourquoi ça allait si mal tout à coup. Puis, il nous mettait tout sur le dos : « Les employés, ça coûte cher, on a trop de dépenses. » Il était vraiment plus agressif, plus strict.

Il a enlevé certains privilèges qu'on donnait pour des prêts hypothécaires ou aux personnes âgées par exemple. Il coupait tout ce qu'il pouvait. Nous, on ne comprenait pas, on se disait qu'on allait perdre tous nos clients ! Les clients non plus ne comprenaient pas.

Il y a eu beaucoup d'insatisfactions au niveau commercial surtout. Les modifications étaient importantes : la guérite enlevée, les heures modifiées, rétrécies, puis ces clients devaient dorénavant faire la file comme tout le monde, avec des augmentations de frais d'administration et un service plus pauvre. Il croyait qu'en imposant plein de décisions et de coupures, il irait tout récupérer dans les frais d'administration.

D'un côté, il y avait des coupures drastiques et, de l'autre, on s'apercevait qu'il y avait des dépenses de fou qui se faisaient !

Je pense que s'il y a eu tant de changements, c'est que le directeur essayait de « ploguer » sa gang. Il avait besoin de gens qui l'écoutent. Il était un peu dictateur. Les gens, même les clients, ont beaucoup parlé dans son dos lorsqu'il est parti. Ils l'ont traité [...] de toutes sortes de choses. C'est vrai qu'il avait un style un peu raide, de la difficulté au niveau des communications, il ne disait pas bonjour. Tout cela était un problème d'attitude. C'était vraiment ça le problème.

Ces années difficiles avaient été précédées d'une période de croissance, une excellente progression. Le directeur général en place durant plusieurs années était reconnu pour ses efforts de recrutement. Il n'était que très rarement à la caisse, toujours à la recherche de nouveaux clients.

Il était très gentil, très aimé, mais il n'était jamais ici. C'était la façon de faire, durant de nombreuses années. Lui, il faisait du *P.R.*, il allait chercher les clients, et son assistant, aidé des cadres, gérait. (Membre du personnel de la caisse de l'Est.)

La caisse de l'Est devait plus tard enregistrer des pertes sur prêts substantielles. Son directeur actuel explique :

Le gros développement de cette caisse qui possède 80 années d'existence s'est fait durant les huit dernières années. Cette caisse a poussé comme un champignon, de façon très rapide et en très peu de temps. Dans cette course aux actifs — car il faut bien voir que le salaire des directeurs généraux était anciennement calculé en fonction des actifs — et dans un contexte économique plus propice, il était peut-être possible d'étendre les activités de crédit à l'extérieur du territoire. Il y a eu plein de croissances de caisses, parfois heureuses, et parfois malheureuses. Ici, ç'a été malheureux. Il y a peu de commerces dans notre secteur, c'est vrai, et le directeur général a décidé d'aller à l'extérieur pour en chercher. Mais comment garder l'œil sur des commerces qui sont situés trop loin ? C'est très rentable, mais aussi très risqué. Désormais, notre territoire est limité à l'île de Montréal.

La caisse du Nord a aussi subi les contrecoups du contexte économique, sans que cela ait eu autant d'incidence sur sa rentabilité. Devant une situation financière difficile, certains directeurs de caisses peuvent choisir différentes solutions de redressement, comme le laissent entendre le directeur de la caisse de l'Est et un membre du personnel de la caisse du Nord :

Des gens ont peut-être constaté que la caisse était de moins en moins rentable et ont peut-être décidé de donner un gros coup de barre quelque part... Ils ont essayé de rentabiliser de l'intérieur en mettant des effectifs à la porte. Puis, plusieurs choses avaient été coupées aux clients dans le but de rentabiliser. On a tous nos opinions là-dessus. Je ne crois pas que quand on coupe des choses aux sociétaires, ça puisse rentabiliser une caisse, surtout si ce sont des choses que toutes les caisses donnent. En même temps, il ne faut pas donner une foule de privilèges qui ne se donnent pas ailleurs. Il a fallu régulariser tout cela. (Directeur de la caisse de l'Est.)

Ici aussi, la gestion financière n'a pas toujours été aussi prudente. Ici aussi, il y a eu une sorte de course aux actifs, peut-être à cause de la façon dont était calculé le salaire des directeurs. C'est sûr que le commercial génère davantage de profits, mais des pertes également. Il y a eu une crise dans l'immobilier depuis les cinq dernières années. Les caisses qui ne sont pas performantes ont eu des problèmes au niveau des dossiers de crédit, ont été trop libérales dans leur façon de prêter. Lorsque je suis arrivé, la situation était très mauvaise au niveau du crédit. Face à cela, certains directeurs vont souvent couper des employés pour sauver de l'argent. C'est une grosse erreur. S'il y a des pertes, il faut investir dans le personnel et dans le redressement des dossiers de crédit. C'est pour ça que j'ai été engagé. Pour moi, l'actif n'est pas si important. Il faut développer le particulier, dans notre quartier. Loin des yeux, loin du portefeuille... (Membre du personnel de la caisse du Nord.)

Depuis le mois de janvier 1995, la caisse de l'Est semble avoir retrouvé son atmosphère et ses pratiques de jadis. Le plan de redressement mis en place par le nouveau directeur, le conseil d'administration et les employés semble porter ses fruits. La caisse progresse de nouveau et de nouvelles politiques relatives à l'emploi, à la rémunération et aux communications sont adoptées, comme l'explique le directeur :

On a établi des politiques de crédit très strictes, des politiques administratives, on a refait le budget et on y travaille. On ne va absolument pas à la vitesse de l'éclair, mais on rencontre les objectifs mensuels. On travaille sur la formation, sur la communication, et s'il est vrai qu'on va doucement, on est aussi très constants, on travaille en continu. On donne moins à la fois, mais plus longtemps. Les employés voient que la caisse remonte la pente, et c'est motivant pour eux.

Si les deux caisses se caractérisent par le faible taux de roulement de leurs employés, la gestion de l'emploi est en effet différente. À la caisse du Nord, il est rare qu'un employé demeure plus de deux ou trois ans à un même poste. Deux employés commentent :

Ici, ça bouge tout le temps. On est impliqué dans toutes sortes de choses, on ne s'en tient pas aux descriptions de tâches. On fait plein de choses différentes, et ils insistent pour qu'on s'implique dans les comités par exemple. Tout le monde peut faire quelque chose d'autre que son poste, s'il veut.

Puis, le fait de bouger autant, de connaître toute la caisse, ça t'amène à faire autre chose et à aider. Il y a beaucoup d'entraide, de manière générale, et c'est sans doute à cause de cela. C'est ce qui crée une bonne atmosphère aussi.

Les objectifs de carrière de chaque personne sont pris en considération au moment de l'évaluation et des ouvertures de postes. Les plans de formation sont souvent adaptés à ces objectifs autant qu'aux besoins de la coopérative. Les conditions liées à la formation sont excellentes, et surtout motivantes. Le directeur de la caisse du Nord observe :

Ici, il y a constamment de la formation interne et externe. Il y a un coût à cela, et pas juste le coût d'entraînement. Un employé qui est super-formé et à qui tu ne peux offrir de poste plus élevé a des chances de partir ailleurs. Mais ça ne me dérange pas. La grande motivation des gens est plus importante. C'est motivant pour eux d'être formé, d'aspirer à des postes élevés, de former d'autres employés, de bouger de postes plutôt que de traîner 10 ou 15 ans dans un même poste et d'être tanné. Il y a peu de routine. Ça fait 12 ans que je leur pousse dans le dos pour qu'ils suivent de la formation. Nous payons les frais d'inscription, les livres, et nous les encourageons constamment, constamment. Ça fait partie de la culture de la caisse.

À la caisse de l'Est, et bien que la formation du personnel ait toujours été encouragée et financée selon les mêmes conditions qu'à la caisse du Nord, les employés sont beaucoup moins polyvalents. Plusieurs sont au même poste depuis leur arrivée à la caisse et ne tiennent pas à changer : « C'est du ciment coulé ensemble, les employés, ici », affirme un membre du personnel. Avec les modifications de l'organisation du travail qu'appelle la réingénierie de l'ensemble des caisses du Mouvement Desjardins (voir l'encadré en bas de page), une plus grande mobilité du personnel est désormais encouragée à la caisse de l'Est. Selon un employé :

C'est depuis deux ou trois ans que ça change. Les filles qui sont ici depuis 15 ans trouvent ça difficile, ces changements. Avant, quand on était à un poste, on restait là, on pouvait faire le même travail plusieurs années sans connaître autre chose.

Cet effort s'accompagne de nouvelles politiques d'évaluation et de promotion. Alors que la procédure et le formulaire d'évaluation sont standard dans les deux caisses qui utilisent ceux que recommande la Fédération, le suivi des évaluations à la caisse de l'Est était déficient, voire inexistant. Il en allait de même des généreuses primes et gratifications offertes aux employés : la même

---

Réingénierie des processus chez Desjardins

Les caisses populaires Desjardins sont actuellement en pleine opération de réingénierie des processus qui consiste principalement dans la transformation des tâches, en particulier celles de caissières*. Elle a comme objectif d'automatiser les opérations mécaniques (dépôt, retrait, paiement des comptes, etc.) en les reléguant aux guichets automatiques et de confier aux ex-caissières, après une formation appropriée, des tâches de conseiller et de vendeur de services où la qualité des relations interpersonnelles sera toujours importante. Par définition, cette réingénierie ne nie donc pas ce qui constitue la culture de métier du caissier. En effet, pour les caissières, la qualité des relations interpersonnelles (entre elles, avec le reste du personnel et avec les membres clients) passe avant la tâche proprement dite (opérations mécaniques de dépôt, de retrait, etc.). Pourtant, la réingénierie les inquiète grandement…

---

*   Nous choisissons la forme féminine ici parce que la majorité des caissiers sont des femmes. Nous donnons ainsi priorité à la règle sociologique sur la règle grammaticale.

somme à tous, peu importe le rendement des individus et celui de la caisse, comme en témoignent les propos du directeur et d'un cadre :

> Avant, la caisse avait une image de papa gâteau dans le sens où on gâtait vraiment les employés et la direction générale de la caisse. On était heureux de voir progresser la caisse, on en profitait, mais on ne se posait pas la question de la direction ou des moyens de cette progression. Les évaluations se faisaient sporadiquement, en catimini, et chaque gestionnaire décidait quel montant il donnait à l'un, quelle petite prime à l'autre, etc. Car il y avait la prime d'intéressement à tous ici. Mais des primes, ça se donne quand les objectifs sont dépassés et quand tu fais de l'argent ! Ici, avec une perte de 1 200 000 $, on donnait des primes. C'était une politique ici. En progression, passe toujours... Aujourd'hui, les employés comprennent la situation financière de la caisse et savent qu'ils ne l'auront peut-être pas. Mais ils comprennent. Avant, c'était un cadeau du ciel qui arrivait sans qu'on comprenne trop pourquoi. (Directeur de la caisse de l'Est.)

> On a toujours eu des primes ici. Mais depuis deux ans, c'est en fonction des évaluations. Avant, tout le monde avait le même pourcentage, rendement mauvais ou non. Maintenant, si l'année est mauvaise, la prime est en conséquence. Les gens sont bien contents. Ça les motive. Ils font des efforts. Quand ils sont capables de passer de 1 % à 3 %, ils voient que leurs efforts ont été remarqués. (Cadre de la caisse de l'Est.)

Aujourd'hui, le régime d'intéressement de la caisse de l'Est est donc fonction du rendement de la caisse et de celui des individus, comme dans la majorité des caisses. À la caisse du Nord, le régime d'intéressement proposé par la Fédération — 5 % aux employés, 7 % aux cadres et 10 % au directeur — a été modifié « afin de mettre l'accent sur l'équipe ». C'est tout le personnel de la caisse qui reçoit 5 % d'augmentation salariale s'il y a surplus aux bénéfices prévus.

> Nous avons été la première caisse à donner une augmentation globale plutôt que simplement celle de l'échelon et du coût de la vie. Nous nous étions engagés, lors de la dernière convention, à la verser dès que la caisse ristournerait. Comme le régime n'était pas en vigueur lorsque la caisse a ristourné pour la première fois, le conseil a décidé de donner une journée et demie et plus tard deux jours à tout le personnel. On fait beaucoup de choses comme ça ici. Par exemple, après un cours du soir, nous sommes allés au restaurant La Fonderie et nous avons offert quelques bouteilles de vin. Le professeur n'avait jamais vu ça, il s'attendait à de petits sandwichs. Dans le temps de Noël, on ferme à trois heures. Ça nous permet d'offrir en plus des demi-journées. On est la seule caisse du secteur qui l'a fait. On donne beaucoup. (Directeur de la caisse du Nord.)

> Ils ne pensent pas juste à eux, mais aussi à nous. C'est bien, les deux jours qu'on a eus. Les bénéfices ne sont pas juste pour eux. (Membre du personnel de la caisse du Nord.)

Les employés de la caisse de l'Est sont bien conscients du fait que les primes qu'ils recevaient étaient souvent des gâteries. Ils se disent également choyés des installations luxueuses des aires de repos, de repas et de travail :

Nous, nos installations physiques sont super, les gens n'en reviennent pas. On a des gros fauteuils de président, une grosse télévision, on a tout, un vidéo, deux micro-ondes, le poêle, frigidaire, tout. Avant, c'était encore mieux ! Tout était fourni : le sel, le sucre, les serviettes hygiéniques, tout. On était pas mal bien. On avait des millions, il faut dire. Ils nous donnaient plein de primes, comme pour avoir enduré la poussière lors du déménagement, par exemple.

Au chapitre des installations physiques, des fournitures de toutes sortes et même des sorties qui sont offertes aux employés, la caisse de l'Est se démarque de la caisse du Nord. Si le personnel de cette dernière apprécie les quelques activités sociales offertes au cours d'une année, les dirigeants comme les cadres n'encouragent pas leur multiplication, ainsi que le souligne le directeur :

Il n'y a pas souvent d'activités sociales avec les employés. Je trouve ça dangereux qu'il y en ait trop. Il y en a occasionnellement. Sinon, quand on est trop souvent ensemble... Travailler et se voir parfois, ça va. Mais trop souvent, ça finit par faire des cliques et des conflits. Nous n'avons pas de clans actuellement. Il y a peut-être eu des conflits antérieurement entre certains groupes, mais maintenant le responsable a de la poigne et sait concentrer les gens sur le travail.

Toutefois, selon un employé :

Il y avait plus d'activités avant. Mais maintenant, on a notre famille le soir. On n'a pas le temps. Les gens embarquent moins et se tannent s'il y en a trop. C'est le fond social qui organise ces sorties, mais on invite toujours les gestionnaires à s'impliquer. Les quelques sorties, c'est bien. Ça nous permet de nous connaître à l'extérieur.

Les employés ne se plaignent pas de la situation dans la mesure où, contrairement à l'autre caisse, ils considèrent, de manière générale, que si l'ambiance et la bonne entente sont importantes, les relations professionnelles doivent se restreindre au travail et ne pas empiéter sur la vie personnelle. Ce n'est pas du tout l'image qui est véhiculée à la caisse de l'Est où l'ensemble du personnel, dirigeant et cadres compris, présentent la caisse comme une famille :

Ici, c'est comme une petite famille. Tout le monde parle à tout le monde. Quand il y a un nouveau, tout le monde lui parle comme s'il avait toujours été là. L'intégration est facile. Tout le monde se tient. Ç'a toujours été. Il n'y a jamais eu de clans, tout le monde dîne avec tout le monde, on fait des fêtes, des croisières, le fond social organise toutes sortes d'activités. Nous avons du *fun*.

Que la caisse du Nord se caractérise plutôt par des relations professionnelles et même la présence de clans, de regroupements et de « caquetage » n'empêche pas d'affirmer que la communication, à l'extérieur des réunions, est très facile entre cadres et employés, comme à la caisse de l'Est. Les employés se sentent tout à fait à l'aise d'entrer dans le bureau des cadres ou dans celui du directeur au besoin. Cette aisance sur le plan des communications explique peut-être la faible activité syndicale dans cette caisse. Le personnel de longue date note d'ailleurs qu'à l'époque de la demande d'accréditation, la qualité des échanges entre supérieurs et subordonnés était très mauvaise. L'équipe de gestion est désormais constituée de « nouveaux types de gestionnaires » et le directeur « a beaucoup changé ». Les réunions syndicales se font rares depuis une dizaine d'années, et il y a peu de griefs. Les relations qu'entretient la direction avec le représentant syndical semblent aisées, selon ce qu'en disent le directeur et un cadre :

> Je trouverais ça très lourd d'avoir à gérer avec la convention. Une chance qu'ici on a une très bonne relation avec le représentant syndical. On s'assoit et on discute entre nous avant toute négociation. On leur a bien montré que, autant pour eux que pour nous, ça ne serait pas vivable d'appliquer à la lettre le document de la convention. On en est venus d'un commun accord à fonctionner avec des lettres d'entente. Il n'y a pas beaucoup de caisses comme ça. (Directeur de la caisse du Nord.)

> Il y a peu de demandes formelles du syndicat, c'est vrai. Sauf quelques demandes farfelues, mais c'est tout. C'est très facile à gérer. Ça ne changerait rien qu'il n'y ait pas de syndicat ici. Les employés n'en ont pas besoin. Ils ont leur droit de parole, leur représentant. (Cadre de la caisse du Nord.)

À la caisse de l'Est, la désaccréditation a eu lieu pour des raisons semblables à la suite d'un vote secret des employés qui ont préféré former un comité d'entreprise. Un cadre explique :

> On a une bonne communication avec les employés. On a un comité des ressources humaines et on les implique. Quand ils se sont désaccrédités, ils m'ont demandé comment j'allais être sans syndicat. La même affaire, j'ai dit. Ils n'appelaient jamais le syndicat et payaient des cotisations pour rien.

Si la communication est bonne à la caisse de l'Est, l'explication est à chercher dans l'atmosphère familiale qui caractérise l'ensemble des relations — tant entre employés qu'entre patrons et employés — plutôt que dans les mécanismes formels d'information. Les employés de la caisse apprécient par-dessus tout le « bonjour » quotidien du directeur, les dîners en sa présence et celle des cadres :

> On est tous ensemble au dîner, et on peut parler de n'importe quoi. Ici, ce qui est merveilleux, c'est qu'il n'y a pas de différences entre patrons et employés. (Membre du personnel de la caisse de l'Est.)

Ce n'est que tout récemment, avec l'arrivée du dernier directeur, que les réunions mensuelles d'information ont été formalisées.

> On s'est rendu compte qu'ici il y avait tout de même un problème d'information. Elle ne se rendait pas aux employés. Les grandes décisions n'étaient pas communiquées aux employés. On y a remédié en implantant un meeting mensuel. Ça ne se faisait pas avant, ou plutôt c'était de façon très sporadique. C'est quand même leur entreprise, ils ont le droit de savoir où s'en va leur caisse au niveau des dividendes, des trop-perçus, l'actif, les plaintes des membres, etc. On leur montre tous les chiffres, et c'est dans les réunions

hebdomadaires de chaque secteur que sont discutés les sujets plus spécifiques. (Directeur de la caisse de l'Est.)

Quand le directeur convoquait une réunion, avant, c'était pour nous donner
le montant des augmentations salariales de l'année. C'est tout. (Membre du
personnel de la caisse de l'Est.)

Dans cette caisse, ces réunions visent donc essentiellement à informer le
personnel. Les employés apprécient ces rencontres qui leur permettent de
mieux comprendre mais surtout de pouvoir répondre aux questions des clients
et, dans certains cas, de recevoir des marques d'appréciation.

Pour le reste, s'il y a des problèmes, je préfère en parler à mesure, faire des
rencontres immédiates. Je n'attends ni les réunions ni les évaluations. On se
parle. Ma porte est toujours ouverte. (Cadre de la caisse de l'Est.)

Les réunions mensuelles de la caisse du Nord visent à un même but que
celles de la caisse de l'Est mais sont perçues différemment. Du côté des cadres
et de la direction, il est important d'informer les gens et de les écouter :

Une des choses qui fait que les employés s'expriment, c'est qu'ils savent qu'ils
sont écoutés. Même s'ils n'ont pas toujours la réponse qu'ils désiraient avoir,
ils ont la certitude d'être écoutés. C'est très important qu'ils aient cette certitude. (Directeur de la caisse du Nord.)

Les réunions, c'est important. C'est souvent là que le jus sort. Moi, j'explique
tout clairement. Les employés m'ont même demandé d'avoir plus de temps
pour parler dans les réunions. Il faut dire qu'on a souvent tellement de choses
à discuter que tout le temps est pris par l'information, et il en reste peu pour
qu'ils s'expriment. Mais ils font des mini-réunions entre eux et en parlent
ensuite. (Cadre de la caisse du Nord.)

Ce souci se manifeste notamment par la distribution d'un petit sondage à
la fin de chaque réunion, afin de permettre à ceux et celles qui n'auraient pas
osé s'exprimer haut et fort de le faire de façon anonyme. Du côté des
employés, plusieurs notent en effet que peu de gens osent prendre la parole au
cours de ces réunions souvent perçues comme des moments de remontrances :

On ne parle pas du tout en réunion. Ils nous demandent de nous exprimer,
mais on ne le fait pas. Ils nous parlent des nouveaux produits, font des mises
au point, discutent des frictions. Les gens ne sont pas directement pointés
mais… Disons que c'est beaucoup de pinaillage. Mais si le directeur général
demande s'il y a des questions, il n'y en aura pas. Quelques employés répondent au nom des autres.

Durant les réunions, ils insistent beaucoup sur « tu ne mâches pas de la
gomme » ou plein de détails, comme le beau sourire, la façon d'aborder le
client, tout cela. Puis ils nous disent quand c'est bien parfois. S'il y a vraiment
un problème, ils font des rencontres individuelles. Mais il faut le dire, ici on
est vraiment informés par rapport à d'autres caisses. Si le directeur a une information, il fait une réunion le lendemain et on est au courant.

Les tensions et les frustrations sont davantage palpables à la caisse du
Nord comparativement à l'autre. Il faut dire que la direction en demande

peut-être plus au personnel de cette caisse-pilote pour le projet de réingénierie, comme pour plusieurs autres avant. Afin d'améliorer encore la qualité du service au membre, la direction a par exemple choisi de modifier les horaires de travail et de rendre son personnel disponible deux soirs de la semaine jusqu'à huit heures. Ce changement ne convient pas aux employés plus âgés ou ayant une famille, puisqu'ils jugent être déjà suffisamment engagés dans les cours du soir qu'on leur recommande d'ailleurs fortement. C'est l'un des rares moments où ils se félicitent d'avoir encore un syndicat, qui les a au moins dispensés, pour cette année, de l'ouverture les fins de semaine. À ces réactions d'insatisfaction les cadres et les dirigeants opposent une argumentation sur la qualité et les nouvelles formes d'organisation du travail en demeurant convaincus que ces tensions finissent toujours par s'estomper. Le directeur de la caisse du Nord possède en effet la réputation de pouvoir transmettre sa vision très positive et enthousiaste du changement.

> Et puis, ça ne me choque pas, moi, lorsque les insatisfactions sont exprimées. Pour moi, c'est normal, ça fait partie du quotidien [...]. Puis, c'est comme dans les journaux. On ne parle jamais des bonnes choses. C'est la vie. Lorsque les employés sont contents, ils trouvent ça normal. S'ils sont insatisfaits, ils se mettent à crier. Ce n'est pas nécessairement synonyme de problème grave. (Directeur de la caisse du Nord.)

Cette différence dans le dynamisme des caisses et dans le nombre de projets dans lesquels elles s'engagent peut ainsi avoir une incidence sur les exigences de la direction envers le personnel, sur les conditions et les horaires de travail et sur la manière de gérer l'emploi et le développement humain et professionnel. La caisse de l'Est a moins de projets innovateurs à son actif et tout semble se dérouler beaucoup plus lentement et selon les normes explicites et implicites de fonctionnement. Les discours entourant les mécanismes de promotion ou d'embauche contiennent des termes renvoyant plus à l'ancienneté qu'au rendement. La formation est liée moins à la vision du dirigeant ou aux changements à venir qu'à un bien ou un mal nécessaire. Les processus de consultation semblent facilités par leur contenu moins novateur. Les employés de la caisse de l'Est paraissent déjà un peu plus effrayés par les changements d'organisation du travail qui s'imposeront bientôt, bien qu'ils en entendent encore peu parler comparativement à l'autre caisse.

> Ici, à la caisse [du Nord], les employés ont hâte aux changements. C'est parce qu'ils sont préparés longtemps à l'avance. C'est eux, ensuite, qui nous pressent. Tout cela est volontaire. Je leur ai, par exemple, présenté le projet d'être caisse-pilote pour la réingénierie avant même de le présenter au conseil d'administration. Les employés ont envie d'embarquer dans ce temps-là. Puis, les changements, c'est inscrit dans la culture de la caisse. Ça ne leur fait pas peur. On a toujours été pionniers des changements, et tout s'est toujours bien passé, sans accrocs, sans licenciements. On leur rappelle souvent. (Directeur de la caisse du Nord.)

Le conseil d'administration de la caisse de l'Est est perçu de la même façon par les employés : il est plutôt effacé, peu énergique ou innovateur, assez lent.

> Ici, je pense que le conseil est homogène. Il y a peut-être une prédominance du président. En tout cas, c'est bien facile de rallier les gens à une décision. Avant, les rôles respectifs du conseil et de la direction n'ont peut-être pas toujours été clairs. Maintenant, c'est très clarifié. C'est bien normal que le conseil soit au courant des décisions du directeur général et de pourquoi elles ont été prises. Ça a déjà mal été. Le conseil s'est peut-être rendu compte qu'il n'avait pas toute l'information qu'il aurait dû avoir. (Directeur de la caisse de l'Est.)

> Le président du conseil siège depuis 30 ans au conseil d'administration. Il est à la présidence depuis cinq ans. J'ai l'impression que la dynamique du conseil, ici, c'est 20 % de membres actifs, 70 % de non actifs et un 10 % qui ne parle pas beaucoup mais émet des idées en dernier. (Employé de la caisse de l'Est.)

De toute manière, bien peu de gens connaissaient les membres de ce conseil avant l'arrivée du directeur actuellement en place. Maintenant, une politique stipule qu'au moins un membre du conseil doit être présent à l'occasion de tout événement spécial, comme le départ d'un employé, par exemple. La caisse populaire du Nord ne possède pas de telle politique. Le personnel y est toutefois beaucoup plus à même de parler du conseil d'administration, tout simplement parce que sa présence « se sent davantage ». Les contributions de ce conseil ont longtemps été le seul fait du président. Depuis deux ans, l'ensemble des membres contribuent à la dynamisation du conseil d'administration.

> Ici, on ne connaît pas trop le conseil mais on sent son dynamisme, il me semble. Je ne sais pas comment se passent les réunions, mais j'ai une idée de la dynamique dans le conseil. Il y a beaucoup de jeunes maintenant. Ça a créé du dynamisme. Je crois vraiment que le dynamisme vient du directeur général et du conseil. (Membre du personnel de la caisse du Nord.)

Le cas Irving Samuel/
Jean-Claude Poitras*

Linda Rouleau

Assis près de la fenêtre, une revue à la main, Jean-Claude Poitras, designer très connu au Québec, est fébrile et songeur. Il a rendez-vous avec une journaliste qui désire faire avec lui le bilan de son expérience de créateur et d'homme d'affaires. Depuis ses débuts dans l'industrie de la mode, il a été associé à divers partenaires, mais de toutes les expériences qu'il a vécues, c'est probablement celle de son association avec le manufacturier canadien de vêtements pour dames haut de gamme Irving Samuel qui l'a le plus marqué. Dans son esprit, c'est comme si c'était hier... Pendant quelques instants, il se remémore la situation.

LA FUSION

Designer connu au Québec, Jean-Claude Poitras signe depuis plus de 20 ans des vêtements haut de gamme. En 1987, le créateur devient entrepreneur. Après avoir créé pour différents manufacturiers, il fonde, avec l'aide d'un ami, sa propre entreprise de création, Poitras Design, dont le but premier est d'assurer l'image du produit et de contrôler tout ce qui se fait sous la griffe Poitras. Dès le départ, l'aventure s'annonce prometteuse, de sorte que, quelques mois plus tard, l'entreprise obtient un prêt de démarrage et un prêt de R & D de la Société de développement industriel du Québec (SDI). L'année suivante, avec l'aide d'un ami spécialisé en courtage, une SPEQ¹ est formée pour renforcer la capitalisation de l'entreprise. En peu de temps, les ventes quadruplent et de nombreux accords de licence sont négociés. Toutefois, l'entreprise continue de subir des pertes et connaît de nombreux problèmes de production.

En novembre 1989, le Fonds de solidarité des travailleurs du Québec (FSTQ) devient actionnaire de Poitras Design. Le FSTQ est une société de

---

* Ce cas est tiré de Linda Rouleau, « La structuration sociale de l'activité stratégique : le cas Irving Samuel/Jean-Claude Poitras », thèse de doctorat, Montréal, École des HEC, 1995.

1. Il s'agit d'une société de placement dans l'entreprise québécoise. Les SPEQ ont pour but de recueillir du capital de risque dans les PME en permettant à leurs actionnaires de profiter d'importantes déductions d'impôts.

capital de risque dont l'existence a été rendue possible grâce à un programme gouvernemental de déduction d'impôt. Associé à l'une des plus importantes centrales syndicales du Québec, le FSTQ défend aussi des objectifs de développement social. Ses dirigeants appartiennent à la deuxième génération des grands commis de l'État dont l'ascension tient au développement des petites entreprises québécoises par le biais de la coopération. Au début des années 90, les experts qui y travaillent sont jeunes, étant tout droit sortis des écoles de commerce et d'administration.

En plus de ses problèmes de capitalisation, Poitras Design, dont la production se fait par sous-traitance, éprouve des difficultés sur le plan de la qualité et des délais de livraison. Dans le but d'y remédier, l'achat d'Irving Samuel paraît être pour tous les acteurs concernés la solution idéale. Fondé dans les années 40, Irving Samuel est une entreprise manufacturière de confection de vêtements pour dames haut de gamme parmi les plus réputées du Canada. De l'avis de son propriétaire, Samuel Workman, l'entreprise est devenue, à la fin des années 80, un *fashion dinosaur* en mal de renouveau et de relève. D'une part, elle est toujours à la recherche de nouvelles occasions d'affaires qui permettraient de soutenir ses collections maison dont la production devient de moins en moins rentable. D'autre part, M. Workman a dépassé l'âge de la retraite. Il y a bien le vice-président directeur de l'entreprise, Barry Bly, qui convoite la direction de l'entreprise, mais il ne possède pas les capitaux suffisants pour s'en porter acquéreur seul. Pour le Fonds, c'est l'occasion rêvée de faire une « maison de mode internationale », soit un exemple de développement économique qui permettrait à la fois de propulser le designer vedette et de favoriser le passage de l'industrie du vêtement vers l'industrie de la mode. En novembre 1990, le vice-président directeur d'Irving Samuel Canada et les actionnaires de Poitras Design se regroupent pour former une nouvelle entreprise, Irving Samuel/Jean-Claude Poitras, dont le capital-actions se répartit comme suit : le FSTQ, 45 % ; Barry Bly, 32 % ; Jean-Claude Poitras, 13 %, et un actionnaire privé, 10 %.

Dans la réalité, la fusion tarde à se faire. Dès le départ, les négociations pour la répartition de la propriété sont ardues. À ce propos, Barry Bly, le nouveau président d'Irving Samuel/Jean-Claude Poitras, dira : « Dès le début, j'ai clairement senti la différence. C'était l'envers de ce qui se passait au Québec jusqu'à il y a 20 ans. J'étais la minorité anglophone juive dans un monde francophone. C'était l'envers des choses et c'est toujours resté comme ça. » Pour JCP et son équipe, l'installation dans les locaux de l'entreprise manufacturière n'est pas chose facile. Poitras Design devient une division d'IS que le nouveau président s'empresse de rationaliser tant au chapitre du nombre des produits qu'au chapitre des personnes qui composent le groupe. Ainsi, le designer se retrouve avec une équipe réduite, et la collection de vêtements Poitras prend aux yeux de plusieurs dans l'entreprise le statut d'une collection d'appoint.

Résultat, les problèmes de production qu'on croyait résolus du fait de l'association de Poitras Design avec une entreprise manufacturière ne sont aucunement résorbés. En effet, les premières saisons de production donnent lieu à de nombreux retards dans la livraison et le contrôle de la qualité laisse à désirer.

LES PLANS

Jusqu'à leur fusion, les deux entreprises, chacune à sa manière, avaient fonctionné selon la vision de leurs dirigeants. Samuel Workman était un homme d'affaires intransigeant qui ne travaillait qu'avec des tissus rigides de grande qualité et pour qui l'industrie du vêtement n'avait plus de secrets. L'entreprise était reconnue pour la qualité de ses manteaux et la sobriété de sa collection de prêt-à-porter haut de gamme pour femmes. De son côté, Jean-Claude Poitras, créateur reconnu dans le milieu de la mode, possédait non seulement l'art de mettre en valeur les tissus fluides et souples mais aussi l'art du spectacle. Depuis ses débuts dans l'industrie de la mode, il rêve de créer et de diffuser un style qui porte sa griffe dans le haut ou le moyen de gamme (collection hommes, collection femmes, collection accessoires, etc.). Dans les deux cas, la destinée de l'entreprise tenait en grande partie à la performance et à la mise en scène de celui qui en était le personnage principal. L'arrivée du Fonds vient compliquer les choses… Désormais, la vision de la nouvelle entreprise devra tenir dans des plans.

Au moment de la fusion en novembre 1990, Barry Bly réunit à l'extérieur de la ville tous les gestionnaires de l'entreprise afin d'établir ce qu'il appelle alors un « plan de jeu ». Il s'agit d'élaborer un plan stratégique maison dans lequel on cherche à établir un consensus sur ce qu'est la mission de la nouvelle entreprise, son environnement de même que ses forces et ses faiblesses. L'exercice se veut également une séance de motivation pour relever les nouveaux défis. Au sortir de la réunion, le président formalise un certain nombre de réflexions et dresse la liste de différents projets ponctuels qui devront être réalisés dans les mois suivants. Le plan est ensuite déposé au FSTQ, mais il fait l'objet de peu de suivi.

Dès la deuxième année d'activités cependant, le « jeu » ne se déroule pas comme prévu. La nouvelle entreprise éprouve des difficultés financières. Cette fois, l'actionnaire privé, un expert en finances travaillant au sein du Mouvement Desjardins, rédige en collaboration avec Barry Bly un « programme d'ajustement financier » qui devrait suffire à calmer les angoisses financières des experts chargés de surveiller le dossier. Toutefois, la situation continue de se détériorer.

De nouveaux investissements sont faits par la SDI et le FSTQ à condition de resserrer la gestion de l'entreprise. De plus, le FSTQ mandate, à l'automne

1992, une firme de consultants pour effectuer l'audit marketing de l'entreprise. Il s'agit d'une firme qui exécute régulièrement des contrats pour le FSTQ et qui a déjà réalisé des travaux pour des entreprises appartenant à divers sous-secteurs de la mode (par exemple, l'esthétique). Des études de marché sont menées pour la clientèle d'Irving Samuel et pour celle de Jean-Claude Poitras, à partir desquelles un « plan stratégique et marketing » est proposé. Ce dernier remet en question les compétences du président et de la designer d'IS. D'une part, on s'inquiète du type de gestion autocratique qu'exerce le président et de son entêtement à vouloir maintenir à tout prix la collection maison telle qu'elle a toujours été pensée. D'autre part, on se questionne sur la capacité de la designer à créer une collection qui se distingue véritablement sur un marché où la compétition est principalement européenne. S'appuyant sur les difficultés que connaît le vêtement haut de gamme pour femmes au début des années 90, le plan propose de modifier la vocation de l'entreprise en diminuant la gamme de produits et en mettant l'accent sur la distribution plutôt que sur la fabrication. Une crise de confiance éclate entre Barry Bly et le consultant principal de la firme.

En janvier 1993, un nouveau consultant est mandaté par le FSTQ pour faire une contre-expertise. Ingénieur de formation, celui-ci a quitté le monde des affaires pour se lancer dans la consultation auprès des petites entreprises. Dans le diagnostic qu'il établit, tout en tentant de réhabiliter la compétence des gestionnaires en place, il propose de rationaliser le secteur de la production. Comme il n'est pas question pour le FSTQ d'éliminer des emplois, le consultant est invité à poursuivre son investigation. En collaboration avec les représentants syndicaux de l'entreprise, il réussit finalement à présenter un « plan de redressement ». D'une part, ce plan propose un ensemble de mesures visant à diminuer la gamme de produits et à renouveler leur distribution (par exemple, préparation d'une collection diffusion JCP, préparation d'une campagne de publicité, etc.). D'autre part, il implique le resserrement des conditions de travail des employés à la suite d'une analyse des méthodes de production (par exemple, réduire les coûts des heures supplémentaires et diminuer d'une semaine les vacances d'été, etc.).

LA FORMATION D'UN COMITÉ DE GESTION

Il est rare que les employés participent aux processus de prise de décision qui ont cours dans le contexte d'un exercice de planification stratégique. À première vue d'ailleurs, la fusion ne semble pas avoir d'effets sur les rapports entre la direction et le syndicat. Cependant, le plan de redressement proposé par le consultant au printemps 1993 est entériné par le comité de gestion de l'entreprise où siègent le représentant syndical et le permanent de l'Union internationale des ouvriers du vêtement pour dames (UIOVD). Voilà qui contribue à modifier les rapports de force dans l'entreprise.

Au début des années 90, l'entreprise manufacturière Irving Samuel compte plus d'une centaine d'employés dont la plupart sont des femmes d'origine italienne qui ont plusieurs années de métier dans l'industrie. Il s'agit d'ouvrières spécialisées et la qualité de leur travail continue de faire la réputation de l'entreprise. Comme dans plusieurs entreprises manufacturières de vêtements, le directeur de la production exerce un contrôle absolu sur les activités de production. Malgré tout, les relations patronales–syndicales sont peu conflictuelles. En dépit du fait que l'application de la convention donne lieu à de nombreuses discussions enflammées entre le directeur de la production et le représentant syndical, l'un et l'autre finissent toujours par trouver un terrain d'entente qui, en dernière instance, respecte les zones de pouvoir de chacun.

Lorsque les agents de formation du FSTQ proposent la création d'un comité de communications dans l'entreprise, le projet suscite peu d'intérêt, tant du côté de la direction que du côté du syndicat. Entre la fusion et le moment où est élaboré le plan de redressement, les choses ont cependant changé. Un nouveau permanent syndical, que la problématique de la participation des travailleurs n'embarrasse pas, entre en fonction et réussit à faire embaucher chez IS/JCP un coupeur, membre du comité directeur de la section québécoise de l'UIOVD. Sans tambour ni trompette, ce dernier prend en main le règlement des conflits internes et gagne la confiance des travailleurs dans l'entreprise.

Au moment où le consultant propose d'éliminer un certain nombre d'emplois, tout est en place pour faire bouger les choses et modifier les rapports de force dans l'entreprise. Les experts du FSTQ exigent la formation d'un comité de gestion, dont le consultant et la direction doivent être membres, dans le but d'assurer la survie de l'entreprise. La situation est délicate. La préparation de la prochaine collection est compromise. Les parties s'entendent sur la nécessité de faire appel aux employés.

Le problème qui se pose alors est de faire accepter aux employés un resserrement de leurs conditions de travail sans ouvrir la convention collective. Le coupeur prend en main l'organisation de la consultation auprès de ces derniers. Celle-ci se fait par petits groupes, selon l'origine ethnique et le poste occupé dans l'entreprise. Au premier abord, les ouvrières se montrent réticentes devant le projet. Le coupeur négocie auprès du directeur de production la possibilité que les heures supplémentaires non payées soient faites sur une base volontaire. Pour rassurer les couturières, il exige que les demandes de travail supplémentaire passent par lui afin d'éviter les abus. Ainsi, elles finissent par se ranger du côté des demandes syndicales. Chacun sait que désormais les rapports de force ne seront plus jamais les mêmes…

Quelques semaines plus tard, le coupeur est élu président du syndicat de l'entreprise. En août 1993, Barry Bly quitte l'entreprise qui essuie une perte de plus de deux millions de dollars. Le Fonds nomme alors le consultant en place à la tête de la direction en même temps qu'il investit pour la relance de l'entreprise.

LA PRÉPARATION D'UNE NOUVELLE COLLECTION DIFFUSION

L'une des mesures les plus importantes qui résulte de ce plan de redressement consiste dans la préparation d'une collection diffusion JCP, alors que la mission de l'entreprise était traditionnellement axée vers la création de vêtements haut de gamme. Cette mesure concrétise la nouvelle orientation de l'entreprise, soit celle d'étendre la gamme de produits vers le bas. La difficulté qui se pose alors est d'apprendre à faire autrement ce qu'on a toujours fait de la même manière.

Sur le conseil de l'expert du FSTQ, une directrice des ventes s'ajoute à l'équipe déjà en place pour préparer la nouvelle collection. Selon celle-ci, « pour vendre une collection, il faut lui donner une âme ». C'est pourquoi, tout au long de la préparation de la collection, la nouvelle directrice s'adonne à la composition du message à transmettre au moment de la présentation de la collection.

Tout d'abord, en côtoyant le designer JCP et son adjointe, elle assimile la manière de parler de la collection. Chaque jour, son vocabulaire s'enrichit d'expressions qu'emploie régulièrement le designer pour décrire ce qu'il désire que la collection soit (par exemple, « un *look* plus près de la réalité de tous les jours », « une collection sans compromis, à petits prix » ; « j'ai ressuscité cette collection parce que les gens m'ont dit : on t'a tant aimé quand t'as dit *Bof* » !). En même temps que ces expressions rappellent les collections précédentes, elles permettent à la nouvelle directrice des ventes de sélectionner les aspects sur lesquels elle doit insister pour mettre en valeur la collection auprès de la clientèle.

Ensuite, avant de présenter la collection, la directrice des ventes se met à la recherche d'éléments qui puissent permettre de recréer dans le *showroom* l'atmosphère de la collection. Ainsi utilise-t-elle musique et jeux de lumière pour « bien communiquer le message de cette collection et réveiller le rêve chez l'autre ». Elle va même jusqu'à recomposer sa propre image en fonction du message qu'elle veut transmettre. Bien qu'elle n'ait pas l'habitude de porter les collections qu'elle offre, cette fois elle entend bien modifier son image dans le but avoué de projeter celle de la nouvelle femme JCP à ses clientes.

De plus, il revient à la nouvelle directrice des ventes de composer le message à transmettre au moment de la présentation de la collection, c'est-à-dire qu'elle doit désigner les différents groupes de la collection et en donner une description relevant d'une poétique de la mode qui convienne à chacun d'eux. Elle choisit de désigner les groupes de la collection en tant que « fleurs d'un lieu » : fleur des villes, fleur des îles, fleur du désert. Chaque description reflète l'idée d'un vêtement qui ne choque pas, qu'on aime porter en toute occasion et qui est remarquable par son caractère indémodable. Comme la nouvelle directrice le dit elle-même, ce qu'elle cherche à faire, c'est concrétiser de manière symbolique les efforts de son équipe pour « enlever l'étiquette de vêtement "flyé" portable juste par des grandes minces qui est souvent associée à ce que JCP fait ».

DU COMITÉ DE GESTION À LA FERMETURE

À titre de président de l'entreprise, le consultant modifie en profondeur l'équipe de direction et introduit de nouvelles formes d'organisation du travail (par exemple, un système de travail modulaire). En dépit de cela, l'entreprise ne réussit pas à devenir rentable. Un an plus tard, le directeur des mandats spéciaux du FSTQ prend la relève dans le dossier. Après quelques mois d'activités, il propose un nouveau plan qui, une fois de plus, nécessite la participation des employés. Ceux-ci refusent de faire encore une fois les frais des difficultés de l'entreprise. Le 3 février 1995, Irving Samuel/Jean-Claude Poitras fait faillite. Dans les journaux, le président du FSTQ fait la remarque suivante : « La mission du Fonds est de préserver des emplois mais pas contre la volonté des travailleurs. Si ceux-ci cessent de se battre, il faut s'incliner. »

Quelques années plus tard, la plupart des protagonistes qui se trouvent au centre de cette histoire continuent de faire les beaux jours de l'industrie. Barry Bly assume la gestion d'une autre entreprise de vêtements. La collection diffusion JCP est toujours sur le marché. La nouvelle vendeuse a ouvert une agence de ventes. Plusieurs employés ont pris leur retraite, d'autres ont été embauchés dans des entreprises de sous-traitance.

*
*   *

En se remémorant tout cela, Jean-Claude Poitras ne peut s'empêcher de s'interroger une fois de plus sur ce qui s'est passé... Plusieurs questions le préoccupent : Comment expliquer que cinq ans après la fusion, alors que nous étions tous convaincus que nous avions tous les ingrédients pour faire de l'association Irving Samuel/Jean-Claude Poitras un grand succès, l'entreprise ait fermé ses portes ? Pourquoi la fusion n'a-t-elle jamais vraiment eu lieu ? L'extension de la gamme de produits vers le bas était-elle une bonne stratégie ? Comment expliquer ce qui s'est passé à la lumière des transformations de l'industrie du vêtement ? Songeur, il continue de tourner machinalement quelques pages de la revue qu'il est en train de feuilleter. Un article sur l'industrie du vêtement à Montréal a tôt fait d'attirer son attention...

LA PETITE HISTOIRE DE L'INDUSTRIE DU VÊTEMENT À MONTRÉAL

C'est à Montréal que naît et progresse l'industrie du vêtement au Canada. À ses débuts, l'industrie du vêtement est spécialisée surtout dans la confection de vêtements pour hommes. Dans la deuxième moitié du XIXe siècle, l'industrie du vêtement se caractérise principalement par l'existence d'un système de travail à domicile établi suivant un régime de sous-traitance par les marchands anglophones qui commencent à faire la distribution en gros de vêtements dans les autres provinces. À cette période, cette industrie emploie le cinquième de la main-d'œuvre de l'industrie manufacturière et contribue pour environ 15 % à la valeur de la production de l'industrie manufacturière globale. Ce sont de petits entrepreneurs locaux d'origine canadienne-française qui assurent les liens entre les marchands britanniques et les travailleuses en atelier ou à domicile. Au tournant du siècle, de plus en plus de gens d'origine juive récemment arrivés d'Europe remplissent ce rôle pendant que certains d'entre eux ouvrent des ateliers de confection aux environs des rues de Bleury et Sainte-Catherine.

Au début du siècle, l'industrie du vêtement connaît une forte croissance. Dans les années 30, le vêtement pour dames devient le sous-secteur le plus important de l'industrie du vêtement. Entre 1920 et 1930, la valeur brute de la production augmente de 30 %. Au cours de cette période, la forte immigration en provenance d'Europe de l'Est fournit une main-d'œuvre de choix pour l'essor du vêtement pour dames, qui requiert des connaissances particulières. En effet, parmi la population active juive qui concentre ses activités dans le vêtement, plusieurs ont été tailleurs dans leur pays d'origine. Durant la crise, de nombreux tailleurs de métier et d'origine juive réussissent, par le biais de la sous-traitance, à modifier leur position dans l'industrie. Avec la croissance amenée par la Deuxième Guerre mondiale, ils deviennent propriétaires d'ateliers ou de petites manufactures qui se situent principalement sur l'axe du boulevard Saint-Laurent, centre du principal réservoir de main-d'œuvre de la ville.

De la Deuxième Guerre mondiale jusqu'au milieu des années 70, c'est l'âge d'or de l'industrie et, par conséquent, celui de la manufacture de vêtements. L'augmentation de la demande qui suit la fin de la guerre provoque une forte croissance dans l'industrie qui s'explique par une réduction importante des coûts de confection et une diversification de la production. Durant la première partie de cette période, plusieurs entrepreneurs réussissent à établir des liens durables et prévisibles avec les distributeurs. Désormais, l'industrie va reposer sur un système de commandes fermes et de longue série qui se traduit par la préparation de deux collections annuelles. On assiste aussi durant cette période à la spécialisation de la production dans le vêtement pour hommes, de sorte que plusieurs entreprises se spécialisent dans la production de chemises, de pantalons, de jeans, etc.

Durant cette période, la composition sociale de l'industrie se diversifie. Depuis les années 30, le Canada accueille de plus en plus d'immigrants en provenance du sud de l'Italie. Plusieurs d'entre eux possèdent des compétences dans l'industrie du vêtement qui sont bienvenues compte tenu de la diminution du nombre d'ouvriers juifs qualifiés. La venue des Italiens dans l'industrie du vêtement facilite l'embauche des femmes italiennes comme couturières qui, de plus en plus, remplacent les ouvrières d'origine canadienne-française et juive. Avec la relance économique qui suit le deuxième conflit mondial, une partie de l'industrie se déplace vers les lieux laissés vacants par les usines de guerre : le secteur Saint-Laurent–Chabanel.

Au milieu des années 70, l'industrie du vêtement entre en crise, crise qui persiste jusqu'à nos jours. L'augmentation continue des importations et les transformations dans les habitudes vestimentaires sont les principaux facteurs qui contribuent à déstabiliser l'industrie. La conjugaison de ces phénomènes modifie les liens établis durant la période précédente entre les manufacturiers et les distributeurs. Dans l'ensemble, les détaillants exigent des produits diversifiés et acceptent de moins en moins de couvrir le risque lié à des produits si peu stables. De plus en plus, les détaillants commandent en petites séries le plus tard possible dans la saison, usant au maximum des possibilités de réapprovisionnement. En outre, les changements dans les habitudes vestimentaires entraînent une diversification des produits demandés et permettent aux jeunes et talentueux créateurs de faire leur place.

Il en résulte de nombreuses fermetures d'usines et des réaménagements importants dans le rôle des manufacturiers au sein de l'industrie. Certains s'orientent vers les importations pendant que ceux qui restent se voient contraints de confier une part de leur production à des sous-traitants locaux ou internationaux. Chose certaine, ceux qui restent ont tendance à mettre plus d'effort dans la distribution et les services reliés au design.

Le caractère ethnique du travail dans l'industrie se complexifie durant cette période. D'abord, la relève des entrepreneurs juifs dans le vêtement devient de plus en plus rare. C'est l'arrivée massive de Juifs francophones appartenant à un univers culturel arabe et venant surtout du Maroc qui assure la continuité de la tradition juive au sein de l'industrie. Toutefois, avec la venue de nombreuses autres communautés culturelles durant cette période, le caractère ethnique du capital tend à se diversifier. Dans le contexte de ces transformations, on observe une plus grande proportion de francophones qui remplissent des fonctions de service (design, gestion, ventes, etc.).

L'industrie du vêtement au Québec, comme au Canada, fonctionne de plus en plus suivant une double dynamique selon laquelle, à côté d'entreprises viables et en expansion, coexistent des réseaux de sous-traitants et de travailleurs autonomes. Au Québec, plus du quart des entreprises engagées dans la confection de vêtements font de la sous-traitance. Il s'agit de petites entre-prises qui, par le biais du travail en atelier ou à domicile, ont recours à une main-d'œuvre captive qui connaît des conditions de travail difficiles. L'immigra-tion massive de cette période renforce cette tendance. Les nouveaux arrivants, qu'ils soient d'origine grecque, haïtienne, indochinoise, indopakistanaise, etc., constituent le nouveau réservoir de main-d'œuvre domestique qui assure aux entreprises manufacturières la flexibilité dont elles ont besoin pour faire face aux nouvelles exigences de la demande dans un contexte de concurrence internationale. Devant ces changements, l'État tente de faciliter l'adaptation de l'industrie en l'orientant vers la mode, soit vers la création de valeur ajoutée.

* *
* *

Au terme de sa lecture, Jean-Claude Poitras se remémore le profil des per-sonnes avec qui il a travaillé à cette époque (voir l'annexe). Soudain, il entend la journaliste qui s'approche... Quelques minutes plus tard, l'entrevue débute.

Annexe

Barry Bly, président

Année d'entrée :	1985
Nombre d'années :	8
Âge :	42
Sexe :	M
Appartenance ethnique :	Anglophone d'origine juive

Postes occupés dans l'entreprise

1985-1990	Vice-président marketing (bras droit de M. Workman)
1990-1993	Président-directeur général
	Actionnaire (32 %) ; départ de l'entreprise en août

Formation

M.B.A., Université du Michigan

Expérience

1972-1975	Directeur de comptes au siège social d'une grande banque
1975-1977	Gestionnaire chez un manufacturier de vêtements pour enfants
1977-1985	Vice-président finances et exploitation chez un manufacturier de vêtements pour dames (grandes tailles)

Associations

- Membre du conseil d'administration de l'Institut des manufacturiers du vêtement du Québec (AMIQ)
- Membre du Tariff Rate Quota Allocation Committee of the Canadian Apparel Manufacturers Institute
- Membre du Marketing Committee of the Canadian Apparel Federation
- Membre du comité en faveur des changements dans le système de décrets en vigueur dans l'industrie du vêtement au Québec

Jean-Claude Poitras, vice-président directeur

Année d'entrée :	1990
Nombre d'années :	3
Âge :	42
Sexe :	M
Appartenance ethnique :	Francophone d'origine québécoise

Postes occupés dans l'entreprise

1990-1993	Designer et responsable de la division JCP
	Actionnaire de l'entreprise

Formation

1966-1968	École des métiers commerciaux
1968-1969	École privée de dessin publicitaire

Expérience

1969-1970	Création d'un atelier (Parenthèse) dans le Vieux-Montréal
1971-1975	Acheteur et directeur d'une boutique pour Eaton
1976-1983	Création de *Bof* pour Beverini
1984-1988	JCP pour *Ronsard Sport* chez Frank Importations ; licences avec International Trademark et avec Amsel et Amsel
1987-1990	Poitras Design

Prix

1982	Moda del Amo (Californie)
1987	Woolmark
1989	Fil d'Or Canada (Confédération internationale du lin et du chanvre)
1990	Designer de l'année (Québec)
1991	Créateur préféré des lectrices de *Elle*

Consultant, nouveau président

Division :	IS/JCP
Année d'entrée :	1993
Nombre d'années :	Nouveau (6e génération)
Âge :	47
Sexe :	M
Appartenance ethnique :	Francophone d'origine française

Postes occupés dans l'entreprise

Janvier 1993	Mandaté par le FSTQ pour établir un diagnostic de la situation et préparer un plan d'affaires
Septembre 1993	Après le départ du président, Barry Bly, le FSTQ nomme le consultant président-directeur général d'IS/JCP

Formation

1963-1968	B.Sc.A — Ingénieur civil Toulouse, France
1966-1968	M.Sc. — Option hydraulique Université de Sherbrooke
1969-1971	M.B.A. — Option finances Université de Sherbrooke

Expérience

1971-1973	Directeur de projets — investissements étrangers, ministère de l'Industrie et du Commerce
1973-1974	Directeur général, nouvelle compagnie fabriquant du matériel de décoration
1974-1984	Directeur de district, puis directeur de la région de l'est du Québec, grande entreprise de distribution de produits pétroliers
1984-1990	Vice-président marketing et affaires internationales, compagnie privée distribuant des composants électroniques
1990-1992	Président, chef de l'exploitation, société publique distribuant des équipements de plein air
1990...	Principal actionnaire, entreprise de fabrication de meubles pour hôtels, restaurants et centres pour personnes âgées

Directeur de la production

Division :	IS
Année d'entrée :	1969
Nombre d'années :	24
Âge :	54
Sexe :	M
Appartenance ethnique :	Anglophone d'origine italienne (famille de tailleurs au Canada depuis les années 50)

Postes occupés dans l'entreprise

1969-1970	Coupeur (*cutter*)
1970-1985	Chef des coupeurs (*head cutter*)
1985-1990	Directeur de la production (*production manager*)
1990-1993	Vice-président de la production

Formation

Inconnue

Expérience

1957-1969	Chef coupeur dans une autre entreprise

Nouvelle directrice des ventes

Division :	JCP
Année d'entrée :	1993
Nombre d'années :	Nouvelle (6e génération)
Âge :	35
Sexe :	F
Appartenance ethnique :	Francophone d'origine québécoise

Postes occupés dans l'entreprise

À compter de juin 1993	Responsable des ventes de la collection *Diffusion*
Automne 1993	Directrice des ventes de la division JCP

Formation

Ve secondaire

Expérience

1983	Vendeuse pour un designer canadien
1983-1987	Représentante des ventes pour la collection *Ronsard Sport* (JCP)
1987-1993	Directrice des ventes (Canada et États-Unis) pour une entreprise de vêtements d'allure décontractée pour dames